Drömmarnas land

Tamara McKinley

Drömmarnas land

Översättning Louise Thulin

Forum

Tidigare utgivning
Matildas sista vals
Jakaranda
Stormblomma
Den svarta opalen
I stormens öga

Bokförlaget Forum, Box 70321, 107 23 Stockholm
www.forum.se

Engelska originalets titel Dreamscapes
Copyright © Tamara McKinley 2005
Omslagsbild Richard Jones/Allied Artists Ltd.
Omslagsdesign Anders Timrén
Satt hos Ljungbergs sätteri i Köping
med 11/13 Caslon 540
Tryckt 2005 hos ScandBook AB, Smedjebacken
på 80 g tf bokpapper 1,5
ISBN 91-37-12639-3

Ja, hela världen är en skådebana,
där män och kvinnor är aktörerna.
Allt är bestämt: sortier och entréer;
envar har flera roller i sitt liv.

Som ni behagar av William Shakespeare,
översättning Allan Bergstrand

1

1921

Det var högsommar. De sex vagnarna, som var målade i starka nyanser av rött, grönt och gult, skumpade långsamt fram längs en smal, slingrande jordväg som skar genom hjärtat av den australiska vildmarken. På sidorna kunde man läsa orden *Summers varieté* i klarröda bokstäver, och varje vagn drogs av en stadig shirehäst vars rödbruna hårrem och silkeslena hovskägg glänste i solen. Det kringresande varietésällskapet hade hållit ihop i över ett år och skulle nu göra en avstickare till Charleville innan de styrde kosan norrut för att tillbringa vintern vid Queenslands kust.

Velda Summers satt bredvid sin make på kuskbocken och försökte att inte låtsas om den molande smärtan i ryggen. Den skumpiga färden gjorde henne illamående, och hon önskade att de snart vore framme. "Hur långt kvar är det nu?" undrade hon.

Declan vred på huvudet och såg bekymrat på henne. "Det är femte gången nu på morgonen du frågar", påpekade han med sin varma röst som brukade slå an på kvinnorna i publiken. "Mår du inte bra?"

Velda lade händerna på sin stora mage. "Jag tror inte babyn gillar att bli omskakad, och det gör inte jag heller", svarade hon retligt. Hon betraktade honom genom ögonfransarna och försökte sig på ett blekt leende.

Declans mörka hår föll ner i pannan, och det glittrade i de bruna ögonen. "Vi är nästan framme." Han log ömt mot henne. "Du kan vila medan vi andra gör oss i ordning för paraden."

Velda suckade djupt och försökte hitta en bekvämare ställning på den hårda kuskbocken. Hon hade inget annat val än att sitta där och lida, och inte ens en kudde bakom korsryggen lindrade smärtan. Hon slickade svetten från överläppen och drog i klänningen. Den tunna bomullen klibbade fast vid ryggen, och trots den bredbrättade hatt hon alltid bar för att skydda ansiktet mot solen började hon få ont i huvudet.

Hettan var tryckande, och det gick inte att undfly den, inte ens när träden utestängde det skarpa solskenet. Flugor och mygg svärmade omkring dem i stora moln, och det surrande ljudet från miljontals insekter genljöd i huvudet. Velda hade tappat orken, slokade likt de ljusgröna eukalyptusbladen och tänkte med saknad på de svala, dimmiga morgnarna hemma på Irland: doften av regn i gräset, dånet av bränningar mot de svarta klipporna och den fräna lukten av torv som brann i spisen.

"Du ångrar dig väl inte?" frågade Declan och klatschade till shirehästens breda rygg med tömmarna för att få den att gå fortare.

Velda sköt ifrån sig de svekfulla tankarna på Irland. De dök bara upp i svaga stunder, och hon visste att hon skulle följa sin make till jordens ände även om där var både hett och obekvämt. Hon såg den innerliga kärlek som lyste i hans ögon och log mot honom. "Aldrig i livet", viskade hon. "Inte kunde jag låta dig resa ända hit ensam."

Declan verkade nöjd med svaret, och efter att ha kysst henne på kinden riktade han åter uppmärksamheten framåt.

Velda betraktade de ändlösa vidderna av solblekt gräs och roströd jord, och trots sina modiga ord kände hon åter den djupt rotade rädsla som alltid lurade i bakhuvudet. De befann sig så långt från civilisationen och var så ensamma. Tänk om något skulle gå på tok den här gången med? Australien var ett vilt land som väckte fruktan även hos de modigaste, och fast hon hade Declan till stöd och hjälp fanns det stunder då hon önskade att de aldrig hade kommit dit.

Tårarna skymde sikten, och Velda bet sig i läppen då hon tänkte på den ensamma lilla grav de lämnat året innan. Hennes första baby hade fötts för tidigt och inte levt tillräckligt länge för att dra andan. Förmodligen skulle de aldrig mer komma tillbaka dit igen, och med tiden skulle hennes lille sons sista viloplats utplånas av väder och vind och vegetation tills det inte fanns minsta tecken på att han ens existerat.

Velda blinkade bort tårarna och kämpade stoiskt för att stå emot känslan av ensamhet och längtan efter modern. Hon hade gjort sitt val och gift sig med Declan i vetskap om att hon aldrig mer skulle få se Irlands kuster. De hade gett sig ut på äventyr, på jakt efter ett nytt liv och kanske även berömmelse och rikedom. Det var för sent att ångra någonting.

Solen stod högt på himlen då den lilla karavanen körde in i en glänta och började slå läger. Det var tre kilometer till Charleville, och sällskapet måste göra sig i ordning för den stora parad som var deras chans att få fart på affärerna. Under paraden delade de ut reklamblad och gav folk lite försmak av vad de skulle få se om de betalade två pence i inträdesavgift.

Declan lyfte ner Velda från kuskbocken och ställde henne försiktigt på marken. "Jag har lagt ut en filt och några kuddar under eukalyptusträdet där borta. Lägg dig och vila medan jag försöker få ordning på den här oregerliga samlingen."

Velda strök honom över kinden, såg oron för henne och deras oföd-da barn i hans blick. "Har jag någonsin talat om att jag älskar dig?" undrade hon och hade helt glömt bort sin tidigare retlighet.

"Många gånger, min älskling", mumlade han med läpparna mot hennes, "men jag tröttnar aldrig på att höra det."

De kysstes och kramades försiktigt medan babyn rörde sig mellan dem. Så var han borta, stegade in i cirkeln av vagnar och delade ut order till alla som ville lyssna med sin djupa, fylliga röst som genljöd i stillheten.

"Herregud! Hur orkar han?" stönade Poppy och tog Velda under armen.

Velda log och masserade ryggen. Både hon och den lilla balettflick-an från Londons slum var tjugotvå år gamla och hade blivit goda vänner under året som gått. "Han vill bara att allt ska bli klart", påminde hon.

"Kom, så ska vi se till att du får vila lite. Du ser helt utmattad ut."

I sitt stilla sinne medgav Velda att hon inte mådde bra. "Jag önskar att jag hade hälften av din energi, Poppy. Besväras du inte av hettan?"

Det blonderade håret skimrade i solen och fräknarna på näsan syntes tydligt då Poppy skrattade. "När man har upplevt tjugo vintrar i London är det ljuvligt med värme. Jag kan inte få nog."

Försiktigt tog de sig över nedfallna grenar och genom högt, torrt gräs. Eukalyptusträdet bredde ut sina grenar över en bäck som sling-rade fram mellan busksnåren och porlande rann över blanka små-stenar. Äntligen kunde Velda slappna av. Med Poppy vid sin sida och Declans melodiska röst i öronen kände hon sig lugn och trygg. Det här barnet skulle födas i en riktig säng med en doktor till hands. De hade pengar, för folk här ute i småstäderna var svältfödda på underhållning, och publiken hade strömmat till deras föreställningar.

Velda tog av sig den bredbrättade hatten, som var prydd med siden-rosor och röda band, och skakade ut sitt långa, svarta hår som nådde nästan ända ner till midjan. Det var svalare här vid bäcken där solskenet strilade ner genom lövverket. Hon skulle inte uppträda nå-got mer förrän barnet var fött, och det var underbart att sitta där sysslolös i skuggan och se andra slita. Ändå kände hon ett styng av längtan efter att få vara med truppen, för hon var artist – sopran – och scenen var hennes liv. Den kvällen skulle hon sakna applåderna, ramp-ljuset och upphetsningen i att spela för en ny publik.

"Jag vet nog vad du tänker", sa Poppy medan hon gjorde det bekvämt för Velda på filten, "men det dröjer allt ett tag innan du får stå på scenen igen. Det är lika bra att du tar en tupplur och spelar fin dam för omväxlings skull."

Velda kramade hennes hand. "Tack."

Poppy skrattade. Utan de tjocka lagren av smink såg hon ut att vara högst sexton år gammal. "Det är bäst jag sätter i gång, annars börjar väl din karlslok skrika åt mig igen."

Velda såg henne skynda tillbaka till vagnarna och log. Poppy var aldrig stilla och tycktes den magra kroppen till trots vara lika stark och seg som en häst. Declan hade för länge sedan insett att Poppy alltid gjorde precis som hon själv ville, och han hade gett upp alla försök att hålla henne i schack.

Med ryggen stödd mot kuddarna sparkade Velda av sig skorna och satte ner fötterna i det iskalla vattnet medan hon såg de andra göra sig i ordning för paraden. Som vanligt körde Poppy med balettflickorna, och hennes gälla röst och hesa skratt genljöd i lägret. Jonglörer, musi-ker och akrobater repeterade och Max, komikern, höll på att plocka fram den rekvisita han behövde för kvällens föreställning. Hans lilla terrier Fläcken gick och nosade i gräset, och alla spännande dofter fick svansen att gå som en trumpinne.

Velda log då Fläcken fick syn på henne och med tungan hängande ut ur munnen kom fram för att bli kliad bakom öronen. Namnet pas-sade hunden perfekt, för han hade en svart fläck runt ena ögat och en annan på länden. Hon gav Fläcken en klapp på huvudet och sköt hon-om sedan ifrån sig. I dag orkade hon inte med hans energiska krum-språng.

Vagnarna hade spolats av med vatten som hämtats med hinkar i

10

bäcken, och nu glänste de skinande rena. Komedins och tragedins vita masker glimmade spökligt mot den mörkgröna målarfärgen och påminde varietésällskapet om att de upprätthöll en urgammal tradition som visserligen förändrats genom åren men aldrig upphörde att trollbinda dem som vigt sitt liv åt att föra detta kulturarv vidare.

Hästarna hade fått mat och vatten och blivit ryktade tills de rödbruna hårremmarna och vita manarna sken. Plymer prydde deras huvuden, seldonen blänkte av mässing, och små silverklockor dinglade i de röda schabraken. Med sin svarta fläck runt ögat liknade Fläcken en sjörövare där han dansande på bakbenen ståtade med sitt paljettprydda halsband och försökte vinna artisternas beundran.

Det låg en återhållen upprymdhet i luften då scenkostymer och höga hattar plockades fram ur koffertar och korgar och borstades av. Under prat och skratt putsade männen och kvinnorna skor och blåste av solfjädrar som blivit dammiga trots att de packats omsorgsfullt. Man lade kraftig makeup, rättade till volanger och fjädrar och försäkrade sig om att inga maskor hade gått på strumporna. Rekvisitan inspekterades, och de reklamblad som tryckts i senast besökta stad fördelades bland truppens medlemmar för att spridas under den stora paraden.

Velda lutade sig mot kuddarna. Smärtan hade avtagit, och de spräckliga skuggorna och det kluckande vattnet gjorde henne dåsig. Det var ljuvligt att slippa sitta i den skumpiga vagnen och bli omskakad.

Hon suckade belåtet. Balettflickorna pladdrade och gnabbades medan de fluffade upp sina färggranna kjolar och trängdes framför den enda helfigursspegeln. Solen reflekterades i strassmycken, och plymer vajade då de böjde på huvudet och slogs om läppstiften. De påminde henne om fåglar i färggranna fjäderdräkter och stjärtfjädrar som pilade hit och dit och aldrig var still.

Några dundrande trumslag väckte henne och hon satte sig yrvaket upp. Hon hade inte tänkt somna, och nu verkade det som om truppen var redo att marschera in till staden.

”Stanna här och vila”, uppmanade Declan och satte sig på huk bredvid henne.

”Aldrig i livet”, protesterade hon samtidigt som hon sträckte sig efter skorna och mödosamt tog sig upp på benen. Hon mötte hans kärleksfulla blick och kunde inte låta bli att kyssa honom. ”Showen

11

måste gå vidare, vet du väl?" skämtade hon. "Hittills har jag aldrig missat en parad, och jag tänker inte göra det nu heller."

Declan såg tveksam ut, men hon tog beslutet ur hans händer genom att barfota marschera genom gräset och klättra upp på kuskbocken. Sömnen hade vederkvickt henne, och smärtan var helt borta. Hon tog tömmarna, såg på honom och log. "Kom nu, det är föreställning i kväll!"

Charleville var en knutpunkt i ödemarken, och lederna dit hade trampats upp av tidiga pionjärer och upptäcktsresanden. De dammiga gatorna var breda, en kvarleva från den tid då oxspann bestående av femton par oxar drog enorma vagnar lastade med ullbalar genom staden på väg till marknaderna i Brisbane. Det var en välmående stad med ett hotell i varje hörn. Hotellen vände sig främst till boskapsskötare och fårfösare som drev sina hjordar till den lilla viktorianska järnvägsstationen varifrån djuren skickades österut med tåg.

Staden omgavs av flera hundra tusen tunnland prima betesmark och skog som bevattnades av otaliga underjordiska källor och djupa vattenhål. Här var ull och kött viktigare än allt annat, och många stora jordägare hade blivit rika efter första världskriget. För deras pengar hade man fått överbyggda trätrottoarer och butiker, två kyrkor, en polisstation och en kapplöpningsbana.

Det flottaste hotellet var Coronas som främst frekventerades av vildmarkens aristokrati: boskapsuppfödarna. Det var en elegant, viktoriansk byggnad med en skuggig veranda som hade utsikt över den stora genomfartsleden. Matsalen var panelklädd med grova ekbjälkar i taket, och bord stod dukade med snövita linnedukar och nypolerat silver under kristallkronorna som var importerade från Frankrike.

Receptionen var en lugn oas med djupa fåtöljer, tiffanylampor och blankbonade golv. En trappa upp hade alla de luxuösa sovrummen sitt eget badrum – en nyhet som fick ortsbefolkningen att göra stora ögon – och de vette mot den breda balkong som löpte längs hotellets framsida. Här i skuggan kunde boskapsuppfödarna sitta i rottingstolar, röka cigarrer och dricka öl och whisky medan de tittade ut över den lilla stad som de med sådan stolthet kallade sin. Flera av rummen hyrdes permanent, så att vildmarksaristokratin och deras familjer kunde komma in till staden när helst de önskade och alltid ha en bekväm säng att sova i.

Coronas var ett berömt landmärke, och den stora salen bakom

hotellet var en populär lokal att ha fester i. Initierade påstod att där ofta förekom både utsvävningar och sedeslöshet. Salen var lång och bred med en scen i ena änden, och det var där det kringresande varietésällskapet skulle uppträda några kvällar.

De befann sig i utkanten av staden, och Velda kände adrenalinet rinna till där hon satt med tömmarna i handen och väntade på signalen om att paraden skulle börja. Förelöpare hade redan tillkännagett deras ankomst, och den nervösa, upprymda spänningen höll på att nå kokpunkten medan hästarnas svettades och slängde med plymerna, Fläcken dansade i cirklar, och artisterna rättade till kostymerna och gjorde sig redo.

Declan kastade en slängkyss åt henne innan han rättade till frackrocken och kände på flugan. Efter en handsignal till musikerna ledde han paraden in i staden. Trumma och säckpipa, tamburin, flöjt, dragspel och violin ackompanjerade deras långsamma och majestätiska intåg. Hästarna gick med höga steg och rev upp dammet med sina stora hovar, och de höll huvudet högt som om de visste att de uppträdde. Balettflickorna lyfte på kjolarna och visade upp välformade ben, akrobaterna slog kullerbyttor och hjulade i sina vita trikåer, jonglörerna jonglerade med bollar och klubbor, och Declans mäktiga baryton överröstade alltihop med sin sång.

Folket i Charleville kantade gatan och tittade förundrat på medan barnen sprang längs vagnarna och försökte fånga karamellerna som Velda och de andra kuskarna kastade åt dem. Männen hängde över balkongräckena och ropade oanständigheter åt balettflickorna medan kvinnorna beundrade akrobaternas muskler och vinkade med näsdukarna åt Declan. Allt oväsen fick de hästar som stod bundna vid tjuderräckena att trampa oroligt eller sparka bakut, och flera hundar sprang framför fötterna på dem som gick i paraden och skällde och gläfste åt de märkliga synerna och dofterna. Fläcken morrade och visade tänderna, beredd att jaga i väg inkräktarna och visa dem att han minsann inte var någon lätt motståndare trots det paljettprydda halsbandet.

Paraden stannade mitt i staden, och Declan klättrade upp i vagnen bredvid Velda. Med en elegant gest tog han av sig den höga hatten och fick tyst på både musiken och folkmassan. "Charleville-bor!" ropade han med dånande röst där han stod på kuskbocken. "Det är oss en glädje att för er muntration och förnöjelse få visa upp våra fabu-

13

lösa konster." Han gjorde en paus; tajmning var allt i showbusiness. "Vår illustre illusionist ska illustrera sin inkomparabla inlevelseförmåga och sina infinita insikter i det immateriella."

Velda log då hon hörde stadsbornas häpna och överväldigade utrop. Declan kunde alltid fängsla publiken med sitt tungvrickande ceremonimästarnummer. Ingen anade hur svårt det var att finna de rätta orden, att sätta ihop och framföra dem med sådan säkerhet och bravur.

Medan Declan eldade upp publiken och fick folk att applådera hänfört flämtade Velda till. Smärtan hade plötsligt kommit tillbaka, satt längre ner nu och kändes som ett skruvstäd kring nedre delen av magen. Händerna som höll i tömmarna darrade, och hon slickade svetten från överläppen. Pulsen slog snabbt, hon hade yrsel och ville bara komma därifrån. Hon längtade efter att få lägga sig ner men måste sitta kvar på den hårda kuskbocken i det skarpa solskenet. Det var deras enda tillfälle att locka folk till föreställningen, och hon var fånge, instängd mellan vagnar, hästar och människor. Hon tittade på de andra i truppen som ålade sig fram genom hopen och delade ut reklamblad och ballonger. Det skulle inte hålla på länge till, upprepade hon för sig själv då minuterna släpade sig fram.

Till slut sjönk Declan ner på kuskbocken under dånande applåder. Efter en snabb, orolig blick på Velda tog han tömmarna och ledde paraden fram till den breda inkörsporten vid sidan om hotell Coronas. Kullerstensgården ekade av de tunga vagnshjulen och klappret från hästhovarna, och solen stod lågt på himlen och skymdes av den höga byggnaden. Velda svettades, och värkarna som rev och slet i kroppen fick henne att kippa efter andan. Hon stödde sig tungt på Declan då han hjälpte henne ner från vagnen och in i svalkan i den stora salen.

"Jag kanske borde hämta doktorn?" sa han medan Poppy och han gjorde det bekvämt för Velda på några kuddar i ett hörn.

Velda nickade. "Det skulle kännas tryggare", medgav hon. "Vi vill ju inte förlora det här barnet med." Hon märkte smärtan i hans blick och tvingade sig att le. "Det är säkert bara falskt alarm, men det är väl ändå bäst att vara på den säkra sidan?"

Declan slets uppenbarligen mellan ansvaret för hustrun och sina plikter mot artisttruppen som var mitt uppe i en hetsig diskussion.

Med armarna i kors betraktade Poppy henne. "Du ser rätt medtagen ut", konstaterade hon. "Hämta doktorn innan barnet kommer, Declan!"

14

"Ja, gör det", instämde Velda med en fasthet som fick maken att hastigt stega ut ur salen. "Och du måste ta i på skarpen mot flickorna, Poppy. Nu grälar de igen."

Poppy gjorde en grimas. "Som vanligt med andra ord. De dumma kossorna vet inte hur bra de har det."

Velda kunde inte låta bli att le. Poppy skrädde aldrig orden och struntade blankt i takt och god ton. "Brygg en kopp te först, är du bussig."

Poppy log med hela ansiktet. "Ska bli på eviga momangen." Med vajande kjolar och klapprande klackar marscherade hon i väg över trägolvet. Hennes stämma överröstade de andra balettflickornas då hon beordrade dem att leta reda på kastrullen och primusköket bland alla koffertar och korgar.

Med slutna ögon sträckte Velda ut sig på kuddarna och hörde artisterna klaga på loge och toalett och slåss om utrymmet medan de packade upp sina attiraljer. Det kändes ljuvligt att få ligga ner och slippa kaoset.

Så småningom kom Declan tillbaka, och han såg bister ut. "Doktorn är ute på sjukbesök", upplyste han, "men väntas tillbaka till stan när som helst." Han tog Veldas hand och förde den till sina läppar. "Det ordnar sig, älskling. Jag lovar."

Velda kände paniken stiga. Hur kunde han vara så säker på den saken? Tänk om något gick snett? Hon hade inte långt till tårarna och ville helst skrika och bråka och kräva att doktorn skulle komma, men hon visste att det inte tjänade någonting till. Hon och Declan var hjälplöst utlämnade åt ödet.

"Jag klarar mig", försäkrade hon så övertygande hon förmådde under omständigheterna. "Ta hand om truppen. Poppy sköter om mig."

Han kysste henne på kinden, tvekade lite och lämnade henne då Poppy kom med en kopp te.

"Var är doktorn?" frågade hon, och de blå ögonen var mörka av ängslan.

"Han är borta på sjukbesök", upplyste Velda med en grimas. "Jag tror det är allvar den här gången", tillade hon och tog Poppy i handen. "Spring över till hotellet och fråga om doktorn väntas snart eller om det finns någon annan som kan hjälpa till. Men säg inget till Declan förrän vi vet säkert, för jag vill inte att han ska oroa sig i onödan."

"Som du vill", svarade Poppy men såg inte ut att hålla med.

15

Velda nickade eftertryckligt. "Declan har nog med bekymmer, och du vet ju hur han är. Han kan ingenting om förlossningar och skulle bara gripas av panik."

Poppy skakade upp kuddarna innan hon gick. Velda drack teet, och allt eftersom minuterna gick började hon tro att hon gjort för stor affär av saken. Värkarna hade avtagit lika plötsligt som de börjat, och bortsett från att hon kände sig slak var det inget större fel på henne. Men det skadade ändå inte att ha en doktor i närheten ifall värkarna satte i gång igen, resonerade hon.

En stund senare kom Poppy tillbaka, varm och svettig. "Doktorn är fortfarande borta, men han väntas hem i kväll", meddelade hon andfått. "Jag blev tvungen att springa till hans hus som ligger i andra änden av stan, men hans fru var hemskt rar och sa att hon skulle skicka hit honom i samma stund han kom tillbaka."

Velda smälte nyheten och insåg att det inte var mycket hon kunde göra. Värkarna hade ju upphört, och de befann sig åtminstone inte ute i ödemarken. Den här gången hade hon större chans att föda ett levande barn. Hon avgjorde att hon fått nog av att vara sysslolös och tog sig trots Poppys protester upp på benen. "Jag vill vara till nytta", förkunnade hon. "Jag kan inte sitta med armarna i kors när det finns så mycket att göra, och jag måste skingra tankarna."

Declan höll på med draperierna till ridån som de hade hittat i ett skåp bakom scenen, men då han hörde vad hon sa vände han sig om. "Stanna där!" beordrade han. "Här finns inget för dig att göra utom att ta hand om dig själv och barnet."

Velda protesterade men lät inte särskilt övertygande ens i sina egna öron, och när Declan vägrade lyssna sjönk hon tacksamt ner på kuddarna igen. Men trots att hon hade det bekvämt och njöt av att bli ompysslad var det med stigande frustration hon såg de andra förbereda kvällens föreställning. Hon borde hjälpa till med rekvisita och kostymer eller sopa scenen i stället för att ligga där och känna sig som en fet, övergödd katt.

Äntligen var det mesta klart i den stora salen. Hotellets plyschfåtöljer var placerade i prydliga rader, och de röda sammetsdraperierna i ridån såg tjusiga ut mot de nymålade vita väggarna. Strålkastarbelysningen, som redan var kopplad till den enorma generatorn på hotellets baksida, var ett under av modernitet jämfört med de gaslyktor de var vana vid.

Sist kom turen till Declans pult. Det var egentligen en predikstol som de fyndat vid renoveringen av en landsortskyrka och köpt för en spottstyver eller rättare sagt en sång; Declan hade gett en soloföreställning med sina favoritarior för den grupp hänförda kvinnor som skötte kyrkans finanser, och de hade mer än gärna låtit honom få den gamla predikstolen i utbyte.

Denna praktmöbel var stoppad med kapock och klädd med mörkröd sammet som pryddes av tjocka gyllene tränsar och stora dinglande guldtofsar. Den tunga möbeln baxades upp på ena sidan av scenen. Under föreställningen skulle Declan stå på pulten för att presentera artisternas nummer och med ordförandeklubban i högsta hugg underhålla publiken med sina väl inövade anföranden.

Doktorn syntes fortfarande inte till. Velda blev allt ängsligare, men det fanns inget att göra. Till slut tilläts hon att slå sig ner i en korgstol i logen där hon höll tankarna sysselsatta genom att medla i kontroverser, knyta band och rosetter och rent allmänt ha en lugnande inverkan på artisterna.

Mörkret föll snabbt i vildmarken. Lamporna tändes, spänningen steg och publiken började droppa in och inta sina platser. Orkestern var liten men skicklig, och till ackompanjemang av dragspel, piano och violin hade musikerna snart fått publiken att klappa i takt till sina favoritmelodier.

Velda hade hjälpt till så gott hon förmådde i logen där det var ont om svängrum eftersom så många människor trängdes på en liten yta. Hon hade lagat trasiga solfjädrar, sytt ihop maskor på strumpor, bilagt tvister, och nu var hon trött. Värkarna hade börjat på nytt och sköljde genom henne i obönhörliga vågor. Ändå visste hon att hon måste hålla sig uppe och inte låta någon se hur illa ställt det var. Showen måste gå vidare och artisterna fick inte störas. I värsta fall kunde hon smita ut under föreställningen och skaffa hjälp på hotellet, för Poppy hade försäkrat henne att doktorn var på väg.

Det upphetsade sorlet tilltog då ljuset dämpades och ridån drogs åt sidan. Poppy och de fem andra balettflickorna satte i gång med en vild cancan med höga bensparkar medan resten av truppen väntade i kulisserna. Föreställningen hade börjat.

Äntligen blev Velda ensam i den kvalmiga logen, och hon lyssnade till musiken och det dunkande ljudet av dansarnas fötter mot scengolvet. Hon kände den fräna lukten av kamfer blandad med damm liksom doften av smink och de parfymer som bars av kvinnorna i publiken. Hennes skärpta sinnen uppfattade att violinisten spelade en falsk ton, att den ledande balettflickan missade en entré och skulle ha kommit in två takter tidigare, och hon hörde surret från takfläkten som vispade runt den fuktiga luften till ingen nytta.

Declans röst genljöd i salen då han framförde sin monolog ur *Macbeth*. Velda lutade sig bakåt i korgstolen och flämtade till av smärta. Det var som om ett skruvstäd kramade allt hårdare och gjorde det svårt för henne att andas, som om hon befann sig i ett tomrum där inga ljud hördes, där hon inte kunde se eller uppfatta någonting utom den skärande smärtan.

Rädslan slog klorna i henne. Hon borde ha gått till hotellet tidigare och bett om hjälp, borde ha lyssnat till kroppens varningssignaler och inte utsatt sitt ofödda barn för risker för en föreställnings skull. Hon försökte ropa och göra sig hörd, men publiken skrattade och klappade i händerna, och rösten drunknade i oväsendet. Andetagen var korta och häftiga då hon mödosamt tog sig upp ur stolen och fortsatte ut i den trånga korridor som förde till kulisserna. Om hon bara kunde påkalla någons uppmärksamhet skulle allt ordna sig, tänkte hon. Annars fick hon klara det själv och skulle i bästa fall hinna fram till hotellet i tid.

"Hur kunde du vara så dum?" flämtade hon förebrående till sig själv.

Flickorna kom ut från scenen och var nära att springa omkull henne. "Velda?" Poppy fick tag i hennes arm och hindrade henne från att ramla.

"Det har satt i gång", väste Velda. "Skaffa hjälp! Snabbt."

Som alltid i krissituationer tog Poppy befälet. Det var en förståndig flicka som inte hade mycket till talang men var bländande vacker med perfekt figur. Dessutom var hon snäll och rar. Hon såg strängt på de andra fem flickorna och började i viskande ton dela ut instruktioner. En flicka störtade i väg till hotellet medan de andra hjälptes åt att bära in Velda i logen igen. En bädd ställdes i ordning på golvet med hjälp av gamla gardiner, kuddar och snattade lakan som Poppy förvarade underst i sin korg med scenkostymer.

Velda visste att Poppy var tjuvaktig som en skata, men värkarna kom tätt nu, i våg efter våg, och det spelade henne ingen roll varifrån lakanen kom. Vattnet hade gått, och hon visste att det bara var en tids-

18

fråga innan barnet kom. Medan hon svettades och plågades och väntade på doktorn kunde hon höra Declan presentera Max och hans lilla hund. Ljudet av makens röst kändes lugnande, och hon försökte dämpa sina skrik för att inte förstöra föreställningen. Hon skulle klara det utan hans hjälp, intalade hon sig.

"Var är doktorn?" frågade hon flämtande och höll hårt i Poppys hand.

"Han har inte kommit tillbaka än", förklarade Poppy, och det vanligen så gladlynta ansiktet var bekymrat. "Det är tur att jag hjälpte mamma då alla mina småsyskon kom till världen. Jag vet precis vad man ska göra, och det går som en dans. Säg till när du är redo att krysta, så ska vi nog ha den lilla krabaten ute på nolltid."

Velda samlade sina sista krafter, tog i för kung och fosterland och kände barnet glida ut. Med en enda tanke i huvudet sjönk hon ner på den provisoriska bädden.

"Andas babyn?" undrade hon då Poppy klippte av navelsträngen och raskt svepte in barnet i en handduk.

Till svar lät babyn höra ett kraftigt skrik, fäktade med händerna i luften och sparkade med de små benen i protest mot den omilda behandlingen.

Heta tårar rann nedför kinderna på Velda då hon sträckte sig efter barnet. Både smärta och rädsla var som bortblåsta då hon fylld av obeskrivliga känslor höll den gastande lilla varelsen i sina armar.

Ljudet av dundrande steg i korridoren skvallrade om att Declan var på väg.

"Jag hörde en baby skrika", förklarade han samtidigt som han föll på knä och slog armarna om hustru och barn. "Varför sa du ingenting, käraste?"

"Showen måste gå vidare", svarade hon och log. "Vi har ju en tradition att upprätthålla."

Försiktigt tog Declan babyn i sin famn. "Och det ska göras enligt alla konstens regler", förkunnade han medan tårarna glänste i ögonen och strömmade nedför kinderna.

Velda visste vad han tänkte göra och tog sig mödosamt upp på benen. Utan att bry sig om flickornas protester stack hon armen under hans och följde tungt lutad mot honom med ut i kulisserna. Med en uppmuntrande nick stödde hon sig mot en vägg i den gamla byggnaden och såg Declan stega ut på scenen. Det rådde inget tvivel om att

19

hon hörde ihop med den mannen, tänkte hon, och nu var lyckan äntligen fullständig.

"Mina damer och herrar!" hördes Declans dånande röst där han stod i strålkastarskenet och höll upp babyn för publiken. "Tillåt mig att presentera Catriona Summers, den nya stjärnan i Summers varieté."

2

"*S*kynda dig! Vi åker nu."

Catriona vaknade upp ur drömmerierna och blinkade yrvaket mot modern. Hon hade varit så uppslukad av omgivningarnas skönhet att hon glömt allt annat. "Måste vi det?" frågade hon. "Jag trivs här."

Velda Summers gav dottern en snabb kram, och Catriona omslöts av slanka armar och blomdoftande parfym. "Jag vet, mitt hjärta, men vi måste fara vidare." Velda höll henne på armlängds avstånd och log. "Vi kommer säkert hit igen någon gång, men du vet ju hur det är."

Catriona suckade. Hon var född i en dammig loge under en föreställning i en liten småstad. Hennes vagga hade varit en korg för scenkostymer, hennes hem var en vagn målad i rött, grönt och gult, och hon hade tillbringat hela sitt tioåriga liv ute på de jordvägar som löpte kors och tvärs genom Australiens oändliga vildmark.

Varje nytt samhälle innebar ännu en föreställning som föregicks av repetitioner, kostymprovningar och misstänksamma blickar från ortsbefolkningen, som betraktade dem som tattare. Vännerna utgjordes av männen och kvinnorna i truppen, utbildningen ombesörjdes av fadern som tvingade henne att lära sig långa partier ur Shakespeares verk utantill och förväntade sig att hon skulle framföra dem på scenen den dag hon var gammal nog att uppträda inför publik.

Catriona hade vuxit upp med lukten av smink och svett och med ett kringflackande liv, men då och då längtade hon efter lugn och ro och tystnad, önskade att hon fick bo på en och samma plats i mer än några dagar utan högljudda balettflickor och artister. Tanken på skola och på vänner i hennes egen ålder kändes lockande, men hon visste att det bara var en dröm, för som föräldrarna ofta hade sagt var folk som de inte ämnade att leva ett vanligt liv. Hon skulle bli scenkonstnär och skilde sig därmed från de vanliga dödliga.

Catriona såg in i de violblå ögonen med de täta, svarta ögonfransarna och önskade att hon kunde berätta för modern om sina tankar. Men hon visste att om hon gjorde det skulle Velda bara avfärda dem som barnsliga dagdrömmar och mena att hon skulle bli besviken om de gick i uppfyllelse. "När kommer vi tillbaka hit?" envisades hon.

Velda ryckte på sina vackra axlar. "Snart", mumlade hon förstrött, och det var tydligt att hon hade tankarna på annat håll. "Kom", sa hon och försökte ta dotterns hand. "Annars ger de sig av utan oss."

Catriona tog ett steg åt sidan och undvek den utsträckta handen. Hon ville kasta en sista blick på gården nere i dalen. Runt omkring en gårdsplan låg välskötta ekonomibyggnader, och i skuggan av höga eukalyptusträd såg det lilla boningshuset trivsamt och välkomnande ut – som ett hem.

De befann sig utanför ett litet samhälle som hette Drum Creek. Bergskedjan Great Dividing Range syntes som en mörklila fläck vid horisonten, himlen var klar, och från sin utkikspunkt på en kulle kunde hon höra bruset av ett vattenfall. Hästar och kor gick och betade av det höga, gula gräset, och staketen lyste skarpt vita i solskenet. Rök steg upp ur skorstenen, och på ett streck hängde kläder på tork och fläktade i den varma brisen. Med ens skymdes sikten av tårar. Catriona drog ett djupt andetag och svor på att hon en dag skulle komma tillbaka och stanna för evigt.

Motvilligt vände hon sig bort och följde efter modern genom buskskogen tillbaka till gläntan där de kvällen före hade slagit läger. Hon svalde tårarna och besvikelsen och hjälpte snabbt till att lasta klart vagnen.

Declan Summers hade redan ryggat in shirehästen Jupiter mellan skaklarna, och det mörka håret föll ner i ögonen då han spände de breda läderremmarna. "Jag trodde du hade övergett oss, gumman!" ropade han med dånande stämma.

Catriona log då hon hivade in den sista korgen bak i vagnen. "Inte ännu", svarade hon.

Fadern stegade tvärs igenom gläntan och tog henne i famnen. "Det är tur att den dagen är långt borta", förkunnade han, "för vad skulle jag ta mig till utan min älsklingsflicka."

Catriona borrade in ansiktet i faderns skjorta och andades in hans ljuvliga lukt – väldoftande tvål, tobaksrök och hårolja – som var själva kvintessensen av den man hon avgudade. I den stunden var hon glad att hon inte hade några syskon, trots att föräldrarna beklagade det djupt.

22

Till slut släppte Declan henne och vände sig till artisterna i det kringresande varietésällskapet. "'Då ger vi oss av, med sinnena öppna för vad ödet har att bjuda; på väg mot nya mål och nya lagrar.'"

Det var inte första gången Catriona hörde fadern deklamera sitt favoritcitat av Longfellow. De orden yttrade han alltid innan de styrde kosan mot en ny ort. Ändå fick de henne att rysa av upphetsning och underströk känslan av att deras liv var ett enda stort äventyr.

Numera hade de bara fyra vagnar, och Catriona satt mellan föräldrarna på kuskbocken i täten för den lilla procession som långsamt rullade i väg. Artisttruppen var hennes familj, män och kvinnor som ständigt byttes ut men delade föräldrarnas passion för scenkonsten. Där fanns jonglörer, skådespelare och komiker, musiker, sångare och dansare, eldslukare och akrobater, och alla var villiga att ta på sig många olika roller för chansen att få glänsa i sitt eget speciella fack.

Catriona lutade sig mot ryggstödet och kände hjärtat fyllas av stolthet över familjen. Fadern kunde sjunga och deklamera och elda upp publiken med sina inspirerade presentationer av de olika numren. Modern var sopran och föreställningens stora stjärna; den enda som inte behövde vara med i baletten eller hjälpa trollkarlen.

Redan tidigt hade Catriona förstått att hon så småningom förväntades dra sitt strå till stacken. Trots att hon ibland kände sig sjuk av rädsla vid blotta tanken på att stå på scenen hade hon lärt sig flera danser av Poppy och kunde efter lång övning spela hyfsat på det gamla pianot som var fastsurrat vid den bakersta vagnen. Fast det hon tyckte allra bäst om var att spela skivor på den tunga vevgrammofonen och sjunga med. De flesta sångerna var ur operor på främmande språk, men modern hade förklarat vad de handlade om och fått henne att förstå passionen i musiken. Det var hennes stora ambition att gå i moderns fotspår och bli sopran.

Catriona lät tankarna löpa och gäspade medan vagnen skumpade vidare genom vildmarken. Hon hade inte fått sova särskilt mycket natten innan eftersom hon hållits vaken av en hetsig diskussion om för- och nackdelarna med att byta ut de hästdragna vagnarna mot lastbilar. Det var 1931, och till följd av depressionen var tiderna hårdare än någonsin. Men som fadern såg det hade de inte hängt med i utvecklingen och riskerade att bli tagna för simpelt cirkusfolk.

Diskussionens vågor hade gått höga runt lägerelden till långt in på natten, och Catriona kunde se logiken hos bägge sidor där hon låg insvept i filtarna längst bak i vagnen. Resorna skulle gå fortare med lastbilar, som dock var dyrare att underhålla än hästar. Men det gamla sättet hade ändå sin charm, och om de bytte skulle de få dras med nackdelarna och bli tvungna att sova i tält, för de hade inte råd med något annat.

Det fanns inte många hemligheter när man levde så tätt inpå varandra, och Catriona visste att förtjänsterna var dåliga, att numren började bli förlegade och att truppen krympte för var vecka som gick då ytterligare en artist gav sig i väg för att pröva lyckan på egen hand. Det blev allt svårare att fylla ens en liten lokal med publik, för folk hade inga pengar att slösa på nöjen.

Vagnen skakade till, och Catriona återfördes till nuet. Hon kastade en blick över axeln i hopp om att få en sista skymt av den magiska dalen, men den hade försvunnit utom synhåll bakom träden. Allt hon hade kvar var bilderna i huvudet och drömmen om att en gång få återvända dit.

Följande dag vid middagstid nådde de utkanterna av Lightning Ridge och slog läger. Här fanns ingen samlingslokal, så morgondagens föreställning skulle äga rum ute i det fria. Men de räknade inte med att göra någon större förtjänst, för de visste att opalletarna var ett fattigt släkte som i likhet med alla andra kände av de hårda tiderna.

Lightning Ridge var ett litet, avsides beläget samhälle där folk bodde i skjul byggda av tältduk, gamla fotogendunkar och vad de kunde få tag i. Runt varje opalgruva syntes mulor, hästar och kärror av allehanda slag. Överallt fanns grushögar, och där genljöd av slamret från rostiga block och taljor som forslade upp jorden ur marken. Det var en värld av förhoppningar och krossade drömmar, och det var med misstänksamma blickar och surmulna ansikten som männen såg truppen slå läger under träden en bit ifrån det största opalfältet.

Catriona hjälpte till med hästarna innan hon började packa upp kostymer och repetera det senaste sång- och dansnumret tillsammans med Poppy. Lightning Ridge var en underlig plats, tänkte hon medan hon övade på stegen och försökte koncentrera sig. Där luktade konstigt också, men fadern hade sagt att det berodde på svaveldammarna som gröna och mystiska låg bland klipporna. Här fanns varken floder, åar eller bäckar utan bara buskar och nakna klippor med tuvor av spretigt gräs som klängde sig fast i sprickor och skrevor. Men när Catriona höjde blicken och tittade ut över dalen såg hon den öde grässlätten breda ut sig miltals åt alla håll med vilda blommor som färg-klickar bland dungar av ljusgröna träd.

"Tänk på vad du gör med fötterna!" utbrast Poppy irriterat. "Det är tredje gången du dansar fel."

Catriona var utled på att öva. Hon kunde stegen och skulle göra rätt på föreställningen, men nu ville hon vara fri, springa längs klipporna och utforska svaveldammarna. Hon lade armarna i kors och trutade med munnen. "Jag är trött på att öva", klagade hon.

Poppy strök håret bakom öronen. De blonderade hårmassorna hade klippts av, och numera var frisyren modernt kort och permanentad med en lugg som hängde ner i de blå ögonen. "Jag antar att det inte spelar någon större roll", suckade hon. "Det här är ju inte Windmill Theatre precis."

Catriona älskade att höra om teatrarna i London och visste att det var lätt som en plätt att leda in Poppy på sidospår. "Har du någonsin dansat där?" frågade hon och slutade att ens låtsas repetera. Hon sjönk ner på en sten, tog en klunk ur vattensäcken och rynkade på näsan åt lädersmaken.

Poppy log och torkade svetten ur pannan. "Naturligtvis", svarade hon, satte sig bredvid Catriona och drack en slurk vatten. "Men bara en gång. Direktören upptäckte att jag hade ljugit om min ålder." Leendet blev bredare. "Jag var en stor flicka redan då, om du förstår vad jag menar." Hon kupade händerna om sina fylliga bröst och ska-kade dem. "Men någon skvallrade och talade om för direktören att jag bara var femton, och han gav mig sparken." Hon gjorde en grimas. "De hade sina regler, och jag borde vara i skolan i stället för att svas-sa omkring i underbyxorna inför en massa karlar."

Catrionas ögon vidgades. "I underbyxorna?" viskade hon. "Menar du att du inte hade några kläder på dig?"

Poppy lutade huvudet bakåt och skrattade. "Det stämmer, hjärtat mitt. Naken som en babystjärt, övre halvan åtminstone. Det enda som skyddade mig från lunginflammation var några fjädrar och lite paljet-ter. Du kan inte tro hur kallt det var i logerna, och draget på scenen var rent förskräckligt, det ven upp ..." Med ens tycktes hon komma ihåg hur ung hennes åhörare var och avbröt sig. "Det var tider det", avslutade hon.

Catriona försökte föreställa sig Poppy i fjädrar och underbyxor på en stor scen. Hon bet sig i läppen för att inte fnissa. Det var säkert bara en av Poppys rövarhistorier. "Du ångrar väl inte att du reser runt tillsammans med oss?"

"Jag är trettiotvå, så visst ångrar jag en del. Vildmarken är helt enkelt för stor och öde för en flicka." Hon tittade sig omkring innan hon åter fäste blicken på Catriona och suckade. "Snart är det nog dags att återgå till stadslivet. Jag börjar bli lite less på det här." Hon slog ut med armen och tycktes mena de vidsträckta vidderna. "Jag blir aldrig någon stor stjärna, och om jag inte aktar mig är jag snart för gammal att få man och barn."

Catriona fick en klump i halsen. Poppy hade alltid utgjort en del av hennes liv. Hon var som en andra mor och dessutom hennes bästa vän, och tanken på att hon skulle ge sig av kändes outhärdlig. "Du tänker väl ändå inte lämna oss på riktigt?" frågade hon sorgset.

De blå ögonen blev fjärrskådande då de blickade ut över slätten. "Vi måste alla fatta svåra beslut ibland, och jag kommer aldrig att hitta min drömprins här ute." Poppy lade armen om Catriona och gav henne en kram. "Men du behöver inte vara rädd för att jag ska försvinna utan att säga till dig först", sa hon, och trots alla år i Australien hördes Londondialekten lika tydligt som någonsin.

Catriona kurade ihop sig i den varma famnen. Poppy var en raring, och hon kunde inte ens föreställa sig livet utan henne. "Jag vill inte att du ska försvinna, och jag vägrar att låta dig göra det."

Poppy höll henne på armlängds avstånd och såg henne djupt i ögonen. "Jag behöver något mer än detta", förklarade hon mjukt. "Jag vill ha ett eget hem med man och barn." Hon skrattade till. "Och det lär jag inte få om jag kuskar omkring i en vagn bortom all ära och redlighet."

Catriona rös till. Det lät som om Poppy menade allvar med att ge sig av. "Men vart ska du ta vägen? Vad ska du ta dig till utan oss?"

Poppy reste sig och gled med händerna över den tunna bomullsklänningen, som nätt och jämnt nådde ner till knäna. "Det ordnar sig", sa hon med en suck. "Jag har klarat mig själv sedan jag var i din ålder, så du behöver inte oroa dig för mig." Hon sträckte fram handen och drog upp Catriona på fötter. "Nu måste vi repetera en sista gång innan din pappa kommer tillbaka och ger oss en avhyvling för att vi slösar bort tiden. Kom nu."

Catriona noterade att Poppy hade fått mer spänst i stegen och att det fanns en annan beslutsamhet i hennes sätt då de på nytt gick igenom dansnumret. Allt eftersom dagen fortskred började hon inse att Poppy måste få välja hur hon ville leva sitt liv, att det var själviskt att vilja ha henne kvar. Ändå kändes det svårt att föreställa sig Poppy någon annanstans, och det var tungt att behöva acceptera att familjen snabbt höll på att krympa.

Declan kom tillbaka från opalletarnas läger där han hade delat ut reklamblad. I sällskap hade han en lång och ljushårig man i hög hatt och med käpp med silverkrycka. Främlingens stiliga ansikte klövs av ett vänligt leende då han blev presenterad för truppen.

"Det här är Francis Kane", sa Declan. "Han ska visa var man kan hämta färskvatten."

"God afton, kära kollegor." Med en elegant gest lyfte mannen på hatten och vände sig till Velda. "Francis Albert Kane till er tjänst, min bästa fru." Främlingen bugade djupt över Veldas hand och kysste luften ovanför hennes fingrar.

"Kane är skådespelare", förklarade Declan för den förbryllade församlingen.

"Ack, käre vän, jag har gripits av opalfebern i dessa minst sagt ohälsosamma omgivningar, och min teaterkarriär ligger i träda." Han satte tillbaka den höga hatten på sitt ljusa huvud. "Som jag längtar efter att åter få beträda tiljorna!"

"Om du inte har något emot hårt arbete, enkel mat och låg lön får du gärna börja hos oss", erbjöd Declan.

"Käre vän." Kane höll händerna tryckta mot hjärtat tillräckligt länge för att försäkra sig om att han stod i centrum för allas uppmärksamhet. "Det är en ära."

Catriona iakttog honom. Det var inte bara det att hans sätt var onaturligt och tillgjort utan han talade också med en brytning som hon aldrig hört förut. Det lät som om han försökte prata med munnen full av plommon.

Poppy måste ha läst hennes tankar, för hon lutade sig närmare och viskade i Catrionas öra: "Han är engelsman och en sprätt, om jag inte tar fel."

"Han är rolig", fnissade Catriona.

Tankfullt betraktade Poppy nykomlingen. "Men det är något som inte stämmer. Vad gör en man som han här ute i obygden?" Hon skakade på huvudet. "Det är allt säkrast att vi håller ögonen på honom."

Catriona ryckte på axlarna. Kane fick alla att skratta, och det gillade hon. Poppy var alltid misstänksam mot nykomlingar i truppen. "Om pappa tycker om honom är det nog ingen fara."

"Han låter kanske som en skådespelare, men ingen jag känner klär sig på det viset, särskilt inte här ute."

Catriona hade tröttnat på samtalet. "Det är pappa som bestämmer. Jag tar en promenad. Vi ses senare."

Hon klättrade nedför en brant sluttning och började plocka bär på de taggbuskar som växte vid foten av smäckra trädstammar. Förtjust betraktade hon de färggranna fåglarna som tjattrande gjorde störtdykningar eller trängdes på grenarna. De påminde henne om Poppy och balettflickorna som delade vagn, för de klädde sig i starka färger även utanför scenen och slutade aldrig tjafsa och klaga.

När hon hade plockat tillräckligt med bär gick hon tillbaka till lägret och hjälpte till med kvällsmaten. Hon hackade grönsakerna och stjälpte sedan ner dem i en stor gryta med getkött som stod och puttrade på elden. Till det skulle de äta glödgräddat bröd och potatis som bakades i askan. Det fanns gott om förvildade getter i området, och deras komiker hade fångat tre stycken. De båda andra var flådda och saltade och hängde nu bak i hans vagn.

Fadern var borta någonstans tillsammans med Kane, och modern passade på att laga en del kläder medan det fortfarande fanns dagsljus. De hade bundit ihop framfötterna på hästarna som nu gick och betade av det torra gräset under slokande träd. Det var ovanligt tyst i lägret eftersom de flesta artisterna höll på att förbereda sig för föreställningen dagen därpå. Också Poppy och balettflickorna var sysselsatta med att gå igenom sina kostymer. För en gångs skull var deras röster lågmälda, och de verkade lite dämpade.

Catriona var enda barnet och hade alltid bara haft vuxna omkring sig som behandlade henne på samma sätt som de behandlade varandra. Fast hon kände sällan saknad efter andra barn. Hon lärde sig snabbt, läste mycket och dagdrömde gärna. Poppy var jämnårig med modern men var trots det hennes bästa vän, och under deras långa, viskande samtal bak i vagnen hade hon lärt sig en hel del om livet: också förvånande och chockerande saker, men de berättades alltid med glimten i ögat. Catriona bara skrattade och antog att det mesta var påhittat. Ändå trivdes hon bäst med sitt eget sällskap, och då hon såg att alla andra var upptagna beslöt hon sig för att hämta en filt och en bok och leta upp en avskild plats där hon kunde läsa i lugn och ro. Catriona lämnade lägret och bredde ut filten under ett träd med yvigt lövverk och nedhängande grenar, utom synhåll för de andra. Hon tog av sig allt utom underbyxorna, sparkade av skorna och låg sedan där och såg de spräckliga skuggorna strila ner över bröst och mage. En bris letade sig in till hennes gömställe och gjorde det ljuvligt svalt efter dagens hetta, och hon sträckte på sig och gäspade förnöjt. Nu visste hon precis hur en belåten katt kände sig.

Hon gav fantasin fritt spelrum, låtsades att hon var en sjöjungfru med lång, silverglänsande stjärt som hon använde för att ta sig ner till de mörkgröna djupen i havet. Hon hade aldrig sett havet på riktigt, bara på bild, men fadern hade berättat, och hon kunde föreställa sig hur det såg ut.

Med ens kände hon att hon inte längre var ensam och vaknade tvärt upp ur dagdrömmarna.

En bit ifrån henne syntes silhuetten av en man. Hon kunde inte urskilja hans drag, för han hade solen i ryggen. Men det var en främling, och hon rös till av obehag.

Catriona satte sig instinktivt upp och slog armarna om knäna. "Vem är du?" frågade hon och kisade mot solen. "Och vad gör du här?"

"Francis Albert Kane till er tjänst, *mademoiselle.*" Det var samma fylliga stämma och engelska brytning hon hört tidigare i lägret. "Skådespelare och historieberättare." Han bugade djupt och tog av sig hatten med samma svepande gest som förut.

Trots att han uppträdde vänligt kände hon sig illa till mods. Efter att i åratal ha klätt på och av sig inför de andra i truppen var hon inte blyg, men på sistone hade hon märkt hur kroppen förändrats och blev förlägen över att visa sig naken inför en främling. "Vänd dig bort medan jag klär på mig", beordrade hon.

Han plockade upp bomullsklänningen och räckte henne den innan han vände ryggen till och betraktade utsikten. "Skynda dig, nymf, och ta med dig glädje och ungdomlig gamman."

Catriona drog snabbt klänningen över huvudet. Kane var lång precis som fadern och i ungefär samma ålder, gissade hon. Men bortsett från att bägge gillade att citera poesi i tid och otid var de inte särskilt lika. Catriona ställde sig framför honom och såg upp i hans ansikte. Han var ljus och blåögd med prydlig mustasch och pipskägg, och då hon studerade honom närmare upptäckte hon att kostymen var ny och

29

skorna putsade. Poppy hade rätt. Det var en ovanlig klädsel för en opalletare, även om han i grund och botten var skådespelare.

Han betraktade henne med outgrundlig min. "Farväl, kära vän, farväl. Jag kan inte stanna längre. Jag hänger min luta i en tårpil och hoppas att allt ska gå dig väl."

Hon såg honom gå därifrån, bredaxlad och rak i ryggen, med käppen svängande i en elegant hand som inte tycktes ha gjort många handtag i livet. Han var en gåta och gjorde henne nyfiken, men det vore oklokt att lita på honom, för det fanns något hos Francis Albert Kane som inte stämde.

Allt var klart för morgondagens föreställning, och lägret hade kommit till ro för natten. Vagnen var lång och ganska smal med en säng längst fram som kunde fällas ner på kvällen. Catriona sov i andra änden på en madrass omgiven av korgar och lådor. Under vagnen fanns ett utrymme där man förvarade rekvisita och husgeråd, och i trätaket ovanför dem hängde muslinpåsar med peruker och masker. De var alldeles för värdefulla för att man skulle våga packa ner dem.

Velda smög sig intill Declan. På nätterna var det kallt här uppe bland bergen, och hon var tacksam för hans värme under filtarna. Men trots att hon var trött kunde hon inte somna. Oron för framtiden malde i tankarna, och inte ens en sådan vördnadsvärd person som Kane hade kunnat inge hopp. Deras sätt att leva hotades från två olika håll. Det var inte bara depressionen som långsamt tog livet av dem och tärde på energi och entusiasm, utan filmen hade också gjort sitt intåg. Ambulerande biografer erbjöd komedier och dramer som var omöjliga att gestalta på scenen. Det verkade som om ingen var intresserad av varieté längre.

Hon låg där i mörkret med huvudet på Declans arm medan han mjukt smekte hennes axel. De hade haft ändlösa diskussioner om vad som var bäst att göra, men det verkade som om det bara fanns en enda lösning. De måste ge upp sitt kringflackande liv och försöka hitta jobb vid teatrar i städerna, i värsta fall i någon depraverad revy. Hon rös av vämjelse. Ingen artist med självrespekt nedlät sig till det, och hon sopade hellre gator än uppträdde tillsammans med strippor och bondkomiker.

Som alltid tycktes Declan läsa hennes tankar. "Det ordnar sig", viskade han. "Kanske förebådar Kanes ankomst bättre tider."

30

Med tanke på att Catriona sov i andra änden av vagnen var Velda noga med att tala lågmält. "Han är mycket underhållande", instämde hon, "och det var länge sedan vi skrattade så hjärtligt."

Declan måste ha uppfattat tvivlet i rösten, för han drog henne intill sig och kysste henne på pannan. "Kane är en fantastisk historieberättare. Jag kan inte förstå varför han lämnade teatern."

Velda ändrade ställning och drog upp filten till hakan. Genom en springa i de tjocka gardiner som de drog för på nätterna kunde hon se stjärnhimlen och höra vinden susa i träden. "Vad har han berättat om sin bakgrund?" frågade hon när hon hade lagt sig till rätta i hans famn igen.

Declan småskrattade. "Ja, alla har de sin historia."

Han var tyst en stund, och Velda undrade vad han tänkte på. Många av de män och kvinnor som hade flackat omkring tillsammans med dem under åren hade varit på flykt från något eller någon, och hon visste att det fanns artister som hade hemligheter. Det var accepterat och ifrågasattes inte så länge de gjorde skäl för lönen och inte drog vanära över varietésällskapet. Men Kane var annorlunda, och Velda visste inte vad hon skulle tro.

"Vi hade ett långt samtal medan vi gick till fårfarmen och hämtade vatten. Självfallet kommer han från England, med den brytningen skulle han näppeligen kunna vara från något annat land." Velda hörde på Declan att han log. "Kane kom hit för flera år sedan på turné, och då han blev erbjuden anställning hos ett teatersällskap i Sydney stannade han kvar. Den lyckosten har uppträtt på alla de finaste teatrarna."

"Vad gör han då här i Lightning Ridge?"

"Det sa han ju. Han hade drabbats av opalfeber och ville pröva lyckan. Det hade tydligen gått bra på guldfälten, och därför beslöt han sig för att komma hit och leta opaler."

"Men varför vill han börja hos oss?" framhärdade hon. "Varför återvänder han inte till någon av de stora städerna om han har pengar?"

"Det frågade jag inte om. Du kan ju reglerna. Människor har rätt till sitt privatliv, och vi snokar aldrig."

Velda var långt ifrån nöjd. "Poppy litar inte på honom, och det gör inte jag heller. Han är inte en av oss."

Declan stödde sig på armbågen och betraktade henne. "Han är skådespelare, han har en faktisk repertoar som bevisar den saken, men

31

det bästa är att han har pengar på banken och inte kommer att begära lön så länge han turnerar med oss."

"Tycker du inte att det verkar lite väl genomskinligt?" undrade hon klentroget.

Declan lade sig på sidan och drog upp filten till öronen. "För ögonblicket passar det oss alldeles utmärkt, och du borde inte vara så misstänksam av dig. Karln har rätt att leva sitt liv så som honom lyster, och det är inte vår sak att ifrågasätta hans motiv."

Velda tyckte inte om det, men hon blev tvungen att böja sig för Declans beslut. Kanske skulle Kane bli till en välsignelse för dem, fast instinkten sa henne raka motsatsen.

Föreställningen skulle börja klockan elva på förmiddagen. Scenen bestod av en tillplattad jordplätt, och publiken skulle sitta på filtar i en halvcirkel framför. Presenningar och gamla sammetsdraperier var upphängda i träden för att ge intryck av kulisser. Declans pult såg sjabbig ut i det skarpa solskenet, och det gamla pianot som stod på en av vagnarna var ostämt. Men alla i den decimerade och dystra ensemblen var sminkade och klädda, redo att uppträda.

Tiden gick. Catriona såg fadern ta upp fickuret ur västfickan ett tiotal gånger innan de första åskådarna dök upp. Dessa män som levde på opalfälten utgjorde en underlig samling. De var magra, för att inte säga utmärglade, och deras trasor till kläder var ingrodda av smuts och svett till följd av slitet i de djupa opalgruvorna. Håret var långt och ovårdat, skägget nådde en bra bit ner på bröstet, och ingetdera såg ut att någonsin ha varit i närheten av tvål och vatten. De kom en och två i taget med nedslagna ögon och misstrogna blickar, betalade slanten i inträde och intog sina platser.

"Jag har sett lik som verkade mer levande", muttrade Poppy.

"I så fall måste vi liva upp dem." Kane log och snurrade på promenadkäppen. "Jag har redan dragit mitt strå till stacken genom att sälja mina sista ölflaskor till dem, så nu är det er tur, flickor. Visa dem vad ni kan." Han såg på Declan som nickade åt pianisten.

Vid första tonen dök de tre balettflickorna upp, dansade med glada tjut in på scenen där de började sitt nummer med höga bensparkar och virvlande kjolar.

Catriona iakttog karlarna. Åsynen av flickorna hade fått dem att kvickna till lite, och några av dem klappade flinande takten. Kanes förråd av öl hade gått åt som smör i solsken, vilket inte gjorde entusiasmen mindre. Bara det hela inte urartade, tänkte hon. Hon hade redan sett vad som kunde hända då publiken var berusad och ville helst slippa uppleva det igen. Den gången hade det utbrutit slagsmål, och fadern hade fått gå emellan och rädda några av flickorna.

När dansnumret var slut presenterades Max och hans lilla hund, som möttes av hånfulla gliringar och rop efter balettflickorna. Max lämnade scenen efter halva numret, och jonglörer och akrobater intog hans plats, men publiken lät sig inte nöja. Alkoholen hade börjat göra verkan, och männen hade ingen lust att höra Velda sjunga; hennes röst dränktes av busvisslingar och oanständiga kommentarer.

Hon gick av scenen och tog Catriona i handen. ”Du får inte uppträda i dag”, sa hon, ”för det här kan bli otrevligt. När din pappa är klar med recitationen ska flickorna framföra ett nummer till. Under tiden ska vi andra packa och vara redo att köra härifrån i samma stund numret är slut.”

Catriona hjälpte modern att packa och rygga in Jupiter mellan skaklarna. Velda stoppade de ynka slantar de gjort i förtjänst i en plåtburk och gömde den bland scenkostymerna. Så klättrade hon upp på kuskbocken och tog tömmarna. ”In i vagnen med dig!” beordrade hon. ”Och kom inte ut förrän jag säger till.”

Catriona satt bak i vagnen och kikade ut genom springan mellan de smala dörrarna. Balettflickorna var tillbaka på scenen, men bortsett från Kane och fadern hade alla artister tyst och försiktigt dragit sig undan. Två av dem höll på att baxa upp den tunga pulten i en vagn, och ansträngningen fick dem att svettas ymnigt i hettan, medan flickorna drog ut på sitt nummer för att vinna tid. Dammet revs upp av deras fötter då de svängde runt, och kjolarna lyftes högt så att opalletarna fick en skymt av välformade lår och vader, och männen visslade och hurrade och ville aldrig att de skulle sluta. Poppy kastade ängsliga blickar på Declan, väntade på signalen att lämna scenen och springa.

Declan tittade sig omkring och såg att allt var klart. Han nickade åt Kane, och de bägge männen stegade ut mitt på scenen. Det var vad flickorna hade väntat på, och de störtade mot vagnarna. Männen kom på fötter, svor och skrek att de lurats på pengar, och Declan försökte återställa ordningen. Men stämningen blev allt otäckare.

Med bultande hjärta följde Catriona händelseutvecklingen, och hon blev alldeles torr i munnen då de uppretade karlarna ställde sig i ring runt fadern och Kane. Så höjde Kane handen, och det glittrade av silver i luften. I nästa stund låg karlarna på alla fyra, grävde i smutsen och slogs om mynten.

Ingen märkte att de båda männen försvann därifrån, Kane till sin ståtliga, svarta häst och Declan till tryggheten på kuskbocken. "Kör!" skrek han för att överrösta oväsendet. "Kör, innan de märker något."

Catriona kastades omkull på vagnsgolvet då Velda klatschade till Jupiters breda rygg med tömmarna och den stora hästen satte av i galopp. Hon rev sig på armen på korgen med scenkostymer, och hon kände hur något hårt träffade benet, men spänningen blandad med rädslan för att de skulle bli fasttagna gjorde att hon knappt kände smärtan. När den hektiska flykten så småningom mattades av, och de i lugn och sävlig takt rullade fram längs jordvägen genom vildmarken insåg hon att hennes liv hade kommit till en vändpunkt. Frågan var inte längre om utan när förändringen skulle inträffa.

3

*E*n känsla av modlöshet vilade över de två vagnar som rullade längs den breda jordvägen genom det lilla samhället Goondiwindi. Det var ett aboriginskt namn och betydde viloplats för fåglar, fast Catriona undrade om artisterna någonsin skulle hitta ett ställe där de var välkomna att vila ut. Talfilmen och städernas neonljus lockade, och efter katastrofen i Lightning Ridge hade truppen krympt ytterligare. Den förmådde inte längre konkurrera med den vita duken som hade fört ut en helt ny och spännande värld till folket i vildmarken, och numera var publiken på deras föreställningar så fåtalig att det knappt var mödan värt att packa upp rekvisitan och repetera.

Catriona satt mellan föräldrarna på kuskbocken och försökte gaska upp sig genom att hitta något hoppingivande hos de fallfärdiga byggnaderna i Goondiwindi. Det viktorianska tullhuset var ganska vackert, men det bröt av mot de dammiga rucklen som skulle föreställa lanthandel och foderaffär. På en ogräsbevuxen gårdsplan stod en väderbiten träkyrka med förspikade fönster. Det enda tecknet på liv tycktes komma från hotellet där det att döma av ljudet av krossat glas och höga vrål var slagsmål på gång.

Hon hörde fadern sucka då han höll in hästen. "Det ordnar sig, pappa", sa hon med ansträngd glättighet, men rädslan för motsatsen gjorde rösten ostadig. "Det finns ett hotell, så vi har åtminstone chansen att få publik."

Declan Summers blick var mörk av oro, och pannan låg i djupa veck då han såg slagskämparna välla ut genom dörrarna till hotellet. Jupiter ryggade för det våldsamma handgemänget, men Declan lyckades efter en stund lugna hästen och fick den att gå fram till vattenhon på andra sidan vägen där de var utom fara. "Här finns inget för oss att hämta", sa han nästan för sig själv. "Titta på affischerna. I morgon kommer den ambulerande biografen hit, så ortsborna vill säkert inte kasta bort sina surt förvärvade slantar på oss."

"Vad är det för pessimistiskt struntprat?" undrade Velda. "Vi behöver pengar för att ta oss till kusten, så vi måste övertyga dem om att vi åtminstone är värda några kopparmynt." Hon klättrade ner från vagnen, borstade dammet av klänningen och stoppade in några lösa hårslingor i knuten i nacken. "Kommer du, eller tänker du sitta kvar där hela dagen?"

Declans leende var blekt, men han tycktes hämta styrka ur hennes ovanliga beslutsamhet, och axlarna var inte fullt lika hopsjunkna då han klev ner från kuskbocken. "Ska vi inte vänta tills slagsmålet är över?" frågade han efter att ha plockat fram sin höga hatt.

"Nej, tvärtom", förkunnade hon. "De behöver något annat att tänka på. Håller du inte med om det?" tillade hon och såg på engelsmannen, som satt kvar på sin häst, och vädjade tyst till honom att ta befälet.

"Absolut", svarade Kane och kisade med ögonen då han betraktade karlarna som rullade runt i dammet. Efter en snabb blick på Declan vände han sig i sadeln. "Poppy! Ta fram trumman och allt annat som det går att få ljud ur. Det är dags att låta den här gudsförgätna hålan veta att vi har kommit hit."

Poppy gjorde en grimas. "Ska bli", sa hon, "men jag vägrar lämna vagnen förrän lugnet har lagt sig."

Kane delade ut flöjter och tamburiner och ställde den stora trumman framför Catriona på kuskbocken. "Få se hur hårt du kan slå på den", sa han och log uppmuntrande.

Med ett brett leende började Catriona slå på trumman. Hon hade lärt sig att tycka om Kane under de sex månader som gått. Han fick henne att skratta, och hans historier var så fängslande att hon kunde lyssna i timtal, glömsk av tiden och sysslor som skulle skötas. Modern och fadern verkade också tycka bra om Kane, och de hade kommit att förlita sig allt mer på honom ju mindre truppen blev. Så trots att Poppy uppenbarligen inte gillade karln hade Catriona skjutit tvivlen åt sidan och bestämt sig för att bilda sig en egen uppfattning om honom.

Den skräniga musiken fick slagsmålet att upphöra tvärt. Dörrarna till hotellet slogs upp, och röda ögon blev runda av förvåning vid åsynen av vad som återstod av Summers varieté.

Catriona såg Kane skaka tamburinen och låta hästen dansa runt i

36

cirklar bland de förbryllade karlarna som stunden innan hade pucklat på varandra och nu skyndade sig ur vägen för de blixtrande hovarna. Hon fortsatte energiskt att slå på trumman, för Poppy hade bestämt sig för att dra sitt strå till stacken och dansade cancan med höga bensparkar, upplyfta kjolar och plymer på huvudet. Det upphörde aldrig att förvåna Catriona att Poppy kunde byta om så snabbt; bara några minuter tidigare hade hon varit klädd i bomullsklänning och sandaler.

Kane manade på hästen uppför trätrappan till hotellet och in genom dörrarna. Max lyfte upp sin åldrande hund, och Catriona hoppade ner från vagnen, så att den gamle fick stödja sig på henne då han hasade efter Kane. Max borde ha gått i pension för länge sedan, men ingen av dem hade haft hjärta att lämna kvar honom på något ålderdomshem efter vägen. Kvinnorna stannade utanför baren – det var en oskriven lag att ingen kvinna fick träda in i detta manliga syndens näste – men de stod i dörren och tittade på och hade för ögonblicket helt glömt oron för framtiden.

Kane höll in hästen vid baren. "För priset av ett glas öl ska vi underhålla er", förkunnade han i den häpna tystnaden. "För några futtiga kopparmynt ska vi bringa er fröjderna från Moulin Rouge och Paris", fortsatte han, slog ut med armen och pekade på Poppy som stod i dörren och lyfte på kjolarna. "Ni ska få höra vår skald." Declan bugade. "Och söderns sångfågel, Velda Summers." Velda neg djupt och rodnade under männens oförskämda blickar.

Ingen sa något. Det var som om alla i baren förvandlats till sten i detta ögonblick som skulle avgöra deras öde. Kanes häst frustade och fnös, lyfte på svansen och släppte en ångande hög på det smutsiga golvet.

Den kollektiva transen bröts, och karlarna tog ett steg tillbaka. "Ta upp efter hästen och försvinn härifrån!" röt den rödbrusige bartendern. "Jag har väl aldrig sett på maken!"

Utan att bry sig om de förfasade blickarna seglade Poppy fram till bardisken. "Hästspillning för tur med sig", upplyste hon och kliade bartendern under hakan. "Och det här är allas er lyckodag. Vad sägs om att låta oss få underhålla er?" Hon vände sig mot de häpna åskådarna och log. "Ni ser ut att behöva muntras upp, och det kostar inte många korvören."

"Tattarpack", muttrade bartendern. "Värre än aboriginerna." Han lade armarna i kors. "Jag vill inte ha några sminkade baletthoppor på mitt hotell. Ta upp skiten och försvinn innan jag bussar hundarna på er!"

"Jag är ingen baletthoppa utan en seriös artist!" skrek Poppy.

Mannen lutade sig över bardisken och satte det feta, röda ansiktet tätt intill Poppys. "Sak samma vad du kallar dig. Om du har sexuella tjänster att sälja kan vi kanske komma överens, annars ut!"

Catriona såg luften gå ur Poppy, och i den stunden begrep hon att de nått den absoluta bottnen, för Poppy hade alltid kunnat hitta något att le åt, hade alltid kunnat ge svar på tal eller krångla sig ur knepiga situationer. Den här gången blev hon tyst som en mussla, och Catriona kunde se tårar glänsa på de rödsminkade kinderna då Poppy vände på klacken och rusade ut.

Oväsendet hade lockat ut resten av ortens invånare på de överbyggda trätrottoarerna, och deras aggressiva muttrande steg på samma sätt som när en ilsken bisvärm närmar sig. Catriona skyddades av föräldrarna men visste att hon aldrig skulle glömma de misstänksamma blickarna eller de fördömande uttrycken i folks ansikten då de tyst steg åt sidan för att släppa fram artisterna. Hon kunde känna fientligheten som en kniv i ryggen när hon klättrade upp i vagnen, och för första gången i sitt liv var hon rädd.

Den första jordkokan träffade sidan på vagnen, och den följdes av många fler samtidigt som det lågmälda muttrandet övergick i ett hånfullt skränande och ortens hundar morrade och nafsade hästarna i hasorna.

Declans min var bister då han klatschade med tömmarna och vagnen rullade ut ur Goondiwindi. Velda höll hårt om Catriona och sa inte ett ord, och Kane varken skrattade eller skämtade där han red bredvid dem. Poppy var askgrå i ansiktet, knäckt av den hårda verkligheten, och bredvid henne på den andra vagnens kuskbock satt Max och darrade.

Det var en bedrövlig liten skara som två timmar senare slog läger. Under tystnad satt de runt elden och åt det sista av det glödgräddade brödet med gyllengul sirap nedsköljt med te lagat i bleckkastrull. Catriona betraktade de andra, men deras ansikten var slutna. Var och en behöll sina tankar och känslor för sig själv.

Max stirrade tomt in i lågorna med den grånande terriern i famnen. Fläcken slickade sin husse på kinden men fick inget gensvar, för den gamle hade försjunkit i djup hopplöshet. Poppys makeup var randig av tårar, och hon satt hopkurad med en tjock yllesjal över axlarna och vaggade fram och tillbaka med armarna om knäna. Den präliga klänningen glittrade kallt i ljuset från elden, och plymerna slokade och hängde ner i ögonen. Poppy hade gett upp, och hon orkade inte ens sminka av sig och byta till bekvämare kläder.

Kane rökte en cigarill. Eldskenet reflekterades i rubinringen han bar på lillfingret medan han med kisande blick stirrade ut i mörkret. Catriona undrade vad han tänkte på, för även om hon kommit att tycka bra om honom under månaderna som gått, så var han ändå en gåta. Han hade berättat många historier men aldrig avslöjat några detaljer om sitt tidigare liv, hade aldrig förklarat varför han valde att leva på det här sättet när han hade råd med bättre.

Plötsligt blev hon alldeles kall av rädsla. Kane hade visserligen varit både förtegen och hemlighetsfull om sitt förflutna, men han var inte snål, och hans pengar hade räddat dem ur många kriser. Tänk om han beslöt sig för att lämna dem? Vad skulle de då ta sig till? Catriona bet sig i läppen och visste att hon måste uppmuntra honom att stanna. Men hur? Hon såg på föräldrarna och hoppades på vägledning.

Velda och Declan satt på en kullfallen trädstam och höll varandra i hand. Catriona kände sig med ens utstött och ovälkommen, som om samhörigheten mellan dem utestängde henne, som om de inte längre behövde henne eller märkte att hon fanns där. Hon hade aldrig tidigare varit rädd för mörkret, men den kvällen var det annorlunda. Saker och ting hade förändrats, och hon visste utan skuggan av ett tvivel att livet så som hon hade upplevt det aldrig mer skulle bli detsamma. Varietésällskapet hade mist sitt hjärta, och deras själ hade gått förlorad i skammen över vad som hänt i Goondiwindi.

Det tog emot att lämna lägereldens varma glöd, som om den var den enda tröst en sådan glädjelös natt hade att erbjuda. Slutligen gick Catriona och tittade till de båda hästarna, klappade dem och lade kinden mot deras varma hårremmar medan de betade. Dagen därpå skulle truppen dra vidare och också dagen efter det, en resa mot ingenstans som till synes aldrig tog slut. Med en suck vände Catriona sig bort och styrde stegen mot vagnen. Bit för bit höll hennes liv på att falla sönder, men så länge hon hade modern och fadern skulle hon nog överleva.

Trots alla olyckor som drabbat dem hade hoppet ändå inte slocknat helt. Toowoomba låg i utkanten av bergskedjan Great Dividing

Range. Enligt Declan var staden inkörsport till det bördiga slättlandet Darling Downs och en viktig anhalt för boskapsskötarna som drev sina hjordar från de vidsträckta betesmarkerna i väst. Truppen hade stora förhoppningar om att tjäna lite pengar i Toowoomba, för det var en stad med eleganta byggnader, flera kyrkor och en järnvägsstation.

"Det är ingen idé att ordna en parad", menade Declan där han stod intill vagnen med händerna nedkörda i fickorna. "Vi är så få att vi bara skulle se löjliga ut."

Catriona och Poppy hade fortfarande mardrömmar om Goondiwindi, och bägge två rös vid blotta tanken.

Som vanligt var det Kane som hade en lösning. "Jag har varit på posten och tagit ut lite pengar", upplyste han glatt, "och jag har även tagit mig friheten att hyra en sal för kvällen. Om vi skyndar oss att texta reklamblad hinner vi dela ut dem. Nog borde vi kunna locka till oss åskådare i en välmående stad som den här."

Velda såg på Kane med ögonen fulla av tårar. "Vad skulle vi ta oss till utan dig?" undrade hon med skrovlig röst. "Du är så snäll och generös."

Kane lade armen om Catriona och modern och kramade dem hårt. "Jag försöker bara vara till hjälp", förklarade han och log mot Catriona. "Vi kan ju inte gärna låta den här lilla sötnosen gå och lägga sig med tom mage."

Poppy fnös, och Catriona rodnade. Hon hade aldrig förut blivit kallad *sötnos* och visste inte riktigt hur hon skulle ta Kanes översvallande komplimanger, särskilt inte när Poppy föraktfullt hörde på.

Declans ögon blev mörka av smärta. "Jag borde själv kunna försörja min familj", brummade han, "men tack ska du ha." Stoltheten gjorde axlarna stela då han skakade engelsmannens hand.

Catriona drog sig ur Kanes omfamning och betraktade de tre vuxna. Hon var medveten om starka, underliggande känslor, även om hon inte förmådde identifiera dem, för det fanns saker och ting som hon var för ung att förstå. Hon visste bara att fadern avskydde att ta emot vad han betraktade som välgörenhet och att han skulle ha vägrat om han haft möjlighet. Declans stolthet var knäckt.

Modern var bara tacksam, lättad över att de skulle överleva de närmaste timmarna och att det fanns en stark man som fattade alla beslut. Trots sin fasta beslutsamhet att bevara sitt goda humör vad som än hände var Velda en kvinna som fann livet mycket enklare om hon slapp tänka själv. Hon hade alltid varit beroende av Declan, och nu förlitade hon sig på Kane, som verkade vara den starkare av de båda männen.

Långsamt körde de genom staden och förundrade sig över alla pickuper och personbilar som kantade gatorna och rev upp stora dammoln med däcken. Toowoomba var en rik stad, och människorna som promenerade längs trätrottoarerna och shoppade var eleganta.

Velda suckade längtansfullt då hon såg hattarna, handskarna och skorna, så tjusiga, så moderna och så helt utom räckhåll. Catriona önskade att hon kunde ha gått in i en butik och köpt en vacker hatt åt modern, men de hade bara några småslantar i bleckburken, så det var omöjligt.

Salen var inrymd i en långsmal träbyggnad som var i bedrövligt skick; eftersom det fanns en ny samlingslokal i stadens centrum hade den sannolikt försummats. Dessutom låg den intill järnvägen, och kolröken från ångloken hade gjort den svart av sot. Färgen på väggarna hade flagnat, ridån höll på att falla sönder av ålder och mögel, och det enda smutsiga fönstret satt fast och gick inte att få upp. Det fanns en scen i ena änden av salen och en trave stolar vid ena väggen. Golvet hade inte blivit sopat på månader, och det syntes spår efter råttor i hörnen.

Men de fick även trevliga överraskningar. Elektriciteten fungerade, så de hade lampor och takfläkt, och på husets baksida fanns en toalett som efter många om och men gick att spola och en kran med rinnande kallt vatten, så att de kunde tvätta sig.

Declan och Kane gav sig i väg för att dela ut de i all hast textade reklambladen. Kvinnorna hittade kvastar, moppar och gamla skurtrasor och satte i gång att göra rent. Snart var bomullsklänningarna genomdränkta av svett och de vita kragarna gråa av damm och åratals ingrodd lort. De blev röda om händerna och smutsiga om knäna då de skurade golvet. Håret lossnade ur hårnålarna och klibbade fast vid deras svettiga ansikten medan de slet med de tunga sammetsdraperierna; de tog ner dem, skakade ur dammet och satte upp dem igen. Och hela eftermiddagen satt Max i ett hörn med sin lilla hund och drömde bort tiden.

Catriona kastade en blick på honom. Hon var orolig, för Max tycktes inte förstå var han befann sig. Tidigare hade hon frågat om han ville ha te, och då verkade han inte känna igen henne. Han satt där som i trans och nynnade för sig själv och Fläcken tittade upp då och då och frågade om det inte var matdags snart.

"Den gamle stackaren håller på att förlora förståndet", viskade Poppy då de äntligen kunde ställa undan städattiraljerna och övergå till att tvätta sig själva. "Han har inte varit klar i knoppen sedan Goondiwindi."

"Han är bara gammal", invände Velda.

Poppy tvålade in håret och stack huvudet under det kalla, rinnande vattnet. "Jag är med honom hela dagarna", påpekade hon medan hon gnuggade håret torrt, "och han vet inte längre vem jag är. Han frågar ideligen vad jag heter, om teet är klart och om han har fått någon frukost." Hon torkade sig i ansiktet och räckte Velda handduken. "Det är inte rätt att dra runt med honom på vägarna", slutade hon.

"Det finns ingen annanstans för honom att ta vägen", sa Velda bekymrat och tog plats vid vattenkranen. "Ålderdomshemmen vägrar att ta emot Max om han behåller Fläcken, och de båda har varit tillsammans så länge att det vore grymt att skilja dem åt."

De tre kvinnorna avslutade tvagningen under tystnad. Trots alla bekymmer var det Max hastiga försämring som tog dem hårdast.

Föreställningen hade inte varit lik någon annan. I stället för att uppträda var och en för sig sjöng Catrionas föräldrar duett. Poppy gick ner bland publiken och flörtade hejdlöst med männen medan hon sjöng en del av de oanständiga sånger som hon lärt sig för länge sedan i London. Kanes monolog hälsades med skratt och applåder, och hans en aning vågade skämt togs emot godmodigt. Max hade vaknat upp ur sitt drömlika tillstånd. Klädd i säckig kostym och tillplattad hög hatt lät han Fläcken visa sina konster iförd sitt paljettprydda halsband. Med tårar i ögonen såg de den gamle och hans hund hasa sig genom numret och sedan motta artiga och medlidsamma applåder.

Catriona hade drabbats av rampfeber. Det var första gången hon skulle stå ensam på scenen. Den rosa taftklänningen satt för hårt och var alldeles för kort och barnslig, men hon hade inget annat att sätta på sig. Så snart grammofonen vevats upp och musiken började spela försvann nervositeten, och hon glömde att klänningen var för liten och gick helt upp i arian. När hon lämnade scenen var hon upprymd och röd om kinderna, för hon visste att det hade gått bra. Publiken hade tyckt om hennes sång och begärt extranummer. Föreställningen hade varit en framgång som gett henne hopp inför framtiden, och det spelade ingen roll att puffärmarna skar in i huden eller att kjolen knappt nådde ner till knäna. Hon hade framträtt i sitt första solo och kände sig som en stjärna.

Salen tömdes långsamt, och pengarna räknades. De skulle räcka till nästa etapp på resan mot nordöst. Artisterna bytte till sina vanliga kläder och gick till närmaste hotell där de unnade sig en riktig festmåltid bestående av kött, potatis och färska grönsaker, allt indränkt i fet sås. Till efterrätt åt de konserverad frukt med massor av krämig gul vaniljsås.

Också Max lät sig maten väl smaka. Han hade terriern gömd i vecken på sin omfångsrika rock och stack till honom godbitar i smyg då hotellägarens hustru inte såg det. Mätta och belåtna drog sig den lilla truppen i sakta mak tillbaka till hagen bakom salen där hästarna gick och betade intill de båda vagnarna.

"Du är tystlåten i kväll, Poppy", anmärkte Catriona då de arm i arm promenerade vägen fram i månskenet. "Jag trodde du skulle bli glad över att allt gick så bra."

Poppy drog koftan tätare om sig och rös till. Det var kallt på kvällarna, och hennes kläder var tunna och slitna. "Det är inget kul längre, inte efter Goondiwindi", förklarade hon.

"Allt ordnar sig säkert", sa Catriona. "Vi hade otur i Goondiwindi. Några kvällar till som den här och du är snart ditt gamla jag igen."

"Nej." Poppy stannade, och de andra kom i kapp dem. "Jag har fått nog. Jag kommer aldrig att bli något annat än en tredje klassens balettflicka, och jag börjar bli för gammal för att strutta omkring i spetsprydda mamelucker. Det är hög tid för mig att hitta på något annat att göra."

"Du får inte!" viskade Velda. "Vad ska jag ta mig till utan dig?" Hon lade handen på Poppys arm. "Du kan väl fundera på saken, snälla du?"

"Lämna mig inte!" utropade Catriona, slog armarna om midjan på Poppy och klängde sig fast. Heta tårar vällde upp i ögonen, för tanken på att förlora sin enda vän var nästan mer än hon stod ut med. "Det blir bättre, ska du se", vädjade hon medan tårarna rann nedför kinderna och blötte ner Poppys kofta. "Publiken älskade dig i kväll, precis som alltid." Hon drog sig lite undan och såg bönfallande upp i Poppys ansikte. "Jag älskar dig också", snyftade hon.

43

Poppys röst var skrovlig av rörelse då hon tog Catrionas händer och betraktade henne. "Och jag kommer alltid att älska dig, men det är dags för mig att dra vidare, dags för oss alla att hitta på något annat. Det här är slutet, och det vet vi allihop."

"Men vart ska du ta vägen?" frågade Velda med tårfylld stämma. "Vad ska du ta dig för?"

"Jag kan nog få jobb någonstans", svarade Poppy och släppte Catrionas händer. "Kanske på hotell eller i affär. Det måste finnas arbete att få i Brisbane eller i någon av de stora städerna vid kusten."

"Men du blir alldeles ensam", grät Catriona.

"Jag har varit ensam förut, jag klarar mig."

"Har jag fått middag än?" hördes en svag röst undra.

Det verkade som om Poppy blev lättad över avbrottet, för hon stack armen under Max och styrde honom mot den andra vagnen. "Ja, och nu ska du och Fläcken sova", förkunnade hon bestämt.

"Jag är inte sömnig", knotade den gamle. "Och vem är du förresten? Varför talar du så där till mig?"

"Jag tar hand om dig", förklarade Poppy, "och om du är snäll ska du få det sista kexet i burken."

"Det är outhärdligt", mumlade Velda. "Stackars Max och stackars Poppy."

Catriona såg sin goda vän hjälpa Max upp i vagnen. "Vi kommer att förlora dem bägge två, eller hur, mamma?" snyftade hon.

Veldas arm runt axlarna var en klen tröst, och hennes ord förvärrade bara smärtan. "Max är gammal och förvirrad, och han får det bättre på ett hem där de kan ta hand om honom ordentligt. Vi kanske kan hitta ett ställe dit Fläcken får följa med."

"Och Poppy? Hur ska det gå för Poppy?" frågade Catriona.

"Hon är vuxen och måste fatta egna beslut om sin framtid." Velda vände Catriona mot sig och torkade mjukt hennes tårar. "Trots att föreställningen gick så bra i kväll vet vi allihop att det är slutet. Varför ska man dra ut på lidandet genom att vägra inse det?"

"Hon skulle kunna följa med oss tills hon hittar något annat att göra", envisades Catriona.

Velda skakade sorgset på huvudet. "Hon har fått nog, det sa hon ju. Här finns en järnvägsstation och ett tåg som ska föra henne till kusten, där hon har god chans att få ett bättre betalt jobb. Missunna henne inte det, ge henne inte skuldkänslor för att hon måste ge sig av. Det betyder inte att hon har slutat älska dig eller att hon inte kommer att sakna dig lika mycket som du henne."

Catriona blinkade bort nya tårar. "Men jag får aldrig mer se henne", snörvlade hon.

"Att ta farväl är en del av livet, min älskling", menade modern leende. "Vi är alla ute på en resa där vi möter många människor. En del kommer vi att känna i många år, andra bara flyktigt. Vi får både vänner och fiender på vägen, men allt ger oss något som förhoppningsvis berikar våra liv eller hjälper oss att bättre förstå oss själva och den värld vi lever i."

Senare tänkte Catriona på vad modern sagt, och även om hon inte förstod allt kände hon sig tröstad.

Poppy försökte få Max att komma till ro, och hans knarriga röst genljöd i mörkret. Catriona låg under de tjocka filtarna i vagnen, och tankarna ilade hit och dit. Det måste finnas något sätt att få Poppy att stanna. Hon betraktade natthimlen som var klar och beströdd med så många stjärnor att ljuset från dem förgyllde hagen och hästarna och fick dem att se ut som en bild ur en sagobok. Om Poppy följde med till kusten kunde de alla få arbete på samma ställe och behövde inte skiljas åt.

"Vi blir tvungna att sälja den andra hästen och vagnen", sa Declan lågmält till sin fru där de låg tätt intill varandra i andra änden av vagnen.

Spänt lyssnade Catriona till deras viskande samtal.

"Kane kanske föredrar att använda vagnen i stället för det gamla tältet", svarade Velda. "Och så är det Max. Var ska han sova? Här är redan trångt som det är."

"Vi behöver pengarna", underströk han. "Kane och Max blir tvungna att dela tältet tills vi hittar ett lämpligt ålderdomshem åt Max."

"Men jag trodde vi hade så det räckte ett tag?" Veldas röst hade blivit skarp av oro.

"Om Poppy vill ge sig av måste vi betala henne vad vi är skyldiga. Hon behöver pengar till tågresan, till mat och logi. Sedan blir det inte mycket kvar, och det finns inga garantier för att vi någonsin mer får lika stora intäkter."

"Åh, Declan!" Veldas suck lät snarast som en ångestfylld snyftning. "Har det gått så långt? Men nog köper Kane vagnen när han förstår hur fattiga vi är?"

Det blev tyst en lång stund. "Kane har varit alldeles för generös mot oss", sa Declan slutligen, "och trots att jag är honom tacksam får vi inte förlita oss på att han ska klara oss ur varenda knipa. Jag är fortfarande familjens överhuvud, och truppens också – vad som är kvar av den – och jag bestämmer vad som ska göras." Han gjorde en paus och återtog sedan: "Vagnen och hästen måste säljas liksom all rekvisita och scenkostymerna. Vi behöver dem inte längre."

"Men hur ska det bli med Catriona då?" viskade modern häftigt. "Hon har en ängels röst. Man behövde bara höra applådåskorna i kväll och betrakta ansiktena i publiken medan hon sjöng för att veta att hon har en strålande framtid framför sig. Vi kan inte bara ge upp."

"Catriona är elva år gammal och fortfarande ett barn", anmärkte han. "Vem vet vad som händer med rösten i puberteten? Men vi har inte råd att ta några risker. Vi måste sälja vad vi kan och dra vidare."

"Vart?" grät Velda. "Vad ska det bli av oss?"

"Till Cairns", svarade han fast. "Kane har kontakter som kanske kan hjälpa oss att få jobb. Han har redan skickat brev till en gammal bekant som äger ett hotell uppe på högslätten Atherton Tableland. Vi får bara hoppas att han har något åt oss alla."

Catriona drog filtarna över huvudet, och tårarna var heta då de rullade nedför kinderna och vätte kudden. Hon älskade att sjunga och höra rösten svälla i harmoni med moderns då de repeterade, och hon älskade lidelsen i de vackra arior hon lärt sig av de repiga skivorna i faderns samling. Nu verkade det som om alla hennes drömmar skulle gå i kras.

Medan månen bleknade och stjärnorna långsamt förlorade sin glans försökte Catriona förlika sig med sin dystra framtid.

Gryningen kom, och Catriona steg upp först av alla och klättrade ner från vagnen. Bristen på sömn gjorde ögonen svullna, och hon kände sig nedstämd trots de vackra omgivningarna. Dimslöjor låg kvar på trädtopparna och de mjukt rundade kullarna, och daggen gnistrade i det höga gräset. Långt borta kunde hon höra en kookaburra skratta. I vanliga fall skulle ljudet ha glatt henne, men den här morgonen var hon alltför betryckt för att ens le. I ett träd i närheten tjattrade papegojor och rosenkakaduor, och de lyfte i ett moln av starka färger, steg under ängsliga skrik mot den bleka himlen då hon barfota gick genom det våta gräset fram till hästarna som stod och sov.

Kanes svarta häst fnös och slängde med huvudet då den upptäckte att hon inte hade med sig någon morot, men de gamla shirehästarna Jupiter och Mars stod sävligt stilla i den tidiga morgonen medan hon strök dem över de kraftiga halsarna och berättade om sina bekymmer. Båda hästarna hade varit en del av hennes liv så länge hon kunde minnas. Hon hade lärt sig rida på deras breda ryggar, hade ryktat och matat dem och skött om dem som medlemmar i sin stora familj. Nu skulle Mars säljas. Det var för tungt att bära, och utan att bry sig om att daggen blötte ner fållen på nattlinnet och att hon var kall om fötterna borrade Catriona in ansiktet i den långa manen och grät bittra tårar.

"Du fryser ihjäl", påpekade en röst bakom henne.

Catriona snodde runt. Hon hade varit så djupt försjunken i tankar att hon inte hade hört honom komma. "Kan inte du köpa Mars och vagnen?" frågade hon vädjande. "Vi behöver pengarna, förstår du, och jag skulle inte stå ut med att lämna kvar Mars, och vagnen är mycket bekvämare än ditt gamla tält", fortsatte hon och blev till slut tvungen att hejda sig och hämta andan.

Gräset slog mot Kanes höga ridstövlar då han stegade fram och klappade shirehästen på den breda nosen. "Jag behöver tyvärr ingen mer häst, och mitt tält duger utmärkt." Han suckade. "Det är alltid sorgligt att säga adjö till gamla vänner, men nog har väl Mars förtjänat lite vila?"

Catriona blickade upp i det stiliga ansiktet. Kanes hår glänste som guld i skenet från den uppstigande solen, ögonen var mycket blå mot den solbrända huden, och han hade nyligen ansat mustasch och pipskägg. Han verkade uppriktigt sorgsen, och hon kände att hon åter hade nära till tårarna.

"Gråt inte, liten", sa han mjukt, och med fingrarna följde han tårarna som rann nedför hennes kinder. "Var glad för att Mars får ett fint stall att bo i och massor av gräs att äta. Och var glad för Poppys skull också. Hon har det stora äventyret framför sig, precis som vi."

Catriona snörvlade och såg ner i marken. Hon visste att han hade rätt, men i det ögonblicket kände hon inte för att vara glad.

"Kom, barn. Dina fötter måste vara iskalla."

Innan hon hann reagera lyfte han upp henne i famnen och höll henne hårt tryckt mot bröstet. Hon låg där, och var så förvånad att hon inte kom sig för att protestera medan han leende tittade ner på henne. Hon kunde känna hans hjärta slå snabbt, kunde känna styrkan i hans armar och det sträva tyget i tweedkavajen mot kinden. Han andades stötigt, och hon kände att andedräkten luktade tobak då han gav henne en snabb kyss på pannan. Den blå blicken tycktes tränga in i hennes allra innersta då han betraktade henne. Med ens kände hon sig blyg och tafatt och bankade honom i bröstet. "Jag kan gå själv", sa hon bestämt. "Jag är ingen baby."

"Varför gå när du kan bli buren?" frågade Kane med ett skratt. "Jag kan slå vad om att Kleopatra aldrig gick någonstans. Tycker du inte om att bli behandlad som en drottning?" Han väntade inte på svar, utan började gå mot vagnarna. "Nu ska vi se vad vi kan hitta på till frukost", mumlade han.

Alla visste att det var den sista måltid de någonsin skulle äta tillsammans och var djupt allvarliga. Också Max smittades av stämningen, åt under tystnad och återvände sedan till sin säng i den andra vagnen. Man kom överens om att låta honom vila medan Poppy kördes till tåget. Han hade ändå nästan helt tappat greppet om verkligheten, och det var ingen mening med att göra honom upprörd i onödan.

Järnvägsstationen var en lång, viktoriansk byggnad med tak av korrugerad plåt och snickarglädje mellan stolparna på den breda verandan. Från den välsopade perrongen såg man spåren fortsätta mot fjärran i båda riktningarna. Österut låg Brisbane och kusten, och västerut fanns Queenslands vidsträckta, öde vidder där väldiga boskapshjordar gick och betade. Tåget stod inne. Röken bolmade ur skorstenen på loket medan ångan pyste och väste intill hjulen. Hästar lastades på och boskap drevs uppför ramperna till boskapsvagnarna. På perrongen stod passagerarna och väntade på att få gå ombord, en del i små grupper, andra ensamma.

Catriona satt på vagnen bland kostymkorgarna och såg fadern överräcka biljett och lön till Poppy. Hon försökte pränta in bilden av sin vän i minnet, så att hon aldrig skulle glömma henne, men förblindades av tårar. Poppy var klädd i blommig bomullsklänning med knappar hela vägen framtill, vit krage och vita manschetter. Runt midjan hade hon ett smalt vitt skärp, på det nytvättade håret satt en käck liten hemsydd hatt, och hon hade handskar och välputsade, lågklackade skor med slejf över vristen. Catriona hade aldrig sett henne så elegant eller så annorlunda. Det var som om Poppy hade kastat av sig spetsar och volanger och blivit helt vanlig och färglös då hon fattade beslutet att ge sig av, som om hon förvandlats till en främling.

Catriona klättrade ner från vagnen och stod tyst medan Poppy sa adjö till de andra. Hon blinkade bort tårarna och gjorde sitt bästa för att vara stark då Poppy slöt henne i sin famn.

"Så ja, raring", mumlade Poppy mot hennes hår. "Inga tårar. Det är min flicka."

"Jag vill inte säga adjö." Catriona drog sig ur Poppys famn och såg på henne.

"Inte jag heller", muttrade Poppy med ostadig röst, och de blå ögonen blev alldeles blanka. "Därför går jag nu, innan du får mig också att gråta."

Catriona märkte att Kane och föräldrarna betraktade dem, och med ens fick hon en strålande idé och tog Poppy i armen. "Om du gifter dig med Kane behöver du varken ge dig av eller söka jobb." Hon log, förtjust över att ha kommit på en sådan underbar lösning i sista stund. "Du kan stanna hos oss och skaffa en massa barn, och jag ska hjälpa dig att ta hand om dem." Men då hon betraktade Poppys ansikte försvann förtjusningen.

Hon verkade inte alls glad över idén utan såg snarare chockerad ut. Efter en hastig blick på Kane vände hon sig mot Catriona. "Han är inte min typ", fastslog hon, "och jag är definitivt inte hans." Hon tvekade, som om hon tänkte säga något mer men gav i stället Catriona en snabb puss på kinden. "Det var ett bra försök, hjärtat mitt, men nu måste jag gå om jag inte ska missa tåget. Jag har lämnat kvar några av mina klänningar åt dig. De är lite urtvättade, men de passar säkert bättre än dina gamla. Ta hand om dig. Jag vet att jag en dag kommer att få se ditt namn i neonbokstäver." Hon kastade en slängkyss åt de andra, skyndade över vägen och in genom dörren till stationen där hon försvann utom synhåll.

Catriona visste att hon uppförde sig som en barnunge men kunde inte rå för det. Modern sträckte ut handen och försökte hejda henne, men hon slet sig loss och störtade tvärs över vägen, mitt framför nosen på en stor lastbil. Inne i biljetthallen låg skuggorna djupa, och hennes brådskande steg ekade i tystnaden. På perrongen var det svalt i skuggan av det sluttande taket, och där var tomt, bortsett från stinsen som viftade med flaggan. Det var som om Poppy blivit uppslukad av det väldiga järnmonstret som spydde ut rök och ånga.

Catriona sprang längs tåget och tittade in i vagnarna. Hon ville säga ett sista adjö, ville se sin vän en sista gång innan hon försvann ur hennes liv för evigt. Men så skulle det inte bli. Med ett väsande av ånga började de väldiga hjulen snurra, och det skumpade och skramlade om vagnarna då loket frustande av rök satte sig i rörelse. Catriona stod på den övergivna perrongen, såg tåget få upp farten och tuffa i väg längs spåren, följde det med blicken ända tills den sista vagnen bara var som en liten prick långt borta. Den sorgset klagande ångvisslan ekade över de öde grässlätterna, ett sista farväl till Toowoomba och dem som blev kvar.

Mars stod tålmodigt bredvid Jupiter med de stora hovarna stadigt i marken. Hästen kastade välkomnande med huvudet och gned mulen mot Catriona då hon ryktade den för sista gången. Det var en dag fylld av avsked, och Catriona trodde att hjärtat skulle brista.

"Det här är mr Mallings", berättade Velda mjukt och lade armen om dotterns axlar. "Han ska ge Mars ett bra hem."

"Det stämmer det", försäkrade främlingen med den rödblommiga hyn och lyfte på hatten. Med sin valkiga hand klappade han uppskattande shirehästen på halsen. "Det är allt en fin gammal häst, och jag har stora hagar där gräset behöver hållas nere." Han böjde sig så att ansiktet var i jämnhöjd med Catrionas. "Du är alltid välkommen att hälsa på om du har vägarna förbi, och jag lovar att Mars inte ska behöva sakna någonting."

Catriona steg åt sidan och såg Mars lunka i väg med sin nye ägare. Hästen tittade sig inte om, verkade inte ens inse att den aldrig mer skulle dra en vagn åt Summers varietésällskap. Hon svalde tårarna och skrattade lite då Jupiter nosade henne på axeln. Det var som om hästen visade henne sitt deltagande, för även den hade förlorat en gammal vän.

"Vi måste nog gå tillbaka nu", sa Velda. "Max bör inte lämnas ensam för länge, och en handelsresande kommer för att titta på den andra vagnen."

Dagen släpade sig fram, och det kändes som om varje minut var en timme lång. Handelsresanden köpte vagnen, och Max fåtaliga ägodelar stuvades in i det nästan tomma utrymmet under den första. Kostymkorgarna köptes av en kvinna som hade en modistaffär på stadens huvudgata. Hon skulle förvara tygbalar i dem. Pianot var sedan länge angripet av termiter, och det fanns inte många scenkostymer kvar, eftersom artisterna tagit dem med sig allt eftersom de lämnade truppen. Den en gång så praktfulla pulten var maskstungen, och den mörkröda sammeten och guldtofsarna var malätna och mögliga. Declan och Kane grävde en grop som de fyllde med bråten och tände på. Pulten där Declan så många gånger hade stått och talat till publiken lades på allra sist. Den brann muntert, och snart fanns inget kvar utom en pyrande askhög.

Trots sin djupa smärta insåg Catriona att hon inte var den enda som led. Faderns ansikte var härjat och trött då han petade med stövelspetsen i den kalla askan. Modern flängde omkring med torra ögon och under ständigt småprat, men händerna darrade och ångesten hade gett henne mörka ringar runt ögonen. Till och med den vanligen så gladlynte Kane var dyster då han tog hand om Max som blev allt mer förvirrad.

Under tystnad lämnade de Toowoomba, och ingen av dem såg sig om.

Flera dagar senare slog de läger i en glänta bland pinjeträd och bunya-bunya i nationalparken Bunya Mountains för att vila och hämta krafter. Naturen var som gjord för att gå på upptäcktsfärd i. Där växte orkidéer, och man kunde plocka vildblommor bland snåriga rötter och nedfallna grenar. Vallabyer och kängurur betade på grässlätten, och mängder av färggranna, tjattrande fåglar pilade hit och dit och gav liv åt den mörka, mystiska regnskogen.

Catriona och hennes föräldrar klättrade upp på klippiga kullar och betraktade förundrat den storslagna utsikten över slätter och skogar. Väldiga vattenfall kastade sig utför urgamla bergssidor och fyllde på de snabbflytande floderna som rann mot kusten. Jorden var röd och bördig, och på fälten utanför staden Kingaroy kunde de se de blomstrande odlingar av jordnötter och bönor som gav välstånd åt jordbruksbygden.

Behagligt trötta efter den långa utflykten bland kullarna återvände de till lägret, där de möttes av Kane som uppenbarligen var upprörd över något. Han kastade en blick på Catriona innan han tog Declan i armen och drog med honom utom hörhåll.

Catriona såg fadern blekna och uppfattade det tysta meddelandet till modern som stod bredvid henne. "Vad är det som har hänt?" frågade hon ängsligt.

"Stanna här!" beordrade Velda skarpt. "Gör dig nyttig genom att sätta på tevatten. Vi kan alla behöva en kopp." Hon skyndade fram till de båda männen, och efter en kort överläggning gick de in i tältet som var uppslaget under en hög trädormbunke.

Catriona rös till, för hon visste vad som hade hänt. Hon ställde bleckkastrullen vid sidan av den pyrande elden och närmade sig långsamt tältet.

Grå i ansiktet av sorg kom Velda ut. Hon såg på Catriona, och tillsägelsen dog på läpparna samtidigt som en tår letade sig nedför kinden. "Han har somnat in, raring", sa hon skrovligt. "Max har kommit till slutet av sin resa och äntligen fått ro." Hon slog händerna för ansiktet och grät.

Catriona hade aldrig tidigare konfronterats med döden, och trots att hon var rädd för vad hon skulle få se blinkade hon bort tårarna och tittade in genom tältöppningen. Så fridfull han såg ut, tänkte hon förvånat. Det var som om han sov med alla bekymmersrynkor bortsuddade i den drömlösa, eviga sömn som han aldrig skulle vakna upp ur.

Så fick hon syn på Fläcken. Den lilla terriern låg hopkrupen vid Max sida med öronen hängande och höjde sin bedrövade blick mot henne. Lite tvekande steg hon in i tältet, som av den omgivande regnskogen fylldes av ett grönt ljus, och närmade sig den orörliga gestalten och hans vaktande terrier.

Fläcken morrade med rest ragg och spetsade öron. Med varenda fiber i sin kropp varnade han Catriona, sa åt henne att hålla sig undan och lämna hans husse i fred.

"Kom nu, gumman!" uppmanade Velda. "Det här är ingen lämplig plats för dig."

"Men vi kan inte lämna Fläcken", protesterade hon.

"Han kommer ut när han blir hungrig", sa Velda. Hon ledde ut Catriona ur tältet och stängde öppningen. "Jag vill att du ska brygga te medan jag gör i ordning Max. Din far har begett sig till Kingaroy för att hämta en präst, och det är viktigt att du gör som jag säger."

Catriona ville fråga vad det innebar att *göra i ordning Max*, men uttrycket i moderns ansikte räckte för att hon skulle hålla tyst. Tårarna förblindade henne då hon gick för att plocka torra kvistar till lägerelden, och när hon fått fart på den igen satte hon sig på en kullfallen trädstam och stirrade sorgset in i lågorna.

Kane lyckades till slut ta Fläcken i nackskinnet och släpa ut honom ur tältet. Sedan fäste han ett rep i halsbandet och knöt den andra änden om en trädstam. Uppgiven och förbryllad lade Fläcken sig ner med nosen på tassarna och gnydde, och han tycktes föredra att sörja ensam, för så snart någon närmade sig visade han tänderna och morrade.

Prästen kom just som solen började gå ner bakom träden. Det var en lång, smal man med väderbitet ansikte och ett vänligt leende. Hästen var löddrig av svett efter den snabba ritten från Kingaroy, och Catriona ledde ner den till den lilla bäcken så att den fick dricka medan prästen gick in i tältet.

Fläcken kom på fötter och drog och slet i repet för att komma till sin husse då Kane och fadern bar den döde till den djupa grop de grävt. Velda tyckte synd om hunden, tog ett stadigt tag om halsbandet och gjorde sitt bästa för att lugna honom.

Catriona stod bredvid modern medan Max försiktigt sänktes ner i jorden. Han var klädd i sin scenkostym, noterade hon, och hade en av sina gamla filtar virad omkring sig, som för att skydda honom för kylan i den mörkröda jord som snart skulle täcka hans kropp. Hon rös när prästen förrättade den korta jordfästningen och blinkade bort tårarna då jorden långsamt fyllde det djupa hålet och tog Max ifrån dem.

Fläcken gnydde och krafsade med tassen då ett grovt tillyxat kors bankades ner i marken och Max höga hatt placerades ovanpå. De gröna fjädrarna var urblekta och kantbandet slitet, men det var ett lämpligt minnesmärke över den man som under årens lopp roat så många människor.

Velda höll på att tacka prästen då Fläcken lyckades slita sig lös. Han bökade i den mjuka jordkullen och nosade på träkorset, gnällde medan han undersökte hatten och letade efter Max. Så suckade han tröstlöst och lade sig ner med huvudet på tassarna för att vänta på husse.

Fader Michael måste ha sett ångesten i Catrionas ögon, för han kom fram och tog hennes hand. "Han måste sörja, precis som vi andra", förklarade han på sin mjuka irländska dialekt som han hade kvar trots alla år i Australien. "Jag har sett det förut. Ingen är så trogen som en hund. Det är verkligen människans bästa vän."

"Men vi kan inte lämna honom här", snyftade hon. "Vem ska ta hand om honom och ge honom mat?"

Prästen log. "Jag ska komma hit varenda dag och försäkra mig om att hunden har det bra", lovade han, "och när han har tröttnat på att

53

sitta här ute alldeles ensam tar jag med honom hem."

"Lovar ni att inte glömma bort honom?"

Han nickade. "Vi är alla Guds barn, och vår Herre vakar även över en liten hunds välbefinnande. Jag skulle svika både Honom och dig om jag inte höll mitt löfte."

Morgonen efter begravningen bröt de lägret. Fläcken låg fortfarande hopkrupen på jordkullen och väntade på Max. Catriona försökte locka honom därifrån med ett kycklingben, men han vägrade. Hon klappade honom på huvudet, och han slickade hennes fingrar med sorgsen blick, men han gjorde ingen ansats till att följa med henne till vagnen.

Jupiter ryggades in mellan skaklarna. Kane satt på sin ståtliga häst, och Catriona var inklämd mellan föräldrarna på kuskbocken. Hon kunde inte låta bli att kasta en blick över axeln då de körde ut ur gläntan. Jordkullen såg redan övergiven ut, och tårarna rann nedför kinderna vid tanken på att lämna kvar Max och Fläcken.

"Det är en fridfull plats att vila på." Velda torkade Catrionas tårar med en näsduk. "Tror du inte att Gud måste ha tyckt extra mycket om det här landet eftersom Han har gjort det så vackert? Titta bara på vattenfallet! Hör hur det plaskar och dånar! Och luften är full av fågelsång." Hon lade armen om Catriona och höll henne tätt intill sig medan Declan styrde Jupiter längs den slingrande vildmarksleden med ett fast grepp om tömmarna. "Det är alltid ett misstag att se tillbaka", sa hon mjukt. "Och Fläcken blir omhändertagen. Prästen är en man som står vid sitt ord."

Catriona strök bort tårarna och försökte uppskatta de storslagna omgivningarna som bara dagen före hade fyllt henne med förundran och upptäckarlusta. Det enda hon kunde tänka på var den soliga gläntan, den mörka skogen och den ensamma graven med dess sorgsne vakthund. Hon hoppades av hela sitt hjärta att prästen skulle hålla ord.

Många år senare skulle Catriona återvända till gläntan i skogen och få bekräftat att prästen verkligen hållit sitt löfte. Fläcken hade framlevt sina sista år i prästens hem och till sist blivit begravd bredvid sin älskade husse Max.

4

*D*e styrde kosan norrut, och dagarna blev till veckor. Så drabbades de
av ännu en motgång. Kanes pengar var slut. Han kom tillbaka från ett
besök i närmaste stad, askgrå i ansiktet och med dagstidningen i ett
hårt grepp. Hans investeringar hade försvunnit tillsammans med de
största aktieägarna i det rederi som han trott skulle förvalta hans till-
gångar väl. Det var ett bittert slag som sopade bort hans gladlynta sin-
nelag och gjorde honom tyst och surmulen.

Fårfarmen Bunyip bredde ut sig över tusentals tunnland i hjärtat av
Queenslands vildmark, och där kunde man få jobb om man stod ut
med hettan och flugorna och det ensamma slitet att köra ner stolpar i
marken och laga stängsel. Tack vare regnen var gräset saftigt och fro-
digt, och fåren var feta och hade tjock ull. Det var högsommar och
klippningstid med många munnar att mätta. Så Velda och Catriona tog
på sig uppgiften att ta hand om matlagningen i de fyra veckor som
fårklipparna skulle vara på egendomen.

Mangårdsbyggnaden var lång och låg och skyddades för solen av
träd. Det var inte långt mellan köket och klippningsladan, vars korru-
gerade plåttak skimrade i värmediset, och därifrån hördes ett konstant
oväsen av djur som klagade, män som svor och det ilskna vinandet
från de elektriska ullsaxarna. Flugorna svärmade i obevekliga moln,
och hettan avtog inte ens efter det att solen hade gått ner utan gjorde
det bara omöjligt att sova.

Catrionas värld bestod av berg av potatis som skulle skalas, grön-
saker att skölja och hacka och lika stora berg av disk. Det var hett som
i en bakugn i köket där spisarna eldades från gryning till skymning.
Tre mål om dagen för över hundra man var en uppgift som nästan
översteg Veldas krafter, men trots de långa dagarna och den plågsam-
ma hettan stod de ut hela månaden.

"Ni har skött er bra", berömde ägaren då han räckte dem lönen.

"Kommer ni tillbaka nästa år?"

Catriona såg på modern. Hon var blek och smutsig och helt utmattad efter slitet i det tryckande varma köket. Velda skakade på huvudet. "Vi är nog inte i de här trakterna då", svarade hon lugnt och tog adjö. Då de var utom hörhåll tog hon Catriona i handen. "Det känns som om jag hade blivit utsläppt ur ett fängelse", suckade hon. "Nog måste det väl finnas enklare sätt att försörja sig?"

"Vi har åtminstone pengar så att vi klarar oss ett tag", svarade Catriona medan de gick fram till fadern och Kane som väntade på andra sidan gårdsplanen.

Velda räckte över lönen till Declan. "Vakta pengarna med ditt liv", uppmanade hon, "för det där gör jag aldrig om."

Värmen och fukten blev värre ju längre norrut de kom. Även de lättaste kläder var varma och snart genomblöta av svett. De fick insektsbett på sina bara armar och ben och lämnades aldrig i fred av flugorna. Om nätterna kändes hettan som en fuktig filt, stora fula paddor förde ett oherrans liv, och det dova mullret från åskan och ljuset från sicksackblixtar väckte dem ur en orolig sömn.

De böljande grässlätterna övergick i mil efter mil av grönskande sockerrörsfält som sträckte sig från bergen med sina purpurröda toppar och nästan ända fram till det gnistrande blå havet vid horisonten. Sockerrören mätte mer än dubbel manshöjd och växte i prydliga rader som vajade för den heta vinden. Vagnen skumpade fram vid sidan av den smalspåriga järnvägens rostiga räls på väg mot Bundaberg och raffinaderiernas rykande skorstenar, och Catriona kunde inte låta bli att rysa. Landskapet var som en ogenomtränglig djungel, mörkt och skrämmande med smygande rovdjur som bara väntade på att slå klorna i den som inte var på sin vakt.

Medan männen gick till raffinaderiet för att höra om det fanns något arbete att få tog sig Velda och Catriona ner till havet. De vandrade över låga, rullande dyner och kom till en strand som var så långsträckt att den varken tycktes ha något slut i norr eller i söder. Doften av tallbarr och eukalyptus var starkare än den kväljande, sötsliskiga röklukten från raffinaderiet, och brisen prasslade i taggiga grästuvor som klängde sig fast i sanden.

Catriona stod på en dyn, mållös av förundran. Glittrande och klarblått bredde havet ut sig framför henne, blåare än något hon någonsin sett. Det tog nästan andan ur henne, för hon hade aldrig kunnat föreställa sig att det var så enormt. Segelbåtar skar de skummande vågorna, och seglen glänste vita i solen. Med förtjusta skrik sparkade hon och Velda av sig skorna och sprang barfota över den mjuka sanden ner till vågorna som kluckade mot stranden.

"Det är varmt i vattnet!" utbrast Catriona häpet. Hon lyfte upp kjolarna och vadade försiktigt längre ut, skrattade då små vågor slog mot benen. Hon såg de vita fiskmåsarna sväva och dyka, hörde deras sorgsna skrin och andades in den rena, saltbemängda luften. Det kändes som om hon hade kommit till en magisk plats där allt var möjligt om man bara önskade tillräckligt hett.

"Kan vi inte stanna här en tid?" bönföll hon.

Velda plaskade med tårna i vattenbrynet, och de djupa linjerna kring mungipor och ögon var inte lika framträdande som de brukade vara. "Om din pappa och Kane får jobb", svarade hon. Så log hon, drog hårnålarna ur sitt långa, mörka hår och skakade ut det så att det fick fladdra fritt för vinden. "Men varför inte? Vi kan behöva vila upp oss lite."

Modern slog ut med armarna och höjde ansiktet mot solen. Hon såg ung och bekymmersfri ut trots de gråa strån som på sistone hade dykt upp bland de svarta hårmassorna, tänkte Catriona, och för första gången på länge kände hon sorgen lätta. Hon sträckte ut händerna mot solens värme och snurrade runt runt tills hon blev alldeles yr. För ett enda lyckligt ögonblick kunde hon glömma allt och bara vara barn igen.

I raffinaderiet fanns inget arbete, så fadern och Kane blev tvungna att börja som huggare på sockerrörsodlingarna. Det var en hård, manlig och oförsonlig värld där ytterst få kvinnor härdade ut, och det var inte att tänka på för Catriona och Velda.

Slitet på sockerrörsfälten klarade bara karlakarlarna av. De arbetade hårt, och när söndagen kom levde de rullan, slogs och söp. Kompisarna var deras allt, och att bli den snabbaste huggaren i laget var ambitionen, vad alla strävade efter. Slagsmål bröt regelbundet ut, och huggarlagen fungerade nästan som ett slags medeltida skrå där man höll ihop och skyddade varandra.

Männen bodde i långa, fallfärdiga baracker uppförda på pålar mitt i regnskogen. De åldrades i förtid, brändes av solen, kröktes av hettan, och deras ansikten hade djupa fåror av utmattning. De gick klädda i slitna undertröjor och säckiga byxor och hade tjocka vita sockor och grova stövlar för att skydda anklarna. Alla närde de drömmen om att en dag äga sin egen sockerrörsodling, och de tänkte inte på något annat än de stora summor pengar de skulle få om de orkade hugga lite mer än dagen före.

Men ambitionerna glömdes snabbt bort då de under helgerna söp upp sina hårt förvärvade slantar. Att hugga sockerrör var ett törstigt jobb, och den karl som inte drack platsade inte i laget, var inte en i gänget.

Den ständiga hettan och fukten i kombination med myggen och flugorna tog musten ur dem. Dessa män visste inte om något annat liv och hade inte heller någon önskan att lämna denna maskulina värld, där en man bedömdes efter sin styrka och seghet, för att utforska vad som fanns bortom sockerrörsfälten. Många led av Weils sjukdom, dysenteri eller malaria, men det hindrade dem inte från att fortsätta, för de var gripna av febern att tjäna pengar.

Fadern och Kane högg med machetes från gryning till skymning i den ångande hettan med myllrande insekter omkring sig. De skar sig på de rakbladsvassa sockerrören och levde i ständig rädsla för de enorma råttor som kilade kring fötterna; ett enda bett av de vassa tänderna betydde sjukdom och kanske döden. Deras mjuka händer täcktes snart av blåsor, och kläderna blev indränkta av svett och hängde i trasor på deras solbrända, myggbitna kroppar. Smutsen bet sig fast i huden och gick inte ens att få bort med ett bad i havet. Det var ett jobb som tog musten ur dem, och det blev inte lättare av att de hånades av de andra männen som alltid levde i detta helvete och tycktes trivas med det.

Velda och Catriona tvättade deras sår och smorde in dem med salva, men det fanns inget de kunde göra åt de rödkantade ögonen, solskadorna och tröttheten som fick dem att somna över den knappa kvällsmaten om kvällarna. Till och med Kane tycktes ha tappat sugen och underhöll dem inte längre med sina fantastiska historier, som brukade få Catriona att skratta så att hon fick håll i sidan.

Efter två veckor hade Velda fått nog. De hade ställt upp vagnen på en platå högt ovanför sockerrörsfälten. Där uppe var det en aning svalare, och de besvärades inte lika mycket av flugor och mygg. Men hon var väl medveten om hur hårt arbetet tärde på maken och gillade det inte.

Velda betraktade de båda männen som utmattade satt och hängde över tekopparna och fattade ett beslut. "Vi måste lämna det här helvetet", förkunnade hon. "I morgon bitti får ni hämta lönen, så ger vi oss av sedan. Ni tar död på er, och jag vägrar att tillåta det."

"Men vi tjänar bra med pengar", protesterade Declan. "Om en vecka får jag ett par pund till i lön, och om en månad kommer jag att tjäna mer än någonsin."

"Om en vecka är du död", snäste hon. "Vi ger oss av i morgon, och därmed basta!"

Catriona hade aldrig hört modern tala till honom på det sättet, och hon skulle kanske ha protesterat om hon inte hade sett en glimt av tacksamhet i faderns blick. Det var tröttheten och bristen på självrespekt som gjorde ryggen böjd och fick honom att ge efter för hustrun. Det var först då Catriona såg fadern hasa sig fram till vagnen som hon begrep varför modern hade tagit saken i egna händer. Declan var för stolt för att erkänna att han inte orkade med, för bedrövad att ge uttryck åt rädslan att han inte förmådde försörja familjen.

Det sved i hjärtat då hon såg honom falla ihop på madrassen. Han somnade i samma stund han slöt ögonen, men kanske skulle han sova bättre i vetskap om att han slapp hugga sockerrör mer.

Hon tittade på Kane och förstod att även han hade böjt sig för moderns beslut. Arbetet med sockerrör måste vara något fasansfullt om det kunde ta musten ur två stora starka karlar, avgjorde hon, och även om det kändes ledsamt att lämna havet och stranden, så var det bättre än att se dem så utsjasade.

Dagen randades solig och klar, men tunga, mörka moln tornade upp sig vid horisonten, och luften blev uppfriskande sval. Fadern och Kane hade gått för att hämta lönen, och Catriona hjälpte modern att packa.

"Kan vi inte gå ner till stranden?" frågade hon då den sista lådan var instuvad och elden hade trampats ut och täckts med jord.

Velda log trött och strök det fuktiga håret ur ögonen. "Vi måste vänta på din pappa och Kane", svarade hon, "men jag kan tänka mig att de gärna tar sig ett dopp innan vi ger oss av."

Efter att ha gömt veckolönen på ett säkert ställe tog de sig ner till stranden en sista gång. Catriona var för otålig för att vänta på de vuxna, och hon hoppade ner från vagnen och sprang rakt ut i vattnet så att det stänkte åt alla håll. Hon skopade upp det salta vattnet med händerna och sköljde av ansikte och armar. Det lindrade svedan efter alla bett och tvättade bort smutsen, och hon önskade att hon hade kunnat ta av sig kläderna och doppa sig hel och hållen i den ljuvliga svalkan.

Medan de vuxna skrattande plaskade omkring letade Catriona efter snäckor och såg fascinerat på då en liten krabba kilade över den våta sanden och lämnade ett spår av klor efter sig innan den snabbt försvann i vattenbrynet.

Trött på leken blickade hon ut över de blå vidderna. Hon måste skugga ögonen med handen, för ljuset var bländande. Solen strålade ner mellan tätnande moln vars skuggor skenade över det turkosblå vattnet och färgade det mörkgrönt. Det hade börjat gå gäss på vågorna, och fiskmåsarna dök och skränade.

Catriona vände sig mot Kane som hade kommit och ställt sig bredvid henne. "Jag önskar att vi inte behövde lämna den här underbara platsen", suckade hon.

Han lade armen om henne och gav henne en snabb kram. "Man måste gå vidare här i livet", sa han, "och havet är lika vackert i Cairns."

Catriona tittade upp mot himlen. Vinden hade friskat i, och molnen var mörkare och svepte in världen i ett kusligt skymningsljus. Hon rös och slog armarna hårt om midjan. "Det är kallt."

"Vi har ett tropiskt oväder att vänta", upplyste Kane och blickade ut över havet. "Och om jag inte tar fel står regnet snart som spön i backen. Vi måste se till att köra bort vagnen från sanden, annars kommer den att fastna."

"Men det är ju sommar", protesterade Catriona. "Det regnar inte på sommaren."

"Inte så mycket söderöver kanske", instämde Kane och log mot henne. "Men här uppe i norr är det regnperiod. Floderna svämmar över, vägarna spolas bort, blixten slår ner och åskan går." Han satte fingret under hakan på henne och såg henne djupt i ögonen. "Men du behöver inte vara orolig", tillade han lågmält, "för jag ska skydda dig."

Catriona drog sig undan. "Pappa skyddar mig", förkunnade hon bestämt, "och jag är inte längre ett barn som skräms av små oväder."

"Självfallet inte", sa han eftertänksamt och betraktade den fuktiga bomullsklänningen som smet åt om kroppen. "Du har blivit en riktigt stor flicka." Han lät tummen glida över gropen i hennes haka. "Hur gammal är du nu egentligen?"

"Jag är elva", svarade hon och kände sig illa till mods under hans närgångna granskning. Hon lade armarna i kors över de knoppande brösten och blev med ens medveten om hur den våta bomullen klibbade fast vid dem. "Och gammal nog att inte bli behandlad som ett barn."

"Det har du rätt i", sa Kane tankfullt.

Solen doldes av svarta molnbankar, och vinden friskade i och fick palmer och trädormbunkar att vaja fram och tillbaka. De var på väg mot inlandet. Genom att lämna kusten hade de hoppats undgå ovädret eller åtminstone söka skydd för det, men det gick inte att komma undan.

Regnet började falla, och till en början var det ett mjukt droppande på taket till vagnen som var trevligt att lyssna till, men alltför snart övergick det i ett snabbt smattrande som utestängde alla andra ljud. Det slog mot träden och studsade upp från den hårt packade jorden. En grå gardin av vatten svepte in den lilla skaran människor och utestängde omgivningarna, och det blev allt mörkare.

Catriona och hennes föräldrar satt hopkrupna på kuskbocken, och deras enkla regnkläder var inte till någon större nytta mot regnet som vräkte ner över dem. Jupiter böjde ner huvudet, och den genomvåta manen klibbade fast vid halsen medan han mödosamt stretade på. Han måste slita hårt, för vagnshjulen började gräva sig ner i leran. Kane hade på sig ett rejält oljeställ som täckte honom från halsen till fotabjället, och han satt på sin häst med hakan nedtryckt i kragen medan vattnet forsade från hattbrättet.

"Sök skydd i vagnen innan ni fryser ihjäl", skrek Declan, och rösten dränktes nästan av slagregnet.

Catriona och Velda klättrade över kuskbocken och tog sig in genom de smala dörrarna till den relativa säkerheten i vagnen, där de torkade håret och snabbt bytte till torra kläder. Regnet vräkte mot taket och gjorde det omöjligt att prata i det lilla utrymmet.

Catriona sjönk ner på kapockmadrassen och lät en av de smala dörrarna stå på glänt, så att hon kunde hålla ett öga på fadern. Med hopsjunkna axlar och i genomvåta kläder satt han på kuskbocken och försökte hålla de hala tömmarna i ett fast grepp. Kulihatten, som en av de kinesiska daglönarna på sockerrörsfälten hade flätat av kålblad, slokade under det skvalande vattnet.

Från sin utkikspunkt bakom kuskbocken kunde Catriona se palmbladen vika sig under regnets tyngd, och hon upptäckte också att vatt-net i den flod de följde hade stigit och forsade fram över de mörkröda klippor som helt nyligen hade legat på torr mark.

Catriona kröp intill modern och kikade ut. Hon kände sig varm och trygg i sin lilla kokong till värld och nöjd med att vara barn igen i moderns famn. Hon skrattade åt fåglarna. Rosenkakaduorna och papegojorna hängde upp och ner och bredde ut fjädrarna, skränade och tjattrade medan regnet spolade bort fästingar och löss. De vita gultofskakaduorna vickade på sina svavelgula kammar och tjöt medan de slog med vingarna och trängdes på de slippriga grenarna. Kookaburrorna burrade upp sig och tryckte näbben mot bröstet, och deras skrattande läten drunknade i oväsendet.

Catriona rös av förväntan då hon hörde åskan dra närmare. Mullret var dovt och överröstade det piskande regnet. Då och då lystes skogen upp av strålande klara ljussken som fick de svarta klippor som tornade upp sig bland träden att framträda i skarp relief. Catriona hade en hälsosam respekt för stormar, men hon var inte rädd för dem. De var en del av hennes liv, precis som hettan och dammet, och den här verkade inte gå av för hackor.

Mullret tilltog, åskan kom allt närmare. Blixtarna ljungade vita, skar genom de ilande, purpurröda molnen och förvandlade regnet till ett gnistrande draperi. På stadiga ben klafsade Jupiter genom allt vidare vattenpölar och små bäckar som kom forsande ner från kullarna och svepte över den förtorkade jorden.

Plötsligt lystes hela nejden upp av en sicksackblixt, som med ett väsande slog ner i ett träd strax intill, och åskdundret fick marken under dem att skaka. Med en knall liknande ett gevärsskott exploderade trädet och förvandlades till en eldpelare.

Jupiter stegrade sig, fäktade med framhovarna i luften och skriade av skräck.

Declan skrek då vagnen krängde och slängde och gjorde sitt yttersta för att hålla sig kvar.

Catriona och Velda kastades omkring i vagnen, och deras skrik uppslukades av den rytande stormen medan de slog i väggarna och skrapade armbågar och knän på det hårda golvet.

Kane klängde sig fast vid sadeln och kortade tyglarna då hans häst stegrade sig. Den snodde runt i cirkel med bakåtstrukna öron och ögonen rullande av skräck, försökte kasta av mannen på ryggen och fly undan oväsendet och alla skarpa ljus.

Blixtarna skar genom himlen, och åskan mullrade och dånade. Eldpelaren brann klart i dunklet, sträckte ut hungriga tungor och slickade nedfallna grenar och torra löv som låg skyddade under. Likt en orm slingrade elden sig genom undervegetationen och klättrade uppför trädens vita bark.

Jupiter slet i skaklarna och försökte göra sig fri från dem, tömmarna och mannen som höll i dem. Till slut fick skräcken honom att börja skena längs den leriga jordvägen.

Declan höll sig fast och tog spjärn med fötterna för att inte åka av. Han kunde knappt se, kunde knappt känna tömmarna i sina kalla, våta fingrar. Han vrålade till Kane, men rösten dränktes i helveteslarmet när Jupiter skenade vidare i full karriär. Under sin vilda flykt kände han inte vagnen som skumpade efter honom som en leksak.

Det stora, vassa klippblocket stack ut i jordvägen, och det järnskodda hjulet träffade det med en kraftig smäll som sände stötvågor genom vagnen.

Declan slungades upp i luften och slängdes i väg som en vante. När han landade på ett annat klippblock bröts benen av som tunna kvistar.

Catriona tappade balansen och skrek till när hon med ett brak föll omkull på vagnsgolvet och kände hur det knäckte till i handleden. Velda höll sig fast i trädörren och skrek åt Kane att göra något medan vagnen slängde hit och dit i full fart utan kusk.

Med en svordom satte Kane hälarna i hästens sidor och red i kapp den skräckslagna Jupiter. Kane lutade sig åt sidan och fick tag i tömmarna. Sedan höll han fast dem av alla krafter och till slut rycktes han ur sadeln och släpades med genom leran. När hans egen häst äntligen blev fri satte den av som en blixt.

Jupiter var en gammal häst och inte skapt för den sortens sporrsträck. Han spjärnade emot de envisa ryckningarna i tömmarna en stund och slängde med huvudet, men han insåg snart att han aldrig skulle bli av med vagnens tyngd eller mannen som vägrade släppa taget. Snart orkade han inte längre utan stannade darrande och andades häftigt.

Velda hoppade ur vagnen och rusade tillbaka allt vad tygen höll.

Catrionas handled dunkade och brände som eld. När hon tittade på den såg hon glänsande vitt ben sticka ut genom den blodiga huden, och hon kände gallan välla upp i halsen. Fast besluten att ta sig till fadern svalde hon, drog djupa andetag och klättrade ner på marken. Huvudet fylldes av en svart dimma som hotade att överväldiga henne då hon försökte springa, men hon kämpade emot den och tvingade sig att skynda till faderns sida.

Declan låg stilla, och ansiktet var alldeles grått. Regnet vräkte ner mot hans slutna ögonlock och strömmade nedför kinderna. Velda ställde sig på knä i leran och tog hans hand. Håret hade lossnat ur nålarna och hängde ner på ryggen som en våt massa. Klänningen klibbade fast vid henne, och man såg kotorna i ryggraden och de vassa höftbenen då hon snabbt lät händerna glida över makens kropp.

Catriona sjönk ner på knä bredvid henne. Smärtan i handleden fick henne att må illa, och hon var sjuk av oro för fadern. "Han är väl inte död?" frågade hon ängsligt. Hon blev tvungen att upprepa frågan, för modern hade inte hört vad hon sa genom det smattrande regnet.

Velda skakade på huvudet. "Nej, men han är illa skadad", skrek hon. "Hämta en filt och den lilla flaskan med konjak i min korg!" beordrade hon.

Catriona reste sig. Smärtan var skärande, och den svarta dimman fyllde åter huvudet och utestängde anblicken framför henne. Hon försökte ropa, försökte vara stark, men överväldigades av mörkret. Samtidigt som hon kände hur benen vek sig och marken kom rusande hörde hon modern skrika.

Catriona kände de kyliga nålsticken från regnet mot ansiktet och slog upp ögonen. Hon var förbryllad. Varför låg hon i leran? Var var hon och varför gjorde det så ont i handleden?

Hon blinkade för att få vattnet ur ögonen och insåg att Kane höll på att lyfta upp henne. De svaga protesterna tjänade ingenting till då han snabbt bar henne genom regnet till ett regnskydd av tältduk som han spänt upp mellan träden. Så mindes hon med ens. "Pappa!" tjöt hon och började spjärna emot. "Var är pappa?"

"Var still!" skrek Kane. "Det är ingen fara med honom."

Catriona vred sig som en mask tills han blev tvungen att sätta ner henne. Det plaskade om fötterna då hon störtade genom leran med den dunkande handleden tryckt mot bröstet, och hon nästan föll in under skyddet.

Fadern låg på en filt med huvudet på en kudde som var fläckad av hans blod. Det trängde igenom tyget och spred sig, precis som de fasansfulla, mörkröda blommor som bredde ut sig kring revbenen och anklarna. Han var askgrå i ansiktet, och ögonen var slutna. De enda tecknen på liv var bröstet som snabbt hävdes och sänktes liksom det kvävda, gurglande ljudet då han försökte andas.

Velda lämnade hans sida, tog Catriona i famnen och undersökte försiktigt handleden. Ur sin kappsäck plockade hon fram en lång sidenscarf som hon gjorde en mitella av och band om halsen på Catriona innan hon fick lägga sig ner på filten bredvid fadern. Så satte Velda munnen tätt intill Catrionas öra, för att hon skulle höra.

"Det var bra att du svimmade, för Kane lyckades lägga benet rätt medan du var medvetslös. Det är tur att han var så snabbtänkt, annars hade du säkert förblött."

Catriona betraktade handleden. En bomullsremsa hade bundits om armen alldeles nedanför armbågen, och en kraftig pinne höll remsan så hårt spänd att det dunkade i armen. Hon hade också en bomullsremsa runt handleden som var fastsatt med en säkerhetsnål. Gudskelov syntes inget blod och ingen benpipa som kunde göra henne yr igen.

Hon skulle till att ta bort pinnen, men modern knuffade undan handen. "Låt den sitta", befallde hon. "Det är den som hejdar blodflödet."

"Hur är det med pappa?" undrade Catriona då hon såg blodet tränga igenom faderns kläder. "Varför kan inte Kane stoppa hans blödningar också?"

Kane spjälade färdigt Declans krossade ben och sjönk ner på hälarna. "Förbanden är inte till någon nytta, för jag kan inte dra åt dem tillräckligt hårt." Han undersökte bandaget runt Declans mage och reste sig. "Vi måste få dem till en doktor illa kvickt", sa han sedan. "Kom nu, Velda. Du måste hjälpa mig att laga hjulet."

Catriona låg bredvid fadern med sin lilla hand i hans medan han kämpade för att andas och försökte hålla sig vid liv. Tårarna rann nedför regnvåta kinder då hon såg modern och Kane med nedböjda huvuden streta genom leran. Veldas klänning var genomvåt och klibbade vid benen, och hon fastnade med skorna och tappade dem. Kane var bättre rustad för att klara ovädret och stegade med klafsande stövlar genom regnet.

Catriona tittade på fadern. Det hördes konstiga, bubblande ljud från hans strupe, och i mungipan hade han blodigt slem. Hon tog hans hand och försökte överföra lite av sin egen ungdomliga kraft till honom. Han fick inte dö.

Världen utanför var grå, och de båda gestalter som slet med vagnshjulet såg små och sårbara ut. Catriona önskade att hon kunde hjälpa till, men det var omöjligt. Smärtan gjorde sig åter påmind, vällde över henne i plågsamma vågor, och hon höll fadern i handen och lät mörkret ta över.

Kane hamrade i den sista spiken och lyckades med Veldas hjälp få på hjulet på axeln. Han svettades i det tunga oljestället, och från hattbrättet rann iskallt regnvatten in under kragen och nedför halsen.

Handen slant, och spikhuvudet rev upp ett djupt jack i den köttiga delen av handflatan. Han svor lågt och virade snabbt en inte alltför ren näsduk om såret. Det här landet var gräsligt, tänkte han bistert medan han tog sig tillbaka genom lervällingen till skyddet. Om inte solen brände tog fukten musten ur en, och nu hotade regnet att dränka honom. Vad hade han här att göra? Han borde ha lämnat familjen Summers för länge sedan, borde ha gett sig av på egen hand och gjort något bättre av sitt liv.

En stund stod Kane och betraktade den skadade mannen och hans dotter. Frågan var retorisk, för han visste redan svaret. Det fanns inget annat liv, inget annat att välja på; investeringarna var borta, och han var dömd till exil så länge hans familj betalade honom för att hålla sig undan.

Han lyfte upp flickan i famnen och bar henne till vagnen. Där lade han ner henne på kapockmadrassen och bredde en torr filt över henne. Så satte han sig på huk och betraktade det bleka lilla ansiktet, lät fingret följa kindens rundning. Hon såg så oskyldig och skör ut, som en porslinsdocka, och han kunde inte motstå frestelsen att trycka läpparna mot den heta pannan.

"Vi måste skynda oss, Kane!"

Vid ljudet av Veldas röst vände han sig om och klättrade med en otålig grymtning ut i regnet igen, tänkte dystert på sina dyrbara ridstövlar som säkert var ohjälpligt förstörda. Med ett påklistrat leende försökte han skyla över sitt dåliga humör och blev illa berörd av den tacksamma blick hon gav honom när han återigen tog befälet. Om hon bara inte förlitade sig så helt på honom; om han haft viljestyrka nog att lämna dem som alla de andra. Ilskan vällde upp, men han höll tillbaka den. Det var ändå för sent.

"Ta tag i andra änden av filten, men försök att inte stöta till honom!"

Declan var ingen lättviktare, och det var tungt att streta fram genom regnet och leran. De kunde inte heller lyfta upp honom i vagnen liggande på filten, så Kane blev tvungen att klättra upp med karln i famnen och försiktigt lägga ner honom bredvid dottern på madrassen.

Det värkte fortfarande i hela kroppen efter slitet på sockerrörsfälten, och ansträngningen att laga hjulet och bära Declan hade sugit musten ur honom. Han satt på kuskbocken med händerna på knäna och försökte hämta andan medan Velda klättrade upp bak i vagnen för att sköta om sin skadade familj. Kane blängde irriterat på regnet. Det hade släckt skogsbranden, men det var också det enda goda med det.

Så hörde han hovslag och rätade på ryggen. Hans häst hade kommit tillbaka, antagligen räddare ensam än i sällskap under ovädret. Hästar var allt bra dumma, tänkte han och fattade snabbt tyglarna; de begrep inte när de hade det bra. Om han själv varit en skulle han ha befunnit sig långt därifrån vid det laget, sa han sig och band fast tyglarna bak på vagnen.

"Vi måste i väg!" skrek Velda. "Declan blir allt sämre."

Kane sköt upp hatten i pannan, och leendet övergick i en grimas då han åter klättrade upp på kuskbocken. Så tog han tömmarna och snärtade till mot shirehästens breda rygg. Det var dags för Velda att förstå att han inte var hennes lakej, dags att visa vem som bestämde och ändra lite i planerna.

Åskan mullrade och blixtarna trasade sönder himlen medan regnet vräkte ner. Det smattrade mot taket och dränkte alla andra ljud.

Catriona huttrade av köld trots filten. Klänningen klistrade fast vid kroppen, håret klibbade vid ansiktet i fuktiga testar, och det iskalla vattnet rann längs halsen och blötte ner kudden. Hon kunde höra Kane svära medan stackars Jupiter stretade på genom lervällingen, och hon undrade hur länge det skulle dröja innan de var tillbaka i Bundaberg. Det kändes som om hon redan hade tillbringat timtal i vagnen, som skumpade och skakade tillbaka samma väg de nyss kommit.

Hon låg på madrassen bredvid fadern med blicken fäst på hans ansikte och försökte låta bli att kvida när smärtan i handleden nästan blev outhärdlig. Även fadern måste ha fruktansvärda plågor, för han var askgrå i ansiktet, kinderna hade fallit in, och det rosslade när han andades. Var gång vagnen ryckte till tycktes det gå en chockvåg av smärta genom honom.

Velda satt mellan dem men bekymrade sig främst för Declan. Hon försökte lugna honom med rösten, strök honom över pannan och torkade blod och svett ur ansiktet. Den våta klänningen klibbade fast vid den magra kroppen då hon böjde sig över honom, håret i den slarviga knuten i nacken var trassligt och blött, och tårarna gjorde spår i det smutsiga ansiktet.

En våg av kärlek till modern vällde upp inom Catriona, och hon längtade efter att bli omfamnad och tröstad men förstod att hon var självisk, att fadern behövde modern bättre. Hon gled in och ut ur medvetslösheten, vaknade då fadern skrek eller då en skakning fick det att hugga till av smärta i handleden.

Catriona slog upp ögonen då hon kände händer lyfta henne ur vagnen, såg sig om efter fadern, men han var försvunnen.

"Oroa dig inte", sa Kane, för det var han som bar henne genom regnet och in i en lång träbyggnad som nästan doldes av träd. "Doktorn tar hand om honom."

"Han blir väl bra igen?" frågade hon genom feberdimman som tycktes ha slagit klorna i henne. "Det är väl säkert att han blir bra?"

"Nu ska vi först se till att du blir omskött, och sedan kan du själv gå och titta till honom", svarade Kane och bar in henne i ett rum på husets baksida.

Det lilla sjukhuset låg i utkanten av Bundaberg och var byggt och finansierat av ägarna till sockerplantagerna. Det var välutrustat, sköttes effektivt och hade ett vidsträckt upptagningsområde. Att hugga sockerrör var farligt, och karlarna blev ständigt sjuka och skadade, så de båda läkarna och de tre sköterskorna hade fullt upp.

Sjukhuset bestod av en stor avdelning för huggarna, två mindre avdelningar för kvinnor och barn och en liten operationssal. Längs husets framsida löpte en bred veranda som skuggades av ett sluttande tak av korrugerad plåt som doldes nästan helt av bougainvillea. Det var här i korgstolarna konvalescenterna helst satt och rökte och drog rövarhistorier medan de fördrev tiden tills de skulle vara tillbaka på sockerrörsfälten.

Då Catriona vaknade upptäckte hon flera saker på en gång. Armen var gipsad och gjorde inte längre ont, och hon låg i en riktig säng med mjuka kuddar under huvudet. Hon kurade ihop sig och njöt av att ligga bekvämt medan hon såg sig omkring.

Hon var ensam i ett litet rum, men genom den öppna dörren kunde hon se och höra det sjudande livet på sjukhuset. Det kändes himmelskt med manglade lakan, rena dofter och vänliga ansikten. Där fanns blommor på fönsterbrädorna, gardiner och överkast i glada färger och golven var bonade. Sköterskorna bar vita hättor och stärkta förkläden, och hon undrade hur de lyckades hålla dem så stela.

Då Catriona vaknat till ordentligt insåg hon att hon helt glömt bort fadern. Hon försökte sätta sig upp, men yrseln fick henne att må illa och hon föll ihop på kuddarna. Hon måste ta sig till fadern, måste få veta att allt var bra med honom. Var fanns modern? Hon behövde sin mamma.

Som om Velda hört dotterns desperata vädjan dök hon upp i dörröppningen.

Catrionas lättnad och glädje över att se modern sopades omedelbart bort. Velda var askgrå i ansiktet, kindbenen avtecknade sig skarpt mot huden, och ögonen skuggades av mörka ringar. Hon tycktes ha krympt ihop och åldrats, och hon stödde sig tungt på Kane då han hjälpte henne att sätta sig i stolen vid Catrionas säng.

"Mamma?" Rösten skälvde, och blicken skymdes av tårar. Catriona var rädd, räddare än hon någonsin varit.

Velda tog hennes händer. Moderns fingrar var kalla, rösten låg och orden otydliga då hon berättade att fadern var död. "Declan var så tapper", snyftade hon. "Läkarna gjorde vad de kunde, men det var för sent, skadorna var för allvarliga."

Catriona fick svårt att andas, hon kände sig som förlamad. Med tårarna strömmande nedför kinderna stirrade hon på modern och försökte få klarhet i vad hon sa. Det kunde inte vara sant, tänkte hon, det måste vara ett misstag. Fadern var stark och fortfarande ung. Inte kunde väl han vara död?

Velda snöt sig och torkade tårarna med en genomblöt näsduk. "Jag skulle inte ha flyttat honom", mumlade hon, "och inte utsatt honom för den besvärliga färden hit." Hon bröt ihop, och den magra kroppen skakades av snyftningar då hon slog händerna för ansiktet och gav utlopp åt sorgen.

"Vad annat kunde vi ha gjort?" frågade Kane, som stod bredvid, och lade handen på hennes axel. "Du får inte klandra dig själv, kära du."

Velda lyfte sitt tårdränkta ansikte mot honom. "Men det gör jag", kved hon. "Jag kan inte låta bli."

Catriona såg från modern till Kane. Klumpen i halsen hotade att kväva henne, och insikten om att fadern var död träffade henne som ett klubbslag. Hon skulle aldrig mer få se honom, aldrig mer få höra hans röst eller känna hans armar om sig. Aldrig mer skulle hon få sitta bredvid honom på kuskbocken och lyssna till hans historier medan han höll i tömmarna och styrde Jupiter genom vildmarken.

Hon började gråta, rasade mot modern för att hon låtit honom dö, rasade mot Kane för att han låtit fadern lida på färden till sjukhuset. Hon skakade av sig Veldas hand och var oemottaglig för Kanes försök att lugna ner henne. Hon hatade honom, hatade dem bägge två och ville bara ha tillbaka sin far.

Sticket av en nål i armen fick henne att sluta ögonen, och hon omslöts av ett mörker där det varken fanns smärta eller ångest.

När hon vaknade kändes det som om huvudet var fullt av bomull, och först mindes hon inte vad som hade hänt. Så upptäckte hon att modern och Kane satt vid sängkanten och betraktade henne. "Jag vill se honom", sa hon.

Velda lutade sig fram och tog hennes hand. "Det går inte, min älskling", svarade hon med ögonen mörka av sorg. "Vi begravde Declan för två dagar sedan. Nu är han hos änglarna. Må Gud bevara honom."

Förvirrad och häpen lutade Catriona sig mot kuddarna. "Men hur kan det ha gått till?" utbrast hon. "Vi kom ju hit i dag."

Kane reste sig från stolen och satte sig på sängen, och madrassen sjönk ner under hans tyngd då han lutade sig fram och mjukt strök några hårslingor ur ansiktet på henne. "Du har varit allvarligt sjuk med hög feber", förklarade han, "så doktorn tyckte det var bäst att låta dig sova så länge som möjligt. Vi har varit här i nästan en hel vecka."

Catriona såg storögt på modern. Hur kunde hon ha varit borta i en hel vecka?

Velda ställde sig vid Kanes sida. "Det är sant som han säger, och du var så illa däran att jag var rädd för att förlora dig också." Hon log sorgset mot dottern.

Catriona fann inte ord för att uttrycka de ohyggliga känslor som rev och slet i henne.

Velda stoppade in flickans händer under lakanet och tog ett steg tillbaka från sängen. "Du har återhämtat dig snabbt. Doktorn säger att du är tillräckligt frisk för att kunna resa, och du blir utskriven i morgon."

Catriona stirrade på dem. Hon ville inte lämna sjukhuset, ville inte fara någonstans utan fadern. Hur kunde modern bara föreslå något sådant? Hon blinkade och försökte koncentrera sig på vad Kane sa.

"Hädanefter ska jag ta hand om er båda två", meddelade han medan han reste sig och lade armen om Veldas smala midja. "I morgon tar vi tåget till Cairns."

Catriona gillade varken Kanes sätt att hålla om modern eller Veldas sätt att se på Kane som om hon inte kunde leva utan honom. "Jag vill inte resa till Cairns", protesterade Catriona envist. "Varför kan vi inte stanna här?"

Kane drog Velda intill sig och viskade något i hennes öra, och hon log blekt mot Catriona innan hon lämnade rummet. Han kom tillbaka till sängen, och madrassen sjönk åter ner under hans tyngd. "Din mamma är förkrossad, och jag kan inte tänka mig att du vill orsaka henne ännu mer sorg", sa han lågmält. Han strök håret ur ansiktet på henne. "Jag tror du begriper hur svårt det skulle vara för henne att stanna här, så var en snäll flicka nu, om inte för min skull, så för din mammas."

Orden var mjuka, men Catriona hörde den stålhårda beslutsamheten bakom dem och förstod att Kane tänkte ta befälet. "Jag är snäll", snörvlade hon, "men jag längtar efter pappa."

Han tog hennes hand och höll den i knäet. "Vi kan tyvärr inte stanna här längre", förklarade han. "Hästarna och vagnen är redan sålda, och jag har köpt tågbiljetter till Cairns där jag har blivit erbjuden jobb." Den blå blicken var stadig då han följde konturen av hennes ansikte med fingrarna. "Från och med nu tar jag hand om dig, Catriona."

5

Velda stod inte ut med ännu ett besök på kyrkogården. Hon hade gråtit så mycket att hon var utmattad och dessutom var hon rädd. Vad skulle det bli av henne och Catriona utan Declan? Vad skulle de leva på? Hur skulle hon kunna försörja dem när hon hade så lite erfarenhet av livet utanför det kringresande varietésällskapet?

Catriona hörde det desperata muttrandet och begrep att modern var så inkapslad i sin egen sorg att hon knappt märkte att Catriona också led. Velda tycktes stödja sig allt mer på Kane, både fysiskt och psykiskt. Hon lät honom fatta alla beslut, klängde sig fast vid honom likt en drunknande vid ett halmstrå. Det var som om hon varken brydde sig om dottern eller sin egen person längre, och hon rörde sig som en sömngångare. Livfullheten och den sprudlande energin var borta, det verkade nästan som om hon inte ville leva längre.

Catriona hjälpte modern in i väntsalen på stationen och såg till att hon satt bekvämt med en bok i knäet innan hon och Kane gick till kyrkogården för att ta ett sista farväl av fadern. Då Catriona vände sig om i dörren märkte hon att modern stirrade rakt ut i tomma intet utan att ha öppnat boken. Med tungt hjärta rättade Catriona till mitellan och följde efter Kane till kyrkogården.

Hon hade inte råd att köpa några blommor, så hon plockade kängurutass och tusenskönor på vägen. Det var en söt kyrkogård, om man nu fick använda det ordet, tänkte hon och såg sig omkring. Gräset var nyklippt, och träden vimlade av fåglar. Det var en tyst och fridfull plats, och hon hoppades på sitt lite barnsliga sätt att fadern skulle finna ro där. Hon lade ner de redan slokande blommorna på den nyligen vända jorden och betraktade det enkla korset medan hon sa adjö till honom.

De kom till Cairns på nyårsdagen 1933. Catriona var varm, törstig och trött. Kolröken från ångloket hade gjort kläderna svarta av sot, och hon längtade efter ett bad och ett rejält mål mat.

Resan från Bundaberg hade varit lång. Tåget gick långsamt och stannade i evigheter på små isolerade stationer. Maten bestod av bröd, fårkött och te i mängder, och de sov på samma hårda bänkar som de satt på. Med föga intresse hade de betraktat det majestätiska landskap som drog förbi utanför kupéfönstren, en ständig upprepning av gröna sockerrörsfält, gröna palmer och gröna trädormbunkar.

Catriona steg av tåget och hjälpte till att lasta av väskor och askar. Velda var magrare än någonsin. Ansiktet hade blivit glåmigt, och kläderna var ingrodda av smuts efter den långa resan. Hon hade knappt sagt ett ord sedan de lämnade Bundaberg, hade inte gjort minsta ansats att trösta dottern eller ens låtsas om hennes existens. Nu stod hon i skuggan av stationshusets tak med hattaskarna dinglande i händerna och stirrade rakt fram som ett förbryllat barn.

Catriona slet med den tunga väskan. Handleden var ännu inte läkt, och hon kunde inte lyfta något alls med den.

Kane tog hennes väska och lyfte sedan upp de andra. "Jag lämnar in väskorna på effektförvaringen", upplyste han. "Vi får komma tillbaka och hämta dem senare när jag har ordnat med transport." Han log och räckte henne vattenflaskan. "Du ser trött och törstig ut", tillade han vänligt. "Men nu ska det inte dröja länge förrän vi är framme vid hotellet."

"Ligger det långt härifrån?" frågade hon och skämdes för att rösten lät så gnällig.

Han skakade på huvudet. "Inte särskilt, och färden blir behaglig, för vi ska upp i bergen där det är svalare."

Catriona blickade ut över den långsträckta dalen mot raden av skogklädda berg som tornade upp sig över den lilla staden. Hotfulla, mörka moln seglade längs topparna och kastade svarta skuggor över pinjerna med löfte om ett skyfall. Ändå var hettan här nere i dalen närmast outhärdlig. Den tycktes tränga in i varje fiber, och det kändes som om hon sveptes in i en tung, fuktig filt och berövades sina sista krafter.

"Kan vi inte stanna här ett tag?" undrade hon grinigt.

"Vi har inte råd att slå dank i Cairns", svarade Kane, lämnade in väskorna och fick sitt kvitto. "Pengarna räcker inte heller till tågbiljetter eller till att hyra bil, så därför måste jag försöka hitta ett billigt transportmedel. Men det är svalt och skönt uppe i bergen, det perfekta stället att återhämta sig på, och din mamma får lättare att koppla av."

Han försökte tygla sin otålighet och gav henne en kram. "Du är en stor flicka nu", mumlade han mot hennes hår. "Upp med hakan!"

Catriona kände sig inte längre illojal för att hon omfamnade Kane. Engelsmannen kunde aldrig ta faderns plats i hennes hjärta, men han var den ende hon hade att ty sig till. Hans styrka och vänlighet hade blivit hennes räddning, eftersom Velda dukat under helt för sorgen. De hade tillbringat många timmar i varandras sällskap, spelat kort och pratat och suttit tätt intill varandra på de hårda träbänkarna för att hålla värmen medan tåget skakande tuffade fram längs rälsen. Till slut hade hon insett att hon blivit lika beroende av honom som modern, för de hade inga pengar, inget hem eller arbete, inte ens en släkting som kunde ge dem husrum, och utan honom skulle de ha varit förlorade.

Kane släppte henne och gick fram till Velda. "Kom, min kära", sa han och tog henne under armen. "Vi måste hitta ett färdmedel för nästa etapp av resan."

Med uttryckslöst ansikte och tom blick såg Velda på honom. Hon gjorde som han sa, följde med som en vålnad då han förde henne ut i den tryckande middagshettan.

Cairns var inte stort mer än en samling vita trähus som låg spridda under palmerna, några hotell och flera kyrkor. Det sjöd av liv och rörelse i hamnen där sockret lyftes över från lastbilar till båtar, och de överbyggda trätrottoarerna erbjöd svalka för dem som gick och tittade i de fåtaliga skyltfönstren. Havet blev en besvikelse för Catriona. Det var ebb, och vattnet hade dragit sig utåt och bara lämnat kvar en gyttjig strandremsa där fiskmåsar och vadarfåglar gick och letade mat.

Det fanns inte tid att dröja sig kvar eller sitta i skuggan och dricka kall saft, för Kane hade hittat en åkare som skulle köra dem upp till högplatån.

Herbert Allchorn var underlig och inte så lite skrämmande, men han ägde häst och skrinda. Kläderna hängde på honom i smutsiga lager, stövlarna var spruckna och hölls ihop med snöre, och hatten var så fläckig av svett att det var svårt att avgöra vilken färg den haft från början.

Han var inte heller särskilt pratsam, utan blängde bara på dem under lugg. Inget undgick hans blodsprängda ögon då Kane lastade på väskor och askar och hjälpte Velda att sätta sig på träbänken. Han spottade ut tobakssaft, torkade sig om munnen på ärmen och klättrade upp på kuskbocken. Så klatschade han till med tömmarna, och hästen började lunka framåt.

Catriona satt bredvid Kane och modern. Skakningarna kändes lika välbekanta som hennes egna andetag, och hon greps av längtan efter den gamla goda tiden, efter fadern och artisterna, efter Poppy, Max och shirehästarna. Men medan skrindan rullade på mot bergen i den stekande solen insåg hon att den tiden aldrig skulle komma tillbaka.

Herbert Allchorn satt hopkrupen på kuskbocken med hatten neddragen i pannan och stirrade rakt fram mellan hästens öron. Han hade inget att säga, inga kommentarer till omgivningarna, och Catriona rynkade på näsan åt hans vidriga stank. Det verkade inte som om åkaren var någon vän av tvål och vatten.

Solen skymdes av moln, och det blev behagligt svalt medan de långsamt körde längs den branta, slingrande jordvägen upp till högplatån. Luften var fylld av ljudet från tusentals insekter. Pinjer kastade mörka skuggor, klängväxter slingrade sig runt väldiga trädormbunkar och färggranna, tropiska blommor medan fåglarna kvittrade och pilade hit och dit. Djupa, skräckinjagande raviner störtade rakt ner vid sidan av vägen, och Catriona tordes inte titta ner i dem. Men då hon höjde blicken såg hon dalen breda ut sig i solen, och längre bort kunde hon se havet glittra.

De körde förbi ett vattenfall som störtade nedför glänsande, svarta klippor och fortsatte ner i dalen där vattnet rann ut i bäckar och floder. I dessa berg hade en järnväg huggits ut, och en ångvissla ljöd. Det lilla tåget dök upp, spydde ut rök och försvann dunkande utom synhåll in i en tunnel.

Catriona uppfattade en skymt av prydliga trähus byggda på pålar bland träden, och hon flämtade till vid åsynen av en glada som kretsade omkring högt uppe och spanade efter byte. Små vallabyer såg dem köra förbi, och stora röda kängurur studsade framför dem på vägen och hoppade med stor skicklighet ner i ravinen.

Kuranda var ett litet samhälle som vuxit upp sedan järnvägen byggdes, och det bestod av några timmerstugor, ett par små hus, en pub och en aboriginby som nästan doldes av träd. Solen bröt igenom regnskogen, och Catriona gjorde stora ögon. Runt omkring dem var skogen lummigt grön och sval med exotiska blommor och fåglar som sprakade i alla upptänkliga färger.

Åkaren klatschade till med tömmarna mot hästens rygg, och de rullade ut ur Kuranda och in i hjärtat av högslätten Atherton Tableland. Här fanns utmärkt åkermark med bördig jord och riklig nederbörd, och här bedrevs också boskapsskötsel. Täta regnskogar omgav dem med glimtar av kratersjöar, urgamla klippformationer och magnifika vattenfall.

Med hatten djupt neddragen över de kraftiga ögonbrynen och under butter tystnad körde Herbert Allchorn skrindan längs den gropiga vägen.

Utan att bry sig om omgivningarna hade Velda krupit ihop och somnat. Catriona lutade sig mot Kanes breda axel och kände sig tacksam för hans stöd. Även hon var sömnig i värmen, men till skillnad från modern var hon för nyfiken för att kunna sova.

Landskapet här uppe i norr skilde sig från allt hon tidigare sett. Regnskogen var ett enda virrvarr av jättelika trädormbunkar, akacior och mörka klätterväxter som slingrade sig runt glänsande gröna blad på växter som hon inte kunde sätta namn på. Blommorna tävlade med fåglarna i färgprakt, och luften genljöd av insektssurr.

Så kom de ut ur regnskogens svala skugga och körde över betesmarker som sträckte sig bort genom det dallrande värmediset. Boskap gick förnöjt och betade frodigt gräs som växte i den röda jorden. Vattenfall störtade ner i små dammar över svarta, glänsande klippor, och palmer sträckte sina långa, raka stammar mot himlen som ville de tävla med sockerraffinaderiernas skorstenar.

Dessa skorstenar spydde ut en grå rök som var tungt mättad av den vämjeliga melassdoften. Den genomsyrade luften, satte sig i kläderna och på huden, och när Catriona slickade sig om läpparna tyckte hon sig känna den klibbiga, söta smaken blandad med damm på tungan.

"Jag skickade ett telegram för att tala om att vi var på väg för två dagar sedan", upplyste Kane med huvudet vilande mot hennes hjässa. "Förhoppningsvis finns det någon där som tar emot oss."

Catriona var glad över att han tog hand om allt eftersom det knappt gick att få kontakt med Velda. "Jag hoppas bara att det finns en bekväm säng", sa hon och gäspade. "Jag är så fruktansvärt trött, och det ska bli skönt att slippa kuska omkring."

Kane kramade hennes axel och lät fingret glida över den nakna armen. "Nu är det inte långt kvar", lovade han.

De hade lämnat raffinaderierna bakom sig och kom till ett skogshuggarläger där det låg höga travar med kådigt timmer. Det luktade inte lika äckligt sött som melassen, och kådan hade en skarp citrusdoft som tycktes rena luften. Intill lägret fanns ett mindre samhälle med en bred gata, några hus, en kyrka och två hotell.

Herbert Allchorn manade på hästen, och de körde genom samhället och ut på andra sidan där regnskogens svala grönska återigen omslöt dem. Så kom de ut ur en lång kurva, och Catriona fick en första glimt av sitt nya hem.

Järngrindarna såg ogästvänliga ut, och när Kane klättrade ner från skrindan och sköt upp dem kunde Catriona inte undgå att lägga märke till de mörka skuggor som skogen kastade över den grusade uppfartsvägen. Hon rös till och drog koftan tätare om axlarna. Det var som om mörkret sträckte sina iskalla fingrar efter henne och jagade bort solens värme.

"Var är vi någonstans?" Velda satte sig upp och blinkade sömnigt medan hon rättade till hatt och klädsel.

"Det här är Petersburg Park, ditt nya hem", svarade Kane.

Catriona skakade av sig sina dystra tankar och bestämde sig för att hon bara var trött och hungrig. Fantasin spelade henne spratt, det var alltsammans, och nu var hon ivrig att få se huset. Hon lutade sig framåt, väntade otåligt på att det skulle dyka upp. Så fick hon syn på det. Stenväggarna fick en varm ton av solskenet som silade ner genom trädkronorna, och tornen vinkade åt henne att komma och utforska dem. Ögonen vidgades. Om det inte vore för de exklusiva bilar som stod parkerade i en halvcirkel framför huset och de elegant klädda människor som satt på gräsmattan och drack eftermiddagste kunde det ha varit ett sagoslott. Hon skulle kunna vara Rapunzel, och det enda som saknades var prinsen på sin vita springare.

Hon betraktade modern, letade efter ett tecken på nyfikenhet, men Velda stirrade bara rakt fram med uttryckslös min.

Catriona vägrade att låta sig nedslås av moderns liknöjdhet, och då de i sakta mak närmade sig huset upptäckte hon att det faktiskt var ett palats hon skulle bo i – och det hörde en prins till.

Han stod på trappan mellan två väldiga stenlejon. Kostymen såg gnistrande vit ut mot det mörka träet i ytterdörrarna, och även på håll kunde Catriona se att han var lång och stilig med välansat skägg. Han log brett då han hälsade på Kane.

"Varmt välkommen", sa han med en rullande, exotisk brytning som Catriona inte kunde placera. "Kane, gamle vän!" utbrast han med bullrande röst. "Det är underbart att se dig efter så lång tid."

Kane verkade vara precis lika förtjust över återseendet. De bägge männen skakade hand, dunkade varandra i ryggen och talade i munnen på varandra i sin iver att berätta allt som hänt sedan sist.

Catriona märkte att mannen på trappan rynkade pannan då han fick syn på henne och modern, noterade den snabba, frågande blick han gav Kane innan leendet åter var på plats och han lyfte på hatten för att hälsa på dem.

Catriona hoppade ner från skrindan och kände sig med ens illa till mods där hon stod och väntade på att bli presenterad. Främlingen betraktade henne med ett underligt uttryck, och de bruna ögonen var tankfulla.

"Det här är Dmitrij Jevtjenko", sa Kane, "ursprungligen från S:t Petersburg i Ryssland men numera en förmögen australisk medborgare." Han killade Catriona under hakan. "Se inte så rädd ut. Han kommer inte att äta upp dig." Kane log mot sin gode vän. "Dmitrij kanske verkar skräckinjagande, men han är vår välgörare och ägare till detta pampiga hotell."

Catrionas hand försvann i ryssens stora näve, och då hon mötte den spörjande blicken blev hon med ens förlägen. Han var mycket lång och bredaxlad med buskiga, lite hotfulla ögonbryn, men leendet var varmt och handslaget stadigt, vilket fick henne att känna sig trygg. Hon neg, och han bugade lätt innan han vände sig mot Velda och gav henne en luftkyss ovanför den behandskade handen.

"Du är en överraskningarnas man, Kane", anmärkte ryssen och släppte Veldas hand. "Det måste vara en välsignelse att ha en sådan hustru och dotter."

Kane skrattade högt och glädjelöst. "Bevare mig väl!" protesterade han. "Jag är inte typen som gifter sig. Omständigheterna har gjort att vi tvingats slå följe och dela umbärandena i detta vilda och otämjda land." Han klappade Dmitrij på axeln. "Du vet ju hur det är, gamle gosse, har man tagit fan i båten får man ro honom i land."

Catriona fick en smärre chock. Hur kunde han avfärda dem lika lättvindigt som om de bara vore tillfälliga bekanta? Vad skulle hända

78

med dem om den väldige ryssen bestämde sig för att de inte fick stanna?

Hon såg på modern, men Velda tycktes inte lyssna där hon stod mitt i det heta solskenet och stirrade tomt rakt framför sig. Catriona tog henne i handen och höll den hårt då hon åter vände sig mot de båda männen.

Dmitrij sköt fundersamt upp panamahatten i pannan. "Hoppas du att de också ska få arbete här hos mig?" frågade han. "Eller hade de bara tänkt stanna en kort tid?"

Kane verkade fullständigt obesvärad. "Velda och Catriona står helt ensamma i världen, och jag känner ett visst ansvar för dem." I ett försök att verka jovialisk gav han Dmitrij en lätt knuff i bröstet. "Du sa ju att du behövde hjälp att sköta hotellet, och nu är vi här."

Dmitrij drog i det välansade skägget medan han betraktade Velda och Catriona. "Det här måste vi diskutera, Kane", mumlade han. Så tycktes det slå honom att Catriona hörde vad han sa, för han tillade hastigt: "Men inte ska damerna stå här ute i hettan. Kom och titta på mitt lyxhotell." Han slog upp dörrarna och tecknade åt dem att stiga in i den svala foajén.

Prakten gjorde Catriona alldeles överväldigad. Förtjust betraktade hon den breda, svängda trappan, stuckaturen i taket, kristallkronan, blommorna och tavlorna. Där luktade möbelpolityr, och öppna dörrar ledde till rum som bara väntade på att bli utforskade.

"Jag ser att era gäster har kommit, sir", hördes plötsligt en skarp röst, "och utanför står en sjabbig karl med en skranglig skrinda."

Catriona vände sig om och fick syn på en surmulen kvinna. Hon var mager och klädd i en svart höghalsad klänning som nästan nådde ända ner till de tunna vristerna. Håret var råttfärgat och hårt åtdraget i en liten knut i nacken. Hon lade armarna i kors då hon lät sin grå blick svepa över dem.

"Edith, det här är Kane som jag har talat om", upplyste Dmitrij med hög röst, "och detta är Velda och Catriona."

Kvinnan nickade utan att säga ett ord, och en våg av fientlighet slog emot dem.

"Jag tror vi tar teet i min privata salong. Damen är trött", fortsatte Dmitrij.

Edith såg på Velda, och den smala munnen blev till ett streck. "Ska *damen* stanna, sir?"

"Naturligtvis", svarade han och föredrog uppenbarligen att inte låtsas om Ediths förolämpande tonfall. "Hon och hennes dotter får bo hos mig så länge de vill. Kanes vänner är mina vänner." Han log mot Catriona och blinkade. "Och ta in saft åt Catriona och ett fat med de härliga kakorna som kokerskan bakade i förmiddags."

"Som ni önskar, sir." Hon vände dem ryggen och försvann ut genom en dörr som nästan doldes av panelen.

Dmitrij skrattade. "Åkaren tycks inte falla Edith på läppen, så det är bäst att du betalar honom", rådde han engelsmannen. Kane gick för att göra det och hämta bagaget medan Dmitrij visade dem till sin privata salong. "Bry er inte om Edith", återtog han. "Hon är en ogift gammal fröken och ingen lycklig kvinna men en utmärkt husfru."

Med stora ögon betraktade Catriona den tjocka mattan på det blankbonade golvet, bokhyllorna som upptog väggarna och den väldiga takkronan som gnistrade i den sena eftermiddagssolen. Det var en mans rum med stora, bekväma möbler och sammetsdraperier med sidenomtag för fönstren.

Just som de sjönk ner i de djupa, sammetsklädda fåtöljerna kom Edith med en husa och dukade till te på ett bastant ekbord. Husan påminde om Poppy, tyckte Catriona, för hon var ljus och smärt och log vänskapligt mot Catriona då den surmulna husfrun inte såg det. Den korta, svarta klänningen med det vita förklädet och den käcka lilla hättan klädde henne, och Catriona log tillbaka och tänkte att Poppy skulle ha trivts här.

Sedan såg hon på den silverpjäs som ställdes fram mitt på bordet. Den var stor, formad som en urna och pryddes av keruber, vinrankor och druvor.

Dmitrij måste ha märkt hennes förundran, för han lutade sig framåt och förklarade med dämpad röst: "Det är en samovar, och i Ryssland brygger alla te i samovarer." Han såg på Kane som hade tagit hand om bagaget och nu halvlåg bekvämt i en fåtölj och rökte en cigarill. "Man gör inte som engelsmännen med sina futtiga små tekannor och sin varma mjölk", tillade han med ett leende. "Om man ska dricka te på ryskt vis ska man ha citron i."

Han skickade i väg Edith och husan och hällde upp en kopp te i fint benporslin åt Catriona. "Smaka, lilla gumman. Det är gott, men det finns saft om du föredrar det."

Catriona smuttade på teet. Det var hett och starkt och liknade inget te hon någonsin druckit. Eftersom hon nu kände sig lite bättre till mods i hans sällskap vågade hon ställa frågan som hon haft i bakhuvudet ända sedan de kom. "Vad är det för sorts arbete vi ska utföra?"

Han log, och de bruna ögonen lyste av vänlighet. "Inget alls", svarade han. "Du och din mamma är mina gäster. Jag, Dmitrij, är en man som står vid sitt ord."

Catriona kastade en blick på Velda som satt och stirrade rakt fram med tekoppen i handen. "Men vi kan väl inte bo här utan att göra någonting?" sa hon osäkert.

Dmitrij ställde ner den sköra koppen, som tycktes alldeles för liten för hans stora näve, och lutade sig bakåt i fåtöljen. "Varför inte? Ni står ju ensamma i världen och har ingen som tar hand om er. Ni ska vila och bli starka igen. Här läker det förflutnas sår."

Catriona betraktade ryssen och insåg att han förstod. Kanske hade även han förlorat någon kär anhörig och funnit tröst på denna magiska plats. "Det är mycket vänligt", sa hon blygt.

"Inte alls", förkunnade han. "Och nu när Kane är här och gästerna äntligen börjar hitta hit kan jag få se min dröm förverkligas."

"Vad ska du ha Kane till? Ska du ha en teater här?"

Han kastade huvudet bakåt och frustade av skratt. "Lilla gumman, det är inte Kanes scenvana jag behöver, utan hans engelska överklassmanér", svarade han slutligen.

"Vilken konstig färdighet att vilja ha", mumlade Catriona och såg från ryssen till Kane. "Du är rik. Varför sköter du inte hotellet själv?" Så insåg hon att hon kanske var lite väl frispråkig och tittade ängsligt ner, men hans svar lugnade henne.

"Du ser mitt vackra hotell och mina dyrbara kläder, men under ytan är jag bara en enkel rysk bonde. Jag har ingen familj – den mördades av kosackerna – så jag måste skapa mig ett nytt liv i det här storslagna landet."

Catriona höjde blicken mot honom. Han log brett, och hon kunde se glittret av guld i tandraden.

"Jag har bara erfarenhet av att arbeta med händerna, och jag tjänade mina pengar på det guld jag hittade nere i jorden, men jag har ingen utbildning och inget belevat sätt som kan få mina rika gäster att trivas på mitt hotell."

"Det var det fånigaste jag har hört", förkunnade Catriona bestämt.

"Jag är säker på att du har massor av intressanta historier att berätta som dina gäster gärna vill höra."

Dmitrij skrattade igen, så ohämmat och högljutt att Veldas tekopp klirrade mot fatet. "Jag gillar dig, lilla gumman", sa han när han äntligen lyckades sluta skratta och torkade sig i ögonen med en rejäl näsduk. "Du är som ryssarna, du säger vad du tänker." Han log mot henne och sänkte rösten. "En dag ska jag berätta för dig hur jag hittar guld och visa vad man kan göra med det."

Catriona var inte längre blyg för honom. "Det skulle jag bra gärna vilja veta", sa hon.

Han nickade och frågade sedan: "Vill du se dig om på hotellet nu?"

"Ja!" utbrast hon genast med barnslig entusiasm.

"Kom då. Vi lämnar de andra och ger oss ut på upptäcktsfärd."

I foajén var det liv och rörelse. Bärare kånkade på dyrbara koffertar och väskor tillhörande de gäster som kört dit upp i de glänsande bilar som stod parkerade utanför i solen. Kvinnorna bar vackra klänningar med vidd i kjolarna, och på fötterna hade de högklackade skor med öppen tå. På deras välfriserade huvuden satt klockhattar, och smycken gnistrade vid hals och öron. Männen i deras sällskap bar eleganta kostymer i mörka tyger, sidenslipsar och välputsade brogueskor, och hattarna hölls i händer som såg ut att aldrig i hela sitt liv ha gjort ett handtag. Husorna kilade hit och dit med tebrickor och sänglinne, och i receptionen stod Edith och dirigerade alltihop, gav order åt tjänsteflickor och bärare, lämnade ut nycklar och fjäskade för de manliga gästerna.

Catriona blev pinsamt medveten om sin ärvda klänning och sina nötta skor. "Allihop ser ut att vara förmögna", viskade hon till ryssen.

"Det är de också", viskade han tillbaka. "Det var därför jag öppnade hotell, för att hjälpa dem att göra av med sina pengar."

Hon log mot honom. Hon visste att han skämtade, för hon hade snabbt begripit att hotellet betydde mycket för Dmitrij och inte alls bara var ett sätt att tjäna pengar.

Dmitrij gjorde tecken åt en bärare, och deras bagage bars uppför den breda, svängda trappan och utom synhåll. "Jag kan inte visa dig hela huset", förklarade han, "för vi har gäster i nästan alla rum. Men det finns mycket annat att se." Han räckte fram handen. "Kom, så ska jag visa dig runt!"

Det fanns så många rum, korridorer och hallar att Catriona snart

82

hade tappat orienteringen helt och var övertygad om att hon aldrig skulle lära sig att hitta tillbaka till foajén. Överallt syntes orientaliska mattor och förgyllda speglar, och trappor förde upp till tornen där man kunde se ända till havet. Källaren var mörk och sval med vinflaskor i långa rader. Köket var enormt med flera spisar, och på väggarna hängde stekspett och kopparkastruller. Kokerskan, en stor, tjock kvinna med rosiga kinder och ett glatt leende, höll på att kavla deg och dela ut order till köksflickorna som var i Catrionas ålder. Kane hade inte överdrivit, insåg hon, för Dmitrij var verkligen rik och hade inte sparat på kostnaderna då han skapade sin dröm.

De kom tillbaka till salongen och fann att Velda satt och nickade till och att Kane var försjunken i en tidning. Catriona blev besviken, för hon längtade efter att få berätta för modern vad hon sett. All glädje försvann då hon insåg att modern inte brydde sig det minsta om var hon befann sig.

Än en gång tycktes Dmitrij förstå. "Nu tycker jag att ni ska gå till era rum och försöka sova ut efter den långa resan. Din mamma verkar inte vara frisk."

Catriona fick genast skuldkänslor. Det hade varit själviskt av henne att känna sig så upprymd då modern inte mådde bra. "Pappa dog helt nyligen", berättade hon med låg röst, "och mamma har inte kommit över det än."

"Och du då, har du kommit över det?" Blicken i de bruna ögonen var varm och stadig.

"Egentligen inte", medgav hon, "men Kane har varit fantastiskt snäll, och jag begriper inte hur vi skulle ha klarat oss utan honom."

Dmitrij nickade och drog i skägget. "Han gjorde rätt som tog med er hit, lilla gumman. Från och med nu är du och din mamma trygga i mitt hem. Det ska jag borga för."

Catriona log tacksamt och vände sig till Velda. "Kom nu, mamma", uppmanade hon. "Det har varit en lång dag, och du ser ut att behöva vila."

Velda blinkade lite yrvaket och reste sig ur fåtöljen. Så gick hon fram till Dmitrij och såg honom för första gången rakt i ögonen. "Tack", sa hon enkelt och lämnade salongen tillsammans med dottern.

Dmitrij hade visat Catriona var de skulle sova, och hon gick före modern uppför trapporna till översta våningen. Deras steg ekade, för här i den smala korridoren med en rad dörrar på ena sidan fanns inga mattor utan bara nakna golvbrädor.

"Vi bor bland tjänstefolket", muttrade Velda då hon steg in i sitt rum och sjönk ner på den smala sängen. "Herregud, vad ska det bli av oss?" stönade hon, slog händerna för ansiktet och brast i gråt.

Catriona satte sig bredvid och lade armen om henne. "Vi ska nog klara oss", sa hon med tillförsikt. "Dmitrij verkar snäll och har lovat att ta hand om oss." Hon lutade kinden mot Veldas axel. "Vi har åtminstone tak över huvudet och sköna sängar att sova i."

Velda kved och drog sig ur dotterns omfamning. "Tänk att det skulle bli så här", snyftade hon. "Allmosor är vad det är, inget annat än allmosor, och vi har ingen möjlighet att styra vad som händer med oss." Hon vände ryggen åt Catriona, drog upp knäna och borrade ner ansiktet i kudden.

"Mamma?" Catriona rörde vid hennes axel, men Velda skakade av sig dotterns hand. "Gå din väg. Jag vill att Declan ska komma, bara Declan."

Det ville Catriona med, men trots sina unga år insåg hon att han aldrig skulle komma tillbaka, hur mycket de än önskade det. Hon satt där och ville så gärna dela sin sorg med modern. Det värkte inom henne av saknad efter fadern, och hon kunde känna tårarna välla upp och längtade efter att få utlopp för dem.

Sekunderna gick. Med fasansfull tydlighet stod det klart för Catriona att Velda varken hade kraft eller vilja att ta tag i dotterns sorg, för hon kunde inte hantera sin egen. Bedrövad lämnade hon modern.

Hennes eget rum låg en bit bort i korridoren och såg exakt likadant ut som Veldas. Det var långsmalt med naket golv och vita väggar och stod i bjärt kontrast till den färggranna, trånga vagn där hon bott i hela sitt liv. Sängen var också smal med blankpolerade mässingsknoppar och bäddad med snövita lakan.

Catriona kände på den mjuka madrassen och de pösiga kuddarna, gled med händerna över de nymanglade lakanen. Det var första gången hon hade eget rum; en ilning av upphetsning genomfor henne, och hon önskade att det snart vore läggdags.

Hon satte sig på sängkanten och såg sig omkring i rummet. På ena sidan sängen fanns ett nattduksbord med ett nattkärl i porslin, och på andra sidan var en byrå inklämd. En tavla föreställande en bister kvinna i gammalmodiga kläder hängde på väggen mitt emot, och på ett bord med marmorskiva under fönstret stod handfat och handkanna. På insidan av dörren satt färggranna krokar, bredvid handfatet låg en trave handdukar, och på byrån låg borste och kam. Dmitrij hade tänkt på allt.

Fönstret satt högt, och Catriona drog pinnstolen tvärs över golvet och steg upp på den för att titta på utsikten. Hon suckade besviket. Allt hon kunde se var de grå skifferplattorna på taket, hörnet av en skorsten och trädtopparna i regnskogen.

Hon packade upp det lilla hon ägde i klädväg, lade ner en del plagg i byrålådorna och hängde upp några på krokarna. Böckerna fick ligga ovanpå byrån, och hon draperade en färggrann sjal över sängen. När hon hade ställt familjefotografierna på nattduksbordet och travat faderns skivsamling bredvid vevgrammofonen, som hon ställt på golvet, började rummet kännas riktigt hemtrevligt.

Catriona funderade på vad hon skulle ta sig för härnäst. Det var fortfarande ljust ute, och trots att hon var trött ville hon inte slösa bort tiden på att sova. Inte heller hade hon lust att stanna kvar här uppe när det fanns så mycket spännande att ta sig för.

Hon kunde gå på upptäcktsfärd i tornen, eller också kunde hon vandra runt i parken. Magen kurrade och påminde om att hon inte hade ätit mer än en smörgås och en liten kaka sedan tidigt på morgonen. Köket var ett bra ställe att börja på. Hon trodde inte att Dmitrij skulle ha något emot att hon bad kokerskan om något att äta, så att hon stod sig fram till middagen.

Hon lämnade rummet och lyssnade vid moderns dörr. Velda hade slutat snyfta, och Catriona misstänkte att hon sov. Hon skyndade nedför trapporna. Om hon mindes rätt måste man gå in genom en av dörrarna i den panelade foajén och sedan fortsätta genom en lång korridor med plattor på golvet för att komma till köket. Det vattnades redan i munnen vid tanken på bröd och ost och kanske lite pickles.

Med ens blev hon medveten om att det hördes höjda röster från Dmitrijs privata våning. Både gäster och tjänstefolk hade stannat till i foajén och tjuvlyssnade oblygt. Det var inget entusiastiskt utbyte av nyheter, förstod Catriona där hon osäkert tvekade på trappavsatsen, utan ett våldsamt gräl.

Hon stod där med händerna hårt om balustraden och försökte bestämma sig för vad hon skulle göra. Hon visste att hon inte borde lyssna, men precis som de andra nere i foajén kunde hon inte låta bli.

Rösterna var så högljudda och ilskna att det inte skulle ha förvånat henne om de hördes ända till Cairns.

"Du skulle ha berättat det!" skrek Dmitrij.

"Varför?" skrek Kane. "Vad gör det för skillnad?"

"Det gör stor skillnad."

"Det här är inget som angår dig, och vi hade en överenskommelse", rasade Kane. "Om jag vore som du skulle jag akta mig väldigt noga, annars..."

"Hotar du mig?" Dmitrijs röst steg till ett tjut. "Det är du som ska akta dig."

"Vi hade en överenskommelse", upprepade Kane. "Vad är det som har förändrats?"

"Det vet du mer än väl, så förolämpa mig inte genom att fråga." Rösten sjönk flera decibel, men orden hördes ändå tydligt. "Du ljuger, precis som vanligt. Du säger att du har förändrats, men det har du inte."

Catriona höll hårt om den blankpolerade balustraden och förmådde inte röra sig ur fläcken. Trots att Kane och Dmitrij lugnat ner sig och hon inte längre kunde uppfatta vad de sa, kände hon sig skrämd av de våldsamma känslor som blossat upp mellan de båda männen, för hon hade trott att de var goda vänner.

Utan förvarning slängdes dörren till Dmitrijs salong upp och brakade i väggen, och gäster och tjänstefolk flyttade sig snabbt ur vägen.

Catriona släppte taget om balustraden och drog sig in i skuggorna på trappavsatsen. Hon slog handen för munnen för att kväva sina väsande andetag.

Dmitrij stormade ut ur salongen. Stövelklackarna ekade mot marmorgolvet då han stegade genom foajén och försvann genom dörren som ledde till köket.

Kane kom ut från salongen. Med närmast oförskämd nonchalans lutade han sig mot dörrposten och tände en cigarill; blicken var iskall och ansiktet som hugget i sten.

Uppe på trappavsatsen började Catriona darra. Hon hade aldrig sett den sidan av Kane, och den skrämde henne.

6

Då det blev dags för kvällsmat syntes Dmitrij inte till. Velda och Catriona tvekade i foajén och undrade vart de skulle ta vägen.

"Middagen serveras i mr Jevtjenkos salong", upplyste Edith med en ilsken blick på Velda. "Det skulle inte passa sig för er att äta med gästerna."

Velda såg på henne med ett outgrundligt uttryck i sina violblå ögon. "Varför är du så ovänlig?" frågade hon.

Edith ryckte på axlarna. "En del människor borde veta sin plats."

Velda lät sig inte avskräckas av hennes oförskämdhet, och rösten var både lugn och stadig då hon sa: "Och vad är det för plats?"

Edith rynkade på näsan och gled med blicken över Veldas urblekta bomullsklänning, de nötta skorna och avsaknaden av strumpor. "Varken fågel eller fisk", fnös hon. "Det här är ett exklusivt hotell, och jag begriper inte varför han ger er husrum."

Röda fläckar dök upp på Veldas höga kindknotor, men Catriona visste inte om det var av ilska eller skam. "Du tycks ha en mycket hög uppfattning om dig själv, Edith", anmärkte hon kyligt, "men du är en tjänare medan min dotter och jag är Dmitrijs gäster. Det borde du kanske lägga på minnet." Hon satte hakan i vädret och seglade högdraget in i Dmitrijs våning. Edith stod kvar i foajén och gapade som en fisk på landbacken.

Häpet stirrade Catriona efter modern. Hon hade aldrig tidigare sett henne uppträda så överlägset och säkert, men i samma stund dörren stängdes tappade Velda masken och sjönk trött ner på en stol. "Är det så här det blir i fortsättningen?" suckade hon. "Ska vi bli föraktade och behandlade som lort av kvinnor som hon bara för att vi måste leva här på nåder?"

"Du var strålande, mamma!" utbrast Catriona. "Hon skulle aldrig ha vågat behandla dig på det sättet om Dmitrij funnits i närheten, och jag kan tänka mig att hon hädanefter undviker dig."

Kane steg in i rummet och satte sig vid bordet just som tjänsteflickan kom in med soppterrinen och en korg med nybakat bröd. "Kokerskan säger att ni ska ringa när ni är färdiga, så kommer jag med huvudrätten." Hon pekade på klocksträngen vid dörren och försvann.

Catriona högg in på maten. Soppan var ångande het med grönsaker och skinka i, och den smakade utsökt.

Velda drog runt med skeden i soppan, åt lite och sköt sedan tallriken ifrån sig. Därefter smulade hon sönder kuvertbrödet mellan fingrarna och stirrade rakt genom fönstret utan att se parken utanför. "Undrar var vår värd håller hus?" sa hon tonlöst.

Kane smakade på soppan, saltade och pepprade. "Han är ute i sin verkstad i skjulet. Det verkar som om han föredrar sitt eget sällskap framför vårt."

"Vad gör han där?" frågade Catriona.

"Det vete gudarna", svarade Kane med en axelryckning. "Han pysslar väl med sina kemikalier och ruvar på guldet." Rösten lät hård och bitter.

Catriona studerade honom eftertänksamt. Kane åt soppan med snibben på servetten instoppad innanför den stärkta, vita skjortkragen. Han var ytterst elegant, noterade hon, i välpressad kostym, blankputsade skor, ny skjorta och sidenslips. I kavajens bröstficka satt en näsduk som matchade slipsen, och utanpå den broderade västen hängde guldkedjan till ett fickur. Men humöret tycktes inte ha blivit bättre sedan grälet med Dmitrij.

Han blev medveten om hennes granskande blick. "Jag måste vara välklädd när jag tar hand om gästerna, så Dmitrij har lånat mig ett och annat", förklarade han.

Catriona tänkte på det våldsamma grälet och skulle bra gärna ha velat veta vad det handlat om, men hon förstod att det inte var rätt tillfälle att fråga. "Vad ska du syssla med?" sa hon i stället.

"Jag ska bli ceremonimästare", svarade han, åt upp det sista av soppan och lutade sig bakåt i stolen. "Det innebär att organisera picknickar och fester, kortpartier och annan underhållning. Dessutom ska jag ordna jakter för herrarna och tebjudningar för damerna, lösa alla eventuella problem och se till att gästerna får en behaglig vistelse här. Jag ska med andra ord ha ansvaret för det slödder som Dmitrij kallar tjänstefolket."

"Vet Edith om det?" Catriona log och visste att frågan var näsvis men kunde inte motstå frestelsen.

Kane suckade. "Stackars Edith. Med det utseendet och sättet får hon aldrig vad hon vill ha. Det är nästan så man tycker synd om henne." Catriona iakttog honom. Han såg inte ut att tycka det minsta synd om Edith, men han hade tydligen en viss aning om varför hon var otrevlig. "Vad är det hon vill ha? Nog har hon väl allt hon kan önska sig här?"

Kane reste sig för att dra i klocksträngen och kalla på tjänsteflickan. "Allt utom mannen hon trånar efter", svarade han, "men Dmitrij ser henne inte som den hustru hon längtar efter att bli, så i stället för härskarinna i huset måste hon förbli tjänarinna."

"Stackars Edith. Inte undra på att hon är så surmulen", sa Catriona och lutade sig tillbaka medan flickan tog bort sopptallrikarna och ställde fram stora serveringsfat med stekt kött och grönsaker på bordet. Till efterrätt skulle det bli ost och kex och frukt. Catriona hade aldrig sett så mycket god mat, och hon lät sig väl smaka. Köttet var mört, såsen tjock och god, och grönsakerna var färska och fräscha och dröp av smör. Depressionen verkade vara över, åtminstone för de människor som bodde här i huset. "Försök äta lite, mamma", uppmanade Catriona sin mor som återigen satt och lekte med maten.

"Jag går och lägger mig", sa Velda, sköt stolen bakåt och reste sig. "God natt, Kane, god natt, Catriona." Hon snuddade med läpparna vid dotterns hår och lämnade salongen.

"Det lär ta tid innan din stackars mamma kommer över förlusten", anmärkte Kane, stack gaffeln i en osttärning och lade för sig några kex. "Men förr eller senare måste hon inse att hon inte kan förlita sig på Dmitrijs generositet i all evighet."

"Du menar att vi måste ge oss av härifrån?" Catrionas puls började slå fortare, och hon hade med ens förlorat aptiten.

"Det beror på", svarade han och stoppade osten i munnen.

Catriona väntade. Nu skulle hon kanske få veta vad han och Dmitrij hade grälat om.

"Dmitrij gjorde sig en förmögenhet på guldfälten och är mycket rik. Han kom hit till Australien för över tjugofem år sedan, efter att hela hans familj mördats av kosacker i Ryssland. Han hade inget att förlora och allt att vinna." Kane viftade med bordskniven i luften. "Det här var hans dröm, och den tycks ha gått i uppfyllelse."

Han blickade ut i mörkret medan han åt ett kex.

"Men vi får inte glömma att Dmitrij är en man som är van att arbeta med händerna, att han i grund och botten är bonde med en bondes mentalitet. Han håller inte alltid sina löften."

Catriona satt tyst, förbryllad över de motstridiga tankar och känslor som hans ord väckte.

Kane borstade smulorna från skägg och mustasch, lade servetten intill tallriken och reste sig från bordet. Så gick han fram till skänken och slog upp ett glas portvin åt sig och tände en cigarill. "Det var sagt att om jag tog anställningen skulle vi dela på vinsten. Vi hade också kommit överens om att vara kompanjoner i hans nästa gruvprojekt. Dmitrij har brutit sina löften, och jag blir inget annat än hans passopp. Karln är ingen gentleman."

Catriona kunde se att Kane med stor möda undertryckte sin vrede och undrade hur det kom sig att hon såg ryssen i en helt annan dager.

Kane måste ha märkt att hon inte trodde honom. "Jag vill inte skrämma dig, barn lilla", sa han mjukt. "Självfallet tänker jag göra allt som står i min makt för att du och din mamma ska få stanna här. Men man kan inte lita på Dmitrij. Han är en lögnare och en tjuv och kan bli våldsam. Det är säkrast att du inte är ensam med honom."

"Han skulle aldrig kunna göra mig något illa", protesterade hon. "Han är inte sådan."

Leende lade Kane handen över hennes. "Låt min erfarenhet av livet och av män som Dmitrij vara dig till vägledning. Han verkar kanske vänlig, men tro mig, det finns en annan sida hos honom som jag hoppas att du aldrig ska behöva se."

Han avbröt sig och tycktes fatta ett beslut.

"Dmitrij har dödat en man", återtog han lågmält och fingrarna slöts hårdare om hennes hand. "Det var på den tiden vi grävde efter guld, och vi blev tvungna att snabbt ge oss av innan polisen kom." Han tystnade. "Men nog om detta. Det är sängdags för dig, och jag har arbete som väntar." Han lade armen om Catrionas axlar och snuddade vid hennes panna med sina varma läppar. "Sov gott", mumlade han.

Catriona gick uppför trapporna och lyssnade utanför moderns dörr. Det hördes inte ett ljud där inifrån, så hon fortsatte genom korridoren till sitt eget rum. Där sjönk hon ner på sängen och borstade sitt långa, svarta hår innan hon flätade det för natten.

Hon vek ner sängkläderna och drog det urblekta bomullsnattlinnet över huvudet, gled ner mellan de svala linnelakanen och släckte lampan. Men då hon låg där i mörkret och stirrade på månen som tittade in genom fönstret ville sömnen inte infinna sig. Tankarna snurrade i huvudet. Dmitrij hade verkat så snäll och rar, och han hade visat sig otroligt generös. Så varför framställde Kane honom som ett odjur? Hade han verkligen dödat en man? Var han farlig? Bilderna stämde inte. Catriona tyckte att Kane var bitter och trodde att bitterheten hängde ihop med grälet hon hört tidigare. Kanske skulle hon aldrig få veta vad som låg bakom, men hon var fast besluten att själv avgöra om Dmitrij var en man att lita på eller ej.

Parken runt hotellet sköttes av en trädgårdsmästare och två unga medhjälpare. Det fanns skuggiga bersåer att sitta i där gästerna slapp den gassande solen, på de terrasserade gräsmattorna var bord, stolar och parasoll utplacerade, och i ett hörn kunde de som ville spela krocket. En stentrappa ledde ner till floden där sköldpaddor och fiskar höll sig gömda under vattenliljorna och hägrarna stod vid strandkanten och spanade efter fisk. Tennisbanan och simbassängen var populära, och på långt håll kunde Catriona höra skratt och klirret av glas då bartendern serverade drinkar i trädgårdsbaren.

Catriona hade gett sig ut på upptäcktsfärd efter en brakfrukost i köket. Kokerskan hade satt för henne en tallrik med nystekta ägg och bacon, och en av de yngre husorna hade gjort Catriona sällskap med en kopp te och underhållit henne med skvaller om Edith och den obesvarade kärleken till Dmitrij. De hade pratat om fnissat och tappat bort tiden, tills kokerskan strängt sagt åt femtonåriga Phoebe att återgå till sysslorna. Innan Phoebe gick därifrån hade hon blinkat åt Catriona som tänkte att hon för första gången i hela sitt liv hade fått en jämnårig vän.

Hon kikade genom träden på männen och kvinnorna som vräkte sig i vilstolar i solen och inte tycktes ha något annat att bekymra sig för än solbrännan och om drinken var tillräckligt kall. På uppfarten var chaufförerna i full färd med att putsa på lyxåken medan de skvallrade och diskuterade dagens kapplöpningar, och de hejade glatt på henne då hon gick förbi.

Det var en värld som hon inte ens hade vetat om, en värld där man kunde strö pengar omkring sig, där man inte behövde vara rädd om kläderna, eftersom man visste att någon annan skulle plocka upp dem

91

och se till att de blev tvättade och strukna. Så annorlunda allt var mot det liv hon levt. Poppy skulle ha varit i sitt rätta element här, tänkte hon sorgset, hon skulle ha älskat de vackra aftonklänningarna och juvelerna, de flotta bilarna och all den ljuvliga maten. Hon önskade att Poppy hade stannat kvar i varietésällskapet, önskade att Poppy fått uppleva detta.

Catriona återvände till trädgården på baksidan av hotellet. Velda satt i en korgstol under ett parasoll med en drink i ett högt glas på bordet bredvid sig och en bok i knäet. Catriona störde henne inte, för hon verkade sova.

Trots att det ständigt var liv och rörelse och fanns mycket att se på hotellet föredrog Catriona lugnet i trädgården utanför Dmitrijs våning. Den var avskild från parken och gästerna med en rad träd och ett utsirat trästaket på ena sidan. På den andra gick en böljande gräsmatta över i regnskogens frodiga grönska, och här och var fanns snörräta blomrabatter. Det var en fridfull oas, en plats för eftertanke och vila som hon hoppades skulle hjälpa modern över sorgen.

"God morgon, lilla gumman. Har du sovit gott?"

Med Kanes varning i åtanke kikade Catriona försiktigt på Dmitrij. "Ja, tack", svarade hon. "Det var härligt att ha eget rum."

Han såg på henne och log. Det svarta håret verkade nästan blått i solskenet, och de bruna ögonen hade fläckar av guld. Han var inte lika formellt klädd som dagen före, noterade hon. Den vita kostymen var utbytt mot väl använda, säckiga byxor, rutig skjorta och grova stövlar. "Jag tycker också om ensamhet", erkände han. "Det är bra att vara för sig själv och kunna tänka."

"Men varför öppnade du då hotell?" frågade hon häpet.

"Jag har gott om pengar, och det har alltid varit min dröm att äga ett lyxhotell." Han log, men ögonen var sorgsna. "Men ibland räcker det med att önska sig en sak, för när man väl får den är den kanske inte vad man föreställde sig."

Han talade i gåtor, och hon förstod inte.

"Det var därför jag bad Kane komma hit", förklarade Dmitrij. "Med sin utbildning, sin brittiska accent och sina fina manér får Kane gästerna att känna sig hemma." Dmitrij tittade ner på sina stövlar. "Jag är en bonde utan vidare skolgång, och jag har inget gemensamt med dessa människor med sina tjusiga bilar och kläder och sitt konstiga beteende."

Catriona log mot honom. Hon tyckte om Dmitrij, och trots Kanes bittra litania mot honom visste hon instinktivt att han aldrig skulle göra henne något illa. Tillsammans gick de över gräsmattan och in i regnskogen där han kunde tala om namnet på varenda blomma, buske och klängväxt. Han plockade fram frön och brödsmulor ur fickan, och när han visslade kom stora och små papegojor flygande och åt ur hans hand.

"Kom", sa han till slut. "Nu ska jag visa dig var jag tillbringar det mesta av min tid."

Hon följde med honom till det bortersta hörnet av trädgården. Skjulet där han hade sin verkstad låg i skuggan av träden, omgivet av vildblommor och högt gräs.

"Numera kommer nästan aldrig någon hit", berättade Dmitrij och tog fram en stor nyckel som låg under en sten vid dörren. Han stack den i låset. "En gång i tiden var det här brygghuset, men det var innan stora huset gjordes om till hotell." Han öppnade dörren och steg åt sidan för att släppa in henne.

Catriona klev in och stirrade förvånat. Där var mörkt men inte dystert och det luktade het metall och underliga vätskor. På hyllorna stod flaskor med namn som hon inte kunde uttala. Längst in i ena hörnet fanns en vedspis, och på den stod en väldig kittel med flera deglar bredvid. Där fanns gamla tält och stövlar, skyfflar och spadar, hackor och en skottkärra. Ett jättelikt såll av trä stod lutat mot väggen, och i ett annat hörn syntes en arbetsbänk med en naken glödlampa ovanför.

"Här finns allt jag behöver ifall jag skulle vilja ge mig ut och leta guld igen. För mig är det ett sätt att samla tankarna och få vara mig själv igen, den sanne Dmitrij." Han såg att hon blev förbryllad och skrattade. "Jag tycker om att vara rik, lilla gumman, men i själ och hjärta är jag en vagabond med äventyret i blodet."

Det var inte svårt för Catriona att förstå som i hela sitt liv hade kuskat runt på vägarna; det skulle kännas konstigt att bo längre än ett par dagar på ett och samma ställe.

"Vad gör du här inne?" frågade hon och såg sig omkring på alla konstiga verktyg.

"Jag tillverkar saker", svarade han med hemlighetsfull min. "Kom, så ska jag visa dig."

Han placerade henne på en skranglig stol och gick fram till vedspisen. Efter att ha lagt in mer ved i spisen och fått ordentlig fyr tog han en degel med långt skaft, lade något i den och satte den på elden. "Titta noga nu, för det är rena magin."

Catriona ställde sig bredvid honom. Guldklimpen började smälta i degeln och gav ifrån sig en underlig lukt. Hon såg Dmitrij försiktigt hälla det smälta guldet i en metallform, och en stund senare höll han en guldring i handflatan. Det var som om trollkarlen Merlin hade varit i farten.

"En dag ska jag göra något åt dig", lovade han. "Skulle du vilja det?"

"Hemskt gärna!" Hon visste att ögonen glänste och att kinderna glödde, men inte bara av hettan från elden.

"Då säger vi det, men nu måste du gå, för jag hör din mamma ropa." Han såg på henne med tillgivenhet och en tår i ögat. "Du är mycket lik min älskade Irina", sa han sorgset.

"Vem var Irina?"

"Min dotter", svarade han, tog fram en stor näsduk ur fickan och snöt sig. "Men hon är död, precis som min hustru, mamma, pappa och mina bröder. Kosackerna kom till min by och dödade allihop. Jag var ute och jagade i skogen. Det var vinter och djup snö. Då jag kom hem hittade jag blod och död i stället för värme och kärlek."

Catriona kände tårarna välla upp och blinkade bort dem. Hon tog hans stora hand och kramade hans fingrar. Det fanns inga ord som kunde mildra hans smärta, men hon hoppades att hennes beröring skulle vara en liten tröst.

"Sedan kom jag till det här väldiga landet och hittade guld", återtog han med ett blekt leende. "Rikedom kan inte ersätta Irina och Lara, men den ger mig ett liv som jag aldrig hade kunnat hoppas på i Ryssland. Här finns frihet och möjligheten att leva precis som jag vill."

Catriona log mot honom då hon återigen hörde modern ropa. "Jag måste gå. Det är dags för min sånglektion. Det är det enda mamma tycks intressera sig för numera."

Han höjde de buskiga ögonbrynen. "Jaså? I så fall måste ni använda mitt piano. Det står i min våning, och ni får låna det när helst ni vill."

Medan veckorna blev till månader började Catriona finna sig till rätta. Hon och Phoebe hade blivit riktigt goda vänner, men flickan hade långa arbetsdagar och bodde tillsammans med sina föräldrar på andra sidan om den lilla staden Atherton. Därför fick de sällan tillfälle till mer än en kort pratstund. Phoebe var också förälskad i en av de unga trädgårdsarbetarna, och varje ledig stund störtade hon ut i parken för att flörta med honom.

Hotellet var fullbelagt, och bortsett från att Edith Powell var kantig och sur trivdes Catriona med sitt nya liv. Hon hade kommit att tycka alltmer om Dmitrij. Han blev den far hon förlorat, den farfar hon aldrig haft, och bandet mellan dem växte sig starkt och fyllde ett värkande tomrum i deras hjärtan. Han var bara en obildad rysk invandrare, men en sann vän som alltid hade tid för henne. Han lärde Catriona namn på träd och fåglar, visade de hemliga platser där vombaterna sov med sina små, tog med henne djupt in i skogen där de brukade sitta och se vallabyerna och deras ungar beta. Men allra mest spännande var det att se på när han förvandlade guldklimpar till flytande guld som sedan blev till utsökta smycken.

Dmitrij hade också tagit Velda under sitt beskydd. Varje morgon satt han hos henne i trädgården och pratade, och hans mörka röst genljöd i stillheten. Men trots det hade Velda bara blivit ännu tunnare under de månader som gått. Hon höll sig undan för Edith och hotellgästerna och drev omkring i trädgården och Dmitrijs våning likt en vålnad med ansikte blekt som papper. På kvällarna kunde Catriona höra modern gråta sig till sömns, och det värkte i hennes hjärta. Hon längtade efter att få trösta modern och själv bli tröstad, längtade efter att Velda skulle förstå att även hon led. Men frånsett de timmar Velda varje dag undervisade dottern i sång tillbringade hon dagarna i ett drömliknande tillstånd och nätterna i tårar, och hon verkade inte inse att Catriona behövde mer än sånglektioner för att ta sig igenom sorgen.

Catrionas relation till Kane hade förändrats. Det hade skett så gradvis att hon knappt märkte det. Förut hade hon accepterat hans kramar, hans oskyldiga pussar på pannan, hans hand på hennes arm eller om midjan, men numera blev hon illa till mods då han rörde vid henne och fann honom närgången. Ändå tycktes han erbjuda tröst, stöd och vänskap när modern svek, precis som han alltid gjort. Kanske var det förändringarna i hennes egen kropp som gjorde att hon kände sig generad; han hade egentligen inte gjort något som föranledde hennes känsla av att något inte var riktigt som det skulle.

Det var några veckor före Catrionas trettonårsdag, och Velda hade som vanligt gått tidigt till sängs och lämnat henne ensam med Kane i Dmitrijs salong. Catriona var trött på boken hon höll på att läsa och hade lagt den åt sidan och gått fram till fönstret. Hon älskade att titta ut i trädgården där eldflugorna dansade likt små älvor i buskarna.

"Kom och sätt dig hos mig och berätta om din dag", bad Kane och räckte fram handen.

Motsträvigt vände Catriona sig från fönstret.

"Vad är det för fel?" Han log. "Du missunnar mig väl inte några minuter av din dag? Jag minns när du alltid kom springande till mig och berättade vad du hade haft för dig."

Catriona mindes alla gånger hon tytt sig till honom ute på vägarna, mindes hur snäll han varit mot henne och modern den gräsliga första tiden efter faderns död. Det kändes löjligt att stå där, så hon fattade hans utsträckta hand, och innan hon visste ordet av hade han dragit ner henne i knäet.

"Jag är för stor för att sitta i knäet", protesterade hon med förläget röda kinder.

"Struntprat", sa han och drog henne tätt intill sig. "Du är liten och lätt som en fjäder och väger inte mer än en sparv trots att du sätter i dig så mycket mat." Han gled med handen längs hennes arm. "Vad har du haft för dig hela dagen?"

"Lite av varje", muttrade Catriona. Hon försökte sitta stilla men kände sig varm och besvärad. Hon var inte längre någon liten flicka, utan skulle snart fylla tretton och visste instinktivt att det inte passade sig att hon satt i hans famn. Hans andedräkt luktade cigarill och portvin, och hon kunde känna hans puls bulta mot sin bara arm. Hon visste varken vad hon skulle säga eller göra eller hur hon skulle ge uttryck för den våg av känslor som genomfor henne.

"Du och Phoebe har väl flörtat med de unga trädgårdsarbetarna, kan jag förstå", mumlade han och tryckte läpparna mot hennes öra. "Det är bäst du är försiktig, annars kan du få dåligt rykte." Fingrarna snuddade vid hennes knoppande bröst och fortsatte upp längs halsen.

"Nu måste jag gå!" utbrast hon och försökte dra sig undan. "Mamma undrar säkert var jag är."

"Ge mig en godnattkyss först", sa han med ett järnhårt grepp om hennes midja.

Catriona tvekade. Om hon gjorde som han bad skulle han släppa henne, och kanske skulle han nöja sig med en puss på kinden.

Men Kane vred snabbt på huvudet och besvarade hennes kyss, hans mun trycktes hårt mot hennes och fingrarna hade ett stadigt grepp om hennes nacke medan den andra handen letade sig in under klänningen.

Hon knuffade undan honom och reste sig upp. Benen darrade, och hon hade svårt att andas. Med baksidan av handen torkade hon sig om munnen. "Du borde inte ha gjort så!" fick hon ur sig.

Hans blå ögon vidgades. "Vad ska det här föreställa?" undrade han med ett skratt. "Jag trodde vi var goda vänner."

Catriona skakade på huvudet. Hon hade inga ord för att uttrycka sina känslor. Hon var både brydd och förlägen och skrämdes med ens av hur lätt han avfärdat hennes protester. Något sa henne att det han gjort den kvällen bara förebådade något ännu otrevligare och att han njöt av att se henne våndas. Då hon skyndsamt lämnade salongen hörde hon honom småskratta och slå upp ett glas portvin åt sig. Hon måste berätta för modern, hon skulle förstå och veta vad som borde göras.

Velda hade gått och lagt sig, och lampan kastade ett varmt sken över sängen och den magra kroppen under lakanet. "Gå och lägg dig! Jag är trött."

"Mamma", började Catriona, och de återhållna tårarna gjorde rösten sträv. "Det är en sak jag vill prata med dig om."

Med en suck satte sig Velda upp. "Vad är det nu då?"

"Det är Kane", svarade hon, fast besluten att modern skulle lyssna på vad hon hade att säga. "Jag tycker inte om honom."

"Varför inte?" Veldas ögon vidgades.

Catriona letade efter de rätta orden för att förklara, men hon var så förbryllad och osäker att det blev helt fel. "Han behandlar mig som en liten flicka", svarade hon slutligen.

"Var det allt?" Velda lät otålig. "Det kanske beror på att du är en liten flicka", sa hon kort. "Gå och lägg dig, Catriona. Det är för sent för barnsliga utbrott."

"Jag är inget barn", invände hon, "och jag gillar inte att han ..."

"Gå och lägg dig", upprepade modern. "Kane är en bra karl, och han älskar dig som sin egen dotter. Han skulle bli förfärad om han fick höra att du inte tycker om honom efter allt han har gjort för oss."

"Han är inte min pappa", fräste Catriona, "och jag struntar i om han vet att jag inte gillar honom. Han ... han ..." Blicken i moderns kalla, violblå ögon fick rösten att stocka sig.

Velda suckade och sjönk ner på kuddarna. "Det är sent, och jag har lovat Dmitrij att ta en promenad med honom tidigt i morgon bitti. Lugna ner dig och var inte så dramatisk. Det är säkert hormonerna som ger sig till känna – du har kommit i den åldern – men vi får tala mer om det i morgon."

"Men ..."

"God natt", avbröt Velda bestämt.

Catriona dröjde sig ändå kvar.

"Du kan tacka din lyckliga stjärna att du har tak över huvudet och en skön säng att sova i, och du borde kanske tänka på vem som har gjort det möjligt."

"Det har Dmitrij! Det är hans hotell, inte Kanes."

Velda vände ryggen åt dottern och släckte lampan, och Catriona stod där i dörren och kände sig olycklig och övergiven.

7

*J*ul och nyår hade kommit och gått, och nu var det 1934. Edith Powell stod vid fönstret i salongen och såg Dmitrij och irländskan promenera på gräsmattan tillsammans, såg honom ta henne under armen. Ilskan blandades med förtvivlan, för drömmen om att Dmitrij skulle bli hennes var krossad. Numera hade han knappt tid att prata med henne, och det var som om hon hade blivit osynlig, en del av möblemanget.

Edith knöt nävarna, och munnen kröktes hånfullt då han fällde upp parasollet för att skydda Velda för solen. Den irländska kattan hade snott honom mitt framför näsan på henne, hade dykt upp här med sina sorgsna hindögon och sin lillgamla unge i släptåg, och Dmitrij – godhjärtad och snäll som han var – hade fallit pladask. Det var orättvist. Livet hade varit grymt mot Edith, och hon visste att det var därför hon hade blivit bitter och ful.

Med en suck böjde Edith ner huvudet, förmådde inte längre betrakta dem. Hennes fästman hade stupat i första världskriget, och hon hade skött om sina föräldrar tills de dog. Eftersom så många av de unga männen i hennes generation dött på slagfälten i Europa hade hon blivit en gammal nucka som man talade om i hånfulla ordalag eller ömkade, vilket var ännu värre. Chansen att arbeta för Dmitrij hade kommit som en skänk från ovan. Han var ogift, stilig och rik, och medan hotellet tog form mitt ute i regnskogen hade hon tagit hand om honom, sett till att han åt ordentligt och att kläderna alltid var hela och rena. Hon hade tagit på sig den enorma uppgiften att vara husfru på hotellet eftersom hon älskade honom och trodde att han med tiden skulle komma att se henne som kvinna och upptäcka hur bra de fungerade tillsammans.

Men Edith visste att hon inte betydde något för honom, och tanken på ensamheten i den lilla stugan i utkanten av Atherton gjorde henne deprimerad. Stugan, som en gång varit en kär tillflyktsort, hade förvandlats till ett fängelse där hon plågades av drömmar om Dmitrij. Låg han med Velda? Körde han fingrarna genom det långa, svarta håret, kysste han hennes ansikte? Som hon längtade efter hans beröring, efter ljudet av hans röst intill sitt öra! Hon ville känna hans händer mot kroppen då han väckte den till liv och lockade fram en värme som hon med sin förtorkade själ bara kunde föreställa sig.

"Så rörande! Jag är säker på att Dmitrij skulle bli överförtjust om han visste att du hyste sådant intresse för hans göranden och låtanden."

Edith snodde runt och rodnade förläget. "Jag kom hit för att sätta in nya blommor", förklarade hon, medveten om att rösten lät alldeles för gäll.

Kanes ljusa ögonbryn höjdes och de blå ögonen var hånfulla. "Visst", sa han avfärdande, "men i stället för att snoka borde du ägna dig åt förberedelserna för Catrionas födelsedagsfest."

Edith skar tänder. Hon föraktade Kane. Hans överlägsna engelska sätt gick henne på nerverna och fick henne att vilja klösa ögonen ur honom. Men hon hade lärt sig att hålla känslorna i schack och knöt i stället händerna hårt vid sidorna. "Te och tårta serveras här i salongen på eftermiddagen", upplyste hon stelt.

"Glöm det", sa han släpigt. "Hennes mamma och Dmitrij planerar något lite mer storstilat. Jag har redan hyrt ett dansband, och det ska bli fin middag med champagne för att fira den stora dagen."

"Men hon är ju bara ett barn!" flämtade Edith. "Och alldeles för ung för sådana extravaganser."

"Det är Dmitrij som har bestämt det." Kane tornade upp sig över henne, och hon hade inget annat val än att foga sig. "Var snäll och se till att kokerskan blir informerad och att varorna tas hem. Hotellet kommer att vara fullbelagt den kvällen, och jag vill inte att något lämnas åt slumpen."

Edith skakade av raseri. "Så ungen ska ha sin fest ute bland gästerna?" väste hon. "Jag antar att hennes slinka till mamma tror att hon kan behandla mig som en springflicka också?" Hon hade svårt att andas. "Jag vägrar", tillade hon rasande.

Kane gav henne en föraktfull blick. "Ta dig i akt, Edith. En dag kommer din svartsjuka tunga att ställa till det för dig. Du av alla människor borde tänka på att du bara är anställd. Om du inte lyder order åker du ut."

Edith bet sig i läppen. Hon visste att hon hade gått för långt, och hotet om avsked gjorde henne alldeles förfärad. Efter en ilsken blick på honom lämnade hon salongen.

Velda sjönk ner i vilstolen. Det var skönt här ute i den friska luften där man slapp stimmet på hotellet, men trots att Dmitrij var så snäll ville hon helst vara ensam.

"Är allt klart för Catrionas fest?" frågade han och de rullande konsonanterna och den sjungande brytningen genljöd i stillheten.

"Jag tror det", svarade hon och blickade ut över gräsmattan. "Jag har sytt klänningen, och resten sköter Edith och Kane."

"Nu lämnar jag dig", sa han och bugade lätt. "Jag har saker att göra. Klarar du dig själv?"

Med tankarna på annat håll nickade Velda och glömde honom genast. Hon kände sig fruktansvärt trött och slöt ögonen. Det var som om världen hade tippat över ända, och hon svävade någonstans ovanför utom räckhåll för verkligheten, vilse i en dimma av sorg och förvirring. Dagarna flöt ihop till ett suddigt töcken. Hon saknade Declan, behövde honom och längtade efter hans beröring och tröstande röst.

Tårarna sipprade fram mellan ögonlocken och rullade nedför kinderna. Trots sin vänlighet var Dmitrij inte Declan, och det vulgära hotellet kunde inte mäta sig med deras färggranna vagn och det liv de haft tillsammans. Om hon haft pengar skulle hon ha kunnat återvända till Irland, till familjen och barndomshemmet och det milda regnet på de mjukt rundade kullarna. Men hon var fast, utlämnad åt Dmitrijs barmhärtighet.

Hon blinkade och torkade tårarna med näsduken. Om hon bara inte känt sig så utmattad hela tiden. Det gjorde det omöjligt att tänka, att få perspektiv på tillvaron och att ta tag i livet. Bortsett från de få timmar hon varje dag övade med Catriona kändes det som om hon redlös drev omkring på ett hav. Kunde det ha något att göra med drycken Kane gav henne varje kväll innan hon gick och lade sig? Hon ruskade på huvudet. Det var ju absurt. Han hade sagt att den skulle hjälpa henne att sova och försäkrat att det inte var något farligt.

Velda lutade sig tillbaka i vilstolen och blickade ut över trädgården utan att se något. Jul och nyår hade firats, och i balsalen hade festligheterna avlöst varandra. Inte för att hon hade deltagit, det hade varit henne övermäktigt. Nu var det januari, och Catriona skulle snart fylla tretton. Velda suckade djupt. Hon förstod sig inte längre på dottern. Det var som om en avgrund hade öppnat sig mellan dem, och borta var förståelsen och närheten som en gång funnits där. Catriona hade blivit butter och obstinat och var ofta på dåligt humör. Vid minsta antydan till kritik smällde hon i dörrarna och uppförde sig som en kinkig treåring trots att hon nästan var tretton, och om Velda bara orkat skulle hon ha gett henne smisk på bara stjärten.

Velda slöt ögonen, och någonstans i hennes trötta, förvirrade hjärna dök tanken upp att hon själv kanske bar skulden till dotterns uppträdande. Hon skulle ha velat ge Catriona tröst och hjälp men hade inte klarat av det. Hur skulle ett barn kunna förstå vad hon gick igenom? Dottern skulle komma över sorgen, och hon hade ju både Dmitrij och Kane att ty sig till. Velda suckade. Hon kände sig omtöcknad och orkade inte tänka längre.

Det var kvällen före hennes födelsedag, och trots Kanes närgångenhet och uppenbara försök att komma på tu man hand med henne, så att han kunde kyssa och smeka henne, kände Catriona sig upprymd vid tanken på festen. Hon hade varit i köket och sett kokerskan glasera tårtan och lägga sista handen vid brickorna med kanapéer som skulle bjudas runt tillsammans med drinkar före middagen. Köket sjöd av aktivitet, för stekar skulle in i ugnen och grönsaker sköljas och hackas.

Catriona hade frågat om Phoebe fick vara med på festen men fått blankt nej. Phoebe var tjänsteflicka och skulle arbeta den kvällen. Catriona avskydde tanken på att hon inte fick vara med och kunde inte förstå varför det gjordes skillnad mellan dem. Det var orättvist. Men hon kunde inte känna sig nedstämd särskilt länge, och efter middagen den kvällen skyndade hon ut till Dmitrijs verkstad. Han hade lovat henne en överraskning, och hon undrade vad det kunde vara.

"Det här är till dig", sa han och överlämnade ett sammetsetui. "Jag hoppas du ska tycka om det."

Catriona tryckte fingret mot det lilla låset, locket flög upp och där låg ett halsband. Det var en fint arbetad kedja med ett hänge bestående av små sammanflätade guldlänkar. Det glänste i skenet från lampan ovanför arbetsbänken som han hade tänd. "Åh, så vackert!" viskade hon.

Han tog upp halsbandet ur etuiet och lät det dingla framför henne. "Jag har gjort det själv", berättade han stolt och förklarade: "Det är

102

livets länkar, alla har olika färg och är gjorda av olika slags guld. De representerar våra skilda världar och hur du och jag har mötts på vår färd genom livet. Jag har gjort ett likadant åt mig själv, som ska påminna mig om min lilla vän."

Catriona höll upp håret så att han kunde sätta på henne halsbandet, och fingrarna slöts om det varmt lysande guldet som vilade strax ovanför hjärtat. Så slog hon armarna om Dmitrijs breda midja och gav honom en kram. "Det är en underbar present, den finaste jag någonsin fått", sa hon mot hans breda bringa.

Han höll henne på armlängds avstånd. "Om jag någonsin får ännu en dotter hoppas jag att hon liknar dig", sa han, log och klappade henne på axeln med plötslig tafatthet. "Det är dags för dig att hoppa i säng. Det är din födelsedag i morgon."

Catriona log mot honom. "Min första vuxenfest, och mamma säger att jag får sätta upp håret, och det ska bli dans och allt."

Han kastade huvudet bakåt och skrattade hjärtligt. "Så ung och i sådan brådska att växa upp." Han skakade på huvudet. "Men jag hoppas att du får en underbar födelsedag."

Något i hans tonfall fick henne att studera honom närmare. "Tänker du inte komma på min fest? Men du lovade ju."

"Jag vet", suckade han med händerna djupt nedkörda i de stora fickorna, "men jag trivs inte i sällskap med fint folk. Jag tror det är bättre att jag stannar här."

"Du lovade", upprepade hon envist och kände tårarna välla upp. "Det är ditt hotell, och du kan göra vad du vill."

"Jag vill stanna här i verkstaden", sa han bestämt. "De eleganta människor som bor på mitt hotell skulle inte uppskatta mitt burdusa sätt. Festen blir mer lyckad utan mig, och du kan komma och berätta efteråt."

Besvikelsen var djup, men trots att hon protesterade så hade hon förstått att Dmitrij, till skillnad från Kane, inte gillade att umgås med främlingar. Hon blev tyst, och tankarna virvlade i huvudet. Dmitrij var hennes vän, och hon ville berätta för honom om Kane och hur närgången han varit på sistone. Men samtidigt som hon öppnade munnen visste hon att hon inte hade mod att anförtro sig åt honom, att hon inte var helt säker på att han skulle tro henne. Om hon berättade det kunde konsekvenserna krossa dem allihop.

"Jag skulle så gärna vilja att du kom", sa hon vädjande och hoppades att han ändå skulle förstå det hon inte förmådde uttrycka i ord.

"Nog nu", sa han milt. "Gå och lägg dig, så ses vi i morgon."

Lite motvilligt steg Catriona ut i det varma, kvalmiga mörkret. I buskarna dansade eldflugorna, och från gräset hördes syrsornas gnisslande. Regnskogen var dunkel och hemlighetsfull, men när hon tittade upp kunde hon se månen och stjärnorna. Kvällen var magisk. Det lyste i vartenda fönster på hotellet, och hon hörde pianomusik och sorlet av gäster som drack cocktails i baren och spelade kort i sällskapsrummet. Så rös hon till, som om iskalla fingrar hade vidrört henne, för hon kunde föreställa sig huset utan ljus och musik med tomma rum som ekade i tystnaden.

Hon vände sig om för att vinka åt Dmitrij som stod i dörren till verkstaden. Ljuset kom bakifrån, från den nakna glödlampan ovanför arbetsbänken, så att ansiktet låg i skugga och hon bara såg silhuetten. Något fick henne att rusa tillbaka och pussa hans skäggiga kind, men ögonblicket att anförtro sig åt honom hade gått henne ur händerna. Nu fick hon klara sig själv.

"Där är du ju!" utbrast Kane då hon kom in i foajén genom sidodörren. "Var har du hållit hus? Det var läggdags för dig för länge sedan."

"Ute", mumlade hon och försökte smita förbi honom uppför trappan.

Han hejdade henne med ett fast grepp om den bara armen. "Du har varit med Dmitrij igen!" sa han anklagande. "Vad har ni för er där ute i verkstaden?"

"Angår dig inte", svarade hon, ryckte sig loss och gned armen som fått märken efter hans fingrar.

"Det angår mig i allra högsta grad", förklarade han med en blick på dörren till salongen. "Och jag behöver väl inte påminna dig om att din mamma och jag har förbjudit dig att umgås så mycket med Dmitrij."

"Mamma har knappt sagt ett ord till mig på flera månader och tycks inte bry sig om vad jag gör så länge jag inte går i vägen för henne", påpekade Catriona. "Det är du som bestämmer de förbaskade spelreglerna här, och vi vet ju varför."

"Svär inte! Och använd inte den tonen till mig, om jag får be!"

Catriona kände hur modet började svika och försökte dra sig undan. "Jag använder vilken ton jag vill. Du är inte min pappa!"

"Nej, men näst intill, och du gör som jag säger", förkunnade han argt och kom närmare.

Hon backade. Trappan var alldeles bakom henne. "Var är mamma?" frågade hon.

Kanes ögon var mycket blå och kalla, och blicken var outgrundlig. "Hon vill inte bli störd. Velda är inte frisk, och hon blir inte bättre av att du gör henne upprörd." Han tog ett steg närmare, och ansiktet var hårt med en beslutsam min. "Velda är allvarligt sjuk. Hennes psyke är skört, och det behövs inte mycket för att hon ska gå över gränsen."

Catriona såg på honom, ville inte tro på det han sa men visste att han förmodligen hade rätt. Modern hade förändrats under de senaste månaderna, och det var skrämmande att se. Hon skulle till att svara då en grupp gäster kom in i foajén och bad att få tala med Kane. Med en suck av lättnad störtade Catriona uppför trappan. Han skulle vara upptagen i flera timmar framöver, och hon måste passa på att prata med modern även om hon inte mådde bra.

Den översta trappavsatsen låg tyst och övergiven. Dörrarna i korridoren var stängda, och inget ljus sipprade ut någonstans. Catriona smög på tå fram till moderns rum och lyssnade vid dörren. Det hördes inte ett ljud på andra sidan. Försiktigt tryckte hon ner handtaget och kikade in.

Velda låg i sängen och stirrade upp i taket, och månljuset föll in över sängen. "Vad vill du, Catriona?" Rösten var skarp av otålighet, och hon drog upp lakanet till hakan. "Jag sa åt Kane att jag inte ville bli störd."

Catriona stängde dörren efter sig och gick fram till modern. "Jag ville bara säga god natt", började hon.

"Nu har du sagt det och kan gå."

"Varför är du så här? Vad har jag gjort för fel?" Catriona stod bredvid sängen, och tårarna steg åter upp i ögonen. Ändå var hon fast besluten att inte gråta utan förbli lugn trots moderns avoghet.

Velda suckade och sträckte sig efter glaset på nattduksbordet. Så tog hon en klunk och lutade sig mot kuddarna. "Du har knappt sagt ett ord till mig på flera veckor", svarade hon till slut med det griniga tonfall som blivit hennes normala sätt att tala. "Och när du någon gång säger något till mig är du oförskämd och oartig. Kane och jag vet sannerligen inte vad vi ska ta oss till med dig."

"Kane borde sköta sina egna förbaskade angelägenheter!" fräste Catriona.

"Det är precis vad jag menar. Hur vågar du använda den sortens språk. Kane har rätt. Du borde inte få umgås med ryssen om det här är resultatet."

"Det har inget med Dmitrij att göra", rasade Catriona. "Kane försöker bara vända dig mot honom. Märker du inte det?"

Veldas blick var dimmig, och hon betraktade Catriona helt utan känslor. "Jag ser ett egensinnigt barn som har förvandlats till en butter ung flicka som dessutom är ful i munnen, och om allt inte redan vore klart för festen i morgon skulle jag ställa in alltihop. Gå till ditt rum, Catriona."

Tårarna strömmade nedför kinderna, och orden forsade ur henne. "Jag vill inte", snyftade hon. "Jag trivs inte längre där."

"Var inte löjlig!" utbrast Velda. "Det är ett fint rum, otacksamma flicka."

Catriona tänkte på hur Kane brukade komma in i hennes rum och sätta sig på sängen, på de långa minuter då han betraktade henne under tystnad innan han tvingade henne att kyssa honom på munnen. "Kan jag inte få sova hos dig i natt, snälla mamma? Som när vi bodde i vagnen. Vi kan ha det mysigt och tala om gamla tider och ..." Hon vädjade nu, önskade desperat att modern måtte se bortom orden och tårarna och förstå hur olycklig hon var.

Velda förblev oberörd av dotterns känsloutbrott. Hon gled ner i sängen under lakanet. "Du är alldeles för gammal för att ligga hos mig", sa hon, "och jag behöver min sömn. Vi har mycket att göra i morgon, som du vet."

"Snälla mamma!" bad Catriona och sträckte ut handen, men modern låtsades inte om den, så hon satte sig på sängkanten och torkade tårarna, gjorde sitt bästa för att hålla sig lugn. Det var dags att berätta allt. "Jag är ledsen, och det är inte min mening att vara ohyfsad och olydig, det är bara det att ..."

"Nu räcker det!" Velda knuffade undan henne. "Du har bett om ursäkt förr, men du har inte förändrats det minsta. Om din stackars pappa hade varit i livet skulle det ha krossat hans hjärta."

"Om pappa hade levat skulle han ha lyssnat på mig!" skrek Catriona och reste sig.

"Ut!" Velda pekade på dörren. "Och kom inte tillbaka förrän du lovar att uppföra dig bättre. Du är inte för stor för en örfil, och gudarna ska veta att du har förtjänat en i månader."

Sammanbitet stegade Catriona fram till dörren och lade handen på dörrhandtaget. "Du är en själwisk apa!" spottade hon ur sig. "Du har inte gjort något annat än gnällt och klagat, som om du vore den enda som sörjde. Du bryr dig inte ett dugg om mig." Hon drog ett djupt andetag, bestört över sitt eget raseri och de hårda ord som så lätt trillat ur munnen, men det fick åtminstone modern att reagera. Illröd om kinderna av ilska stod Catriona i dörröppningen och noterade att Velda såg fullkomligt överraskad ut. "Jag lider också. Jag är ensam och rädd, och en vacker dag kommer du att ångra djupt att du inte lyssnade på mig." Hon smällde igen dörren så hårt hon förmådde, sprang genom korridoren till sitt eget rum och smällde igen den dörren också. Där kastade hon sig på sängen, begravde ansiktet i kudden och började storgråta.

Morgonen därpå vaknade hon med en blixtrande huvudvärk och ögonlock så svullna att hon knappt kunde se. Eftersom hon inte ville gå till badrummet längst bort i korridoren tog hon handkannan, hällde upp kallt vatten i handfatet och tvättade sig noggrant med tvättlappen. Kanes besök i hennes rum och hans trevande händer fick henne alltid att känna sig smutsig.

Medan Catriona klädde sig fick hon syn på sin bild i den lilla spegeln och stannade upp. Med ens insåg hon hur skadad hon höll på att bli. Det syntes på blicken, på de neddragna mungiporna och den bleka hyn, och det gick också på djupet, ända in i själen, och något höll långsamt på att dö inom henne. Hur kunde modern undgå att märka det? tänkte hon. Hon såg frågande på spegeln men fick inget svar. Så vände hon sig bort och sprang ut ur rummet.

"Eftersom vi har så mycket att göra kan du för en gångs skull hjälpa till", sa Edith då Catriona kom in i köket.

"Kan jag inte bara få öppna ett paket?" frågade hon då hon såg högen på skänken.

"I kväll", svarade Edith strängt i en ton som inte tålde några motsägelser. "Hjälp flickorna att duka ut i matsalen nu."

Catriona ville hälsa på Dmitrij, men Edith tycktes vara fast besluten att hålla henne sysselsatt, och resten av dagen var hon fullt upptagen av att städa, hjälpa till i köket och duka.

Det skulle bli en storslagen tillställning för att fira både hennes födelsedag och hotellets mycket framgångsrika första säsong, som snart var över. Trädgårdsmästaren hade tagit in klängväxter och blommor som bundits om med band och flätats hela vägen upp runt trappräcket i ek. Den väldiga öppna spisen av marmor i foajén var också klädd med grönt, och bland bladen var höga vita ljus inkörda. Matsalen skulle lysas upp av hundratals stearinljus, och borden var dukade med finaste linne, silverbestick och kristallglas. På varje bord stod en blomsteruppsättning, och överallt i rummen på bottenvåningen syntes stora buketter. Doften av dem fyllde huset och fick det att dunka i Catrionas huvud, och det enda hon ville var att gå ut i trädgården för att få lite frisk luft och träffa Dmitrij.

Men Edith hittade hela tiden på nya saker åt henne att göra, och allt eftersom dagen gick insåg Catriona att Dmitrij höll sig undan. Kane hade också försvunnit, vilket var konstigt, för i vanliga fall brukade han ge order och lägga sig i allt. Velda syntes inte till någonstans. Hon var varken på sitt rum eller i Dmitrijs våning. Det var en gåta, men modern hade uppfört sig underligt på sistone, och kanske hade hon bara åkt till Cairns för att få håret uppsatt i en vacker festfrisyr.

Ett tremannaband hade ställt upp sina instrument i det bortersta hörnet av balsalen, och golvet var bonat och kritat inför dansen. I köket doftade det ljuvligt av nygräddat bröd och stekarna som stod i ugnen. Färska grönsaker hackades, och den tjocka kokerskan, som varje dag kom med bil från ett litet samhälle i närheten, höll på med såserna. Så var det tårtan – en magnifik tornliknande skapelse med vit glasyr och kanderade blommor.

Vid tedags blev det lite lugnare, och Catriona beslöt sig för att hon måste anförtro sig åt Dmitrij innan Kane gick ännu längre. Dmitrij var hennes ende vän, och kanske skulle han hjälpa henne när han hört vad hon hade att säga. Det hade varit idiotiskt av henne att inte lita på honom.

Hon kom ut ur köket och upptäckte att det hade blivit alldeles mörkt. Det hade regnat hela dagen, och himlen var mulen med tunga, svarta moln. Hon slet åt sig en regnrock från kroken utanför köket och var på väg genom foajén då en röst hejdade henne.

"Och vart ska du ta vägen?"

Catriona stelnade till då Kane reste sig ur den djupa fåtöljen vid öppna spisen. "Jag ska gå ut till Dmitrij." Hon lät andlös och gäll.

"Det tror jag inte", svarade han och tog henne i armen.

Hon ryckte sig loss. "Du kan inte hindra mig!" utbrast hon argt.

"Varför är det så viktigt att träffa honom just nu?" frågade han utan att bry sig om hennes ilska.

"Jag ska berätta för honom vad du håller på med", svarade hon. "Jag har redan talat om det för mamma."

De ljusa ögonbrynen höjdes, och ögonen glimmade i ljuset från kristallkronan. "Och vad sa Velda?" undrade Kane så lent och hånfullt att det gick en rysning genom henne.

Catriona skakade på huvudet och ville inte att han skulle veta att modern inte brytt sig, att hon knappt lyssnat vid de tillfällen dottern försökt föra saken på tal.

"Jaså, din mamma tror dig inte. Och vad ska du säga till Dmitrij?" Kane satte handen under Catrionas haka och tvingade henne att möta hans blick. "Att den man som så länge har tagit hand om dig och din familj har gett sin dotter några pussar? Att jag gör mig besväret att stoppa om dig varje kväll?"

"Jag är inte din dotter, och ingen pappa kysser sin dotter på det sättet eller rör vid henne som du", invände hon då greppet om hakan hårdnade.

"Håll tyst och hör på!" Rösten lät som ett pistolskott, och hon lydde ögonblickligen. "Din mamma är sjuk, på väg att förlora förståndet. Jag är hennes räddare, och du är bara en liten flicka. Hon kommer varken att tro dig i dag eller i morgon eller någonsin." Han blev tyst och lät orden sjunka in i henne. "Och Dmitrij är en mördare. Om du springer till honom med dina lögner får du blod på dina händer."

"Jag tror dig inte! Du hittar bara på."

Han låtsades inte om hennes inpass. "Det är en farlig man. Han har redan dödat en gång och kommer inte att dra sig för att göra om det."

Hon stirrade på honom genom tårarna och förmådde inte röra sig ur fläcken.

"Din mamma löper risk att förlora förståndet. Vad skulle hända om dina lögner ledde till att jag blev dödad och Dmitrij satt i fängelse? Du skulle stå utan hem och utan någon som tog hand om dig, hotellet skulle stängas och din mor skulle få tillbringa sina sista dagar på ett mentalsjukhus."

Catriona såg järnviljan i hans blick, den hårda munnen och kände greppet om hakan. Hon var fånge utan någonstans att ta vägen, hade ingenstans att gömma sig och ingen som kunde hjälpa henne. "Det är inga lögner", viskade hon. "Jag begriper nog vad du har i kikaren."

"Oskyldiga kyssar och smekningar." Han släppte henne och tog ett kliv bakåt. "Ett faderligt intresse för ditt välbefinnande som knappast motiverar att nämnas och definitivt inte att hetsa upp sig för." Han lade armarna i kors och betraktade henne. "Du har livlig fantasi, men det är kanske inte så konstigt med tanke på det liv du har levt. Gå och gör lite nytta nu, så talar vi inte mer om saken."

Catriona backade undan för honom och flydde uppför trapporna. Hon visste vad hon visste. Kane hade kysst och smekt henne, hade kommit in i hennes rum på kvällarna, och det rådde ingen tvekan om att han tänkte gå längre. Det kunde inte kallas faderlig tillgivenhet, utan var både opassande och motbjudande. Hon rusade in i badrummet och sköt för regeln, föll sedan snyftande ihop på kakelgolvet. Om bara modern hade lyssnat, om hon bara kunde se vad som hände mitt framför ögonen på henne. Men Kane hade rätt. Modern var inte psykiskt frisk, och Catriona ville inte åsamka henne ytterligare ångest. Hon måste leta reda på Dmitrij. Han var hennes enda chans.

Till slut drog hon borsten genom håret och blaskade kallt vatten i ansiktet innan hon gick ner till det varma, ombonade köket. Modern syntes inte till, och hon kände sig trygg hos kokerskan för Kane kom ytterst sällan dit.

Klockan sex skickade modern efter henne. Det var dags att göra sig i ordning. Hon öppnade dörren till sitt rum och fann att Velda väntade där inne. På sängen låg en ny klänning med tillhörande skor och strumpor och skira underkläder.

"Klä dig, så ska jag sätta upp håret innan du går ner", sa hon och gick.

Catriona betraktade grannlåten, rörde vid sidenunderkläderna och spetsunderkjolen, beundrade klänningen som det tagit Velda många timmar att sy. Det åtsittande livet var av blekgrön satin med smala axelband och kjolen av tyll.

Hon klev i klänningen, kände dess svalka mot huden då hon knäppte de små sidenknapparna. Det frasade om kjolarna då hon gick fram och tillbaka i sidenpumpsen som Velda hade färgat i samma blekgröna nyans. Trots värken i hjärtat fylldes Catriona av förväntan då hon dansade runt i det lilla rummet. Modern brydde sig om henne trots allt. Varför skulle hon annars ha gjort sig så stort besvär?

Hon skyndade till Veldas rum och knackade på dörren. Modern satt på sängen, lika blek som liljorna i vaserna på bottenvåningen. "Klänningen är helt underbar. Tack, mamma."

Velda visade inte med en min att hon hört utan började rota i sminkväskan. En stund senare betraktade Catriona häpet sin spegelbild. Det ebenholtssvarta håret var uppsatt i en elegant chinjong som pryddes av en vit kamelia. Velda hade satt en aning läppstift på läpparna och lite puder i ansiktet, maskara gjorde ögonfransarna mörkare, och en gnutta rouge framhävde de höga kindknotorna.

"Om du vore äldre skulle du ha fått låna mitt pärlhalsband och örhängena", sa Velda och granskade henne eftertänksamt, "men jag ser att du redan har ett smycke. Vem har du fått det av?"

"Det är en present från Dmitrij", svarade Catriona, kysste modern på kinden och var noga med att inte förstöra hennes makeup. "Tack för allt", tillade hon mjukt.

Velda strök med händerna över sina smärta höfter. Den mörkröda sammetsklänningen underströk den bleka hyn och det svarta håret, men hon var på tok för mager, och skuggorna under de vackra ögonen såg ut som blåmärken. "Du förtjänar det egentligen inte", sa hon strävt, "men man fyller bara tretton en gång i livet, så jag kunde knappast strunta i en sådan viktig milstolpe."

Catriona såg modern dricka ur glaset som alltid tycktes stå på nattduksbordet, såg henne ta upp den glittrande sjalen och lägga den om axlarna. Velda hade aldrig tidigare umgåtts med gästerna, och Catriona förstod att det måste krävas en enorm kraftansträngning.

Velda tvekade i dörren. "Jo Catriona, det är en sak…"

"Kom nu, födelsedagsflicka." Ropet hade kommit nedifrån. "Champagnen blir varm."

"Vad är det, mamma?" Modern var underligare än vanligt den kvällen, men Catriona skyllde på nerverna.

Velda skakade på huvudet och drog ett djupt andetag. "Det spelar ingen roll. Kom, så går vi ner."

Catriona hade fjärilar i magen då de gick längs den breda trappavsatsen. Den här kvällen var speciell, och hon hoppades innerligt att inget skulle förstöra den.

Gästerna trängdes i foajén – både främmande och bekanta ansikten – och tjänstefolket stod uppradat längs väggen utanför dörren till köksregionerna. Det livliga sorlet upphörde då Catriona dök upp, och allas blickar riktades mot henne. Långsamt skred hon nedför trappan med kjolarna böljande kring anklarna. Det åtsmitande livet gjorde det svårt att andas, och hon drabbades av rampfeber, precis som första gången hon stod ensam på scenen i Toowoomba.

Gästerna började applådera, och tjänstefolket ropade grattis. Hon skrattade, klappade i händerna av förtjusning och neg. Men det goda humöret försvann, och all glädje sopades bort när hon fick syn på Kane vid foten av trappan. Han såg upp mot henne med en glimt i ögonen som hon bara kände alltför väl igen. Så sträckte han ut handen och hjälpte henne och modern nedför sista trappsteget.

"Har den äran", viskade han i hennes öra.

Catriona såg modern ta honom under armen och tvingades göra likadant då han eskorterade dem båda till salongen där det serverades drinkar och små kanapéer. Phoebe blinkade åt henne där hon gick runt med en silverbricka.

Catriona letade efter Dmitrij i trängseln. Han var sen, för han kunde väl ändå inte ha menat att han inte tänkte komma?

Alla strömmade in i matsalen, och middagen serverades. Maten var troligen utsökt, men där Catriona satt mellan modern och Kane kände hon knappt vad den smakade, för hon var hela tiden medveten om Kanes lår som tryckte mot hennes och hans arm som till synes helt oskyldigt snuddade vid hennes bröst då han sträckte sig efter glaset.

Velda var livfullare än hon varit på månader och tillät Catriona att dricka lite vin utspätt med vatten till efterrätten. Så var det dags att skära tårtan och öppna presenterna. Catriona slet av papperen, fick upp snörena och uttryckte sin uppriktiga tacksamhet över pärlhalsband och sjalar, handskar och böcker som gästerna och tjänstefolket hade skänkt henne. Aldrig i hela sitt liv hade hon fått så många presenter, och om det inte hade varit för att Kane följde varje rörelse hon gjorde skulle det ha varit den underbaraste födelsedagen någonsin.

Bandet spelade upp då de steg in i balsalen. Catriona stelnade till när Kane lade armen om hennes midja och förde henne ut på dansgolvet i den första valsen. Fötterna vägrade lyda, och hon snubblade. Han drog henne tätt intill sig. Hon kände värmen från hans händer, trycket av hans fingrar mot korsryggen och doften av hans starka cologne och nejlikan i knapphålet.

"Du ser nästan vuxen ut", anmärkte han. Musiken och sorlet avskärmade dem från omgivningen lika effektivt som om de befunnit sig på en öde ö. "Men jag föredrar dig utan puder och smink. Det får dig att se vulgär ut."

Sårat försökte hon dra sig ifrån honom, men han höll bara ännu hår-

112

dare om henne och svängde runt på dansgolvet med full kontroll över situationen.

När musiken tog slut lyckades hon slita sig loss och blev genast uppbjuden till en foxtrot av en av de yngre gästerna. Om det inte hade varit för Kane skulle hon ha roat sig kungligt.

Nu blev det i stället så att kvällen ägnades åt att undvika Kane. Hon såg honom dansa med ensamstående damer och med modern men visste att han följde varje steg hon tog, visste att han bara väntade på nästa tillfälle att bjuda upp, så att han fick trycka henne hårt intill sig. Vetskapen att hon varken kunde fly sin väg eller ställa till med ett uppträde inför alla dessa människor tycktes bereda honom någon sorts pervers njutning.

Allt eftersom kvällen led, och Kane gång på gång kom tillbaka för att dansa med henne avgjorde hon att det var dags att berätta för Velda vad som pågick. Men den här gången skulle hon få modern att lyssna – tvinga henne, om så krävdes. Trots sjukdomen måste väl Velda förstå att det var allvar och göra något för att skydda henne?

Hon såg sig snabbt omkring och upptäckte att Velda satt tillsammans med en annan kvinna längst bort i balsalen. Kane dansade med en livlig brunett och var lyckligtvis fullt upptagen. Catriona skakade på huvudet då hon blev uppbjuden och började tränga sig fram mellan dansparen. "Mamma", sa hon.

"Jag sitter och pratar. Avbryt inte!"

"Det är viktigt, mamma, kolossalt viktigt."

Velda ursäktade sig och reste sig. "Det är nog säkrast för dig det", förkunnade hon bistert. "Hur kan du uppföra dig så oartigt?"

Catriona tog modern i handen och började dra i väg med henne mot dörrarna. "Det är om Ka..." Hon kom inte längre, för där stod han plötsligt vid hennes sida, och blicken var iskall.

"Där är du ju, Velda", sa han och tog henne i handen. "Jag tror det är dags. Eller vad säger du?"

Velda tittade likgiltigt på honom. "Catriona skulle precis ..."

"Jag är säker på att hon kan vänta en liten stund." Han gav Catriona en märkligt skadeglad blick. "Kom, min kära."

Catriona såg honom ta Velda under armen och föra henne mitt ut på dansgolvet. Med en nick åt bandet fick han musiken att tystna, och paren stannade upp. Servitörerna kom med brickor med fyllda glas, som det såg ut att vara champagne i. Det blev alldeles tyst i balsalen,

113

och Catriona misstänkte att Kane skulle hålla tal och säga något om den framgångsrika säsongen. För henne var det ett perfekt tillfälle att smita i väg ut till Dmitrij.

"Jag har ett tillkännagivande att göra", basunerade Kane ut med sin bästa scenröst.

Catriona drog sig mot dörren.

"I kväll firar vi inte bara att den första säsongen här på Petersburg Park har varit mycket lyckad och att vår förtjusande Catriona fyller tretton år i dag." Folk applåderade, och Catriona rodnade då allas blickar vändes mot henne. "Utan jag kan också berätta den glada nyheten att Velda Summers har samtyckt till att bli min hustru."

Catriona blev alldeles stel av fasa och förmådde inte röra sig ur fläcken. Kane tittade tvärs över balsalen på henne, och blicken glänste av segerglädje då han höjde glaset. Så började lyckönskningarna att hagla, och det fick fart på henne. Utan att bry sig om alla nyfikna blickar rusade hon därifrån och stannade inte förrän hon kommit ut i trädgården.

Det hade regnat hela dagen, och hettan och fuktigheten gjorde luften tryckande. Hon sparkade av sig skorna och lyfte upp kjolarna, sprang sedan över gräsmattan för att söka skydd under verkstadens utskjutande tak. Hon kunde knappt se för tårarna, förmådde knappt andas då hon med stigande fasa insåg vad hon just hade hört.

Verkstaden låg i mörker, och det hördes inget svar då hon hårt knackade på dörren. Hon tittade över axeln. Dörrarna till balsalen stod öppna och släppte ut ljus och ljud från festen medan regnet tilltog. Det syntes inget tecken på att Kane hade följt efter henne.

Hon knackade igen, hårdare den här gången. "Dmitrij?" ropade hon. "Är du där, Dmitrij? Snälla, jag behöver dig."

Det kom inget svar, syntes inget ljus, hördes inga rörelser. Catriona kände på handtaget, upptäckte att dörren var olåst och steg in. Kanske hade han somnat. Han brukade ofta arbeta till sent in på nätterna, och det hände att han lade sig att sova på säckarna i hörnet.

Hon tände lampan och fick en chock då hon såg sig omkring. Hackor och spadar var försvunna liksom de gamla kläderna och tälten. Arbetsbänken var tom, kitteln, deglarna och askarna med guldklimpar borta. Det var som om Dmitrij hade gått upp i rök.

"Han gav sig av i går kväll", upplyste en röst från dörren.

Hon ryckte till och snodde runt. Så återfick hon talförmågan. "Det kan han inte ha gjort!" protesterade hon. "Han skulle ha sagt något."

Med ett leende klev Kane in i verkstaden och valde ut en cigarill ur det läderetui som han alltid hade i innerfickan. "Han bad mig hälsa till dig att han inte kunde stanna längre."

"Men varför?" frågade hon med förtvivlan i rösten.

"Det blev inte som han drömde", svarade Kane och satte en tändsticka till cigarillen. När han fått tillfredsställande drag i den lät han den hänga i mungipan. "Dmitrij saknade livet på guldfälten. Han avskydde ståhejet här och ville tillbaka till lugnet i vildmarken."

"Dmitrij skulle aldrig ha kunnat ge sig av utan att säga adjö till mig", envisades hon med logiken hos en trettonåring som inte kunde acceptera att hennes ende vän hade övergett henne när hon behövde honom som bäst.

Kane tog cigarillen ur munnen och studerade glöden innan han askade på jordgolvet. "Dmitrij visste att du skulle bli upprörd och ville inte tvingas välja mellan dig och guldets lockelse. Han har återvänt till Northern Territory", förklarade Kane och pekade lite diffust åt väster. "Det är där han känner sig hemma."

"Men det här är hans hem, och han var lycklig här."

Han suckade. "Var inte barnslig, Catriona. Dmitrij tyckte om att vara fri, han var en vagabond som din far. Han kunde aldrig vara lycklig särskilt länge på en och samma plats. Det var därför han gav sig av." Han kastade en blick på hotellet och de upplysta fönstren. "Fråga din mamma om du inte tror mig."

"Visste mamma om det?" Det var ännu ett hårt slag. "Kommer han tillbaka?" Catriona steg ut ur verkstaden utan att bry sig om att regnet förstörde både klänning och frisyr. Hon måste komma undan honom, måste hitta modern och få henne att lyssna.

"Självfallet, men inte förrän han är redo, och fram till dess måste du ta skeden i vacker hand." Leendet nådde inte ögonen.

Catriona var förblindad av tårar. "Du får inte gifta dig med mamma, du får bara inte!"

"Det är för sent", upplyste han hånfullt. "Vi gifte oss i förmiddags."

Hon gapade klentroget. "Hur? Var? Varför sa inte mamma något?"

Kane ryckte på axlarna med en nonchalans som fick henne att vilja skrika. "Hon tyckte att det skulle bli en trevlig överraskning för dig på födelsedagen."

Catriona vände sig om och flydde tvärs över gräsmattan. Regnet vräkte ner, och hon såg knappt var hon satte fötterna. Så mindes hon att modern varit på väg att säga något alldeles innan de gick ner till festen. Varför hade hon inte sagt något? Varför?

Festen var fortfarande i full gång, så Catriona smet in genom bakdörren och störtade uppför trapporna. Hon ville aldrig mer se modern som hade svikit henne. I stället för att gå in på sitt rum fortsatte hon uppför trappan till tornet där hon sjönk ner på golvet vid fönstret och gav fritt utlopp åt tårarna.

Kane hittade henne där i mörkret, och då han våldtog henne för första gången insåg Catriona att barndomen var över.

8

*E*dith var rusig av glädje då hon lämnade firandet i balsalen och återvände till kaoset i köket. Irländskan och Kane var gifta, Dmitrij var en fri man. Nu skulle han kanske äntligen lägga märke till henne. Hon slog upp ett glas champagne och tog det med sig in på sitt lilla kontor innanför köket. Så stängde hon dörren, sjönk ner i skinnstolen bakom skrivbordet och höjde glaset. "För framtiden", viskade hon. "För dig och mig, Dmitrij." Champagnen var kall, och bubblorna kittlade tungan.

Det hade varit en lång och tröttsam dag, men tanken på att hon skulle få ännu en chans att övertyga Dmitrij om hur oumbärlig hon var för honom var mer berusande än någon champagne och höll henne vaken. Hon lutade sig bakåt i stolen och tänkte på det märkliga tillkännagivandet. Det hade kommit som en överraskning för alla, men flickans reaktion var intressant.

Edith tog en klunk champagne och tänkte på hur Catriona hade störtat ut ur balsalen, askgrå i ansiktet och med vild blick. Flickan var inte glad åt saken, så mycket var säkert, men nu när hon hade en styvpappa skulle hon kanske få lära sig veta hut. Aldrig i hela sitt liv hade Edith hört maken till ovårdat språk eller barnsliga utbrott. Fast vad annat kunde man förvänta sig? Hon fnös. Till råga på eländet hade flickan varit sminkad och sett ut som en liten kopia av modern. "Bortskämda slyna!" väste hon. "Ingen vid sina sunda vätskor skulle ordna en sådan fest för en trettonåring!"

Edith tänkte på sin egen barndom, på de slitna kläderna och skorna, på födelsedagskalasen med bröd och sylt och en liten sockerkaka, på de enkla presenterna. Orättvisan fick champagnen att smaka surt i munnen, så hon ställde ifrån sig glaset, och blicken gick till räkenskapsböckerna som låg på skrivbordet.

Hon hade inte fått någon chans att gå igenom dem ordentligt än, men vid en hastig titt tidigare hade hon blivit förbryllad. Siffrorna verkade stämma, och ändå fanns det några underliga kontantutbetalningar liksom oförklarliga höjningar av en del löner som hon inte blivit tillfrågad om. Om Kane sysslade med oegentligheter skulle räkenskaperna hjälpa henne att få honom avskedad.

Edith försjönk i djupa tankar. Hon skulle ta med sig böckerna hem och gå igenom dem noggrant i lugn och ro. Om det var som hon misstänkte, och Kane hade stoppat pengar i egen ficka skulle hon gå till Dmitrij och tala om det. Det var den perfekta hämnden, och hon skulle bli av med dem alla tre, Kane, irländskan och flickan, i ett enda svep. Hon tog de tunga räkenskapsböckerna och låste in dem i väggkassaskåpet. Så satte hon tillbaka nyckeln på knippan hon hade vid sin smala midja, drack ur champagneglaset och lämnade kontoret.

Festen var på väg att ta slut. Regnet vräkte ner, slog mot fönstren och gruset på uppfarten. Många av gästerna hade kommit upp från Cairns, och de rusade ut till bilarna under uppspända paraplyer. Bland dem som bodde på hotellet hördes prat om att fara hem dagen därpå. Vädret här uppe på högplatån kunde bli uselt och förorsaka bortspolade vägar och jordskred som gjorde det omöjligt att ta sig därifrån, och gästerna ville inte gärna sitta fast på hotellet i veckor. Feststämningen var med ens som bortblåst, och bakom receptionsdisken fick Edith fullt upp med att göra i ordning räkningar och ta emot betalningar inför morgondagens massflykt.

Medan hotellgästerna försvann upp till sina rum och tjänsteflickorna dukade av och diskade vandrade Edith omkring i rummen och kontrollerade att allt var som det skulle. Alla i tjänstefolket – bärare, servitörer och kökspersonal – bodde på annan ort, och eftersom Dmitrij var en sådan generös arbetsgivare hade de tillgång till häst och vagn för att ta sig hem. Kokerskan hade egen bil, vilket Edith var mäkta avundsjuk på, och hade lämnat hotellet direkt efter middagen. Kokerskan bodde i Kuranda med man och sex barn och stannade inte ett ögonblick längre än hon behövde.

När lamporna var släckta och tystnaden lade sig över hotellet gick Edith tillbaka till köket. Dmitrij var säkert hungrig, så hon skulle ta in mat på en bricka åt honom i hans våning innan hon cyklade hem. Medan hon skar upp bröd och kallt kött undrade hon varför han inte hade kommit på festen. Det var underligt, för han tycktes vara uppriktigt fäst vid flickan. Edith sköt tankarna ifrån sig, dukade brickan och bar den genom foajén, knackade lätt på dörren och tryckte ner handtaget med armbågen.

Det var mörkt och tyst i Dmitrijs våning, och draperierna var fortfarande fördragna för fönstren. Han kanske sov. Hon satte ner brickan på ett bord och gick på tå fram till sovrummet. I vanliga fall snarkade Dmitrij så högt att rutorna skallrade, men den kvällen hördes ingenting. Med rynkad panna sköt hon upp dörren och kikade in. Sängen var orörd. Med bekymrad min tog hon upp brickan och gick tillbaka ut i köket med den. Han måste ha somnat ute i verkstaden, och det var alldeles för blött och mörkt för att hon skulle kunna ta sig dit. Hon ställde in tallriken med kött i skafferiet, och efter att ha hämtat räkenskapsböckerna och virat in dem i en gammal regnrock som hon hittade i kokerskans skåp satte hon på sig regnkappa, sydväst och pampuscher och gav sig ut i ösregnet. Med räkenskapsböckerna i cykelkorgen började hon trampa den långa vägen hem.

Det var knappt man märkte gryningen dagen därpå, för molnen var låga och mörka och utestängde solen. Huttrande och frusen kom Edith till hotellet och ställde cykeln mot väggen. Hon hade blivit förkyld på hemfärden kvällen före, och sedan hade hon suttit uppe hela natten och gått igenom böckerna. Men trots att hon kände sig utmattad och inte alls frisk hade hon bevis för att Kane stal pengar från Dmitrij. Han hade burit sig skickligt åt, men han hade inte kunnat lura henne, tänkte hon medan hon tog av sig regnkappan och pampuscherna.

Med räkenskapsböckerna hårt tryckta mot sitt magra bröst gick hon ut i köket och blev häpet stående. Där var mörkt och tomt, även om hettan från spisarna och en kvardröjande doft av stekt bacon slog emot henne. Hon försökte tända i taket, men då det inte gick förstod hon att det måste ha blivit strömavbrott. När hon skyndade ut i foajén fann hon Kane bakom receptionsdisken, omgiven av gäster som pockade på hans uppmärksamhet. Stearinljus och fotogenlampor kastade skuggor över väggarna, och regnet började åter smattra mot fönstren. Bara två bärare var där, noterade hon, och bägge två var trötta och våta och verkade inte alltför glada över att behöva streta genom skyfallet till de väntande bilarna med gästernas väskor och hattaskar.

"Var har du hållit hus?" undrade Kane irriterat då han fick syn på Edith.

119

Utan att bry sig om honom satte hon i gång att bringa ordning i kaoset. Det var inte förrän den sista gästen körts därifrån som hon fick tid att sitta ner och hämta andan. Det gjorde ont i bröstet, och hon kände sig feberhet. Allt hon ville var att komma hem och lägga sig, men först måste hon tala med Dmitrij.

Kane hade försvunnit och bärarna skickats hem. I Dmitrijs våning såg det ut precis likadant som kvällen före. Edith drog på sig regnkappan igen och tog böckerna. Det klafsade om pampuscherna då hon gick genom gräset, och vinden slog den våta kappan mot benen. Hon böjde ner huvudet och tog sig mödosamt fram till verkstaden. Dörren stod öppen och slog fram och tillbaka i blåsten.

"Dmitrij?" Rösten drunknade nästan i regnet som plaskande forsade ner genom lövverket och de knakande grenarna ovanför hennes huvud.

Verkstaden var tom, både hacka, spade och tält var borta, och av Dmitrij syntes inte minsta spår. Hon stod i dörren med räkenskapsböckerna hårt tryckta mot bröstet, feberhet och med värkande ögon. Men trots det arbetade hjärnan långsamt men beslutsamt. Någonting var fel. Hon låste dörren och lade tillbaka nyckeln på sin plats under den stora stenen.

Det var tyst och öde på hotellet. Skuggorna låg djupa i hörnen, och stearinljusen kastade ett fladdrande sken över väggarna. Edith lade böckerna på bordet i foajén och blåste ut några av ljusen, för att de inte skulle sätta eld på huset. Huttrande drog hon av sig regnkappan och lyssnade på tystnaden. Andetagen tycktes eka i stillheten, och den kväljande söta doften av liljor och rosor påminde om begravningar. De tjocka stenväggarna verkade sluta sig om henne, och hon kunde känna kylan från marmorgolvet under fötterna.

"Det är lika bra du far hem, Edith."

Hon ryckte till och tittade upp. Kane stod i trappan och betraktade henne. Han rörde sig som en katt, tänkte hon, slank in och ut ur skuggorna med ögon som inget undgick. "Var är Dmitrij?" Rösten var skarp av oförklarlig rädsla.

"Han har gett sig av", svarade Kane lugnt och kom ner och ställde sig framför henne.

"Gett sig av? Vart? Och varför?"

"Tillbaka till Northern Territory."

Konfunderad skakade Edith på huvudet. "Han skulle ha sagt nå-

120

gonting, berättat det för mig." Hon försökte tänka klart, trots att det kändes som om hon hade bomull i huvudet. Hon såg förbryllat på honom. "Varför nu, när hotellet går så bra? Nog..."

Edith fick inte avsluta sitt osammanhängande mumlande, för Kane avbröt henne. "Dimitrij bad mig ge dig det här", sa han, och rösten var ovanligt mjuk och rar. "Han kunde inte skriva själv, men han dikterade för mig vad han ville säga." Kane log och vände ryggen åt henne. "Jag antar att du vill vara ensam och läsa det", tillade han.

Edith hörde de ekande stegen då han gick och sjönk ner i fåtöljen som stod intill den väldiga öppna spisen i marmor. Med darrande fingrar öppnade hon brevet.

Kära Edith!
Du har varit en god vän, och jag tackar dig för din lojalitet och vänskap. Min dröm skulle inte ha blivit verklighet utan din hjälp, och jag vill att du ska veta att jag förstår hur mycket av dig själv du har gett mig.

Edith log med tårarna strömmande nedför kinderna då hon läste de ord hon så länge längtat efter att få höra från hans läppar.

Jag vet att du ville ha mer, men det var inte möjligt, och jag är ledsen om dessa ord orsakar dig smärta. Men Lara var min hustru, och i mitt hjärta finns bara plats för henne. Förlåt mig för att jag lämnar dig på det här sättet, men det är bäst för oss båda. Jag förmår inte längre stå emot äventyrets locktoner, så jag ger mig ut på vandring för att se vad som döljer sig bortom nästa krök. Ta hand om hotellet, Edith. Det finns ingen jag litar mer på. En dag kommer jag tillbaka, men jag kan inte lova när, och till dess anförtror jag min dröm åt dig.

Farväl, min vän
Dmitrij

Det var undertecknat av en obildad man som varken kunde läsa eller skriva, och hon såg med vilken möda han hade format bokstäverna i sitt namn. Käre, rare Dmitrij, han hade ändå inte glömt henne. Hon vek brevet och stoppade in det i kuvertet. Hon skulle spara det för evigt.

Kanes ekande steg hördes åter, och han dök upp i foajén. "Det gör mig ont att se dig upprörd", sa han vänligt, "men Dmitrij tyckte det var bäst att försvinna medan alla var fullt upptagna av annat. Han avskydde all uppståndelse kring sin person, men det vet du ju?"

Hon nickade men fick inte fram ett ord.

"Far hem, Edith. Hotellet är tomt, och jag har lämnat återbud till de få gäster som hade bokat in sig under de närmaste dagarna. Enligt väderleksrapporten är det risk för både översvämningar och jordskred om regnet fortsätter att ösa ner. Här finns inget för dig att göra, och du ser inte frisk ut."

Hans oväntade omtanke fick henne bara att må ännu sämre, och hon tycktes inte kunna sluta gråta.

"Jag har bett trädgårdsmästaren köra dig hem i skåpbilen. Du kan inte cykla hela den långa vägen i det här ovädret."

Hon såg olyckligt på honom medan han hjälpte henne på med regnkappan och följde henne ut till bilen. "Jag hör av mig", sa han genom rutan. "Sköt om dig."

Edith lutade sig tillbaka i det obekväma sätet och stirrade ut på regnet som smattrade mot vindrutan. Det var inte förrän hon hade fått av sig sina våta kläder och satt ensam vid brasan som det slog henne att hon glömt räkenskapsböckerna.

Under veckorna som följde fortsatte regnet att vräka ner både dag och natt. Aldrig tidigare hade högslätten Atherton Tableland fått så mycket regn. Vattnet forsade nedför kullarna, fyllde floder och bäckar och fick vattenfallen att dånande störta ner i dalgångarna. Vägar spolades bort, jorden försköts och rasade och tog med sig stora träd som hindrade framkomligheten och föll över taken på enfligt liggande hus. Telefonstolpar föll omkull, så att all kontakt med yttervärlden skars av fram till dess att reparatörerna kunde komma. Också tågen på den lilla smalspåriga järnvägen hade slutat gå; det var för farligt, en del av banan hade dessutom störtat samman. Hotellet ute i regnskogen hade blivit som en öde ö.

Velda kunde inte sova och vred och vände på sig i sängen. Det ständiga smattrandet av regnet mot taket fick det att värka i huvudet, och hon önskade att hon inte hade hällt ut sängfösaren. Kane hade som vanligt kommit med den, men de senaste dagarna hade hon hällt bort den. Hon hade avgjort att hon inte längre behövde den och till sin stora förvåning upptäckt att hon utan den blev klarare i huvudet och koncentrerade sig bättre.

Giftermålet med Kane var ett konvenansparti. Han hade övertygat henne om att det inte var passande att de bodde under samma tak, och att Dmitrij var orolig för att det skulle skada hotellets affärer om folk trodde att de levde i synd. Först hade hon blivit alldeles förfärad över hans förslag. Men allt eftersom veckorna gick insåg hon att han hade rätt, för det rådde inget tvivel om att Edith och tjänstefolket trodde att hon var hans älskarinna. Hon älskade honom inte, skulle aldrig älska någon så som hon älskat Declan, men han var snäll och omtänksam och hade varit så tålmodig med henne att det skulle ha känts otacksamt att säga nej. Dessutom var hon trettifem år gammal, utan pengar, hem och arbete. Hon hade inte mycket att välja på. Och ett äktenskap med Kane skulle ge henne ett visst mått av respektabilitet.

Och så var det Catriona. Hon behövde en far, en fast hand som styrde henne, för sedan de kom hit hade hon varit helt otyglad. Hon var oförskämd och olydig, fick ofta raseriutbrott och svor som en borstbindare. Hennes ljuvliga, rara dotter hade blivit omöjlig att ha att göra med, och Velda hoppades att Kanes inflytande skulle ha en välgörande inverkan på flickan.

Velda klev ur sängen och gick fram till fönstret utan att bry sig om att tända lampan. Trots mörkret och regnet var det hett, och luftfuktigheten var hög även på nätterna. Fönstret stod öppet, och myggnätet var enda barriären mot mygg och alla flygande, bitande, stickande insekter som kom i stora svärmar från regnskogen. Inte minsta bris fläktade för att vispa om den tunga filten av fukt, och medan det tropiska regnet fortsatte att falla kände hon sig fångad och rastlös. Det var ett skenäktenskap, och hon tänkte bara stanna hos Kane så länge det behövdes för att Catriona skulle få känna sig trygg i en familj och kunna växa ur den jobbiga fasen. Att Dmitrij så plötsligt gett sig av hade inte gjort saken bättre, men Catriona var gammal nog att komma över sina barnsliga besvikelser och satsa på sången i stället.

Velda stirrade ut genom fönstret och undrade var Kane höll hus. Han var ett mysterium, och trots att de var gifta hade han inte berättat mycket om sig själv. Hon hade bävat för den intima sidan av äktenskapet, men till hennes stora förvåning och lättnad kom Kane ytterst sällan till hennes säng, och när han gjorde det älskade han snabbt och mekaniskt med henne som om han fullgjorde sina plikter. Hon hade snart kommit att misstänka att Poppy haft rätt då hon hävdade att Kane var homosexuell.

Veldas läppar kröktes i ett leende. Det var inte riktigt så Poppy hade uttryckt saken, mindes hon, för hon hade varit mycket mer målande i sin beskrivning. Velda började borsta sitt långa hår. Det var mer grått i det numera, och frisyren var gammalmodig, men det var det enda som förenade henne med Declan; han hade älskat att köra fingrarna genom det.

Hon blev stilla då hon hörde steg utanför dörren. Inte i kväll, tänkte hon, snälla, tryck inte ner handtaget. Hon väntade med blicken på mässingshandtaget, väntade på att det skulle röra sig nedåt och Kane komma in. Men stegen fortsatte, nästan ljudlösa på de nakna golvbrädorna som bara knakade till en aning.

Velda kröp ner i sängen igen, lättad över att slippa Kane, men tankarna var bekymrade. Catriona hade kommit till henne för några dagar sedan, och flickan hade inte sett ut att må bra. Hon hade blivit mager och blek med mörka skuggor under ögonen som Velda inte sett tidigare. Hon hade varit på uruselt humör, och det hade slutat med ett fruktansvärt gräl.

Velda gned sig i pannan och försökte minnas vad det hade handlat om. Men hon hade varit omtöcknad av sängfösaren och haft svårt att koncentrera sig på vad dottern försökte tala om för henne. Handen blev alldeles stilla då det suddiga minnet av grälet kom tillbaka. Catriona hade försökt berätta något viktigt, men vad? Velda skakade på huvudet. Allt hon visste var att Catriona hade störtat ut ur rummet och smällt igen dörren efter sig.

Medan hon låg där i mörkret gick det upp för henne att hon varit orättvis mot flickan. Hon hade varit så uppslukad av sin egen sorg att hon inte brytt sig om dotterns smärta, utan stött henne ifrån sig och isolerat sig i sin egen hjälplöshet. Naturligtvis hade Catriona behövt henne, naturligtvis sörjde hon fadern. Hur kunde hon, hennes mamma, ha varit så blind? Nu hade hennes underbara flicka förvandlats till en liten argbigga, och det var hennes fel.

Velda bet sig i läppen. Hon hade svikit Catriona, hade misslyckats i sin roll som mamma. Varför hade hon låtit droga sig på det där viset? Det hade gjort henne trögtänkt och omedveten om vad som hände runt omkring henne. Hon kastade av sig lakanet och klev ur sängen. Hon skulle gå till Catriona och försöka ställa allt till rätta.

Det var mörkt i korridoren. Strömmen hade gått redan i början av regnperioden, och eftersom oljan i generatorn tagit slut hade de fått förlita sig på stearinljus, den gamla vedspisen och fotogenlampor. Velda tvekade men beslöt sig för att inte tända något ljus, hon såg ändå, och det var bara en kort bit till Catrionas rum.

Hennes bara fötter gav inte minsta ljud ifrån sig, och hon vägde så lite att hon inte ens fick golvbrädorna att knarra. Hon närmade sig Catrionas dörr och såg ett svagt sken sippra ut under. Dottern var vaken.

Velda skulle just lägga handen på handtaget då hon hörde ljud inifrån rummet. Hon blev stående alldeles orörlig, och håret reste sig i nacken då hon hörde det igen, försökte förneka det och slutligen insåg att hon inte hade tagit fel. Med hjärtat dunkande mot revbenen och med darrande fingrar öppnade hon tyst dörren.

Scenen framför henne lystes upp i hela sin fasa av fotogenlampan som stod på byrån. Velda stirrade som förstenad.

Catriona var naken. Hon höll ögonen hårt slutna, och tårarna rann nedför kinderna. Snyftningarna kvävdes av den stora hand som täckte hennes mun. Kane låg ovanpå henne, och hans skugga steg och föll på väggen bredvid medan sängfjädrarna gnisslade sin gräsliga rytm.

Velda kände blodet lämna ansiktet, och hon flämtade till av avsky över vad hon såg.

I samma stund slog Catriona upp ögonen och fäste sin smärtfyllda blick på modern i tyst, desperat vädjan.

Då Kane fortsatte att våldta dottern handlade Velda instinktivt. Hon ryckte åt sig den tunga ljusstaken på nattduksbordet.

Äntligen hörde Kane henne och höjde huvudet.

Men han var inte tillräckligt snabb, och Velda svingade ljusstaken med all den kraft hatet gav henne och drämde till honom i tinningen. Catriona började skrika då han föll ihop över hennes nakna kropp och blodet sprutade över lakanen.

Velda förblindades av ett rött töcken av raseri och hämndbegär. Hon ville se honom död, han var ett djur, smutsig och avskyvärd. Han måste dö, måste krossas och betala för vad han var och vad han gjort.

Catriona skrek där hon låg under Kane utan att kunna röra sig ur fläcken. Hon skrek tills ljudet ekade i huset och utestängde det smattrande regnet. Med höga, skräckslagna skrin fick hon utlopp för den rädsla som hon så länge levt med, och skriken ekade gång på gång medan moderns arm höjdes och sänktes och Kanes blod dränkte lakanen.

Hatet fick Velda att fortsätta slå. Dotterns skrik genljöd i huvudet då hon bankade livet ur det kräk som hade våldfört sig på hennes älskade flicka. Hon slog ljusstaken mot hans revben, ben och rygg för att märka hela hans kropp med sitt hat.

Catriona lyckades maka sig bort från Kane och tryckte sig mot sänggaveln i mässing medan blodet flöt och modern fortsatte att slå. Hon skrek åt modern att sluta. Han var död och kunde inte längre göra henne något ont.

Men Velda var som besatt. Catriona kunde se benen under huden i ansiktet, de mörka ögonhålorna och den vilda, vansinniga blicken. Hon hade inte varit medveten om att Velda var så stark eller att hon var kapabel till sådant raseri.

Till slut vaknade Velda upp ur det röda töcknet och släppte ljusstaken. Snabbt lyfte hon upp dottern i famnen och bar ut henne ur rummet, stängde dörren efter sig och sjönk ihop på golvet i korridoren. Hon höll om Catriona hårt, hårt och snyftade och bad om förlåtelse för att hon inte lyssnat, för att hon inte märkt vad som skett. Med bruten röst vaggade hon sitt barn i sina armar tills skriken övergick i snyftningar, höll om henne tills darrningarna upphörde och bar henne slutligen till badrummet. Vattnet var kallt, men med mjuka, ömma händer tvättade Velda bort blodet innan hon svepte in Catriona i ett badlakan och bar henne till sin egen säng.

Tillsammans kröp de ihop under filtarna, höll hårt om varandra medan de huttrade och darrade av chock över det som hänt den natten. Fast ingen av dem kunde skjuta ifrån sig bilden av Kanes blodiga lik i rummet strax intill.

Velda låg där och stirrade ut i mörkret, överväldigad av det raseri hon varit mäktig. Vetskapen om vad hon gjort och den brutalitet hon straffat honom med hade drivit henne till vansinnets gräns. Utmattad kämpade hon för att slå ifrån sig vågen av känslor som vällde över henne. Hon måste förbli samlad och stark för Catrionas skull, för liket måste flyttas och gömmas någonstans.

Till slut lugnade Catriona ner sig, andningen blev djup och regelbunden, och hon somnade. Velda fick loss armen och makade sig försiktigt ur sängen, stod där i dunklet och huttrade trots den fuktiga, varma luften. Nattens arbete var långt ifrån avslutat.

Hon drog på sig en tjock tröja över det blodiga nattlinnet och stack fötterna i ett par gamla skor. Så kastade hon en blick på sängen och

126

hoppades att Catriona skulle sova tills det var klart och smög ut ur rummet.

Fotogenlampan brann fortfarande, och de fladdrande skuggorna gjorde scenen ännu mer makaber. Hon slöt ögonen och andades djupt, försökte låta bli att tänka på vad hon gjorde då hon rullade in kroppen i det blodiga lakanet. Det var lättare när hon inte kunde se honom, men då hon grep tag om anklarna och drog slog han i golvet med en vämjelig, klafsande duns. Hon fick kväljningar av blodlukten och måste hejda sig för att återfå beslutsamheten. Hon måste göra detta, måste avsluta vad hon påbörjat.

Hon flämtade, och kallsvetten gjorde nattlinnet sjöblött då hon släpade sin börda tvärs över rummet. Det skulle ta resten av natten att få ner kroppen till bottenvåningen och ut i trädgården. Hade hon kraft till det? Skulle den svaga tråd som höll henne fast vid verkligheten hålla så länge att hon hann begrava honom? Det visste hon inte, hon kunde bara försöka.

"Jag ska hjälpa dig." Catriona stod bredvid henne klädd i en tjock kjol och tröja som hon hade hittat i Veldas byrå. Ansiktet var askgrått men hade ett uttryck av kall beslutsamhet.

"Du borde inte vara här!" utbrast Velda upprört. "Gå och lägg dig igen!"

Catriona skakade på huvudet och grep utan ett ord tag i hörnen på lakanet och snodde ihop dem till en knut. "Ta tag i hans fötter", uppmanade hon lågmält. "Det är lättare om vi är två."

Velda betraktade dottern, såg styrkan hos henne och nickade. Tillsammans slet de med den tunga, döda kroppen och tog sig långsamt nedför trapporna. Tystnaden på hotellet tycktes sluta sig omkring dem då de nådde foajén. Vid sidodörren vilade de en stund, och deras snabba andetag genljöd i stillheten.

"Vi måste begrava honom", sa Catriona och såg på byltet. "Dmitrijs verkstad är bästa stället. Det är aldrig någon annan som går dit."

Med en rysning nickade Velda. Catriona tycktes ha tagit befälet med en mycket äldre persons mognad. Trots att det inte kändes riktigt rätt var Velda glad åt att någon annan fattade besluten. Själv började hon snabbt förlora greppet om verkligheten, och medan mardrömmen fortsatte undrade hon hur länge det skulle dröja innan hon helt förlorade förståndet.

De tog sig ut genom dörren med sin tunga börda som blev ännu tyngre då regnet vräkte ner på dem och fötterna halkade och gled. Gräsmattan var genomvåt, och leran kletade fast vid skorna medan de snavande och snubblande stretade till det bortersta hörnet av trädgården där verkstaden låg i mörker under träden. Det höll på att ljusna, men gryningen skymdes av svarta, täta moln på en grå himmel.

Catriona öppnade dörren och tände lampan, och de släpade in kroppen. "Jag måste gå till redskapsboden och hämta spadar", sa hon.

"Lämna mig inte ensam!" utbrast Velda, och rösten blev gäll av rädsla.

"Jag måste, mamma." Catriona var så lugn, för lugn, och rösten lät känslolös. "Flytta arbetsbänken och gör plats i hörnet där borta. Jag är tillbaka innan du vet ordet av."

Velda såg henne störta ut i regnet, svalde tårarna och försökte att inte låtsas om det ohyggliga byltet på golvet medan hon arbetade.

Catriona kom tillbaka med två spadar, och de satte i gång att gräva. Jordgolvet var hårt, tillplattat av många fötter och tunga maskiner under årens lopp. Kallsvettiga och trötta grävde de under tystnad, andades kort och häftigt, och till slut gav ansträngningarna resultat. När de släppte spadarna och stod vid sidan av det djupa hålet hade himlen ljusnat till vattnigt grått, och ösregnet hade övergått i ett mjukt strilande.

Tillsammans rullade de ner kroppen i hålet, och efter en blick på modern gick Catriona fram till hyllorna där Dmitrij förvarade sina flaskor och valde ut en som det stod kungsvatten på. Hon drog ur korken och hällde vätskan över kvarlevorna. Det väste och stank av brinnande kött då syran började verka, men i Catrionas ansikte syntes inte minsta tillstymmelse till känslor då hon satte i korken i flaskan och ställde tillbaka den på hyllan.

De skyfflade jord över kroppen och plattade till marken med spadarna tills den var lika slät som resten av golvet. Och när de hade flyttat tillbaka arbetsbänken märktes det inte att något var rört. Velda stängde dörren, och Catriona låste och lade nyckeln under stenen. Så ställde hon tillbaka spadarna i redskapsboden, och arm i arm gick de därifrån.

Medan regnet fortsatte att ösa ner och de båda kvinnorna var ensamma på hotellet på högplatån insåg Catriona att Kane hade haft rätt om Velda. Hon var en plågad själ, och händelserna under mordnatten hade fört henne nära gränsen. Det hade funnits en galenskap i hennes blick då hon bankade livet ur Kane som skrämt Catriona, och medan de väntade i det ekande huset på att det skulle sluta regna tog sig samma galenskap uttryck i frenetisk energi. Det var som om hon kunde sudda ut vad som hänt genom att städa febrilt. Hon vägrade att tala om Kane, ställde inga frågor och visade inte minsta intresse för hur länge övergreppen pågått. Hon hade blivit en tystlåten främling som putsade och tvättade, och hon skurade golvet i Catrionas gamla sovrum tills naglarna bröts av och händerna blev nariga.

Catrionas känslor var också tumultartade. Hon hade varit delaktig i mordet på en man, hade hjälpt till att gömma liket, och hon behövde sin mors kärlek och tröst, hennes försäkran att allt skulle ordna sig och att de åter skulle kunna bygga upp en kärleksfull relation. Men efter de första timmarnas närhet vägrade Velda att ge efter för vad hon betraktade som svaghet. Hon var fast besluten att sudda ut alla spår av Kane, nästan manisk i sina ansträngningar att tvätta bort det som påminde om vad som hänt, så att hon kunde låtsas att det aldrig inträffat. Ändå hade Catriona dagligen sett henne springa ner till verkstaden, hade sett henne låsa upp dörren och stå på tröskeln och stirra på platsen där de grävt ner honom. Det var som om hon måste försäkra sig om att alltihop inte bara var en dröm, att mordet verkligen hade ägt rum. Efter det brukade hon komma tillbaka från verkstaden och skrubba händerna både länge och väl.

Kanes rum var tömt. Hans pengar låg i Veldas kappsäck tillsammans med hans manschettknappar, guldklocka och kedja liksom rubinringen som åkt av lillfingret. Resten av hans tillhörigheter brändes i den stora öppna spisen i foajén, och Catriona betraktade kallsinnigt lågorna. Kane var död och skulle aldrig mer kunna göra henne illa. Men hon hemsöktes av mardrömmar, och minnena skulle plåga henne så länge Velda vägrade att erkänna vad Catriona utsatts för.

9

*E*dith hade läst Dmitrijs brev så många gånger att papperet hade gått sönder i vecken. Trots att det var skrivet med Kanes eleganta handstil hade Dmitrijs ord hållit henne sällskap under de långa dagarna och nätterna, för i tystnaden i sin lilla stuga kunde hon nästan höra hans röst. Bortsett från hostan, som hon inte tycktes kunna bli kvitt, hade hon haft det skönt under regnperioden. Skafferiet var välfyllt, och hotellets trädgårdsmästare hade sett till att hon haft gott om ved att elda med. Ändå väntade hon otåligt på att kunna återvända till hotellet, för Dmitrij hade bett henne ta hand om det, och hon stod inte ut med tanken på att Kane och irländskan bodde ensamma där och kanske möblerade om.

Det slutade regna, och arbetslagen satte i gång med mastodontjobbet att röja undan kullfallna träd, reparera telefonledningar och få undan alla rasmassor. Äntligen kunde Edith ta fram cykeln och trampa i väg mot hotellet. Men körbanan var fortfarande lerig och full av stenar som hade spolats ner från kullarna, och av rädsla för att få punktering steg hon av cykeln och gick hela vägen dit. Andfådd, utmattad och plågad av den envisa hostan nådde hon sent omsider fram till de väldiga järngrindarna.

Då hon ledde cykeln längs uppfarten noterade hon att ogräset hade trängt upp ur marken där gruset spolats bort. En palm hade fallit tvärs över några av prydnadsbuskarna på ena sidan, och på de oklippta gräsmattorna låg det grenar och löv överallt. Det växte redan mossa på stenlejonen som flankerade de pampiga ytterdörrarna, och regnet hade piskat sönder blommorna i rabatterna. Hon suckade uppgivet. I tropikerna tog det inte lång tid för naturen att återta herraväldet; Dmitrijs dröm var på väg att utplånas.

Edith lämnade cykeln vid köksdörren, som hon alltid hade gjort, och steg in. Det luktade unket i köket, diskhon var full av smutsiga

130

tallrikar, koppar och bestick, och det kändes som om det inte hade varit någon där på länge. Hon fortsatte ut i foajén. Tystnaden var kompakt. En stund stod hon där och lyssnade, men ingenting hördes utom det knarrande trävirket i huset. Hon fick syn på askan i öppna spisen, men den var kall. Ett lager av damm täckte receptionsdisken, och blommorna i vaserna var vissna.

"Hallå!" ropade hon. Rösten ekade mot tak och väggar, men det kom inget svar, och hon blev alltmer orolig. Hon ropade igen, högre den här gången, och fick samtidigt ett hostanfall. Inget svar. Då hon skyndsamt inspekterade rummen på bottenvåningen upptäckte hon flera tecken på vanskötsel. De vackra mattorna hade inte blivit skakade på veckor, och på gardiner och gobelänger syntes mögel. Allt var täckt av damm i tjocka lager, och hon kände vreden stiga inombords vid åsynen. Kane och hans kvinna hade slöat under regnperioden, och det skulle krävas en armé av tjänstefolk och flera veckors arbete för att få ordning på hotellet.

Hon gick uppför trappan och ropade hela tiden, men ljudet slog tillbaka, och hon tyckte nästan att det lät hånfullt då hon tittade in i gästsviterna och slutligen kom till översta våningen där tjänstefolket hade sina rum. Där var också tomt, och av den instängda luften att döma hade det varit det ett bra tag. Hon drog ut lådor och tittade i skåp, men där syntes inte minsta spår efter Kane, irländskan eller hennes dotter. Edith stod på trappavsatsen och bet på en knoge. I stället för att känna sig upprymd över att hon hade hotellet för sig själv var det något med deras försvinnande som oroade henne. När hon kom ner på bottenvåningen igen upptäckte hon vad det var.

Dmitrijs våning verkade orörd, men då hon strövade genom rummen började hon upptäcka tomrum. Ett par silverljusstakar fattades liksom tre av hans små snusdosor i guld och hårborstarna i silver som brukade ligga på byrån. Då hon gjorde en noggrannare inspektionsrunda i de allmänna utrymmena på bottenvåningen såg hon att en liten tavla hade försvunnit från väggen och att flera silverbrickor saknades på skänken i matsalen.

Hon kände ilskan tillta, och stegen ekade mot marmorgolvet då hon skyndade genom foajén och in på sitt lilla kontor innanför köket. Räkenskapsböckerna syntes inte till någonstans, men det var knappast förvånande. Kane hade säkert förstört dem i samma ögonblick som hon lämnade hotellet. Fast då hon öppnade väggkassaskåpet

131

möttes hon av en överraskning, för där, insvepta i säckväv, låg tavlan, hårborstarna och silverbrickorna. Edith begrep ingenting, och hon satt länge på kontoret innan hon fattade sitt beslut. Så drog hon på sig kappan, hämtade cykeln och trampade i väg längs uppfarten. Harold Bradley måste genast informeras.

*

Harold Bradley städade skrivbordet och ställde sig sedan med ryggen mot den sprakande elden för att värma sin breda bakdel. Det var en förnöjd man. Han hade ett bra jobb vid polisen som inte krävde alltför mycket arbete, för brott var ovanligt bland dessa hårt slitande bönder, och när det någon gång blev bråk på puben om lördagskvällarna räckte det med några timmar i finkan för att missdådaren skulle nyktra till. En liten stuga ingick i jobbet, och hans fru var en gladlynt kvinna som skänkt honom en son och tre döttrar. Han kunde skatta sig lycklig, tänkte han där han stod och vägde i de knarrande polisstövlarna framför brasan. Han tog upp pipan ur fickan och började stoppa den med tobak.

Knackningen på dörren överraskade honom. "Stig in!"

Edith Powell såg jagad ut. Ögonen var glansiga, och hon hade röda fläckar på kinderna. Som vanligt var hon klädd i blankslitna svarta kläder, och den magra gestalten drunknade nästan i kappan. Ingen visste hur gammal hon var, men han gissade att hon var på fel sida om de femtio. "Vad kan jag hjälpa dig med då?" frågade han vänligt. Han gillade inte Edith något vidare, men han tyckte synd om henne. En del kvinnor var födda till att bli gamla nuckor, och Edith var ett typiskt exempel.

"Jag vill rapportera en stöld", svarade hon och sjönk ner på den hårda stolen framför skrivbordet. "Och jag vet minsann vem den skyldige är", tillade hon skarpt.

Han höjde ett ögonbryn. "Det låter allvarligt", sa han med sin brummande röst och betraktade det infallna lilla ansiktet. Så strök han med fingret över den yviga mustaschen och satte sig ner. "Det är bäst du berättar."

Harold lutade sig tillbaka i karmstolen med tummarna i västfickorna medan han lyssnade på den osammanhängande historien. En stöld hade förmodligen begåtts på hotellet, men han förstod att det inte bara handlade om det. Edith hade lagt sina krokar för Dmitrij ända sedan han kom till Atherton Tableland. Hon var en försmådd kvinna, och nu när Dmitrij hade gett sig i väg var hon fast besluten att kasta skulden på någon. Såvitt Harold anbelangade var Edith bara till besvär, och ju förr han blev av med henne, desto bättre.

Han drog i mustaschen medan hon pratade på, och han hörde bitterheten i rösten då hon beskrev Kane, Velda och flickan. Det rådde ingen tvekan om att hon hatade dem alla tre, men svartsjukan på Velda var nästan plågsamt tydlig. "Vad vill du egentligen att jag ska göra?" frågade han slutligen.

"Jag vill att du ska leta reda på Dmitrij, och så måste du ta fast mr Kane, för han är skyldig till både stöld och bedrägeri." Hon satte handen för munnen och hostade.

Harold betraktade henne eftertänksamt. "Men du säger att du inte längre har kvar räkenskapsböckerna, och utan dem har vi inga bevis. Och Dmitrij befinner sig sannolikt någonstans i Northern Territory där det är omöjligt att hitta honom."

"Det försvunna silvret då?"

"Vi har inga bevis för att det var Kane eller irländskan som stal silvret", påpekade han, "och du har ju återfunnit en del av det. Resten kanske också ligger undangömt någonstans."

"Jag kräver att du griper Kane och sätter honom i fängelse", fräste hon med händerna hårt knäppta i knäet.

Kommunikationerna var dåliga även i vanliga fall, och till följd av översvämningarna fungerade de sämre än någonsin. "Det är inte mycket jag kan göra", förklarade Harold. "Jag kan skicka ut en efterlysning via kommunikationsradion, men chansen att hitta honom är inte stor. Vid det här laget kan han vara miltals härifrån."

"I så fall måste du leta reda på Dmitrij", sa hon och hade nära till tårarna. "Han måste få veta vad som har hänt."

"Jag ska göra mitt bästa, men jag skulle inte göra mig några större förhoppningar om jag vore du. Dmitrij befinner sig troligen nere i någon gruva eller också vandrar han runt i ödemarken utan kontakt med omvärlden. Du vet ju hur han är, en riktig vagabond."

Hon snöt sig och stoppade ner näsduken i fickan. "Vad ska jag göra då?" frågade hon.

"Åk tillbaka till hotellet och se till att där blir städat och snyggt", svarade han vänligt samtidigt som han kom runt skrivbordet. Han hjälpte henne att resa sig. "Dmitrij bad dig ta hand om det, och jag är säker på att du klarar av att sköta det tills han kommer tillbaka."

Edith drabbades av ett hostanfall och satte näsduken för munnen. "Jag har inte varit frisk, och jag tror inte att jag klarar det på egen hand." Hon höjde sin feberglänsande blick mot Harold.

Han försökte att inte visa sin otålighet. "I så fall tycker jag att du ska bomma igen hotellet och hålla ett öga på det. Jag ska skriva en rapport om vad du har berättat och efterlysa både Francis Kane och Dmitrij Jevtjenko."

Han såg henne trampa i väg på det gamla cykelskrället och stängde dörren. Hon var inte frisk, och inte blev hon bättre av att cykla långa sträckor heller. Han ryckte på axlarna och gick tillbaka till skrivbordet. Efter att ha suttit och funderat ett tag tog han en penna och började mödosamt skriva en rapport om samtalet. Den skulle inte göra någon större nytta, tänkte han, men inom polisen förväntades man skriva ner allt, och om Dmitrij kom tillbaka skulle det åtminstone finnas bevis för att han hade gjort någonting.

*

Catriona och Velda hade lämnat hotellet några dagar efter mordet med var sin väska, mer orkade de inte bära. Kanes försvinnande måste kunna förklaras, och de hade kommit överens om att säga att han gett sig av söderut, där han fått ett bättre jobb, och att de var på väg till honom.

Regnet hade lättat så pass att de kunde företa den långa, besvärliga vandringen över högplatån till Kuranda. Därifrån tog de sig nedför sluttningarna till Cairns. Det lilla ångtåget hade ännu inte tagits i drift igen, men det var bättre att ingen såg dem och ställde frågor, och de undvek arbetslagen som slet med att reparera och röja vägarna. När de äntligen nådde fram till Cairns var de utpumpade.

Velda satte den ena foten framför den andra, fast besluten att inte tappa greppet om verkligheten. De måste fly och börja om igen. När de nådde Brisbane kunde de kanske lägga fasorna bakom sig och börja ett nytt liv. Catriona hade inte velat ta Kanes pengar. Hon sa att det kändes som om hon tog betalt för sina tjänster, att det fick henne att känna sig smutsig. Men Velda tyckte att de måste tänka praktiskt. De skulle behöva pengar till mat och husrum och till buss- och tågbiljetter. Blodspengar eller inte så måste de ha något att leva av tills hon fick jobb.

Från Cairns tog de en buss till Townsville. Bussen var billigare än tåget och tog tre gånger så lång tid. Den var ett stort vitt åbäke, eller hade åtminstone varit vit för många år sedan. Nu var den sönderrostad, och hetta och sand hade gått så hårt åt fönstren att det knappt gick att se ut. Bussen väste, stånkade och knakade och förvånade alla med att över huvud taget fungera. Det var tio passagerare, och alla måste regelbundet stiga av och vänta medan motorn svalnade och chauffören fyllde på kylarvatten. Det blev nästan till en lek, och Velda märkte att Catriona livades upp av att prata och dricka te med de andra. Själv kände hon sig nedstämd, och tankarna gick ständigt tillbaka till den mörka, våta natten. Det verkade som om hon aldrig skulle komma undan, hur långt hon än flydde.

I Townsville bytte de till en buss som gick till Mackay, och därifrån tog de tåget resten av vägen. Velda lyckades få hyra ett litet hus i Brisbanes södra förorter och fick arbete på ett företag som exporterade ull. Det verkade som om hennes planer för framtiden hade gått i lås, men hon var orolig för Catriona. Flickan var blek och hängig, och antingen drev hon håglöst omkring i huset eller också låg hon till sängs största delen av tiden. Velda försökte att inte bli irriterad på henne, men hon var trött då hon kom hem från jobbet och behövde koppla av, och det kunde hon inte när Catriona tycktes så apatisk.

”Jag måste gå till doktorn”, sa Catriona en morgon. De hade bott i Brisbane i två månader, och illamåendet hon kände och smärtorna i ryggen ville inte ge med sig.

”Doktorer kostar pengar”, påpekade Velda. ”Jag skaffar något på apoteket.”

Catriona skakade på huvudet. ”Jag har ont, och det kommer blod när jag kissar.”

Velda insåg att hon måste göra någonting. ”Om doktorn undersöker dig begriper han vad som har hänt.”

”Det struntar jag i!” utbrast Catriona. ”Jag har ont.”

De uppsökte en läkarmottagning i andra änden av staden, och Velda uppgav falskt namn och adress. Doktorn var en medelålders man som uppmärksamt lyssnade på Catrionas redogörelse för sina symtom innan han undersökte henne.

Catriona knep ihop ögonen hårt medan han bökade i underlivet.

135

Det påminde om Kane, och hon ville skrika åt honom att sluta. Då han var klar sa han barskt åt henne att klä på sig igen.

"Mrs Simmons", började han med en min fylld av avsmak. "Inte nog med att er dotter har dragit på sig en sällsynt otrevlig urinvägsinfektion, utan hon är dessutom gravid i fjärde eller femte månaden."

Den lamslagna tystnaden bröts av Catrionas snyftningar. Velda var så chockad att hon knappt hörde resten av vad doktorn sa. Kane hade lämnat ett barn i arv efter sig. Käre Gud i himlen, skulle de aldrig bli fria från honom? Och hur skulle det bli med Catriona? Hon var bara tretton år gammal. Hur skulle hon påverkas av detta?

Doktorn skrev ut ett recept. "Med tanke på hennes ålder föreslår jag att hon genast skickas till ett hem för vanartiga flickor", sa han kallt.

"Det klarar vi oss utan!" fräste Velda, ryckte åt sig receptet och reste sig. "Min dotter har lidit nog och ska inte behöva bli kallad vanartig." Hon tog Catriona i handen och lämnade snabbt läkarmottagningen.

Under den långa färden tillbaka till huset i de södra förorterna försökte Catriona smälta den förskräckliga nyheten. Gudskelov skulle de aldrig mer gå tillbaka till den doktorn. Hon hade inte tyckt om honom, och hans omedelbara antagande att hon var lättfärdig hade fått henne att må illa och skämmas djupt. Hon tittade på Velda som satt mitt emot i bussen. De hade knappt sagt ett ord till varandra sedan de lämnade läkarmottagningen, och trots att Catriona längtade efter tröst visste hon att Velda skulle upprätthålla en iskall tystnad. Deras relation hade aldrig återhämtat sig efter den fasansfulla mordnatten, och kanske skulle det aldrig mer bli som förr mellan dem. De var retliga mot varandra, och det kändes som om de måste väga vartenda ord på guldvåg av rädsla för att säga eller göra något som kunde tolkas som en förolämpning eller anklagelse.

Modern satt och stirrade rakt fram, och Catriona betraktade hennes profil. Det syntes ingenting på henne, men Catriona visste att hon hade sina egna demoner att tampas med. Sedan den ödesdigra natten hade Velda hållit sig på sin kant och blivit ännu oåtkomligare, och hennes ambition att se Catriona lyckas på scenen, på ett sätt som hon själv aldrig fick chans till, hade nästan blivit till en fix idé. De hade gått på tå för varandra i det lilla huset utan att våga säga högt vad de tänkte. De hade hållit sina känslor i schack, och Kane hade aldrig nämnts. Och så detta. Inget kunde ha varit grymmare.

Den breda förortsgatan kantades av palmer, och brisen från havet fick bladen att prassla. Trähusen var vita, hade två fönster, en dörr på framsidan och en på baksidan, och de såg ut som små lådor. En smal veranda med ett sluttande plåttak erbjöd skydd mot solen, och på framsidan fanns en prydlig trädgård innanför ett vitt spjälstaket. Det fanns ett sovrum, ett kombinerat kök- och vardagsrum och ett minimalt badrum. Akacian på baksidan stod för nära huset, och dess gyllene blomregn slog mot fönstret på sovrummet som Catriona delade med modern.

Det var sent på eftermiddagen fyra månader senare, och Catriona låg på sängen i underkjolen i den tryckande, klibbiga hettan. Takfläkten snurrade brummande runt, och fönstret stod öppet för att släppa in minsta bris genom myggnätet. Hon låg där och stirrade på fläkten, och den stora magen skymde fötterna. Anklarna var svullna, och hon mådde inte riktigt bra. Babyn hade sparkat hela dagen, som om den otåligt ville komma ut, och Catriona ryckte till då ett vasst litet knä eller kanske en armbåge stötte till henne i revbenen.

Hon lade händerna på magen som om hon genom att röra vid den kunde lugna barnet. Det hade blivit en del av henne, och hon längtade efter att det skulle födas, så att hon fick hålla det i sin famn och älska det. Hon började sjunga en vaggvisa medan tankarna gick till de små plagg hon samma dag hade köpt och gömt längst ner i resväskan.

"Vad i all världen håller du på med?" Velda kom in i rummet och tog av sig den strikta dräkt och vita blus som hon alltid bar i jobbet.

"Jag sjunger för min baby", svarade Catriona drömmande.

Velda sparkade av sig de högklackade skorna med öppen tå och rullade av nylonstrumporna innan hon drog på sig morgonrocken i bomull och sjönk ner på sängen. "Det är inte din baby", sa hon med en trött, lite otålig suck, "och det är ingen mening med att du fäster dig vid den, för den ska adopteras bort så snart den är född."

"Det *är* min baby", påpekade Catriona och satte sig mödosamt upp, "och jag vill inte adoptera bort den." Hon kom på fötter och ställde sig framför modern. "Jag vägrar att låta dig lämna bort mitt barn."

"Var inte löjlig!" utbrast Velda. "Du bär Kanes oäkting, och ju förr den försvinner ur vårt liv, desto bättre."

Catriona hade haft den här diskussionen med modern tidigare. Allt eftersom månaderna gick hade hon upptäckt att hon älskade det lilla

137

barn som växte i magen. Det spelade ingen roll hur det hade kommit till, och hon var fast besluten att behålla det. "Det är en liten människa!" utropade hon hetsigt. "Min baby, och jag älskar den och tänker behålla den."

Velda blängde ilsket på henne och reste sig. "Du är själv inte mer än ett barn och har inget att säga till om i frågan. Babyn ska lämnas bort, och därmed basta." Hon svepte morgonrocken tätare om sin magra kropp och smällde igen dörren efter sig då hon lämnade rummet.

Catriona lade händerna på magen medan tårarna strömmade nedför kinderna. "Var inte orolig, lilla barn", viskade hon. "Jag är din mamma, inte hon, och jag ska se till att hon inte lämnar bort dig."

Två veckor senare satte värkarna i gång. Förlossningen var utdragen och smärtsam, och läkarna på sjukhuset såg oroliga ut. Hon var för ung, för spensligt byggd, och det kunde uppstå komplikationer. Catriona låg ensam i ett rum där det luktade underligt och där de starka lamporna fick de vita väggarna att sticka i ögonen. Hon var livrädd, inte bara för vad som hände med henne själv, utan även för vad som skulle hända med hennes ofödda barn. Modern var fast besluten att adoptera bort det, men Catriona var lika beslutsam hon och talade om för alla som kom i närheten att hon ville behålla barnet.

Till slut föddes den lilla flickan, och Catriona sträckte ut armarna för att få hålla henne i sin famn. Men sköterskan lindade in flickan i en filt och såg bara föraktfullt på Catriona. "Det här kanske blir en läxa för dig, unga dam", sa hon och fnös ogillande.

"Jag vill ha min baby!" skrek Catriona. "Ge mig min baby." Hon bönföll och snyftade och försökte stiga ur sängen, men hon hade remmar om fötterna och kom inte loss. Det hjälpte inte hur mycket hon bönade och bad. Sköterskan lämnade rummet med det lilla knytet, och det enda Catriona hann se av sitt barn var en svart hårtofs som stack upp ur filten.

Senare samma dag fick Velda komma på besök i några minuter. Hon var askgrå i ansiktet, och munnen var som ett streck då hon satte sig vid sängen och tog Catriona i handen. "Du måste förstå att jag gör det här för din skull, och det hjälper inte att gråta och skrika. Gjort är gjort."

"Men jag älskar henne", snyftade Catriona. "Låt mig få hålla henne en gång bara."

Velda lutade sig bakåt i stolen. "Ett utomäktenskapligt barn är en skam, och samhället skulle varken acceptera henne eller dig om du behöll henne. Hon skulle förstöra ditt liv och dina yrkesmöjligheter, trots att du blev utsatt för övervåld och inte kan lastas för att hon blev till."

"Var är hon?" Catrionas röst var en viskning.

"Hon har det bra."

"Jag ska nog få doktorn och sköterskorna att berätta det för mig", mumlade hon. "De kan inte bara ta min baby ifrån mig."

"Det har de redan gjort", sa Velda, "och hon är hos sina adoptivföräldrar nu."

"Hur kunde du vara så grym?" Catriona stirrade på modern med tårfyllda ögon.

Velda fingrade på handväskan och handskarna, och efter en lång stunds tystnad tycktes hon fatta ett beslut. "Det finns många saker jag skäms för", sa hon slutligen. "Jag borde ha förstått vad Kane höll på med, borde ha varit en bättre mamma, så att du kunde ha anförtrott dig åt mig. För det kan jag aldrig förlåta mig själv." Hon drog ett djupt andetag. "Men att behålla babyn? Aldrig! Den skulle bli en ständig påminnelse, och det skulle jag inte stå ut med." Hon tog Catrionas hand, och ansiktet mjuknade. "Du är tretton år gammal med hela livet framför dig. Glöm henne, Catriona."

Två veckor senare hade de packat sina väskor. Velda hade bestämt att de skulle flytta till Sydney.

Catriona satt bredvid modern på tåget och stirrade ut genom fönstret. Hon skulle aldrig glömma den svarta hårtofs som stuckit upp ur filten, och hon visste att hon alltid skulle tänka på dottern och undra om hon hade det bra och var lycklig. Tills vidare måste hon försöka leva med det som hänt. Det skulle inte bli lätt, men hon hade inget annat att välja på. Velda var fast besluten att få sin vilja fram, och hon kunde bara lyda modern och vänta tills hon var gammal nog att börja leta efter sin dotter.

Doris Fairfax var änka efter en sjökapten och hade ett pensionat i Sydneys utkanter. Hennes make hade dött alldeles före depressionen, och trots att tiderna var hårda hade Doris bestämt sig för att hålla hög standard på renlighet och anständighet. Hon hade valt sina manliga inackorderingar med stor omsorg, och nu när konjunkturen tycktes bli bättre såg hon fram emot att få en trygg pension om några år.

Det var en fyllig liten kvinna som hade sett sina bästa dagar och var svag för blommiga klänningar, stora örhängen och mängder av klirrande armband. En gång i månaden stank hela huset av vätesuperoxid då hon blekte håret, och det viskades att hon ägde så mycket smink att hon skulle ha kunnat öppna affär. Hennes ständige följeslagare var en trind och surmulen pekines vid namn Mr Woo som morrade, skällde och bet så fort den fick chansen.

Doris bodde på bottenvåningen. Hon hade stränga regler för dambesök, och från fönstret i vardagsrummet, som var överlastat och fullt av rysch och pysch, kunde hon hålla ett öga på sina inackorderingars göranden och låtanden. Doris trivdes med att ha Catriona och Velda boende på pensionatet, och hon ackompanjerade gärna flickan på piano då hon sjöng sina arior och höll på med de evinnerliga skalövningar som modern tvingade henne till. Ändå bekymrade det Doris att flickan var så dämpad och att hennes relation med modern verkade ansträngd. Doris var tillräckligt erfaren för att begripa att de hade en hemlighet, men trots att hon var nyfiken beslöt hon sig för att inte snoka. De var skötsamma, respektabla och arbetade hårt. Resten angick egentligen inte henne.

Precis som ägaren hade pensionatet sett bättre och ungdomligare tider. Det var ett i en rad vanvårdade trevåningshus som klättrade uppför en brant sluttning med utsikt över staden. Rummen var enkelt möblerade men rena, och de fem hyresgästerna delade badrum och intog frukost och middag i det hemtrevliga köket på bottenvåningen.

Catriona lutade sig mot fönsterbrädan och blickade ut över stadens tak. Det var en klar och kall vintereftermiddag, och där hamnen låg kunde hon precis urskilja ett blått glitter av vatten. Samtidigt tyckte hon sig kunna känna doften av eukalyptus och tallbarr och lukten av damm ute på vägarna. Hon saknade friheten och de öde vidderna, ljudet av vagnshjulen som rullade på skumpiga, ojämna jordvägar och de lunkande shirehästarna som förde dem allt längre ut i vildmarken.

"Skynda dig!" uppmanade Velda och satte på sig kappan. "Vi kommer för sent, och det är långt att gå."

Catriona vände sig bort från fönstret och betraktade modern. Numera levde Velda nästan helt i tystnad, som om hon var rädd för att börja tala och sedan inte kunna sluta. Men hon var ständigt i rörelse, rusade hit och dit, aldrig still, som om hon försökte fly undan någonting eller lura tiden. Hon var på tok för mager, ansiktet saknade liv, och blicken var tom.

"Det är gott om tid, mamma", invände Catriona. "Vårt skift börjar ju inte förrän klockan sex."

"I dag vill jag komma i god tid", svarade Velda medan hon satte på sig hatten och målade läpparna.

Catriona stack fötterna i sina lågklackade pumps, drog på sig den tunna kappan och sträckte sig efter hatten. Den var gammal och omodern trots tygblommorna hon sytt fast på bandet, men den fick lov att duga. De tjänade inte särskilt mycket och hade definitivt inte råd att slösa bort pengarna på lyxartiklar. "Vi får inget extra betalt, så vad ska det tjäna till?" undrade hon och rotade efter scarf och handskar.

"Jag har en sak att diskutera med ägaren", upplyste Velda mystiskt. "Och bästa tillfället är före kvällsruschen."

Catriona såg Velda rätta till överkasten på de smala enkelsängarna och skaka upp kuddarna innan hon började städa bland småsakerna på byrån. Modern måste alltid vara sysselsatt, kunde aldrig hålla händerna stilla, kunde inte sluta med sitt maniska plockande. "Vad är det som är så viktigt?" frågade Catriona.

"Det ska jag berätta senare", sa Velda, tog sin billiga handväska och gick mot dörren.

Catriona insåg att hon inte skulle få mer ur henne och tänkte med längtan på den närhet och förtrolighet som förr i tiden funnits mellan dem. Åren efter faderns död hade förändrat dem bägge, och Catriona visste att det skulle förbli så. Veldas sätt att hantera tragedin var att sluta sig inom sitt skal, och Catriona hade blivit tvungen att försöka glömma sina egna mardrömmar och blicka framåt, för hon kunde inte leva utan hopp.

I dörren kastade Catriona en blick på vindsrummet de hade delat i nästan ett år, kontrollerade att gasen var av och fönstren stängda. Rummet var litet och avskilt från andra hälften av vinden med en skiljevägg, och med två sängar, en skrymmande garderob och en byrå fanns det inte mycket golvyta kvar. Det var trångt, men de hade tak över huvudet, och hon trivdes bra. Hon stängde dörren och rusade nedför trapporna för att hinna i kapp Velda.

Doris satt som vanligt i sin fåtölj vid fönstret i vardagsrummet, och

Catriona vinkade åt henne på vägen ut. Hon gillade Doris och hade suttit i timtal och lyssnat på hennes berättelser om sin ungdoms dagar och sin sjöfarande makes äventyr. Det hade hjälpt henne att stå ut med Veldas tystnad.

Sydneys centrum sjöd av liv, och spårvagnarna skramlade fram mitt i de breda huvudgatorna. Män och kvinnor skyndade trottoarerna fram, väl påpälsade för vintereftermiddagen var kylig. Depressionen hade drabbat Sydney precis som resten av världen, och man kunde fortfarande se spåren av den i form av förbommade fönster och förfallna byggnader som en gång inrymt lönsamma affärsföretag.

Ändå fanns det tecken som tydde på att de dåliga tiderna led mot sitt slut. Många firmor som länge hankat sig fram hade börjat nyanställa, fabrikerna hade åter kommit i gång med produktionen, och hotellen fick allt fler gäster. Alla hade inte förlorat sina förmögenheter, och en del smarta personer tjänade grova pengar på billig mark, billig arbetskraft och billig sprit på svarta börsen.

Hyde Hotel låg vid Macquarie Street. En gång hade det varit en förmögen mans privatresidens med eleganta verandor och en välskött trädgård, men ägaren hade gått i konkurs, och det hade förfallit. Efter hans självmord hade det vackra gamla huset sålts på auktion för en spottstyver. Robert Thomas, den nye ägaren, var en man med födgeni. Han fick sin stora släkt att slå ihop sina tillgångar och öppnade hotell med ambitionen att göra det till Sydneys bästa. Han var redan på god väg att lyckas och se sin dröm gå i uppfyllelse, för hotellet var alltid fullbelagt, matsalen fullsatt, och den exklusiva cocktailbaren hade blivit en populär mötesplats för societetens grädda.

Catriona följde efter modern in genom personalingången på hotellets gavel. I omklädningsrummet hängde hon upp hatt och kappa, drog av sig handskarna och sträckte sig efter den svarta klänningen med tillhörande vitt förkläde och hätta som hon måste bära i matsalen.

Moderns hand hejdade henne. "Byt inte om än, utan kom med mig."

Catriona gav Velda en orolig blick. Hon bar sig underligt åt och verkade för ovanlighetens skull förväntansfull inför något. "Vad är det frågan om?" undrade hon då modern drog in henne på personaltoaletten och styrde henne mot spegeln ovanför raden av handfat.

Velda plockade fram en av sina klänningar ur den enorma handväskan. "Sätt på dig den här!" beordrade hon. "Sedan ska jag ta hand om hår och makeup."

Catriona upptäckte att hon gapade. Hon stängde munnen och tittade på plagget som modern hade kastat åt henne. Det var Veldas favoritklänning och hennes finaste, ett minne från den tid då hon haft råd med sådan elegans. "Jag gör ingenting förrän du berättar för mig vad som står på", framhärdade hon.

"Du gör som jag säger och sätt lite fart", fräste Velda, drog av Catriona tröjan och knäppte upp kjolen i midjan. "Mr Thomas väntar, och du måste göra gott intryck."

"Jag har redan jobb som servitris", påpekade Catriona samtidigt som hon klev ur kjolen, lyfte armarna och kände den svala chiffongen frasa mot huden. Klänningen följde höfternas linjer och slutade ovanför knäna i en uddig fåll.

"Du är inte född till servitris", förkunnade Velda och plockade fram hårborsten. "Du är begåvad med en röst, en gudabenådad sångröst, och mr Thomas är en inflytelserik man. Han har de rätta kontakterna och kommer att hjälpa dig om auditionen går bra."

Catriona sa inte ett ord medan Velda borstade det långa, svarta håret och satte upp det i en elegant chinjong. Hon såg den fasta beslutsamheten i moderns blick, och det envisa draget kring munnen då Velda med snabba, säkra rörelser målade Catrionas läppar och ögonfransar skvallrade om att det var lönlöst att diskutera.

"Så där ja!" utbrast Velda belåtet. "Titta i spegeln och tala om vad du ser."

Catriona vände sig mot spegeln och möttes av en främling. "Jag ser en kvinna", viskade hon.

"En vacker ung kvinna", sa Velda medan hon fäste ett halsband runt dotterns hals och knäppte fast matchande örhängen i öronen. "Mr Thomas har en betydelsefull gäst i kväll", berättade hon. "Visa honom hur begåvad du är, och världen ligger för dina fötter."

Fylld av fasa stirrade Catriona på henne. Det kändes som om modern bjöd ut henne till försäljning.

"Se inte så där på mig!" sa Velda. "Jag har inte övat med dig i alla dessa år bara för skojs skull", tillade hon och rättade till axelbandet på klänningen. "Kom nu, vi får inte låta herrarna vänta."

Catriona var alldeles torr i munnen då Velda drog med henne genom den låga korridoren mot den nyöppnade nattklubben. Det hade

143

gått åratal sedan hon senast stod på en scen, och trots att hon övade varje dag mådde hon illa av nervositet och var övertygad om att hon inte skulle få fram en enda ton.

Nattklubben låg i hotellets källarvåning och var praktfullt inredd i svart och vitt med inslag av scharlakansrött i soffor och stolsdynor. I taket hängde en enorm kristallkrona vars sken reflekterades i mängder av speglar.

Golvet var blankbonat, och de små borden och förgyllda stolarna vid kanten av dansgolvet såg inbjudande ut. I ett hörn fanns små alkover med sammetssoffor för dem som ville ha lite avskildhet. Ett piano stod på ena sidan av den lilla scenen som hade en baldakin i svart sammet översållad med kristaller som fångade ljuset och gav intryck av stjärnhimmel.

Catriona hejdade sig i dörröppningen då hon fick syn på mannen vid pianot och de bägge män som rest sig för att hälsa på henne och modern. Hon klarade inte det här. Hon var för ung och oerfaren – och rädd. Hon ville springa därifrån och gömma sig, men det var för sent. Mr Thomas skakade hand med modern och presenterade sin bekant, och det var som om hans röst nådde henne från en stor avgrund.

Hon märkte att den andre mannen studerade henne uppmärksamt, och när hon mötte hans blick började rädslan lägga sig. Han hade vänliga bruna ögon, rödblont hår och leendet var uppmuntrande.

”Jag heter Peter Keary”, sa han och tog henne i handen. ”Trevligt att råkas.”

Catriona såg på honom med ett försiktigt leende. Han var stilig men gammal, minst trettio. Vad förväntade han sig av henne?

”Hur gammal är du?” frågade han.

”Arton”, insköt Velda. ”Kom nu, Catriona. Vi har låtit herrarna vänta tillräckligt länge.”

Innan Catriona hann protestera mot lögnen föste Velda henne över dansgolvet fram till pianot, räckte pianisten en bunt med noter och gav honom detaljerade instruktioner. Modern hade uppenbarligen planerat det hela sedan en tid tillbaka, för arian ur La Bohème hade varit hennes övningsstycke i många veckor. Hon kastade en blick över axeln. Mr Keary och mr Thomas satt på en soffa, och cigarröken steg mot taket medan de samtalade lågt. ”Jag kan inte sjunga opera här”, viskade hon enträget.

”Du kan och du ska”, förkunnade modern.

"Men jag är ju bara femton", protesterade Catriona. "Jag får inte ens komma in på sådana här ställen."

"Vem har sagt något om att du ska sjunga på nattklubbar?" undrade Velda, och greppet om Catrionas arm hårdnade. "Det här är en audition för mr Keary. Han driver den bästa artistagenturen i Sydney", upplyste hon med röda fläckar av upphetsning på kinderna. "Ställ dig på scenen och visa vad du går för."

Catriona fick en hård knuff i korsryggen, och som förstenad av skräck stod hon där ensam i strålkastarljuset. Men när hon hörde de första takterna i den vackra arian glömde hon bort att vara rädd. Hon slöt ögonen och koncentrerade sig på musiken och vad den betydde för henne, och då hon började sjunga förflyttades hon till Mimìs och poeten Rodolfos värld.

Då de sista tonerna strömmade ut i tystnaden tog Catriona ett steg bakåt och böjde på huvudet. Den sorgliga historien om det stackars älskande paret rörde vid känslosträngar djupt inom henne och lockade fram den lidelse som krävdes för att sjunga arian. Men det tog på krafterna. Och hade hon gjort tillräckligt bra ifrån sig?

Tystnaden drog ut så länge att hon slutligen tittade upp. Så illa kunde det väl ändå inte ha varit? Hon skulle just fly från scenen då Peter Keary långsamt reste sig från soffan och gick över dansgolvet. Med klentrogen förundran såg hon att tårarna glänste på kinderna då han kom emot henne.

"Rent otroligt vackert", viskade han och tog hennes händer. "Det är häpnadsväckande att finna den sortens djup och förståelse hos en så ung människa." Han höll Catriona på armlängds avstånd och betraktade henne. "Du är en perfekt Mimì, liten och skör, och det är som om Puccini hade skrivit operan just för dig."

"Så då går ni med på att representera henne?" Velda var genast vid hennes sida, redo att göra affärer.

"När hon fyller arton", sa han, och de bruna ögonen lyste av skratt då han torkade kinderna med en snövit näsduk.

Velda försökte protestera, men han viftade bort hennes lögner.

"Hon är för ung", fastslog han och såg leende Catriona i ögonen. "Hennes röst är mogen, men vi har lång väg att gå om den här unga damen ska nå sin fulla potential."

Catriona värmdes av hans mjuka, irländska röst. Den påminde henne om fadern. Hon log tillbaka mot honom, för här var någon som förstod vad opera betydde för henne, någon som hade sett innanför skalet och upptäckt hennes starka passion för musik. "Vad ska vi göra då?" frågade hon blygt, och upphetsningen fick henne att darra.

"Du måste sätta dig på skolbänken igen", svarade han, "och börja i en specialskola där du får lära dig allt som är värt att veta om sång."

"Det har vi inte råd med", insköt Velda. "Catriona måste arbeta."

"Jag betalar", meddelade han i en ton som inte tålde några motsägelser.

"Och vad vill ni ha i gengäld?" Velda stod framför honom med armarna i kors och ett iskallt uttryck i ögonen.

"Jag förväntar mig ingenting förrän hon har gått ut skolan. Då ska jag bli hennes agent." Han log, tog Catriona i handen och bugade. "Jag ska göra dig berömd, Catriona Summers, och en dag ska vi erövra världen."

10

Catriona kom till musikkonservatoriet i ett tillstånd av nervös upp-
rymdhet. Äntligen skulle hon få gå i en riktig skola och umgås med
människor i sin egen ålder. Men samtidigt kände hon sig rädd. Tänk
om Peter Keary hade fel och antagningsjuryn inte tyckte att hennes
röst var tillräckligt bra? Tänk om hon inte passade in? Hon var bara
alltför medveten om sin billiga kappa och klänning och om de nötta
tårna på skorna som hon kritat tidigare. Handskarna var lagade och
hatten hemsydd. Förmodligen skulle juryn bara kasta en blick på
henne och avgöra att hon inte hade något där att göra.

Peter tycktes ana vad hon tänkte, för han tog henne under armen
och försäkrade: "Du ser förtjusande ut, och så snart auditionen är över
ska vi gå ut och shoppa."

"Du får inte köpa kläder åt mig", protesterade hon.

"Vi kan kalla det ett lån", sa han nonchalant. "Du kan betala till-
baka när du har blivit stor stjärna."

Catriona kände sig inte lika säker som han på den saken. "Vilka är
med på auditionen?" frågade hon då de kom till ingången.

"John och Aida, förstås. De är huvudlärare och högt respekterade i
operavärlden. Och så har vi konservatoriets rektor och styrelse, men
var inte rädd, utan tänk bara på dem som publik. Det borde väl inte
vara så svårt med din bakgrund."

Catriona kom att tänka på Lightning Ridge och Goondiwindi och
rös till då de steg in i en lång, mörk korridor, och porten smällde igen
bakom dem.

"Hör!" sa Peter.

De stod i dunklet, och Catriona spetsade öronen. Hon kunde höra
musik, ljuvlig musik. Mot bakgrund av en pianokonsert gick sopraner,
kontraaltar och barytoner igenom skalövningar. Pulsen började slå
häftigt, och hon blev alldeles torr i munnen. Om allt gick bra skulle

hon kanske snart få bli en del av allt detta.

Peter log då han visade in henne i ett stort rum som var tomt så när som på en flygel och en pianopall med broderad sits. "Du har en timme på dig att mjuka upp rösten och sjunga upp dig. Jag kommer och hämtar dig när det är dags."

Catriona tog av sig ytterkläderna. Det var varmt i rummet; hettan strålade ut från klumpiga element som stod längs de vita väggarna. Höga, eleganta fönster vette mot en muromgärdad trädgård, och långt borta kunde hon urskilja hustaken uppe bland kullarna. Hon gick fram till flygeln och gled med händerna över det släta, blanka träet innan hon rörde vid tangenterna. Tonen var underbar, klar och klangfull, och gick varken att jämföra med det gamla piano hon lärt sig spela på eller med pianot på Dmitrijs hotell.

Hon sköt ifrån sig tanken på Dmitrij. Han tillhörde hennes gamla liv, och om hon skulle lyckas i sitt nya måste hon koncentrera sig. Hon lät fingrarna löpa över tangenterna, satte sig sedan ner och började spela. Till en början var fingrarna stela, men då hon hörde andra öva växte självförtroendet. Hon gick igenom skalövningarna, och rösten ökade i styrka tills den ekade mot taket.

Det kändes som om det bara hade gått några minuter då Peter dök upp i dörren. "Det är dags", meddelade han.

Hon följde med honom uppför en trappa till ett annat stort rum. Där fanns likadana höga, eleganta fönster, men rummet var långt ifrån tomt. I ena änden stod ett långsmalt bord, och bakom det satt tio personer. I andra änden tronade en bastant kvinna vid en flygel. Catriona neg för juryn. Hon kunde knappt andas, händerna var fuktiga av svett, och hon knöt dem hårt bakom ryggen. Peter hade slagit sig ner lite vid sidan av och nickade leende åt henne.

"Hur gammal är du, lilla vän?" frågade den äldre herrn med skägg som satt i mitten och kikade på henne över sina läsglasögon.

"Femton och ett halvt", svarade hon med skälvande röst.

Han lutade sig åt sidan och sa något till damen bredvid sig innan han åter fäste blicken på henne. "Och vad tänker du sjunga för oss?"

"'Mi chiamano Mimì' ur Puccinis *La Bohème*." Hon rodnade då jurymedlemmarna log mot varandra. Så dum hon var. Naturligtvis visste de ur vilken opera arian var. På darrande ben gick hon fram till flygeln, tankarna var ett enda virrvarr. Hon mindes inte orden, hade

148

glömt fraseringen och de första takterna och önskade att modern hade följt med.

Så mötte hon pianistens uppmuntrande blick. Kvinnan väntade med fingrarna ovanför tangenterna, och Catriona drog ett djupt andetag. Orden kom tillbaka, och snart var hon helt uppslukad av Mimìs värld och den lilla vindskupa i Paris studentkvarter där den lungsiktiga flickan sitter och broderar blommor.

Då den sista tonen klingade bort upphävde den äldre herrn åter sin röst. "Tack ska du ha, lilla vän. Vill du vara snäll och vänta utanför."

Catriona kastade en blick på Peter. Hade hon misslyckats? Skulle hon inte bli antagen? Hon betraktade de tio personerna bakom bordet. De var djupt inbegripna i ett dämpat samtal och tycktes redan ha glömt henne.

Peter följde henne ut ur rummet och fick henne att sätta sig på en stol i den breda korridoren. "Det tar en stund, för de har en hel del att diskutera", förklarade han lågmält. "Det finns inte så många stipendier, och de måste försäkra sig om att de fattar rätt beslut. Du var inte den enda som provsjöng i dag."

Catriona blev långsamt medveten om att andra unga människor satt i korridoren och väntade. Det var flera pojkar och tre andra flickor; några hade instrument i famnen medan andra höll i noter. Alla var bleka och spända och verkade precis lika skräckslagna som hon. Hon log mot flickan mitt emot, en söt flicka med ljust hår och blå ögon som bar en klänning som måste ha kostat en förmögenhet. Flickan såg kyligt på henne och tittade bort efter en snabb, föraktfull blick på Catrionas sjabbiga klädsel. Men pojken med violinen som satt bredvid blinkade, och det fick henne att känna sig lite bättre till mods.

"Har alla sökt stipendium?" viskade hon till Peter. En del av dem såg inte fattiga ut, särskilt inte den blonda flickan.

Han skakade på huvudet. "Det är ny termin, och nu avgörs också vilka elever som ska tas in från andra akademier och musikskolor."

Det kändes som om de väntade i en hel evighet medan ungdomarna en efter en kallades in. Då de dök upp igen syntes det på dem om det hade gått bra eller dåligt. Den blonda flickan kom ut och drog med en triumferande glimt i ögonen på sig sin eleganta kappa. Efter en hånfull blick på Catriona stegade hon med svängande höfter i väg genom korridoren.

Catriona hörde sitt namn och reste sig. "Önska mig lycka till", bad hon.

"Det behöver du inte", sa Peter.

Hon gick in och ställde sig framför bordet. Den skäggige herrn bläddrade i sina papper. "Du är mycket ung", började han, och hennes mod sjönk, "men du har fantastiska möjligheter. Din röst är oförstörd och saknar helt motstycke, och du har gjort starkt intryck på juryn. Med din vackra, oskolade sångröst skapade du en fantasifull stämning som gick rakt in i själen." Han betraktade henne över kanten på läsglasögonen. "Du är en äkta sopran, med en sant konstnärlig uppfattning om vad musiken förmedlar."

Catriona var så spänd att hon inte kunde röra sig ur fläcken.

"Därför erbjuder vi dig ett stipendium på tre år. Terminen börjar om två veckor."

Äntligen kunde Catriona andas, och hon släppte ut luften i en långdragen suck. "Tack", viskade hon.

"Vi har stora förväntningar på dig, Catriona. Jag hoppas att du inte gör oss besvikna."

"Aldrig!" utbrast hon. "Tack ska ni ha, tack så hemskt mycket." Hon ville pussa dem allihop men visste att det inte passade sig, så hon skyndade ut och slog armarna om halsen på Peter Keary i stället. "Jag fick stipendiet!" utropade hon mitt emellan tårar och skratt.

"Det var ju det jag sa", svarade han och kramade henne hårt. "Kom, nu ska vi gå ut och shoppa, och efter det bjuder jag på en riktig brakmiddag."

Den blonda flickan hette Emily Harris, var dotter till en förmögen köttexportör och hade en mycket vacker kontraaltstämma. Catriona tyckte att hon var otroligt sofistikerad och avundades henne de vackra kläderna, men det visade sig att Emily var en riktig katta som gjorde livet surt för Catriona under de första månaderna på musikkonservatoriet.

Varje dag gick Catriona hela vägen från pensionatet uppe bland kullarna, medan Emily skjutsades till skolan av sin mamma i en flott bil. Till en början hade Catriona försökt bli god vän med henne. Hon var utåtriktad och ovan att bli fientligt behandlad, särskilt när det inte tycktes finnas någon anledning till det. Men alla ansträngningar nonchalerades, och Catriona hade funnit sig i att Emily ansåg sig alldeles för fin för att kunna umgås med henne.

En förmiddag kom hon ut ur musikrummet och fick se Emily och två andra flickor sitta och fnissa med handen för munnen. Tydligen hade de pratat om henne, för de tystnade och betraktade henne med närmast girig förväntan. "Hej, hur har ni det?", sa hon glatt och nasalt som alla australier.

"Har ni någonsin hört på maken?" undrade Emily som hade gått i privatskola i England. "Standarden här har sjunkit om de släpper in sådant patrask." Hon vände sig till de andra och tillade i en teater-viskning: "Hennes mamma är servitris. Kan ni tänka er?"

Flickorna fnittrade, och Catriona rodnade. Emily hade behandlat henne på samma elaka sätt tidigare, men med ens avgjorde Catriona att hon inte längre tänkte finna sig i det. "Jag har hört att du har problem med de högre registren", anmärkte hon kallt. "Det är bäst du aktar dig, så att du inte åker ut efter slutproven nästa vecka."

"Det är inget som angår dig, din lilla rännstensunge!" fräste Emily.

Catriona såg flickorna gå därifrån arm i arm. Det märktes på uttrycket i Emilys blå ögon att orden hade träffat mitt i prick; hon var medveten om att rösten inte höll då hon kom upp till de riktigt höga tonerna.

Långsamt följde Catriona efter genom korridoren. Egentligen struntade hon i Emily och hennes kotteri. Det fanns många trevliga pojkar och flickor på konservatoriet, och trots att hon hade en livserfarenhet som de andra inte ens skulle kunna föreställa sig så började hon få vänner och finna sig till rätta.

Dagarna gick. Varenda minut var fylld av lektioner i musik och sång och röstutveckling. De hade kurslitteratur att läsa in och tittade på bilder av operavärldens stora stjärnor: Ludwig och Malvina Schnorr von Carolsfeld, Rosa Ponselle och naturligtvis den australiska sopranen *dame* Nellie Melba. De diskuterade scenografi, kostymer och olika tolkningar av de berömda operorna. Catriona hade nytta av att hon redan kunde så mycket om scenteknik och sång och dans, och hon gick helhjärtat upp i studierna. Till och med hennes pianospel förbättrades snabbt.

Då det första året närmade sig sitt slut hade hon lärt sig de flesta av de gamla italienska ariorna liksom sånger av Purcell och Händel. Nu koncentrerade sig lärarna på att bygga upp en repertoar åt henne, för hon skulle inom kort medverka i en av de soaréer som musikkonservatoriet regelbundet ordnade.

Catriona trivdes med kamratskapet på skolan. Efter dagens lektioner samlades eleverna ofta i sällskapsrummet där de kunde slappna av och musicera med lite mindre allvar. De spelade populära melodier på sina instrument och sjöng tillsammans, och det så välljudande och vackert att Catriona var alldeles euforisk då hon på kvällarna kom hem till det trånga lilla rummet på pensionatet.

Velda arbetade kvar på hotellet, men hon hade inte förändrats ett dugg. Hon förblev lika tyst och sträng, och den magra kroppen var ständigt i rörelse, händerna aldrig stilla. Ändå fordrade hon att Catriona varje dag skulle redogöra för vad som hänt i skolan, vad hon lärt sig och vad hon uppnått. Det var som om Velda hade slutat intressera sig för sitt eget liv och bara levde genom dottern.

På konservatoriet gavs många föreställningar för allmänheten. De fungerade som en sorts PR för de bästa eleverna, som slogs om att få delta. Catriona var yngst och fick nöja sig med småroller och någon enstaka duett. Men i slutet av andra året ansågs hennes röst tillräckligt mogen, och hon fick äntligen chansen att sjunga solo inför publik.

Arian var ur första akten av Purcells *Dido och Aeneas*. Sången var ett magnifikt uttryck för sorg och måste framföras på ett värdigt och återhållet sätt, så som det anstod Kartagos drottning Dido, men den skulle samtidigt förebåda tragedin.

Catriona stod och väntade i kulisserna medan hennes gode vän Bobby spelade sitt violinsolo. Musiken svingade sig upp mot taket och trängde in i djupet av hennes själ. Han var en underbar musiker, och hon hade tyckt om honom ända sedan den stund han blinkat åt henne efter auditionen.

Han kom av scenen, röd om kinderna av glädje. "Lycka till", viskade han. "Du ser gudomlig ut i kväll."

Hon log mot honom. Aftonklänningen var sydd av guldtyg och smet åt om kroppen som en andra hud. Sjalen av spindelvävstunn spets gnistrade av tusentals paljetter, och strassmyckena blixtrade i strålkastarskenet. Håret, som numera nådde ända ner till midjan, var uppsatt i en knut som pryddes av glittrande hårspännen. Hon kände sig som en drottning, och då hon blev presenterad drog hon ett djupt andetag och gick lugnt ut på scenen. Det här var hennes ögonblick att glänsa.

152

Orkestern inledde, och hennes rena röst fyllde salongen med sorg då hon sjöng om drottningens tragiska öde. Hon hade publiken helt i sin hand, och då den sista tonen dog bort blev det dödstyst.

Hon bugade djupt, och en storm av applåder slog emot henne. Folk ställde sig upp i bänkarna, klappade och hurrade och ropade på dakapo. Det hade med eftertryck inskärpts hos artisterna att tiden var knapp och att ingen fick ge extranummer. Men Catriona var ju uppvuxen i ett varietésällskap, och det var svårt att stå emot frestelsen att sjunga mer.

Konservatoriets rektor kom ut på scenen och överlämnade en blombukett. "Gratulerar!" sa han till henne medan folk i salongen jublade. "Hur känns det att vara stjärna?"

"Underbart!" viskade hon, blickade ut över publiken och fick syn på modern där hon satt på första bänk bredvid Peter. Velda höll händerna hårt tryckta mot sitt magra bröst, och ögonen glänste av tårar och stolthet. Det betydde mer för Catriona än alla applåderna, och hon kände sina egna tårar välla upp; utan Veldas fasta beslutsamhet och orubbliga tro på henne skulle hon aldrig ha kommit så här långt.

Krigsryktena hade varit i svang under månaderna innan Catriona fyllde arton. Senare samma år bröt kriget ut i Europa, och på musikkonservatoriet talades inte om annat. Radion stod ständigt på, och sändningarna handlade bara om tyska framryckningar och vilken roll Australien skulle komma att spela.

Catriona märkte hur ivrigt pojkarna lyssnade till nyheterna från Europa, hörde dem prata om att ge sig i väg och slåss och visa världen att Australien var ett land fullt av modiga män som var villiga att kämpa för en rättvis sak. Catriona tordes knappt ge luft åt vad hon själv tyckte. Fadern hade berättat för henne om första världskriget och slakten på slagfälten i Frankrike. Hur kunde någon vilja ta del i något så fasansfullt?

"De är så unga", sa hon till Peter. Den kvällen var hon och modern ute tillsammans med honom på en fin restaurang nära stadshuset i Sydney för att äta en sen middag. "Bobby tycks vara fast besluten att lägga musiken på hyllan och ta värvning. Ingenting jag säger kan få honom på andra tankar."

Peter lade ner kniv och gaffel. "Om det inte vore för mitt klena bröst skulle jag också gå ut i kriget." Han såg deras förvåning. "Som barn hade jag lungsäcksinflammation, och vid minsta förkylning blir jag så sjuk att jag måste ligga till sängs."

"Gudskelov för det", viskade Catriona. "Jag skulle inte stå ut med att förlora både dig och Bobby."

Han betraktade henne eftertänksamt. "Det verkar som om den unge mannen upptar dina tankar en hel del. Jag hoppas det inte är allvar mellan er. Du står på tröskeln till en strålande karriär, och du har inte tid med romantiskt nonsens."

Catriona rodnade. Bobby hade kysst henne samma kväll hon gjorde sitt första soloframträdande. Det hade varit ljummet i luften, och de hade stått utanför konservatoriet och blickat upp mot stjärnorna. Hans kyss hade inte kommit som någon överraskning, men hon hade nästan blivit rörd över att han var så öm och försiktig. Ändå hade hon mjukt dragit sig ur hans famn när han började bli djärvare. Hon var inte redo för den sortens intimitet igen.

"Catriona har slitit alldeles för hårt för att göra något som kan skada hennes karriär", sa Velda och sköt ifrån sig tallriken. "Det har vi båda gjort."

I Catrionas öron lät det som ett förtäckt hot, en uppmaning att inte glömma allt de offrat för att nå så långt. Med ens kändes det instängt på restaurangen, och glädjen över en trevlig kväll försvann. Hon skulle alltid hålla minnet av sitt barn vid liv, och när hon var etablerad som operasångerska tänkte hon börja leta efter flickan, trots att hon var väl medveten om att det kunde ta åratal.

Catriona gick ut från musikkonservatoriet med högsta betyg, och Peter satte i gång att planera ett späckat konsertprogram för henne. Hon kunde omöjligt göra internationell karriär så länge kriget pågick i Europa, men han var fast besluten att lansera henne i Australien. Det fanns inga scener som var tillräckligt stora för en hel opera, och bortsett från stadshuset i Sydney och konservatoriet räckte konsertsalarna bara till för soloframträdanden.

Catriona var djupt sorgsen den dag Bobby gav sig ut i kriget, och hon skolkade från förmiddagens repetition för att kunna komma och vinka adjö åt honom på stationen. Peter hittade Catriona gråtande och lade armen om axlarna på henne då de promenerade till hans bil. "Han kommer tillbaka", sa han.

"Men han är min vän", snyftade hon och torkade sig i ögonen med

Peters näsduk, "och jag kommer att sakna honom något fruktansvärt."

Han suckade. "Är det så det ligger till?"

"Vad menar du?"

Peter tog näsduken och torkade mjukt tårarna som fortsatte att strömma nedför hennes kinder. "Den första förälskelsen är alltid värst", mumlade han.

Hon såg häpet på honom. "Men jag är inte kär i honom, han är bara min vän, en mycket god vän. Jag fattar inte hur han kunde vara dum nog att gå på all krigspropaganda." Hon ryckte åt sig näsduken och snöt sig.

Peter startade inte bilen utan lutade sig bara bakåt och betraktade henne.

"Vad är det?" Hans stirrande fick henne att känna sig illa till mods.

"Vad har du för känslor för mig då?" undrade han lågmält.

Catriona rodnade under hans granskande blick. Hon avgudade honom. Han var hennes mentor och trygghet. Hans bruna ögon och ir-ländska dialekt påminde om fadern, och trots att han var nästan tjugo år äldre kunde hon inte föreställa sig livet utan honom. "Det tror jag att du vet", viskade hon.

Med fingret följde han linjen från hennes kindben ner till gropen i hakan. "Jag har älskat dig sedan första gången jag såg dig på hotellets nattklubb. Du var vacker redan då, men nu är du förtrollande."

Det kändes som om hon drunknade i hans ögon.

"Vill du gifta dig med mig, Catriona?"

"Du får fråga mamma", svarade hon.

Han skrattade, kastade huvudet bakåt så att bilen fylldes av ljudet. "Naturligtvis", sa han och blev allvarlig. "Ibland glömmer jag bort att du är så ung. Du är ovanligt mogen för din ålder, men ändå uppför du dig som ett barn ibland. Är du säker på att du kan gifta dig med en så-dan gamling som jag? Jag fyller snart fyrtio, och jag är inte i toppform precis. Du kan få vem du vill i Australien, och ..."

Hon tystade honom med ett finger mot hans läppar. "I så fall väljer jag dig."

Han tog henne i sina armar och kysste henne, och hon besvarade hans kyss, villig att lägga sitt liv, sin karriär och sitt hjärta i denne mans händer.

Velda gav sitt samtycke, och de vigdes i den katolska kyrkan på Macquarie Street. Catrionas klänning var en skir skapelse i spets och siden, och brudbuketten bestod av blekgula rosor. Det fanns inte tid att resa på smekmånad, det tillät inte hennes fullspäckade program, och Peter måste fara till Melbourne för en av sina andra artisters räkning. Ändå var Catriona lyckligare och förnöjdare än hon varit på många år. De hade resten av livet tillsammans, och snart skulle hon kunna börja leta efter sitt barn.

Tanken på barnet som hon lämnat bort var det enda molnet på hennes himmel. Hon borde ha berättat om det för Peter från början, redan när han friade. Men det hade aldrig känts som rätt tillfälle för en sådan bekännelse, och hon misstänkte att det var rädslan för hans reaktion som fått henne att hålla tyst. Efter sex månaders lyckligt äktenskap fattade hon beslutet. Hon skulle berätta för honom om barnet. Det krävdes mod att göra det, men hon var tillräckligt säker på att Peter älskade henne och trodde att han skulle förstå.

Deras hyreslägenhet låg på bottenvåningen i ett elegant, viktorianskt hus som vette mot Hyde Park, och det var bara en kort promenad ner till Sydneys shoppingcentrum. Rummen var stora, där var högt i tak, och solen strömmade in genom burspråksfönstren. Catriona hade njutit i fulla drag av att köpa möbler och gardiner och allt annat som behövdes i ett hem, och hon kunde inte vara lyckligare. Karriären gick bra, äktenskapet fungerade utmärkt och hennes make var en ömsint och tålmodig älskare. Det var som om han förstod hennes rädsla, trots att hon aldrig gett uttryck för den.

Catriona skyndade hem efter repetitionen för att byta om och laga middag. Peters agentur hade gått stadigt framåt, och numera representerade han några av de främsta artisterna i hela Australien. Hennes karriär hade också tagit rejäl fart, och hon kände att tiden äntligen var inne att berätta för Peter om barnet.

"Det kommer att gå bra", intalade hon sig medan hon dukade bordet och tände ljusen. "Peter älskar mig, och han hjälper mig säkert att hitta henne."

De satt mitt emot varandra och talade förtroligt om hur dagen varit medan de lät sig köttet och den stekta potatisen väl smaka. Den kvällen hade Catriona lagt ner extra stor omsorg på maten, det vita vinet var precis lagom kallt, och kristallglasen glittrade och glänste i skenet från stearinljusen. Då hon slog upp kaffe blixtrade förlovningsringen, och den djupa lystern i vigselringen lyste varmt mot huden.

"Peter?" började hon.

"Mmm?" Han höll på att skära en bit ost.

"Det är en sak jag måste berätta för dig."

Han lade ner kniven och torkade munnen på linneservetten. "Det låter allvarligt, mrs Keary", sa han med en glimt i ögat. "Vad har du gjort? Är hushållspengarna redan slut, eller har du köpt en ny klänning?"

"Det är lite allvarligare än så, min älskling, och jag vill att du ska lyssna noga." Hon tog en klunk vin för att lugna nerverna och började med nedböjt huvud berätta om Kane och det bortlämnade barnet.

Medan hon talade satt Peter tyst och förde bara vinglaset till läpparna då och då.

Catriona kom till slutet av historien. "Och nu när vi är gifta kan jag leta reda på mitt barn och hämta hem henne. Vi kan uppfostra henne tillsammans och bli en riktig familj."

När hon lyfte på huvudet blev hon stel av fasa. Peter Kearys blick var iskall, munnen ett smalt streck och han var askgrå i ansiktet. Han betraktade Catriona, höll fast henne med blicken likt en fluga fångad i ett spindelnät. "Varför har du inte sagt något tidigare?" Rösten var låg, som om han höll känslorna hårt i schack.

"Det tycktes aldrig bli rätt tillfälle", svarade hon. "Jag vet att jag borde ha gjort det, men det var alltid något som kom emellan – repetitioner, föreställningar, bröllopsförberedelser – och vi fick inte en sekund för oss själva." Catriona pratade på, allt nervösare under hans förintande blick. Med ens fylldes hon av onda aningar och blev alldeles kall. Hon sträckte ut handen för att röra vid honom i hopp om att på något sätt kunna förmedla sin oro och sitt behov av förståelse.

Han drog åt sig armen, som om hon hade en smittsam sjukdom, och reste sig från bordet. "Du har ljugit för mig, Catriona."

"Nej, inte ljugit", invände hon snabbt. "Det är bara det att jag inte har sagt något förrän nu."

"Det är samma sak", påpekade han kyligt. "Du har lurat mig. Du lät mig tro att du var oskuld då vi gifte oss, och ändå har du mage att sitta här och berätta en sådan motbjudande historia. Dessutom förväntar du dig att jag ska förlåta dig."

Catriona rodnade ända upp till hårfästet. "Jag ber dig inte om förlåtelse, bara om förståelse."

Han lutade sig närmare henne. "Nej, det du ber om är att jag ska bortse från ditt tvivelaktiga förflutna och ta hand om din oäkting."

De orättvisa orden fick Catriona att fatta humör. "Jag var bara ett barn!" fräste hon. "Jag ville inte att Kane skulle göra det han gjorde, men jag hade inget val. Och barnet är oskyldigt, du har ingen rätt att kalla henne oäkting."

"Varför inte? Det är ju vad hon är." Han tog fram en cigarr ur cigarrlådan på skänken och snoppade den omsorgsfullt.

Catriona visste att hon måste försöka lägga band på sig. Saker och ting som sades i vredesmod kunde aldrig tas tillbaka. Ändå skrämdes hon av hans kallsinne. Den man som så lugnt stod framför henne och tände sin cigarr var en främling. Han påminde för mycket om Kane, och blotta tanken fick henne att må illa.

Hon sköt tillbaka stolen från bordet och reste sig. "Om du älskar mig måste du försöka förstå hur svårt det var för mig att berätta det." Hon tog honom i armen. "Men jag var tvungen, för mitt barn finns där ute någonstans, och jag måste få tillbaka henne."

Peter skakade av sig Catrionas hand. "Du måste ha tappat förståndet!" utbrast han kort. "Ingen kvinna vid sina sunda vätskor skulle vilja behålla ett barn som kommit till under sådana perversa omständigheter, än mindre förvänta sig att hennes make skulle se genom fingrarna med det." Han slog upp en rejäl konjak i en kristallkupa och svepte den. "Nu talar vi inte mer om saken. Jag förbjuder dig att någonsin nämna barnet igen."

"Det kan du bara inte mena", sa hon medan tårarna vällde upp i ögonen och en klump växte i halsen.

"Det kan du lita på att jag gör", förkunnade han. "Jag har mitt rykte att tänka på, och jag vill inte att mitt goda namn ska dras i smutsen." Han gav henne en bister blick. "Det är inte särskilt bra för din karriär heller", tillade han, "och efter att ha satsat så mycket tid och pengar tänker jag förbanne mig inte låta dig förstöra alltihop!"

Catriona stod där och betraktade Peter. Det fanns inte ett uns medkänsla i ansiktet. "Du älskar mig inte!" viskade hon då den förfärliga sanningen gick upp för henne. "Du såg mig bara som en investering, och för att skydda den gifte du dig med mig."

"Klyftigt uträknat, men jag tycker knappast att det finns någon anledning att bli hysterisk över vad som hittills har fungerat som en mycket tillfredsställande affärsöverenskommelse."

Catriona slängde servetten på bordet och blängde ilsket på honom, och rösten steg för varje ord. "Hur vågar du kalla vårt äktenskap för affärsöverenskommelse? Jag gifte mig med dig för att jag älskade dig, inte för att jag trodde att du skulle göra mig berömd."

Han förblev tyst, tog ett bloss på cigarren och blåste ut röken i den heta, stilla luften.

Catriona darrade. Smärtan rev och slet i henne då hon såg bakom masken på den man hon gift sig med och begrep att allt han brydde sig om var artistagenturen och sitt goda rykte. Hon betydde ingenting. "Varför, Peter?" frågade hon. "Vad skulle det vara bra för? Varför fick du mig att falla för dig? Vi kunde ha arbetat tillsammans som vänner."

Han tittade på henne, och blicken var helt opersonlig. "Jag såg en ung och mycket vacker flicka med en förtrollande röst och förstod att jag hade chansen att göra mig ett namn. Självfallet måste jag försäkra mig om att ingen annan agent snodde dig, och bästa sättet var äktenskap."

"Ditt svin!" väste hon. "Du är lika falsk och bedräglig som Kane var."

Peter satte ner glaset på skänken med en smäll och stod där med ryggen mot henne medan händerna öppnades och slöts vid sidorna. "Våga aldrig mer tilltala mig på det sättet!" utbrast han med kritvitt ansikte.

Catriona fattade tag om stolsryggen. Hon darrade så våldsamt att hon knappt kunde stå upprätt. Tänkte han slå henne? Hade hon drivit honom för långt?

"Jag vill aldrig mer höra den mannens namn i mitt hus, och du får definitivt inte jämföra mig med honom. Jag har lagt ner massor av pengar på dig, och jag fick vänta i tre år på att din mamma skulle ge sitt tillstånd till äktenskap. Du ska visa mig respekt och lydnad. Det kräver jag!"

Hon skakade på huvudet. "Aldrig i livet! Hur ska jag kunna det när du inte visar någon respekt för mig eller mina känslor? Jag berättade om mitt barn för att jag trodde du var storsint nog att förstå hur mycket hon betyder för mig." Hon skrattade, ett hårt, hånfullt ljud. "Hur kunde jag vara så dum! Och jag tänker inte lyda dig. Glöm det, Peter!"

"I så fall ger du mig inget val", sa han med fullständig brist på känsla. "Du får bo kvar i lägenheten, men du ska sova i ett annat rum och inta alla dina måltider där. Du ska hålla dig utom synhåll för mig när jag är hemma, och jag tänker inte säga ett ord till dig förrän du har kommit till besinning och bett om ursäkt."

Catriona skakade av raseri. Hon knöt nävarna och tvingade sig att förbli lugn. "Det lär bli minusgrader i helvetet innan jag delar din säng igen", skrek hon, "och jag tänker aldrig be om ursäkt. Jag vill ha skilsmässa."

"Skilsmässa är uteslutet. Då blir det skandal."

"Det struntar jag blankt i!" rasade hon. "Jag kan inte ha det på det viset. Om du inte ger mig skilsmässa får jag väl ordna det själv." Hon lyfte upp aftonklänningens kjolar och störtade ut ur matsalen.

11

Catriona hörde dörren smälla igen och bilen starta. Hon rusade fram till fönstret och såg Peter runda hörnet i alldeles för hög fart. Snabbt slet hon ner de båda resväskorna från sin plats ovanpå garderoben. I den ena låg de små babyplaggen, inslagna i silkespapper. Hon hade inte kunnat förmå sig till att kasta dem; det skulle ha varit som att överge sitt barn för andra gången.

Hon svalde tårarna. De skulle inte vara till någon nytta, och hon visste inte hur lång tid hon hade på sig innan Peter kom tillbaka. Skyndsamt slängde hon ner kläder och personliga småsaker i väskorna. Smyckena lämnade hon kvar liksom de sidenmorgonrockar och spindelvävstunna negligéer han gillat att se henne i. Blotta tanken på hans beröring fick Catriona att må illa. Varför hade hon inte märkt något? Hur kunde det ha undgått henne att han inte älskade henne, att deras äktenskap var en stor bluff? Han hade varit bakslug och illistig, och hon skulle aldrig förlåta honom.

När resväskorna var packade lade hon ner hushållspengarna i portmonnän och gjorde ett paket av noter, böcker och fotografier. Så låste hon ytterdörren, stoppade in nyckeln genom brevinkastet och vinkade på en droska. Eftersom hon bodde mitt inne i Sydney var det åtminstone inga problem att få tag i taxi.

Chauffören hjälpte henne att lyfta in bagaget i bakluckan, men hans glada småprat gick henne på nerverna. Det var som om hennes sinnesstämning sa mer än tusen ord, för så småningom gav han upp alla försök att prata med henne och körde under tystnad upp till pensionatet bland kullarna. Hon väntade medan han lastade ur hennes saker, betalade och vände sig mot huset.

Doris öppnade omedelbart dörren. "Hej, raring, men vad ska det här betyda?" Det vänliga ansiktet, vars djupa rynkor ingen makeup i världen kunde dölja, såg bekymrat ut.

"Var är mamma?" Catriona lyfte in resväskorna, ställde resten av prylarna ovanpå och tog av sig kappan.

Doris betraktade väskorna, den eleganta aftonklänningen och Catrionas upprörda ansiktsuttryck. "Hon är ute i köket och brygger te." Doris tvekade och klappade Catriona på armen. "Velda mår inte bra", viskade hon konspiratoriskt. "Jag tror hon har ont i bröstet igen."

Catriona nickade. Modern hade aldrig blivit riktigt frisk sedan de lämnade Atherton Tableland, och det var inte bara bröstet utan även hennes psykiska hälsa som oroade Catriona. Hon följde Doris genom hallen ut i det lilla köket på baksidan av huset.

Velda vände sig om med tekannan i handen och var nära att tappa den då hon fick se dottern stå där i aftonklänning. "Vad gör du här?" undrade hon.

"Jag behöver någonstans att bo", svarade Catriona, "och tänkte att jag kanske kunde dela rum med dig tills jag får tag i något eget."

Veldas mun blev till ett smalt, ogillande streck. "Har du redan fått problem? Jag varnade dig ju. Han är mycket äldre än du och erfarnare, och jag förstår att han inte tolererar barnsliga utbrott."

Catriona var starkt medveten om att Doris stod i dörröppningen med ögonen lysande av nyfikenhet. "Kan vi tala ostört någonstans?" frågade hon lugnt.

"Du kan säga vad du vill i Doris närvaro", menade Velda och drog med disktrasan över diskbänken och den vita spisen.

Men Catriona tvivlade på att Velda ville tvätta deras smutsiga byk offentligt, även om det bara var inför Doris. "Jag väntar uppe på ditt rum", meddelade hon sammanbitet. "Där kan vi prata."

Velda suckade djupt, räckte tekannan till Doris, som till sin stora besvikelse inte fick höra mer, och följde långsamt efter Catriona uppför trapporna till det lilla vindsrummet. Hon stängde dörren och föll andfådd ihop på sängen. Eftersom det var lördagskväll och inackorderingarna var ute var det tyst i huset. "Vad är det som har hänt?" frågade hon och lutade sig mot kuddarna.

Catriona ställde sig vid fönstret, där hon stått så många gånger tidigare, och blickade ut över stadens ljus. "Jag berättade om barnet", svarade hon slutligen.

Velda flämtade till och satte sig upp. "Din jubelidiot!" skrek hon. "Har du fullständigt tappat förståndet?"

"Det verkar så", sa Catriona kort och redogjorde för hela den sorg-

162

liga historien. När hon var klar hade hon åter nära till tårarna.

"Du åker hem igen och ber karln om förlåtelse på dina bara knän!" befallde Velda. "Han har gjort allt för dig, allt."

Catriona snodde runt och betraktade modern utan att kunna tro sina öron. "Hur kan du ta hans parti efter det han har gjort? Han gifte sig med mig bara för att skydda sin investering och hade till och med mage att erkänna att han aldrig har älskat mig. Men i kväll visade han sitt rätta jag, och jag går aldrig tillbaka till honom. Aldrig!"

Velda for upp ur sängen och ställde sig framför henne. Handen flög ut, träffade Catrionas kind och lämnade märken på den ljusa hyn. "Här har du för din dumhet." Hon slog till dottern igen. "Och här får du för att du låter Kanes oäkting förstöra ditt liv och allt vi har arbetat för under årens lopp."

Catriona rörde vid de ilsket röda märkena i ansiktet. Hon var så chockad av moderns reaktion att hon knappt förmådde tänka klart, än mindre tala.

"Du är en otacksam, självisk flicka!" skrek Velda. Det gjorde ont i bröstet, och hon andades kort och stötigt. "Som om jag inte hade nog ändå", stönade hon och föll åter ihop på sängen.

En lång stund stod Catriona och stirrade på henne. Så lämnade hon rummet. De högklackade skorna klapprade ilsket mot korkmattan då hon gick nedför trapporna och in i vardagsrummet till Doris.

"Ta en kopp te och lugna ner dig, raring."

"Får jag bo här?"

Doris skakade på huvudet, men inte ett enda blonderat hårstrå rörde sig. "Tyvärr, jag har fullt", svarade hon och bjöd på en cigarett. Då Catriona tackade nej tände hon en själv. "Men nere vid hamnen har jag en bekant som har en förtjusande liten lägenhet som hon hyr ut. Jag vet att den är ledig, så där kan du säkert få bo."

Catriona kunde knappt andas för cigarettröken. Rädd för att den skulle skada hennes lungor och stämband skrev hon snabbt upp adressen. "Vill du ringa din bekant och tala om att jag kommer dit nu i kväll?" bad hon. "Och kan du ringa efter en taxi också?" Hon såg Doris tveka. "Jag betalar för samtalen", tillade hon snabbt och tog fram tio shilling ur portmonnän.

Inom en timme stod Catriona mitt i en liten lägenhet på första våningen med utsikt över vattnet. Hyran var rimlig och där var rent. Möbler och inredning lämnade en hel del övrigt att önska, men hon hade sett värre, och hon kände sig förunderligt fri. Det var första gången som hon skulle bo för sig själv. Fast det som hänt under kvällen verkade fortfarande helt osannolikt, och hon hade svårt att ens försöka föreställa sig följderna.

Långsamt gjorde hon en tur genom sovrummet, det lilla köket och badrummet. Tillbaka i vardagsrummet steg hon ut på balkongen och betraktade utsikten. En färja var just på väg in i hamnen, och småbåtar pilade hit och dit. Stadens ljus lyste upp himlen trots att det var krig, fast Europa låg långt bort, så det spelade kanske ingen roll. På den här sidan jordklotet kunde de känna sig säkra.

Tidigt nästa morgon lämnade hon lägenheten för att rådgöra med en advokat. Med torr, entonig röst svarade han på hennes frågor. Kvinnor kunde inte begära skilsmässa, såvida det inte fanns otvetydiga bevis för att deras äkta män varit otrogna, och hennes rykte skulle bli förstört om maken skilde sig från henne på grund av att hon fört honom bakom ljuset.

Catriona sträckte sig efter handväskan och lämnade advokatbyrån. Både hennes rykte och Peter kunde dra all världens väg. Hon skulle ha skilsmässa, och därmed basta! Ilsket marscherade hon gatan fram, och när hon kom till teatern kunde hon inte ens minnas hur hon tagit sig dit. Hon störtade in i logen, låste upp skrinet i understa lådan i toalettbordet och plockade fram kontraktet. En stund höll hon i det, mindes hur överlycklig hon varit när hon skrev på det, men rev det sedan i små små bitar. De föll till golvet som konfetti, en påminnelse om bröllopet, och hon brast i gråt.

Påklädaren knackade på dörren och steg in. Brian Grisham var en feminin man i obestämbar ålder som var svag för grälla västar och färgat hår och hade arbetat på olika teatrar sedan han var pojke. Han hade förkortat namnet till Brin, eftersom han tyckte det lät mindre manligt. "Du milde tid!" utbrast han och ställde sig på knä framför henne. "Vad ska nu detta betyda?" Han lade handen på hennes arm. "Så ja, raring, berätta nu!"

"Mitt äktenskap är över", snyftade hon. "Peter Keary är ett svin."

"Alla män är svin", sa han och knyckte på nacken.

Hon log genom tårarna. Brin var lika snäll och rar som någon kvinnlig vän och dubbelt så förstående. "Jag har rivit sönder kontraktet", erkände hon.

Han betraktade pappersbitarna på golvet och höjde ett hårt plock-at ögonbryn. "Åh, kära nån", suckade han. "Det var inte särskilt klyf-tigt gjort, raring. Han kommer att stämma dig på allt du äger och har."

"Det struntar jag i!" utropade hon och torkade tårarna.

"Du kan inte arbeta utan agent", förebrådde han milt. "Vad ska du nu göra?"

"Skaffa en ny", svarade hon och sträckte sig efter hårborsten.

Brin tog den ifrån henne och började borsta det långa håret med mjuka, svepande tag. "Det blir inte lätt", sa han slutligen. "Agenter håller ihop, och om du gör dig ovän med en får du alla emot dig." Han fortsatte att borsta. "Men jag har en god vän som kanske skulle kun-na hjälpa dig", återtog han efter att ha tänkt efter. "Hon är självstän-dig, precis som du, och struntar blankt i skvaller, och hon vet att kar-lar kan vara riktiga odjur." Han lade ifrån sig borsten och tittade på deras bild i spegeln. "Clemmie kan vara lika hårdhudad och manhaf-tig som en karl, men hon har ett hjärta av guld, och jag är säker på att hon ställer upp."

Catriona var inte säker på att hon ville ha något med en lesbisk agent att göra. Hennes rykte skulle bli nog skamfilat ändå, och trots att hon arbetat tillsammans med lesbiska kvinnor kände hon sig alltid illa till mods i deras sällskap och gillade inte tanken på att represen-teras av en. Hon tvekade.

Brin tycktes läsa hennes tankar och skrattade. "Clemmie har tre barn och en *mycket* stilig make. Hon är hårdhudad för att hon arbetar i männens värld, precis som vi", tillade han med en suck.

"Ge mig hennes nummer, så ringer jag." Catriona log mot honom. "Tack ska du ha, Brin, du är en pärla."

Clementine Frost var lång och smärt med kort brunt hår och bruna ögon, och hon gav intryck av att vara både bestämd och handlingskraf-tig. Hon var några och trettio, klädde sig alltid i strikta kavajer och skräddarsydda långbyxor men fick en kvinnlig touche av spetsblusar och stora smycken. Makeupen var felfri, naglarna långa och röda och matchade läppstiftet. Catriona blev både förvånad och förtjust då de omedelbart fann varandra.

Kontoret liknade inget annat. Det var ett stort, soligt rum på bot-tenvåningen i familjens villa, bekvämt möblerat med djupa fåtöljer och schäslonger, dyrbara mattor och vaser med blommor. Genom de franska fönstren i ena änden kom man ut i en förtjusande trädgård där Catriona kunde se gungor och en rutschbana.

De båda kvinnorna slog sig ner vid soffbordet. "Du måste avsluta resten av Peters konsertprogram", förklarade Clemmie med sin klara och tydliga röst, "men jag kan inte se något skäl till att inte kunna bli din agent så snart jag har skickat honom ett formellt brev och förklarat hur det ligger till." Den mörka blicken var forskande. Hon ställde några frågor om varför Catriona inte längre ville ha kvar Peter som agent men verkade inte bekymrad för framtiden. "Jag har naturligtvis hört talas om dig." Hon log. "Du får översvallande recensioner. Det ska bli mig ett nöje att representera dig."

"Peter kommer att stämma mig för kontraktsbrott", upplyste Catriona, "och så är det skilsmässan. Är du säker?"

Clemmie reste sig och log. "Jag tror att vi är starka nog att klara av det här tillsammans", svarade hon. "Och om du behöver en bra advokat kan min man säkert hjälpa dig." De skakade hand. "Glöm inte att du har en gudabenådad talang, den blir din räddning. Jag lovar."

Catriona gav Brin en jättestor blombukett och en ask med hans älsklingschoklad som tack.

En vecka senare ringde Doris. "Det är bäst du kommer hit", sa hon och lät gråtfärdig. "Din mamma mår inte bra."

Catriona ursäktade sig för regissören och tog en taxi. Hon hade fruktansvärda skuldkänslor. Hon hade inte hälsat på modern sedan den kvällen hon lämnade Peter, och redan då hade Velda varit dålig. Tänk om det var för sent? Doris skulle inte ha ringt om det inte vore akut.

Hon störtade uppför trapporna i pensionatet och in i vindsrummet som hon en gång hade delat med modern. Det var mörkt, eftersom gardinerna var ordentligt fördragna för att utestänga det skarpa solskenet. Velda såg mycket liten ut i den smala sängen, och det enda som hördes var det väsande ljudet i hennes bröst.

Velda slog upp ögonen, och Catriona fick en chock när moderns trötta, tomma blick mötte hennes. "Är det du, gumman?" Rösten var inte stort mer än en viskning.

"Ja, mamma, jag är här." Hon vände sig till Doris, som stånkande hade tagit sig uppför trapporna med Mr Woo i famnen. "Har doktorn varit här?"

Doris nickade. "För en timme sedan. Han ska lägga in henne på sjukhus."

"Vad är det för fel på henne?" frågade Catriona.

"Lunginflammation", snörvlade Doris. Maskaran rann och läppstiftet var smetigt. "Hon blev aldrig riktigt bra efter förkylningen förra vintern, och hon har hostat förskräckligt, men hon vägrade att låta mig ta hit doktorn." Doris kramade hunden i sin famn. "Jag gjorde vad jag kunde. Hon är min bästa vän."

Catriona log blekt och vände sig åter mot den härjade gestalten i sängen. Trots allt som hänt var Velda ändå hennes mamma, och hon älskade henne. Hon sjönk ner på sängkanten, satt där och fyllde tystnaden och mörkret med minnen från den tid då de rest runt med varietésällskapet, och medan hon talade såg hon moderns vackra violblå ögon klarna.

"Det var goda tider", mumlade Velda. "Vi var så lyckliga då."

Catriona kysste den feberheta kinden och strök det en gång så glänsande håret ur ansiktet. "Jag älskar dig, mamma", viskade hon.

"Jag älskar dig med", flämtade Velda. Ögonen vidgades då hon tittade över Catrionas axel, och hon hävde sig upp på armbågen. "Declan? Declan?" Hon föll ner på kuddarna med ett leende. "Åh", suckade hon.

Velda slöt ögonen igen, och i den djupa tystnaden hördes ett otäckt rosslande. Catriona tog den livlösa handen, och Doris brast i gråt och gick dit ner medan Catriona satt hos Velda tills ambulansen kom. Moderns smärta och ångest var över, och om himlen fanns så var hon där med Declan.

Velda begravdes en het sommareftermiddag. Luften genljöd av fågelsång och genomsyrades av en doft av nyklippt gräs och mimosa. Efter jordfästningen stod Catriona där en stund med slutna ögon och insöp lukterna och ljuden, och det var som om hon blev förflyttad till sin tidiga barndom. När hon gick därifrån var hon övertygad om att modern äntligen hade kommit till ro.

Dagen efter begravningen stämde Peter Keary henne för kontraktsbrott. Det tog veckor och krävdes en hel del knep för att Clemmies make John skulle få ner det belopp Peter begärde i skadestånd till en rimlig summa. Ändå skulle Catriona få slita hårt de närmaste tre åren för att betala den.

Skilsmässan tog längre tid. Så småningom begrep Peter emellertid att hon struntade blankt i både sitt och hans goda rykte, och när han så träffade en annan kvinna gav han med sig. Med bildbevis för hans otrohet i handen gick det sedan snabbt att driva fram en förlikning.

Clemmie visade sig vara en pålitlig vän. Då nyheten om skilsmässan slogs upp på tidningarnas förstasidor höll hon reportrarna på avstånd och såg till att Catriona var upptagen på annat håll. Trots Peters alla hotelser blev det inte mycket av den fruktade skandalen, eftersom den drunknade i krigsnyheter. Japanerna hade bombat Pearl Harbor, vilket fick USA att äntligen ge sig in i kriget och hjälpa stackars England, och Singapore hade fallit. Kriget i Europa hade nu spridit sig till andra sidan jordklotet, och man fruktade på allvar att japanerna skulle invadera Australien.

Catriona hade aldrig arbetat så hårt. Tillsammans med Brin och ett litet sällskap bestående av operasångare och musiker reste hon kors och tvärs över Australien för att underhålla de amerikanska styrkor som var förlagda i landet liksom alla familjer ute i vildmarken som kämpade i den ihållande torkan för att överleva utan männen.

Hon reste från Darwin till Adelaide, från Brisbane till Perth och tillbaka till Sydney, uppträdde i samlingssalar och hotellbarer, i flyghangarer och lador. Hon tog tåg och bil och blev ibland tvungen att rida för att ta sig till avsides belägna orter i inlandet. Det var som att uppleva barndomen med det kringresande varietésällskapet på nytt, och trots att hon var utmattad gav det henne styrka att fortsätta, för det här var hennes arvedel.

Hennes repertoar innehöll allt från opera till kupletter och tidens slagdängor, och hon blev så populär att folk började kalla henne Sångfågeln från vildmarken.

När Darwin och Broome bombades och japanska ubåtar siktades i Sydneys hamn vägrade hon att ge efter för rädslan. Trots att hon bara kunde bidra med sin röst visste hon att den gav tröst och glädje åt de män och kvinnor som försvarade fäderneslandet med sådant mod. Det tog på krafterna att resa runt, och hon saknade lägenheten i Sydney, men det var en uppoffring hon gärna gjorde.

Då de allierade segrade i Europa intensifierades striderna i Stilla havet. Det verkade som om kriget aldrig skulle ta slut. Men samtidigt hade moderns död och skilsmässan från Peter gjort Catriona friare än

168

hon någonsin varit. Om det inte vore för den byråkrati som gjorde att dottern var helt utom räckhåll skulle hon ha trivts riktigt bra med tillvaron.

All ledig tid ägnade hon åt att gå igenom högar med papper på dammiga kontor. Hon mutade tjänstemän, bönföll och ställde frågor i varenda stad hon kom till. Men det hektiska konsertprogrammet innebar att hon sällan var på ett och samma ställe mer än en dag, så hon kom ingenvart. Hon hade även gett Clemmies make i uppdrag att leta reda på dottern, men det rådde kaos i alla arkiv, och inte ens för en advokat var det lätt.

Så blev det fred, och männen började återvända. Catriona var den stora stjärnan på den konsert som anordnades för att välkomna soldaterna hem. Efter att ha sjungit en aria ur Purcells *Dido och Aeneas* väntade hon tills applåderna hade lagt sig och presenterade sedan Bobby för publiken.

Den pojke hon haft som kamrat på musikkonservatoriet hade blivit man, en man som hade mardrömmar på nätterna om det fasansfulla han varit med om i Burma. Ändå vägrade han att låta sig knäckas, och musiken hade blivit hans räddning. De första låga tonerna på violinen fick publiken att tystna, och då de kände igen melodin stämde alla upp i "We'll meet again".

Sången hade gjorts berömd av Vera Lynn och var den som främst hade efterfrågats under krigsåren. Catriona sjöng, och publiken stämde in för full hals, och hon blev helt överväldigad av den förtätade stämningen i stadshuset. Så många av soldaterna var sårade och hade fått bestående men, inte bara kroppsliga, men den här kvällen kunde de åtminstone för en stund skjuta allt ifrån sig och glädja sig åt hemkomsten.

Sedan kom också de andra artisterna in på scenen, och hela salongen sjöng landets inofficiella nationalsång "Waltzing Matilda" i kör. Bobby log mot Catriona medan han spelade violinen och svetten rann nedför kinderna, och hon log tillbaka. Det var precis som förr i världen då de brukade sjunga och spela tillsammans i sällskapsrummet på konservatoriet.

Publiken verkade inte vilja gå därifrån, och konserten slutade inte förrän himlen började ljusna. Vid sceningången fick Catriona och Bobby skriva autografer och posera för kamerorna i nästan en hel timme. Då solen steg upp över horisonten blev de äntligen släppta av fansen och kunde gå hem, Bobby till fru och barn och Catriona till ensamheten i sin lägenhet.

Vid det här laget kände Catriona sig så utschasad att hon bad Clemmie att få ledigt några månader.

"Tyvärr, det går inte", upplyste Clemmie och viftade med ett kontrakt. "Du ska till London."

"Jag trodde London var jämnat med marken."

Clemmie skakade på huvudet. "Illa åtgånget men med flaggan i topp, trots Hitler. Engelsmännen är envisa som synden, precis som du och jag."

Med ens kände Catriona sig inte det minsta trött längre. "Och vad väntar i London?"

"Först ska du studera opera vid Royal College of Music, och sedan ska du börja i operaensemblen vid Covent Garden för att så småningom göra internationell debut där." Hon betraktade Catrionas glädjestrålande ansikte. "Du är på väg att bli världsberömd", tillade hon stolt.

De följande åren försvann som i ett töcken. Musikhögskolan i London var en helt annan sak är konservatoriet i Sydney, och Catriona slet hårdare än någonsin för att utveckla och förfina rösten. I början av år 1949 firade hon sin tjugoåttaårsdag kvällen innan hon skulle göra sin stora debut.

Operahuset var så enormt och pampigt att det kändes överväldigande; hemma i Australien fanns inget som kunde mäta sig med det. Det verkade som om ingenting kunde få britterna att avstå från de sköna konsterna, varken ransonering, umbäranden eller utbombade kvarter. Kulisserna var magnifika, orkestern jättelik, och belysning och kostymer förlänade föreställningen en förtrollad magi som hon aldrig skulle glömma. Från scenen såg man rad efter rad av röda sammetssäten och överdådiga guldutsmyckningar i taket och på väggarna. Det tog andan ur Catriona.

Hon skulle sjunga huvudrollen i Bizets *Carmen*. Repetitionerna hade pågått i veckor, och hon kände sig hemmastadd i rollen, men benen darrade ändå så våldsamt medan hon väntade i kulisserna att hon tackade ja till en slurk whisky för att lugna nerverna.

Orkestern hade stämt instrumenten, och dirigenten hade blivit applåderad. En förväntansfull tystnad sänkte sig över publiken då de tunga sammetsdraperierna i ridån långsamt drogs åt sidan och preludiet började. Catriona drack en klunk vatten och försökte använda nervositeten positivt. Hon hade sjungit arior ur *Carmen* förut, hade stått på scenen förut, men hon var också medveten om hur viktig just den här föreställningen var för hennes framtida karriär. Håret var utsläppt och nådde ända ner till midjan, och hon strök det bakåt och kände efter att de stora guldringarna i öronen satt ordentligt fast. Så fluffade hon upp flamencokjolarna i rött och orange, rättade till blusen, som var röd och lämnade axlarna bara, och vickade på tårna. Det hade varit hennes egen idé att spela Carmen barfota, men golvet var iskallt.

Sirenen ringde på cigarettfabriken, och flickorna i baletten gick ut på scenen. Catriona drog ett djupt andetag. Vid ropet "Carmen" samlade hon ihop kjolarna, sprang över bron och nedför trappan till torget där folk steg åt sidan för att släppa fram henne. Hon kastade en utmanande blick på männen som trängdes omkring henne. "Älska er?" Tonfallet var föraktfullt. "Inte i dag, men kanske i morgon."

Hon log mot männen i kören och började långsamt svänga i takt med en habanera medan hon sjöng "L'amour est un oiseau rebelle". Hon hade blivit Carmen: vacker, egensinnig och farlig. Smidig som en panter rörde hon sig på scenen och försökte förföra José med sina violblå ögon och sitt långa, böljande hår.

Ljuset dämpades då ridån drogs för till ackompanjemang av öronbedövande applåder. Föreställningen var slut, och Catriona hjälptes upp på fötter av tenoren som spelade José. Han var stilig men fåfäng, och Catriona hade undvikit hans närmanden i veckor. Men den kvällen gick hon med på att bli kysst. Adrenalinet flödade, och hon var fortfarande Carmen.

Då hon blev inropad gång på gång och scenen nästan dränktes i röda rosor visste hon att drömmen äntligen hade gått i uppfyllelse. Så stolta hennes föräldrar skulle ha blivit om de fått se sin dotter ta emot sådana ovationer. Om de ändå hade varit här tillsammans med henne, tänkte hon när publiken slutligen lät henne lämna scenen.

Under de följande elva åren etablerade sig Catriona Summers som internationell primadonna. Hon sjöng Floria Toscas roll på La Scala i Milano, prinsessan Turandots på Metropolitanoperan i New York, Mimìs på Parisoperan och Manon Lescauts på Covent Garden. Hon

171

reste runt i Spanien, Sydamerika och USA och återvände då och då hem för att sjunga på mindre scener i Sydney, Melbourne och Adelaide.

Det var år 1960, och Catriona hade återkommit till Sydney efter en bejublad föreställning på La Fenice i Venedig där hon hade sjungit den krävande titelrollen i Händels *Alcina*. Hon var trettionio år.

Clemmie, John och Brin mötte henne vid kajen och körde henne hem till lägenheten. Numera ägde hon hela huset, som efter en totalrenovering hade blivit en luxuös oas dit hon kunde dra sig tillbaka från sitt hektiska liv. Hon älskade att vara där, men det var inte ofta det späckade programmet tillät det, så Brin hade flyttat in på bottenvåningen för att hålla ett öga på stället.

Brin klädde sig lika färggrant som förr, och han var en bra bit över sextio men arbetade ändå kvar inom teatern. Han avgudade Catriona, och känslorna var ömsesidiga. "Välkommen hem, raring!" utbrast han, kysste henne på hand och överräckte en blombukett. "Nu måste jag rusa, det är matinéföreställning. Du vet ju hur det är."

"Käre Brin är sig lik", mumlade Catriona. "Han skulle ha älskat Europa."

"Du ser strålande ut", sa Clemmie medan John blandade drinkar. "Jag önskar att jag kunde hålla mig lika smärt." Clemmie var femtiofyra år fyllda och hade gått upp i vikt. Trots att det klädde henne tyckte hon att det fick henne att se tantig ut.

"Du borde inte ha slutat jobba", svarade Catriona samtidigt som hon sparkade av sig de högklackade skorna och vickade på tårna. "Du vet att du snart blir uttråkad när du inte har någon annan än mig att köra med." Clemmie hade avvecklat agenturen men skötte fortfarande om Catrionas karriär. Hon log för att ta udden ur sina ord och visa att hon bara skojade. "Jag äter som en häst och sliter som ett djur under repetitioner och föreställningar. Antagligen är det därför jag får behålla figuren. När jag går i pension kommer jag att bli stor som ett hus."

De skrattade alla tre, och Catriona drog upp benen under sig i soffan och började slappna av för första gången på evigheter.

"Det kan också ha med sex att göra", tillade hon och fnissade till då John rodnade. "Ni har ingen aning om hur upphetsande det är att uppträda på en scen inför så många människor, och musiken, strålkas-

172

tarna och passionen i handlingen blir till ett kraftfullt afrodisiakum. Ni skulle bli förvånade över hur många gånger jag har snubblat över sammanslingrade älskande i kulisserna."

"Och du själv?" frågade Clemmie med en blick på John som hastigt retirerade till ett annat rum. "Har du träffat någon ny man?"

Catriona gjorde en grimas. "Jag hade en affär med en underbar konstnär i Paris. Det var han som målade porträttet där på väggen." Hon betraktade målningen och kunde nästan känna sinnligheten slå emot sig. "Vi älskade i hans ateljé, och det var högst tillfredsställande, men så kan fransmännen också allt om sex. Enda problemet var att det drog något fasansfullt, och jag var nära att frysa ihjäl."

De fnittrade som skolflickor.

"Jag hade också en kort romans med en engelsman, men han saknade helt fantasi i sängkammaren. Han var adlig och hade massor av pengar, men jag visste att jag inte skulle orka låtsas resten av livet."

Clemmie såg på henne med stora ögon. "Herregud! Det börjar likna Förenta nationerna. Jag vet att det är sextiotal med fri kärlek och flower power, men inte trodde jag att du ..."

"Sedan var det en amerikan, Hank." Hon fnittrade igen. "Och det är sant som det sägs, de har ingen uthållighet i sängen." De vek sig dubbla av skratt, och då John stack in huvudet och undrande såg på dem skrattade de ännu häftigare.

"Så du har inte mött den rätte än", sa Clemmie när de hade lugnat ner sig. "Du skjuter det lite väl mycket på framtiden, tycker jag."

Catriona ryckte på axlarna. "Jag har varit gift, men det fungerade inte. Jag har varit mamma, och det fungerade inte heller." Hon log mot väninnan som hon anförtrott sig åt många år tidigare och som aldrig fördömde henne. "Oroa dig inte för mig. Jag har roligt, och när jag blir gammal och grå ska jag dra mig tillbaka till vildmarken och leva på minnena av de män jag har älskat."

"Javisst ja, det påminner mig om en sak", sa Clemmie och hoppade upp ur soffan. "John har verkligt goda nyheter åt dig." Hon grävde i hans portfölj och fick fram en bunt papper som hon viftade med. "Belvedere har bjudits ut till försäljning."

Catriona stirrade häpet. "Belvedere?" viskade hon, och upphetsningen fick henne att störta upp. "Hur? När? Har John lämnat något anbud?"

Clemmie log. "Eftersom John och jag har fullmakt att sköta dina affärer då du är utomlands skrev vi på kontraktet för tre dagar sedan. Egendomen är din."

Catriona satte sig ner med en duns och tog papperen som Clemmie räckte henne. Belvedere, gården som hon sett en gång som barn, hade varit en dröm, en nästan ouppnåelig dröm. Nu höll hon äganderättshandlingarna i sin hand. Drömmen hade blivit verklighet.

12

Det fanns fortfarande inga scener i Sydney – eller någon annanstans i Australien – som var stora nog för att en hel opera eller balett skulle kunna framföras. Redan på femtiotalet hade Goossens, rektorn för musikkonservatoriet, börjat tjata på regeringen om att bygga en teater som var tillräckligt stor. Operahuset i Sydney var ett enormt projekt som orsakade mycket bråk och käbbel innan det stod färdigt, och det skulle ta fjorton år mot beräknade fem. Därför skulle Catriona sjunga rollen som Violetta ur *La Traviata* på konservatoriet.

Hon skyndade ut efter repetitionen och kröp ihop under paraplyet. Regnet vräkte ner med sådan kraft att det studsade upp från trottoaren och blötte ner strumporna. Det fanns inte en taxi inom synhåll, och hon började önska att hon hade tagit bilen. Plötsligt hörde hon en röst vid sin axel.

"Catriona?"

Hon vände sig om och mötte en främlings bleka blick. Hon gissade att kvinnan var i sextioårsåldern. Hon hade inget paraply, var enkelt klädd, och den tunna kappan var genomvåt. Ändå fanns det en viss stolthet i hållningen och en fast beslutsamhet kring munnen som verkade bekant.

"Ja?" svarade hon och förstod inte varför kvinnan hade tilltalat henne. Hon såg inte ut som en operafantast, och Catriona misstänkte att hon var ute efter pengar.

"Känner du inte igen mig?" frågade kvinnan med sorgsen blick.

Catriona betraktade det rynkiga, trötta ansiktet, det illa blonderade håret och den slarviga makeupen. "Tyvärr", mumlade hon, tog ett steg närmare trottoarkanten och spanade efter en taxi. "Du har nog tagit fel på person."

"Nej, det är du som misstar dig", sa kvinnan med eftertryck och tog Catriona i armen.

"Släpp mig!" utbrast Catriona, som började känna sig illa berörd av kvinnans intensiva granskning. Hon hade hört talas om tokiga fans, men den typen av förföljelse brukade drabba stjärnor som Elvis Presley, inte operasångerskor. "Jag känner dig inte, men om det är pengar du är ute efter ska du få ett pund." Hon grävde i handväskan och räckte fram några mynt.

Kvinnan brydde sig inte om mynten men fortsatte att stirra på Catriona. "Aldrig trodde jag väl att jag skulle få uppleva den dagen då du var för fin för att prata med din gamla vän Poppy."

Catriona gapade klentroget. Hon kände igen rösten, men det var omöjligt. Utan att bry sig om taxin som hade stannat vid trottoarkanten och ilsket tutade studerade hon ingående kvinnan och kände till slut igen henne. "Poppy?" viskade hon. "Är det verkligen du?"

"Ja", svarade Poppy och körde ner händerna i fickorna. "Ingen tjusig syn, men nog är det jag alltid."

Catriona slog armarna om henne, struntade i den blöta kappan som satte fläckar på kaschmirjackan och antagligen förstörde den ljusa minkkragen. Det här var Poppy som både varit som en vän, storasyster och mamma för henne. Så gräsligt att hon inte hade känt igen henne, men det var underbart att se henne igen.

Så drog de sig ifrån varandra, och tårarna strömmade nedför kinderna och blandades med regnet. "Vi kan inte se kloka ut", snörvlade Poppy och torkade sig i ansiktet med en inte alltför ren näsduk. "Och jag har förstört din vackra jacka."

Catriona kände doften av billig parfym i minken och såg fuktfläckarna sprida sig på den dyrbara kaschmirjackan, men det spelade ingen roll. "Det ordnar kemtvätten", försäkrade hon snabbt och höll paraplyet över dem båda. Så stack hon armen under Poppys och drog med henne längs trottoaren. Taxin hade kört i väg för att leta reda på en villigare passagerare. "Kom, så tar vi en kopp te någonstans och ser till att slippa regnet."

Det var varmt inne på mjölkbaren. Fönstren var immiga av kondens, och lukten av nybryggt kaffe och varma köttfärspajer fick det att vattnas i munnen. Där var trångt och stimmigt, och de flesta borden var upptagna av kontorsfolk eller kvinnor med barn och shoppingkassar. Popmusik skrällde från jukeboxen, och ett par tonåringar satt och pussades i ett hörn.

De hittade ett ledigt bord längst in, där det var lite tystare, och slog

176

sig ner. Catriona tog av sig den förstörda, trekvartslånga jackan, ställde ifrån sig paraplyet och slätade till shantungdräkten som hon hade låtit sy i Singapore, kontrollerade sedan makeupen i fickspegeln och bättrade på läppstiftet.

"Jösses!" utbrast Poppy medan hon drog av sig den drypande våta kappan. Under hade hon en billig bomullsklänning som blekts av många tvättar. "Du ser precis ut som din mamma med det svarta håret och de violblå ögonen. Du har till och med hennes grop i hakan."

Catriona lade ner spegel och läppstift i den exklusiva handväskan av krokodilskinn och stängde den. "Tack, det tar jag som en komplimang." Med ens kände hon sig besvärad och visste inte hur hon skulle umgås med Poppy. Förtjusningen över att se henne igen dämpades av vetskapen om att deras liv blivit så helt olika. Vad i all världen hade de gemensamt?

"Hur mår Velda? Jag har varken sett eller hört ifrån henne sedan jag lämnade varietén."

Catriona lutade sig bakåt på den hala plastbänken. "Mamma gick bort i början av kriget", talade hon lågmält om. "Hon hade inte varit frisk under en längre tid, och när hon fick lunginflammation var hon inte stark nog att klara det." Vid minnet av moderns sista timmar i livet måste hon blinka bort tårarna. "Mamma fick inte leva tillräckligt länge för att se sina ambitioner för mig infrias. Hon var drivkraften bakom min karriär, utan henne skulle jag aldrig ha kommit så här långt."

Poppy såg ner på sina svullna, rödfnasiga händer som hon höll hårt knäppta på bordet mellan dem. Naglarna var avbitna, och nagellacket flagade. "Det var tråkigt att höra, för jag skulle ha velat träffa henne igen." Hon lyfte blicken mot Catriona, och de bleka ögonen fylldes av tårar. "Och din pappa?"

Catriona berättade snabbt om tragedin som drabbat fadern och vidrörde bara med några hastiga ord den tid då hon och modern hade bott tillsammans med Kane uppe i Atherton Tableland. Hon tänkte inte tala om allt för Poppy; hon kunde inte se vad det skulle tjäna till. "Så mamma och jag lämnade Kane och flyttade hit ner till Sydney. Vi bodde på ett pensionat uppe bland kullarna och arbetade i matsalen på ett av de stora hotellen. Hon ordnade så att jag fick provsjunga för en agent, och resten är historia, som man brukar säga."

"Jag litade aldrig på Kane", sa Poppy och lade armarna i kors över sitt magra bröst. "Det var något konstigt med karln, och jag minns att

177

jag sa till Velda att jag trodde han var homosexuell."

Catriona svarade inte, och det blev pinsamt tyst. De fick in teet, och medan de åt varma kuvertbröd med smör och drack det heta teet passade Catriona på att studera sin gamla vän närmare.

Poppy hade inte åldrats med behag, så det var inte att undra på att hon inte hade känt igen henne. Hon såg trött ut, och rynkorna skvallrade om stora bekymmer. Det rådde ingen tvekan om att det inte gått särskilt bra för henne sedan hon lämnat truppen. Ändå hade hon kvar den odygdiga glimten i ögonen som sa Catriona att vad som än drabbat Poppy i det förflutna så hade hon ännu inte helt gett upp hoppet.

"Du har förändrats", anmärkte Poppy som om hon hade läst Catrionas tankar. "Men det har vi bägge två." Hon suckade. "Och du talar så överklassigt."

"Tack vare åratals lektioner i talteknik, ja", påpekade Catriona leende. "Men den vokabulär du lärde mig har jag ofta haft nytta av."

Poppy skrattade. "Roligt att man gjort något rätt. Inget går upp mot en ramsa osande svordomar då man är förbannad." Så blev hon högtidlig igen. "Jag har följt din karriär i tidningarna. Det var tråkigt att läsa om skilsmässan, men det har gått bra för dig, och jag är stolt över dig."

Catriona sköt tallriken åt sidan. "Och du själv då? Hur blev livet för dig?"

Poppy skrattade glädjelöst. "Behöver du fråga?" undrade hon. "Se på mig! Jag kan knappast göra reklam för hur man når framgång." Med bedrövad min tog hon upp teskeden och började leka med den. "Jag är sextioett år, gammal och utsliten. Jag arbetar i köket på Hydro Hotel där jag också bor, i ett kyffe uppe på vinden. Det enda jag inte behöver bekymra mig för är hur jag ska få pengarna att räcka till mat och husrum, eftersom både kost och logi ingår i lönen", tillade hon och slog skeden mot fatet.

Catriona fylldes av medlidande då hon mindes den söta, unga kvinna som gett sig i väg för att söka lyckan på egen hand. Poppy måste ha varit några och trettio då, tänkte hon. "Vad hände?" Rösten var låg, och hon lade handen på den äldre kvinnans rastlösa händer för att få dem att bli stilla.

"Det gamla vanliga", muttrade Poppy. "Jag träffade en karl och hade lite roligt. Vi arbetade på samma fabrik i Brisbane, och på den tiden såg jag fortfarande bra ut. Jag föll pladask för karln. Han såg bra ut, och jag kunde inte stå emot hans charm. Så blev jag med barn, och han övergav mig, och där stod jag med min tvättade hals."

Hon såg på Catriona.

"Men du får inte tycka synd om mig", förmanade hon strängt. "Jag har alltid varit svag för män med smäktande, bruna ögon, och jag visste vad jag gjorde. Jag hade bara inte räknat med att han skulle överge mig, och 1932 var det skamligt att bli med barn om man inte var gift."

Catriona hade inga svårigheter att föreställa sig hur kämpigt Poppy måste ha haft det. "Hur bar du dig åt? Det kan inte ha varit lätt att både försörja sig och ta hand om en liten baby."

"Tja, jag hankade mig fram, gjorde så gott jag kunde. Man är ju så illa tvungen", svarade Poppy filosofiskt. "Jag lämnade Brisbane och flyttade hit ner till Sydney, började på en annan fabrik och arbetade ända in i det sista. Ellen föddes på en lördag, och jag återgick till jobbet på måndagen." Hon log. "Det var bra, för på så sätt förlorade jag ingen inkomst. Min hyresvärdinna var bussig och passade barnet i utbyte mot att jag skötte tvätt och strykning åt henne." Hon ryckte på axlarna. "Jag klarade mig."

"Och sedan?" Catriona förstod att livet måste ha varit besvärligt för Poppy som inte haft någon familj till hjälp.

"Jag stannade kvar på fabriken under kriget, tills Ellen blev gammal nog att försörja sig själv. Ellen är en bra flicka; hon arbetar hårt och är duktig med sina händer. Hon fick plats hos en sömmerska, och det började se ljust ut – då historien upprepade sig", sa hon och suckade tungt.

Catriona kände djupt med henne. Det var inte första gången hon hörde den typen av berättelse.

"Ellen träffade Michael och blev med barn, men hon fick honom åtminstone att gifta sig med henne." Poppy gjorde en grimas. "Inte för att hon hade någon större glädje av det. Han är ett svin."

"Det låter som om du har haft ett rent helvete", sa Catriona.

"Det kan man lugnt säga, men du vet ju vad jag alltid har sagt: Man ska aldrig ge upp."

Catriona hörde de modiga orden, såg det ansträngda leendet och tårarna i ögonen. Poppy höll på sin värdighet och skulle betrakta ett erbjudande om hjälp som välgörenhet. Ändå ville Catriona hjälpa henne, behövde göra det. Poppy hade en gång varit hennes bästa vän. "Bor Ellen här i Sydney?"

Poppy nickade. "Hon bor i en lägenhet i Kings Cross tillsammans med Michael och barnet. Där är ruffigt, inget lämpligt område för ett barn att växa upp i, men de har inte råd med något bättre på hans lön. Han arbetar som bartender på en pub." Leendet försvann. "Fast det verkar som om han själv dricker det mesta i öltunnorna, och när han har fått några glas innanför västen är han inte nådig att tas med."

"Menar du att han är våldsam?" Catriona lutade sig framåt och tog Poppys händer i sina. "Tala om hur jag kan hjälpa dig!"

"Är jag så genomskinlig?" När Catriona inte svarade drog hon till sig händerna och slöt dem om den tomma tekoppen. "Jag måste se till att hon kommer ifrån honom. En vacker dag slår han ihjäl henne, det vet jag att han gör."

Catrionas första ingivelse var att skriva ut en check och överlämna den, men hon visste att Poppys stolthet, som visserligen var naggad i kanten, inte skulle tillåta henne att ta emot den. Hon visste också att en sådan känslolös handling inte skulle kännas tillfredsställande för henne själv. Poppy behövde mer än pengar, hon behövde lugn och ro och ett eget hem liksom tryggheten i att veta att hennes lilla familj hade det bra.

De satt tysta medan servitrisen ställde fram en kanna nybryggt te på bordet. Catrionas hjärna arbetade för högtryck, och en idé började långsamt ta form. När servitrisen hade gått och Poppy styrkt sig med några klunkar av den heta, väldoftande brygden klädde Catriona sina tankar i ord. "Minns du att jag blev förälskad i en gård som låg nere i en dal en bit utanför ett samhälle som hette Drum Creek? Jag måste ha varit nio eller tio på den tiden."

"Visst minns jag det. Din mamma var inte lika förtjust när du hela tiden tjatade om att du ville sluta kuska runt på vägarna och bosätta dig på gården. Vad är det med den?"

"Gården heter Belvedere. Det är en enorm boskapsfarm, och jag köpte den för ett tag sedan", svarade Catriona och log då Poppys ögon vidgades och började lysa. "Jag har ännu inte fått någon chans att resa dit och inspektera den närmare, men jag minns den som om det vore i går."

"Är det inte lite riskabelt att köpa en stor boskapsfarm osedd. Och hur ska du sköta den om du inte tänker bo där själv?"

"Jag har anställt en förman", förklarade Catriona. "Han är erfaren, har utmärkta referenser och ska sköta gården tills han går i pension.

Vid det laget har jag förmodligen själv dragit mig tillbaka." Hon rörde om i teet och tog en klunk medan hon funderade på hur hon bäst skulle lägga fram sitt förslag, så att inte Poppy omedelbart satte sig på tvären. "Det hör mycket mark till, och enligt mäklaren behöver mangårdsbyggnaden repareras. Men det är inget fel på ekonomibyggnaderna som inbegriper sovbarack och kokhus, stall och lador liksom snickarverkstad och smedja. I utkanten av egendomen finns en liten stuga med en trädgård på baksidan. Den står tom nu."

Hon lät orden hänga i luften mellan dem och såg olika uttryck avlösa varandra i Poppys ögon.

"Stugan är enkel och inte i vidare gott skick", återtog hon, "men den ligger vid vägen till Drum Creek. Den förre ägarens son bodde i den och tjänade tydligen bra på att sälja grönsaker inne i samhället."

"Det låter ju trevligt", sa Poppy med utstuderad nonchalans.

Catriona sträckte sig över bordet och tog hennes hand. "Ska vi fara dit och titta på den? Jag längtar efter att få se gården igen, och det vore mycket roligare om du följde med."

"Jag har ett jobb att sköta", påpekade Poppy. "Jag kan inte ge mig ut på vift hur som helst, och har inte du repetitioner?"

"Det är en månad kvar till nästa föreställning", svarade Catriona och tummade lite på sanningen. Det var exakt tre veckor. "Jag kan ta några dagar ledigt", försäkrade hon. Dirigenten skulle bli rasande, för att inte tala om barytonen som hade rykte om sig att vara ytterst noga med att de sopraner han arbetade tillsammans med passade tiderna, men det skulle vara värt lite gnäll om hon fick med sig Poppy.

Catriona betraktade hennes ansikte, märkte att hon tvekade och kände sig frestad att få komma ifrån storstaden ett tag. Men skulle stoltheten tillåta Poppy att tacka ja till det erbjudande som hon tänkte ge henne? Det visste inte Catriona, och hon hoppades bara att hon inte hade drivit Poppy för långt. Nu kunde hon bara vänta och se.

"Om jag följer med vill jag betala själv", sa Poppy slutligen och såg stint på Catriona. "Hur mycket kostar det, förresten?"

"Ingenting alls", svarade Catriona och höll upp handen för att tysta protesten. "Jag har mitt eget lilla plan", förklarade hon. "Allt som krävs är ett telefonsamtal till piloten, så kan vi ge oss av när vi vill."

"Kors!" viskade Poppy och spärrade upp ögonen. "Somliga har det bra."

Catriona log. "Det har inte enbart varit en dans på rosor, även jag har haft det svårt. Men vad säger du? Följer du med?"

"Det kan du slå dig i backen på!" förkunnade Poppy, satte på sig kappan och hängde den billiga handväskan i plast på armen. "Det här ska bli kul."

Catriona tog med sig Poppy hem till lägenheten. Där ringde hon först till Poppys chef och meddelade att Poppy var sjuk och skulle bo hos henne tills hon blev frisk och sedan till dirigenten och piloten. Barytonen fick dirigenten ta hand om. De förstod varandra och hade samma förkärlek för skrikiga kläder och gingroggar.

Poppy hängde upp kappan i hallen och klev ur de våta skorna. Catriona gav henne en handduk, så att hon fick torka håret torrt, och sedan gick hon barfota omkring i lägenheten och beundrade möblerna, kristallvaserna med snittblommor, prydnadssakerna, de mjuka mattorna och den enorma sängen. Hon såg ut som ett barn framför skyltfönstret till en godisaffär då hon kikade in på raderna med pälsar och dräkter i garderoben som upptog en hel vägg i sovrummet. Catrionas aftonklänningar skyddades av klädpåsar i linne, och på hyllorna under stod skorna i prydliga rader. "Du milde tid! Du har förbaske mig mer kläder än Harrods."

Catriona skrattade och bytte om till långbyxor och sidenblus. "Det är plagg som jag främst använder då jag är ute på turné och måste träffa sponsorer eller ger intervjuer", förklarade hon. "Annars föredrar jag att vara mer ledigt klädd." Hon satte på sig låga pumps och tog en kofta över axlarna. "Nu måste vi ha ett glas champagne och fira vår återförening. Sedan ska vi se om vi kan hitta lite mer bekväma kläder åt dig att ha på flygresan."

Catriona struntade i Poppys protester, och då champagnen började göra verkan var hon strax med på noterna. Efter ett långt bad med väldoftande skum bytte Poppy om till skräddarsydda långbyxor, sidenjumper och elegant kavaj. De hade inte samma skostorlek, så det fanns inget Catriona kunde göra åt skorna, men Poppy kunde ändå inte se sig mätt på sin bild i väggspegeln. "Det är knappt man tror sina ögon!" utbrast hon.

Catriona lät Poppy sitta vid sminkbordet och experimentera med skönhetsmedel medan hon själv snabbt packade ner lite toalettsaker och annat de kunde behöva. Det tog två timmar att flyga till Belvedere, och de skulle inte komma tillbaka förrän dagen därpå.

Poppys förtjusning övergick i rädsla då den lilla Cessnan med dånande motorer rullade längs startbanan och steg upp mot kväll-shimlen. "Hur kan han se vart han kör?" frågade hon och höll hårt om armstödet. "Det är ju becksvart där ute."

Catriona förklarade att han använde radar och andra instrument och fick det att låta som om hon visste bra mycket mer än hon gjorde, men det hade avsedd effekt, och Poppy började slappna av. Två timmar senare cirklade de över Belvedere. Den breda landningsbana som röjts i buskskogen lystes upp av signalbloss, och då de gick ner för landning kunde Catriona se en pickup och två personer som stod bredvid. Hon kände en ilning av upphetsning. Äntligen var hon på Belvedere.

Catriona klättrade ur det lilla planet och möttes av en muskulöst byggd man av medellängd med ett ansikte som fårats av många års arbete i solen. Han hade mollskinnsbyxor, rutig skjorta och nötta stövlar och en gammal bredbrättad hatt var djupt neddragen i pannan. "Trevligt att råkas", sa han släpigt. "Namnet är Fred Williams." Så vände han sig till den långe, smärte aboriginen vid sin sida som var likadant klädd. "Och det här är Billy Birdsong, min högra hand."

Catriona skakade leende hand med förmannen och sedan med aboriginen. "Hej, Fred. Hej, Billy", hälsade hon och presenterade sedan Poppy. "Vi tänkte titta oss omkring."

Fred sköt upp den svettfläckiga hatten i pannan och kliade sig i huvudet. "Jag tror inte man ser särskilt mycket i mörkret", svarade han. "Vad säger du, Billy?"

"Nej, man ser mer när solen går upp", svarade han. "I mörkret syns ingenting."

Då Catriona tvekade fattade Fred beslutet åt henne. "Kom och titta på stora huset och ät en bit mat i stället. Det finns sängplats åt piloten i sovbaracken. Fast jag vet inte om huset är tillräckligt bekvämt för damer från storstaden", tillade han blygt.

Catriona och Poppy växlade en blick och försäkrade att de var vana vid primitiva förhållanden.

"Billys fru har städat och bytt lakan i sängarna, och jag finns i sovbaracken i kväll om det är något ni behöver", sa Fred, och allihop klev in i pickupen.

Mangårdsbyggnaden låg i skuggan av ett pepparträd och flera höga eukalyptusträd. Fjällpanelen behövde målas, men både fönsterluckor, nätdörrar och veranda var i gott skick. De steg in i köket och möttes

183

av tända oljelampor, men inredningen var rätt illa medfaren, och det märktes att mannen som bodde där var ensamstående, för det fanns inga prydnadssaker, gardiner eller mjuka fåtöljer, utan bara det allra nödvändigaste, och man kunde känna en svagt doft av häst och ko.

På den stora vedspisen stod en tekanna, och Fred slog upp var sin kopp åt dem innan han skyndade i väg för att hämta mat i kokhuset. Billy hade försvunnit, så de var ensamma.

"Usch!" utbrast Poppy när hon hade smakat på teet och lade i mer socker. "Det måste ha stått och dragit i timtal."

Catriona tog en klunk och gjorde en grimas. Så ställde hon ifrån sig koppen på bordet och bestämde sig för att gå husesyn. Där var rörigt och ostädat men trivsamt, och hon kunde föreställa sig hur det skulle kunna se ut.

Huset var inte särskilt stort. Det bestod av två sovrum plus köket som också tjänade som vardagsrum och kontor. Det fanns ingen toalett, bara ett torrdass ute på baksidan, ett mörkt och illaluktande ställe som satte skräck i den som inte var van, och det fanns varken rinnande vatten eller elektricitet. Badkaret var en plåtbalja som hängde på väggen vid bakdörren.

"Jag vet att jag sa att vi var vana vid primitiva förhållanden", sa Catriona, "men det här är väl ändå att ta i."

Poppy log snett. "Man får nöja sig med vad man har. Du är bortskämd, det är hela saken."

Catriona visste att hon hade rätt och skämdes lite för att hon fått så stora krav. "Jag skulle kunna bygga ut åt söder och norr och låta göra badrum och toalett", sa hon då idéerna började flöda. "En rejäl generator skulle både ge elektriskt ljus och varmvatten, och lite snygga möbler skulle göra det hemtrevligt."

"Det är väl ingen mening med det om du inte ska bo här", invände Poppy.

"Förr eller senare tänker jag flytta hit", svarade Catriona, "och jag är säker på att Fred också skulle uppskatta badrum och bra belysning. Jag ska tala med honom när han kommer tillbaka."

Fred hade med sig en bastant måltid bestående av kallt fårkött, pickles och potatis åt dem. Han verkade gilla hennes idéer och lovade att ta reda på hur mycket det skulle kosta. Så gick han ut till sovbaracken, och de båda kvinnorna kröp ner i de smala sängarna i gästrummet.

Efter att ha legat och pratat om gamla tider halva natten kände de sig lätt vimmelkantiga när de blev väckta i soluppgången. Det var Fred som kom med en rejäl frukost bestående av kött, stekt potatis och ägg. Catriona och Poppy såg på varandra och högg in. Aldrig hade frukosten smakat så ljuvligt.

Fred lånade ut sin pickup, och med en hemmagjord karta över Belvedere gav de sig i väg. Farmen var enorm, och det skulle bli omöjligt att se allt vid det första besöket, men Catriona suckade belåtet då hon styrde den skumpande bilen över den ojämna marken. Gården var hennes hem nu, och även om det skulle krävas mer än lite färg för att göra huset beboeligt hade hon en känsla av att när hon en dag gick i pension och flyttade hit skulle hon återfinna den frid hon letat efter ända sedan den fruktansvärda natten 1934.

Den lilla stugan i utkanten av egendomen var i själva verket inte stort mer än ett skjul, upptäckte hon till sin djupa besvikelse då de stannade utanför staketet. Men den såg stabil ut, och taket var helt. Hon gick före genom grinden och fram till trappan. Det fanns ingen nyckel, för vad var det för mening att låsa ett så avsides beläget hus?

"Här stinker", konstaterade Poppy lakoniskt. "Det är bäst vi öppnar fönstren och släpper in lite frisk luft." Hon slog upp fönsterluckorna och ljuset strömmade in. "Jösses!" utropade hon. "Jag tyckte bättre om det då man inte såg så mycket."

Catriona nickade och kände hur modet sjönk. Golvet var murket, den murade kakelugnen höll på att rasa samman och uppe i taket hade pungråttorna byggt bo. Det stora köket, som också tjänstgjorde som vardagsrum, var fullt av skräp och bråte, och den förre ägaren hade lämnat kvar sina trasiga möbler. Där fanns en gammal vedspis, som inte hade sett spissvärta på mången god dag, och en stenvask som var så rostig och smutsig att den bara var att kasta.

Sovrummet var inte mycket bättre. En gammal järnsäng stod vid ena väggen, och på golvet låg en möglig madrass som förmodligen hade använts som bostad av oräkneliga generationer möss. Torrdasset låg på baksidan, men någon hade satt eld på det, och det enda som fanns kvar av det var en förkolnad vägg.

"Det verkar som om luffare har hållit till här", anmärkte Poppy och sparkade till några tomma ölflaskor som låg och skräpade i gräset. "Men om man kavlar upp ärmarna och röjer kan det säkert bli fint."

185

"Så du tror att det går att bo här?" frågade Catriona och såg på henne.

"Ja, varför inte? Jag har sett värre."

"Om jag anlitar hantverkare för att göra reparationer och bygga till två rum och ett badrum, kan du och Ellen bo här då?"

Poppys ögon glänste av tårar och hopp. "Åh, det var inte min mening... Självklart kan vi det", viskade hon och betraktade det enkla lilla huset som om det vore ett palats. "Men vad ska vi leva av? Här ute i vildmarken finns inga jobb." Hon skakade på huvudet, och det sorgsna uttrycket i blicken fick det att värka i Catrionas hjärta. "Det är rart av dig, men vi kan inte", slutade hon.

"Det kan ni visst!" fastslog Catriona. "Drum Creek ligger inte så värst långt härifrån, och jag ska se till att ni har en pickup, så att ni kan köra dit när ni vill. Och kanske kan ni börja odla och sälja grönsaker." Hon tvekade lite. "Men det innebär att Ellen måste lämna sin man. Tror du hon vill det?"

Poppy nickade. "Både hon och jag lever i skräck för honom."

Catriona tog Poppys händer och såg henne djupt i ögonen. "Låt mig få göra detta för dig, snälla Poppy! Lova att du flyttar hit med Ellen och ditt barnbarn."

"De skulle vara bra mycket tryggare utan det svinet i närheten, det är då ett som är säkert", muttrade hon. "Men varför gör du så mycket för oss? Vi är inga socialfall och klarar oss utan allmosor, och jag har aldrig bett om..."

Catriona fick tyst på henne med en kram. "Det här är inga allmosor, för jag betraktar dig som min familj. Du var både som en mamma och syster för mig när jag växte upp. Du tog hand om mig och älskade mig, och nu är det min tur att göra något för dig. Snälla Poppy, säg att jag får det!"

"Bara om du låter mig betala hyra", svarade Poppy envist, men det lyste om henne av upphetsning.

"Vi säger väl det, men inte förrän du har skaffat jobb och fått fart på odlingarna. Då kan vi säkert komma fram till någon sorts överenskommelse."

Poppy nickade och förmådde inte längre tygla sin glädje när de arm i arm återtog sin rundvandring. Längst bort i trädgården stannade de för att betrakta utsikten över kullarna och de vida slätterna. Boskap gick och betade, och i tårpilarnas skugga stod hästar och slöade medan vita gultofskakaduor tjattrade och färggranna papegojor pilade fram och tillbaka till vattenhon.

"Här kommer Connor att trivas", konstaterade Poppy med en belåten suck. "Jag kan inte tänka mig ett bättre ställe för ett barn att växa upp på."

13

Några månader senare flyttade den lilla familjen in i sitt nya hem. Catriona flög dit tillsammans med dem och häpnade då hon fick se förvandlingen från förfallet skjul till inbjudande, nymålad stuga. Det var rent och snyggt inuti, och huset hade blivit dubbelt så stort med en generator som gav varmvatten och elektricitet. Trädgården hade grävts om, gräset var klippt, och uttrycket i Poppys ansikte där hon stod vid grinden och bara stirrade var en syn för gudar.

Catriona kastade en blick på Ellen, och de växlade ett leende i samförstånd. Ellen var så lik modern i den åldern att Catriona hela tiden var nära att kalla henne Poppy. Den unga kvinnan verkade inte ha något emot att bo ute i ödemarken, även om Poppy fått tjata en hel del för att hon skulle lämna mannen, och tvååring Connor var en underbar unge.

Catriona tog upp den lille pojken på höften. Han hade mörkt hår som var borstat i tuppkamsfrisyr, och de nötbruna ögonen betraktade henne intensivt, som om han försökte komma underfund med henne. Så log han brett, och hon kände hjärtat flöda över av känslor då hon påmindes om sin egen baby och den svarta hårtofs som stuckit upp ur filten. Fast det var lite väl sent att bli sentimental, och hon skulle aldrig få fler barn.

*

Harold Bradley hade gått i pension sex år tidigare och bodde numera med sin fru i en liten stuga i regnskogen utanför Kuranda. På dagarna arbetade han i trädgårdslandet på husets baksida, och om kvällarna satt han på verandan med sin pipa. Under krigsåren hade han gått i ständig oro för sonen, men pojken hade kommit hem oskadd och var numera polis i den lilla staden Atherton. Harold var stolt över att sonen velat gå i hans fotspår och såg fram emot kvällarna då Charles brukade slå sig ner på verandan och diskutera sina fall med honom.

Harold trivdes med livet som pensionär, och han skulle ha varit fullständigt nöjd med tillvaron om det inte varit för en gnagande känsla av att ha lämnat olösta mysterier efter sig. Francis Kanes försvinnande med kvinnan och barnet hade aldrig fått någon förklaring, och inte heller hade han någonsin fått veta vart Dmitrij Jevtjenko tagit vägen, för ryssen hade aldrig kommit tillbaka till hotellet.

Harold hade gjort en kopia på rapporten och tagit den med sig hem samma dag han gick i pension. Den låg i en byrålåda i sovrummet, och allt emellanåt tog han fram den och läste den. Ändå visste han att spåren sedan länge hade kallnat, för Edith hade gått bort en kort tid efter besöket hos honom, och resten av hotellpersonalen tycktes inte veta någonting. Hotellet hade aldrig öppnats igen, och under kriget hade militären använt det som sjukhus. Nu stod det tomt och förföll medan regnskogen långsamt tog över.

Han satt på verandan, och pipröken steg i den fuktiga luften medan han tänkte på fallet. Han hade diskuterat det med Charles, men sonen hade alldeles för mycket att göra för att ta sig tid med en sådan gammal historia. Kriget hade vänt upp och ner på alla människors liv, kyrkböcker hade förstörts eller kommit bort, männen hade dött på slagfälten i Europa och Asien, och kvinnorna hade gift sig och bytt namn. Det skulle vara som att leta efter en nål i en höstack.

"Farfar?"

Harold vaknade upp ur sina tankar och log mot den lille pojke som drog i byxbenet. "Hej, Tom", sa han och tog upp honom i knäet. "Ska jag berätta historien om ryssen och engelsmannen och silvret som försvann?"

Tom Bradley nickade. Han älskade att höra farfadern berätta om när han var polis precis som fadern var. En dag skulle han själv bära samma uniform och jaga tjuvar och banditer.

*

När den lilla familjen hade funnit sig till rätta på Belvedere, där Fred och Billy Birdsong höll ett vakande öga på dem, återupptog Catriona sitt hektiska program. Hon lämnade Australien och var snart uppslukad av den säsong med Verdioperor som pågick i Rom. Den här gången hade hon tagit med sig Brin trots hans höga ålder och tilltagande skröplighet.

I Rom firades också Catrionas fyrtioårsdag. Hon och Brin hade varit där i nästan ett år, och Verdisäsongen var slut. Dagen därpå skulle de fara till Paris på ett år innan de reste vidare till London, där hon skulle uppträda i en galaföreställning för drottning Elizabeth. Från London skulle hon flyga till New York och sjunga i *Tosca* och sedan återvända till Sydney för att spela in en skiva med Puccinis populäraste arior. Hon betraktades som en av tidens bästa sopraner och visste att hennes röst aldrig hade klingat så ren.

Men glädjen över framgångarna förmörkades av att Brin blev allt sämre. Han hade haft en fantastisk tid i Rom, och hon hade sett till att han fått titta på alla sevärdheterna. Men hon insåg snart att han inte längre orkade hjälpa henne av och på med scenkläderna och anställde en annan påklädare. Med närmast utstuderad nonchalans struntade Brin i att sköta sin hälsa och vägrade ta emot läkarhjälp. Men Catriona märkte att han gått ner en hel del i vikt, och hon gillade inte de underliga sår han hade i ansikte och på händer och som inte gick bort hur mycket man än smorde.

Till sist stod Catriona inte ut längre, och mot hans vilja vände hon sig till Roms bästa medicinska expertis. Men ingen av doktorerna kunde begripa vad det var för fel på honom och alla kom med olika diagnoser. Hans tveksamma livsstil framfördes som en möjlig orsak till sjukdomen, en annan kunde vara vällevnad, men hur som helst tycktes det inte finnas något att göra.

Sista föreställningen var över, och efter att ha visat sig en stund på festen tog hon en taxi tillbaka till lägenheten som hon hade hyrt i utkanten av Rom. Hon hade inte hjärta att fira när Brin var allvarligt sjuk.

Han låg och sov på soffan då hon kom hem. Länge stod hon och betraktade honom och mindes vilken god vän han hade varit, hur han fått henne att skratta åt sina eskapader, hur han alltid vetat bättre än hon vilka plagg som klädde henne och älskat att ge sig ut och shoppa åt henne. Han hade ständigt funnits till hands när hon behövde honom, och nu ville hon återgälda vad han gjort. I Paris skulle hon kanske hitta en läkare som visste vad det var för fel på honom.

Hon bredde filten över honom, släckte bordslampan och gick in i sovrummet. Efter att ha duschat och dragit på sig en sidenmorgonrock

190

satte hon sig till rätta för att läsa breven hemifrån.

Clemmie mådde bra och hade blivit mormor för första gången, så hennes brev handlade mest om den nya babyn. John berättade att adoptionslagstiftningen hade ändrats, och Catrionas händer darrade då hon snabbt ögnade igenom hans brev. Det nya var att hon skulle få tillgång till ytterligare information, men hon skulle inte få sådana uppgifter att hon kunde ta kontakt med dottern. Han hade redan skrivit till myndigheterna och hoppades snart ha mer att berätta.

Med en irriterad suck lade Catriona ifrån sig brevet. Det tog så lång tid för posten att komma hit, och telefonförbindelserna var hopplösa, till och med sämre än på Belvedere. Det kunde gå veckor innan hon fick veta mer.

Så övergick hon till brevet från Fred Williams. Allt gick sin gilla gång på boskapsfarmen, och reparationerna på mangårdsbyggnaden var nästan klara. Hon längtade efter att få se det, men det skulle dröja minst ett år innan hon fick tid att resa dit.

Det sista brevet i högen var från Poppy. Hon och Ellen hade arbetat i nästan ett helt år på Drum Creeks enda pub, och Connor var en kavat liten treåring. De hade fullt upp med odlingarna och hade redan börjat sälja sina grönsaker till handelsboden inne i samhället. Ellen hade också öppnat en liten syateljé som gick riktigt bra, så alla var lyckliga och livet lekte.

Brin hade inte mått bra under den korta flygningen till Paris, och Catriona var bekymrad för honom. Men så tycktes han piggna till och verkade ivrig att få se Eiffeltornet och Montmartre. Paris var lika spännande som vanligt, och så snart de hade kommit i ordning på hotellet tog Catriona med sig Brin ut för att shoppa.

Men så vände det igen, och läkarna stod maktlösa medan Brin långsamt blev allt sämre, och till slut orkade han inte ens åka taxi längs Champs-Élysées. Catriona började frukta det värsta, och när han bad att få komma till sjukhus förstod hon att slutet var nära.

”Jag är döende, raring”, sa han där han låg i sjukhussängen stödd mot kuddarna. ”Men Paris är nog bästa stället att dö på.” Han log blekt. ”Tack för att jag fick följa med dig. Jag avgudar dig.”

Catriona tog hans hand. ”Och jag avgudar dig”, viskade hon.

Brin ville att hon skulle borsta hans hår och hjälpa honom på med den handbroderade kavaj som de hade köpt på Chanel. Klädd för den sista vilan log han sorgset mot sin bild i spegeln som hon höll upp för honom, slöt ögonen och lämnade henne. Catriona kände sig som förlamad av sorg. Det verkade som om livet gjorde sitt bästa för att ta ifrån henne alla hon älskade, och hon kände sig mycket ensam och övergiven och långt hemifrån där hon satt i det tysta, franska sjukhusrummet.

Brin fick den begravning han önskade sig: svarta hästar, en likvagn i glas och ebenholts, fjädrar, blommor och ljus. Och han skulle för evigt få stanna i Paris, kärlekens stad.

Åtta månader senare fick hon ett oroväckande brev från Fred Williams. Han började sina omsorgsfullt plitade rader med nyheter från Belvedere. Farmen blomstrade, och den nya boskapshjorden frodades. Billy Birdsong var till mycket stor hjälp med sina outtömliga kunskaper om naturen och elementen, som de ständigt slogs mot. Fred föreslog att Billy borde få högre lön, för han var nu den stolte fadern till tre barn.

Catriona log. Hon hade tyckt om aboriginen, och vid hennes korta besök på gården hade han tagit henne med ut i vildmarken och tålmodigt lärt henne massor om växter och djur. Så vände hon på papperet.

Poppy och Ellen arbetade kvar på puben, och grönsakerna sålde bra. Olyckligtvis hade Ellen blivit allt rastlösare. Hon klagade ofta på att hon hade tråkigt och saknade storstadslivet i Sydney. Utan att säga något till Poppy hade hon skrivit till sin make, Michael. Tydligen inbillade hon sig att han hade förändrats; avstånd kan ju få kärleken att växa. Hon hade talat om var hon fanns och bett honom komma och hämta henne.

Med hopknipna läppar läste Catriona resten av brevet. Michael hade kastat en enda blick på deras trevliga lilla stuga och genast bestämt sig för att stanna, och för Poppys skull hade Fred anställt honom för att sköta småsysslor på gården. Men då det visade sig att han var både opålitlig och tittade för djupt i flaskan fick han sparken.

Michael Cleary fick i stället jobb på puben, men snart ertappades han med att stjäla ur kassalådan och blev avskedad. Ett tag arbetade han i foderaffären innan han gav upp helt och övergick till att leva på Poppy och Ellen. Enligt Freds åsikt var han ett värdelöst fyllo med häftigt humör, och han var skyldig alla människor pengar.

Stackars Poppy skämdes för djupt för att berätta allt, men Fred hade sett blåmärkena, trots att Poppy och Ellen försökte dölja dem,

192

och förstått att allt inte var som det skulle. Nu ville Fred veta vad han skulle göra med Michael Cleary.

Catriona blev rosenrasande; rasande på Poppy för att hon inte hade berättat något, på Ellen för att hon varit så idiotisk och släppt in den gräslige karln i deras liv igen och på sig själv för att hon inte genast kunde fara dit och tala om för svinet vad hon tyckte om honom. Hon skrev till Fred att han skulle ta Michael i upptuktelse, hota med våld om så behövdes, men försäkra sig om att kvinnorna lämnades i fred. Sedan skrev hon till Michael själv och varnade för att hon skulle skicka polisen på honom om han någonsin krökte ett hår på Poppys eller Ellens huvud igen. Det sista brevet var svårast. Poppy var stolt, och då hon förstod att Catriona visste hur det stod till skulle hon göra sitt bästa för att förneka det. Men den lille pojken måste skyddas, så att inte fadern började ge sig på honom också. Catriona gjorde helt klart att hon tänkte ansöka om vårdnaden för Connor om våldsamheterna fortsatte.

Connor mindes inte när fadern slog honom första gången, och eftersom det skedde så regelbundet hade han kommit att acceptera det som normalt. Fadern behövde ingen förevändning, och ibland spelade det ingen roll om han var nykter eller berusad, på gott eller dåligt humör. Connor hade blivit hans strykpojke.

När Connor var fyra år gammal hade han lärt sig att hålla sig ur vägen för fadern, lärt sig att inte skrika av smärta och skräck då han slängdes hit och dit i den lilla stugan. På nätterna begravde han huvudet i kudden och grät tysta tårar medan det gjorde ont i kroppen och huvudet ekade av faderns förbannelser. Barndomen tog slut innan han fick en chans att upptäcka den.

Varje dag var han förbryllad och rädd, varje gång han hörde faderns steg på verandan fylldes han av fasa. Var stegen lätta, var han nykter och på gott humör? Eller var stegen tunga? Skakade hela huset då han smällde igen nätdörren och röt att han ville ha middag? Oftast var det det sistnämnda.

Tystnaden lade sig över köket då fadern stegade in stinkande av sprit och med en elak glimt i ögonen. Mormodern brukade krypa ihop och slå ner blicken medan hans mamma hastigt satte fram maten på bordet och sedan drog sig undan in i något mörkt hörn. Connor försökte göra sig osynlig och gömde sig i skuggorna. Han gav inte ett ljud ifrån sig och var på sin vakt, redo att ta till flykten. Det var som om

193

den lilla stugan höll andan i väntan på den första sparken, det första knytnävsslaget.

Modern försökte skydda honom, tog emot smörj och sparkar med sin misshandlade kropp där ett nytt liv växte. Mormodern skrek och tjöt och kastades omkring av hans knytnävar tills hon inte orkade resa sig från golvet mer.

En kväll då Connor stod där med uppspärrade ögon och såg mormodern bli misshandlad kände han ilskan välla upp. Han bestämde sig för att slå tillbaka.

Connors knytnävar såg så små ut när han började banka på faderns bastanta lår, och fadern tycktes inte ens märka att Connor skrek åt honom att sluta göra hans mormor illa.

Connor tystades av en hård spark. Stöveln träffade honom på hakan, och han slog i den murade kakelugnen. Allt började bli suddigt för honom. Han uppfattade att mormodern skrek och försökte slita bort fadern, han kunde urskilja en hög i ett hörn som var modern och blev långsamt medveten om att något varmt och klibbigt rann nedför hakan och halsen. Så blev det mörkt och tyst.

Då Connor nästa gång slog upp ögonen låg han i mormoderns famn. Hon sjöng för honom medan hon tvättade honom i ansiktet med en sval tvättlapp. Han kurade ihop sig i hennes kärleksfulla armar och längtade bara efter att det skulle sluta göra ont.

Året i Paris var nästan till ända. Föreställningen var slut, och Catriona hade just lämnat scenen då påklädaren räckte henne telefonen. "Det är från Australien", viskade han. "Låter viktigt."

Catriona tog luren. "Vad har hänt?"

Det var Fred. "En av boskapsskötarna hörde skrik från Poppys stuga och såg Michael störta ut och köra därifrån, så han gick in för att ta reda på vad som var å färde."

Det blev tyst en lång stund, och de atmosfäriska störningarna fick det att knastra på linjen mellan Belvedere och Paris. Catrionas grepp om luren hårdnade.

"Både Poppy och Ellen är helt blåslagna", upplyste Fred bistert, "men den här gången var det lille Connor som fick ta den värsta smällen."

Catriona blev alldeles kall av fasa. "Hur är det med honom?" frågade hon.

194

"Han är uppskakad och skrämd, och han kommer att få ett ärr på hakan där han blev sparkad."

Catriona kände tårarna rinna nedför kinderna och torkade snabbt bort dem. De skulle inte hjälpa Connor. "Behöver han komma till sjukhus?" undrade hon. "Jag betalar hur mycket det än kostar för att han ska få den vård han behöver."

"Doktorn har redan varit där och plåstrat om dem", försäkrade Fred, och rösten var sträv av rörelse. "Men kvinnorna vägrar att lämna huset. De är livrädda för vad Cleary skulle kunna ta sig till om han kommer tillbaka och upptäcker att de är borta."

Catriona skar tänder. Varför valde en del kvinnor att förbli offer? Varför sökte de inte skydd i stora huset hos Fred? Om hon fått bestämma skulle hon ha tagit emot det svinet med ett gevär i handen och inte dragit sig för att skjuta.

Fred harklade sig. "Michael Cleary förtjänar en dos av sin egen medicin", morrade han. "Jag vill ha ditt tillstånd att köra bort honom härifrån."

"Det har du", svarade hon.

Han redogjorde i korta drag för sin plan, och Catriona beundrade hans kallsinne. "Ring mig så snart det är över", sa hon kort.

Männen i Drum Creek samlades i rummet innanför foderaffären. Det var boskapsskötare, fårfösare och drängar, ägarna till små affärer i samhället och stamkunderna på puben. De hade alla kommit att tycka illa om Cleary, och han var skyldig de flesta av dem pengar, men det var inte pengarna som förde dem till foderaffären den kvällen utan den avsmak de kände för en man som hade misshandlat en gammal kvinna, en gravid kvinna och ett litet barn.

Pubägaren skickade bud om att Cleary var där och söp, och om de inte skyndade sig skulle han snart vara redlöst berusad. Männen lämnade foderaffären och gick tvärs över den breda landsvägen till puben. Cleary stod vid baren och skrek att han ville ha ett glas whisky till.

"Du har druckit din sista whisky här", tillkännagav Fred från dörröppningen.

Cleary vände sig om och stödde sig tungt mot bardisken. Ögonen var simmiga, och ansiktet blev rött av ilska. "Jaså", sluddrade han. "Var har du fått det ifrån?"

"Vi vill inte ha dig här, Cleary", ropade en av karlarna bakom Fred.

"Det här var ett trevligt litet samhälle innan du kom hit."

Cleary vajade till och ställde sig bredbent samtidigt som männen strömmade in genom dörrarna. "Jag ska slåss med er allihop", tjöt han så att saliven stänkte och höjde knytnävarna.

"Då är det på tiden att du får möta någon i din egen storlek", sa en av fårfösarna ilsket och lät orden följas av en högerkrok.

Cleary snubblade och skulle ha fallit om han inte hållits fast mot disken av pubägaren. De andra männen tog tag i honom och släpade ut honom på gatan. Där regnade slagen över honom, och han föll på knä medan han bönföll dem att sluta. En stövel träffade honom i sidan, och en annan tryckte ner hans ansikte i smutsen.

Cirkeln av karlar drog sig tillbaka. Under tystnad såg de honom kravla omkring i dammet och be om nåd. Ansiktet var illa tilltygat och ena ögat uppsvullet och blått. Snor och tårar rann nedför kinderna, och munnen hängde slappt av rädsla.

Fred ryckte upp honom på fötter. "Försvinn härifrån!" röt han. "Om du någonsin mer visar dig här i Drum Creek ska vi slå dig sönder och samman." Han knuffade Cleary mot pickupen. "Och om du slår barnet igen ska jag personligen ta hand dig!"

Ellen hade värkar, och Connor fick gå och lägga sig i det andra sovrummet med stränga order om att stanna där. Mormodern såg orolig ut, och för första gången hade hon varit kort i tonen. Han låg där och hörde modern skrika. Något gjorde henne illa, men han kunde inte förstå vad. Fadern hade ju inte återvänt.

Så hörde han ett underligt skrik. Det lät argt, men det var inte modern som skrek. Efter en evighet, kändes det som, dök mormodern upp i dörren, och hon log. "Kom, min ängel, och hälsa på din lillasyster", sa hon mjukt.

Connor gick in till modern och betraktade knytet i hennes famn. "Det här är Rosa", sa hon med matt röst.

Rosa var pytteliten med svart kalufs och rejäla röstresurser. Ansiktet var skrynkligt, och hon fäktade med händer och fötter som om hon var ilsken över att ha kommit till världen. Connor såg förundrat på henne och blev helt betagen. Han hade ingen aning om varifrån hon kommit eller varför hon var där, men från den stunden visste han att här fanns en till som han måste skydda mot fadern.

Han såg mormodern lägga ner Rosa i spjälsängen som han själv en gång sovit i och kröp ner hos modern. Försiktigt pussade han hennes misshandlade ansikte. Hon såg utmattad ut, men hon log och strök honom över håret och höll om honom en stund innan hon somnade. Så plötsligt slogs tystnaden och friden sönder av att ytterdörren brakade i väggen.

Connor vaknade med ett ryck, och av gammal vana gömde han sig under sängen. Modern började skrika, och Rosa stämde in. Michael Cleary utgjorde en fasansfull syn, täckt av blod och med ena ögat svullet och blått. Han var berusad och på djävulskt humör.

Connor kröp ihop då han såg faderns stövlar närma sig sängen. Modern hade slutat skrika och försökte lugna fadern medan mormodern försökte dra ut honom ur sovrummet. Hela tiden gastade Rosa för full hals. Hennes illtjut ekade i Connors huvud, och han ville få tyst på henne, för om hon inte slutade skrika skulle fadern säkert göra henne illa.

Michael Cleary stod där och vajade, höjde rösten och röt: "Se till att få tyst på ungen, annars slår jag ihjäl den!"

Då kom hans mormor skyndande genom rummet och tog upp Rosa. Connor drog sig längre in under sängen, och modern började snyfta.

Connor höll andan, hörde faderns stövlar knarra där han stod och vinglade fram och tillbaka. Om bara modern ville sluta gråta, tänkte han förtvivlat. Fadern avskydde att hon grät.

Utan förvarning kom slaget, ett enda knytnävsslag mot den försvarslösa Ellen som utdelades med all den styrka och ondska som Michael Cleary förmådde uppbåda. Utan ett ord samlade han sedan ihop sina ägodelar och försvann.

Fadern lämnade efter sig ett oroligt lugn som blandades med skräcken för att han kunde komma tillbaka. Trots alla Freds och Billy Birdsongs försäkringar var de ständigt på sin vakt. I varje ögonblick förväntade de sig att höra det tunga trampet av hans stövlar på verandan följt av att nätdörren slängdes upp.

Allt eftersom veckorna gick utan att Michael hördes av började Connor och de båda kvinnorna tro att de var fria från honom. Ändå skulle det gå åratal innan Connor slutade krypa ihop då han hörde höga ljud, åratal innan han vågade sova utan att ha lampan tänd.

14

När Michael försvann började Ellen vantrivas ute i obygden. Det var nästan som om hans våldsamma raseriutbrott hade satt krydda på tillvaron och gett livet spänning. Hon försummade barnen och lät Poppy sköta om dem medan hon själv satt på puben och dränkte sina sorger. Det var där hon träffade en tjusig handelsresande som hette Jack Ivory. Det var en stilig karl, med välsmort munläder och ett charmigt leende, som aldrig tycktes ha ont om pengar. Ellen var en kvinna som hade svårt att leva utan en man vid sin sida, och hon såg möjligheten att slippa ifrån det trista slitet som mamma och familjeförsörjare. Fast besluten att inte försitta chansen till en nytt liv kom hon hem till stugan och började packa. Efter ett häftigt gräl med många tårar och böner från Poppys sida gick Ellen sin väg utan att se sig om. Hon och Jack lämnade Drum Creek och hördes aldrig mer av.

Catriona blev sorgsen men inte särskilt förvånad då hon fick höra nyheten. Ellen hade alltid verkat ansvarslös och lättsinnig med dålig urskillning och förkärlek för fel sorts män. Men det var barnen Catriona tyckte synd om. Hur kunde någon mor vända ryggen åt en baby och en liten pojke som redan fått utstå så mycket?

Catriona fullgjorde sina åtaganden i London och New York. Tillbaka i Australien såg hon till att organisera livet så att hon kunde besöka Belvedere mer regelbundet. Poppy var för gammal för att orka uppfostra två små barn, trots att Billys fru hjälpte till varenda dag, och ändå hade hon tvärt avvisat Catrionas erbjudande om ekonomisk hjälp. Det verkade som om Poppy var fast besluten att både ta hand om barnen och arbeta.

Under åren som följde fann Catriona att hon mer och mer kom att se fram emot sina korta besök på Belvedere, och hon hade alltid med sig presenter åt barnen och makeup och parfym åt Poppy. Det kändes ljuvligt att kliva ur stadskläderna och de högklackade skorna för att i stället dra på sig jeans och lågskor och få andas frisk luft. När hon sedan återvände till Sydney kände hon sig utvilad och pigg och sugen på att jobba.

Det luktade nybakat bröd och möbelpolityr i den lilla stugan. Fönstren var gnistrande rena och trägolvet sopat. Genom bakdörren kunde Catriona se prydliga rader med grönsaker i den bördiga, röda jorden, och på klädstrecket fladdrade tvätten i den varma brisen. Poppy hade kommit hem från puben, där hon lagade enkel husmanskost åt gästerna. Lunchpasset var över, men hon skulle tillbaka senare för att laga middag. Det var tyst i huset, eftersom Connor och Rosa var i skolan.

Catriona tog en klunk te och tittade på sin gamla vän. "Jag kan bara stanna ett par timmar", sa hon beklagande, "för jag måste vara i inspelningsstudion i morgon bitti."

Poppy nickade. Håret var kortklippt och grått; det var länge sedan hon slutade färga det. Men trots att hon fyllt sjuttio bar hon kläder i starka färger och använde makeup, och de skrikiga örhängena blixtrade i solen som strömmade in genom fönstret. Hon brukade säga att hon kände sig naken utan dem. Ansikte och händer var solbrända efter allt trädgårdsarbete, men det märktes att hon var trött. Ändå verkade hon ha mer energi än många yngre kvinnor. "Du sliter ut dig med allt ditt flackande", svarade hon. "Tröttnar du aldrig?"

Med tanke på vad Poppy själv uträttade varje dag var hon inte precis rätt person att fälla den kommentaren, tänkte Catriona. "Jag avskyr att åka härifrån", medgav hon, "men jag har svårt att stanna länge på en och samma plats", tillade hon leende. "Jag är född att vara på resande fot. Det ligger i blodet."

Poppy bet i underläppen. "Ditt nuvarande liv skiljer sig en hel del från hur det var förr i tiden", påpekade hon. "Operavärlden är ju så exklusiv. Hur passar en flicka som du in?"

Catriona log. Några veckor senare skulle hon fylla fyrtioåtta, så hon var inte direkt någon flicka längre. "I början var det inte lätt. En del av flickorna på musikkonservatoriet gjorde narr av mitt sätt att tala och av mina kläder, och de gjorde sig lustiga över att mamma var servitris. Jag fick helt enkelt försöka påminna mig om varför jag var där, vad det kunde leda till och koncentrera mig på min uppgift. Jag slet hårt med taltekniken och sög i mig all bildning jag kunde få." Hon skrattade. "Jag fick tidigt lära mig att en sopran helst inte bör sjunga i näsan."

"Men framgångarna har inte förändrat dig", sa Poppy. "Du är lika

199

söt och rar som du alltid har varit, och jag skulle nästan säga oskuldsfull, om jag inte visste bättre." De blekblå ögonen glittrade muntert. "Jag kan slå vad om att de andra flickorna är gröna av avundsjuka för att det har gått så bra för dig."

Catriona betraktade sina välskötta naglar och ringarna som gnistrade på fingrarna. "Under årens lopp har jag samarbetat med de flesta av dem i en eller annan uppsättning, och det var inte alla som fortsatte med sången. En del gifte sig och fick barn och kunde inte flacka runt i världen, och det visade sig att de var trevliga så snart de kom ifrån Emily Harris dåliga inflytande."

"Jag minns att du har berättat om den elaka kattan", sa Poppy och började duka av bordet. "Hur gick det för henne?"

"Stackars Emily bemästrade aldrig de riktigt höga tonerna. Det sista jag hörde om henne var att hon hade blivit primadonna i en amatörmässig operettensemble som finansierades av hennes pappa." Catriona satt tyst en stund. "Men hur går det för dig då? Frågar Connor fortfarande efter Ellen?"

Poppy gjorde en grimas. "Det är bara bra med både mig och barnen. Connor frågar inte längre efter henne, och varför skulle han det? Ellen har varken skrivit eller ringt sedan hon gav sig av, och Rosa minns henne över huvud taget inte." Ilsket lade hon armarna i kors. "De har det mycket bättre utan henne."

Samtalet avbröts av ljudet av galopperande hästar. Catriona sköt stolen bakåt och rusade till dörren. Connor och Rosa hade kommit tillbaka från skolan på sina ponnyer. Rosa hoppade ner från den lilla hästen och kastade sig i famnen på Catriona som var nära att tappa balansen. Connor höll sig som vanligt blygt i bakgrunden med en vaksam blick i de nötbruna ögonen.

Catriona skrattade då åttaåriga Rosa släpade in henne i stugan på jakt efter presenterna som hon visste fanns där. Flickan var mörkhårig med bruna ögon och ett okynnigt leende som var oemotståndligt. Catriona log uppmuntrande mot Connor. "Jag har något åt dig med", sa hon.

Rosa slet av papperet under upphetsade skrik medan brodern tyst stod och såg på med hatten neddragen i pannan. Catriona betraktade honom eftertänksamt. De senaste månaderna hade han skjutit i höjden och blivit gänglig, men han verkade frisk och började få muskler. Trots att han bara var tolv år gammal kunde man se att han skulle växa upp till en stilig karl. Om han bara inte vore så blyg, tänkte hon sorgset och räckte honom ett stort paket. Hans svin till pappa och Ellen hade mycket att stå till svars för.

Connor sken upp då han fick se sadeln. Den var handgjord i Spanien, och sadelknappen hade silverinläggningar. Det var en dyrbar present, men Catriona hade inte vetat vad annat hon skulle köpa. Det var alltid svårare att hitta på något till pojkar.

"Tack så hemskt mycket!" utbrast han med blicken skinande av glädje. "Får jag prova den med en gång?"

Catriona nickade. "Det är klart att du får."

Med förtjusta utrop tog Rosa upp små klänningar och en docka ur asken. "Har du sett, mormor!" skrek hon. "Hon har riktigt hår och ögonfransar och mamelucker!"

Catriona log åt hennes förtjusning och gick sedan ut på verandan för att titta på Connor. Han började bli för stor för ponnyn, upptäckte hon då han satt upp i den nya sadeln. Han använde inte stigbyglarna längre utan lät sina långa ben hänga och dingla nedanför den runda lilla ponnyns mage. Hon skulle tala med Fred och be honom se till att Connor fick en större häst.

Han vände sig om och log mot henne, ett tillgivet leende som fick hjärtat att smälta. Som hon älskade dessa barn och önskade att de vore hennes. Hon drog koftan tätare om sig och lade armarna i kors. Hon började visst bli sentimental på gamla dar. Hon fick helt enkelt lov att acceptera att de var Poppys barnbarn, och hon borde verkligen inte skämma bort dem så förskräckligt.

Poppy bryggde en ny kanna te, och medan barnen var upptagna med sina presenter berättade hon för Catriona hur bra det gick för Rosa i skolan. "Den ungen har minsann huvudet på skaft, fast det vete gudarna var hon har fått det ifrån." Ögonen lyste av stolthet. "Hon klarar allt med glans, och lärarinnan säger att hon är den intelligentaste elev hon haft på länge."

"Och Connor?"

Poppy ryckte på axlarna. "Han är inget snille, men det betyder inte att han är dum heller", påpekade hon. "Han är duktig med sina händer, och han tänker igenom saker och ting tills han begriper hur allt hänger ihop." Hon tog en klunk te, höll om koppen med sina knotiga, förvärkta fingrar. "Han pratar redan om att sluta skolan, för han vill börja rida in hästar."

"Men det är ett farligt jobb, och han är på tok för ung", protesterade Catriona. "Du måste övertala honom att inte sluta. Det är viktigt att han får en gedigen utbildning."

"Försök säga det till honom, så får du se hur gott det är", svarade Poppy. "Pojken har bara en tanke i huvudet, och det är hästar." Det blev tyst en lång stund, och sedan återtog hon lågmält: "Du kan inte klandra honom för det. Connor vet att hästarna aldrig kommer att svika honom. De är inte som människor."

I flygplanet tillbaka till Sydney hade Catriona mycket att tänka på.

*

Harold Bradley dog i sömnen en kort tid efter sin sjuttiofemårsdag. Han begravdes bredvid sin fru på den lilla kyrkogården i Atherton. Sonen, Charles Bradley, röjde i stugan och delade upp de fåtaliga värdesaker som fanns mellan sig och sina systrar. Stugan skulle säljas eftersom Charles hade blivit befordrad och skulle flytta till Sydney, där han fått en tjänst som kriminalkommissarie.

Han gick omkring i de nästan tomma rummen och tänkte på alla timmar han tillbringat där tillsammans med fadern. De hade haft en bra och nära relation, och han hoppades att hans egen son Tom tyckte detsamma om deras relation. Pojken började bli vuxen och skulle snart fylla nitton.

Charles log då han satte sig i den gamla gungstolen som fadern för länge sedan hade ställt ut på verandan. Det hade varit där fadern helst satt, och Charles hade inte svårt att förstå varför då medarna knarrade mot golvplankorna. Han hade utsikt över trädtopparna och kunde också se ner i dalen, och trots att han var glad över att flytta till Sydney så skulle han sakna friden och skönheten i den tropiska norden. Det var Guds eget land, den plats där han vuxit upp och dit han återvänt efter kriget. Han hade plockat upp bitarna av sitt liv här, gift sig och fått en son. Den hektiska och brusande storstadstillvaron i Sydney skulle verka främmande.

Charles satt kvar tills solen började gå ner och himlen såg ut att brinna. Då sträckte han sig efter lådan med papper och vred om nyckeln i dörren för sista gången. Så gick han grusgången fram till grinden och satte sig i bilen. Han ställde lådan på passagerarsätet och undrade varför han sparade alla dessa gamla dossierer om fall som fadern funnit intressanta. Egentligen var det nog lika bra att bränna dem.

Ändå ville han ogärna förstöra vad som fanns kvar av det sätt att leva som fadern representerat. Han mindes historierna om hotellet, den saknade ryssen och engelsmannen, och hade till och med varit där uppe och sett sig omkring. Numera var huset helt förfallet, men Charles visste att det olösta mysteriet med de människor som en gång bott där hade bekymrat fadern ända in i döden.

Han satt i bilen och stirrade ut medan mörkret lade sig. Hotellet var på väg att rasa samman, men minnena kunde fortfarande få honom att rysa. Det hade varit mängder av rykten i svang, och i likhet med de flesta rykten fanns det nog ett korn av sanning i dem. Det påstods att det vilade en förbannelse över huset, och efter sitt sista besök hade han inga svårigheter att tro det.

Det ursprungliga huset hade byggts i slutet av 1800-talet av en förmögen farmare. Det var en skotte som blivit rik och ville spela herreman. Huset var nästan klart, och han höll på att inspektera det då den enorma kristallkrona som han hade importerat från Europa plötsligt ramlade ner. Döden hade varit ögonblicklig.

Det upptäcktes senare att taket inte var dimensionerat för den tunga kristallkronan, och Charles misstänkte att byggmästaren hade fuskat för egen vinnings skull.

Innerst inne trodde Charles att det bara var en tragisk olycka, men huset såldes flera gånger i rask följd, och det verkade som om ingen ville stanna i mer än några månader. Så köptes det av Dmitrij, som lade ner mängder av pengar på det och gjorde om det till hotell. Sedan hade ryssen, hans gode vän Kane liksom kvinnan och barnet bara gått upp i rök. Vilade det en förbannelse över huset, eller fanns det en ännu otäckare förklaring?

Charles startade motorn och körde långsamt i väg. Han var realist och satte inte alltför stor tilltro till rykten och spekulationer. Ändå avskydde han ouppklarade fall precis lika mycket som fadern hade gjort. Kanske skulle de tekniska framsteg som skett under de senaste årtiondena göra det möjligt att få fram sanningen. Det vore en fin gåva till faderns minne att lösa fallet en gång för alla.

*

Adoptionslagarna hade ändrats ytterligare, och efter alla års letande skulle Catriona äntligen få veta vad som hänt med dottern.

Clemmie hade kommit över med den trave papper som John sammanställt och satt bredvid henne i lägenheten i Sydney. "Ta god tid på dig", rådde hon. "Det är en hel del att gå igenom, och jag måste varna dig för att allt inte är trevlig läsning."

Catriona nickade. "Jag är alldeles till mig, och jag känner mig både förväntansfull, nervös och rädd för vad jag ska få veta."

Clemmie klappade henne på handen. "I mina öron låter det som rampfeber", sa hon mjukt. "Gör på samma sätt som inför en föreställning och utnyttja energin positivt, så blir du stark."

Catriona log mot väninnan, drog ett djupt andetag och började läsa.

Sjukhusjournalen visade att hennes lilla baby hade fått stanna på sjukhuset tills hon började gå upp i vikt. Några veckor senare placerades hon på ett barnhem alldeles i närheten. Det skar Catriona i hjärtat då det gick upp för henne att flickan funnits så nära utan att hon hade vetat om det. Velda hade ljugit då hon sa att babyn redan var bortadopterad.

Barnet hade döpts till Susan Smith, ett vanligt, enkelt namn som inte sa något om hennes personlighet eller bakgrund. Hon var kvar på barnhemmet i ett och ett halvt år. Enligt föreståndarinnan var flickan sjuklig och grät jämt. Adoptivföräldrar ville ha knubbiga, glada barn, och därför var utsikterna att hitta ett hem åt henne inte särskilt stora.

Catriona mindes hur tomt livet hade känts under de första månaderna, hur drömmarna varit fyllda av ett barn med skrattande ögon och pyttesmå händer och fötter. Om hon bara fått chansen att ta hand om sin lilla flicka och älska henne skulle hon säkert inte ha gråtit.

Så småningom blev Susan adopterad av ett medelålders par som hade en stor boskapsfarm söder om Darwin i Northern Territory. Hon bodde hos dem i tio år, tills tragedin drabbade. "Herregud!" viskade Catriona och tog upp tidningsurklippet. En våldsam skogsbrand hade rasat, och Susan hade räddats av en boskapsskötare som sedan fått tapperhetsmedalj. Men bägge adoptivföräldrarna omkom, och Susan var ensam igen. Eftersom ingen annan familj ville ta hand om henne skickades hon tillbaka till barnhemmet.

"Den stackaren måste ha känt sig så övergiven och förvirrad", mumlade Clemmie.

"Det svider i hjärtat när jag tänker på det", sa Catriona. "Vi stod helt ensamma i världen båda två men hölls åtskilda av byråkrati och bestämmelser. Om allt ändå hade varit annorlunda!"

"John har grävt en hel del i gamla arkiv, och han är förfärad över att många institutioner har hållit sina akter och dossierer så hemliga", berättade Clemmie. "Han börjar bli gammal och skröplig, men efterforskningarna håller åtminstone hjärnan i gång."

Catriona återgick till papperen. Susan Smith hade inte blivit adopterad igen. Ingen ville ha en tioåring, särskilt inte mitt under brinnande krig. Så hon placerades hos en rad olika fosterfamiljer, som fann henne både egensinnig och trotsig även om hon var ovanligt intelligent. När det blev dags för henne att utnyttja det stipendium hon fått till en privatskola och lämna det sista fosterhemmet gjorde hon det utan saknad.

"Det var det det", suckade Catriona, "och jag lär väl aldrig få veta vad som blev av henne." Hastigt räknade hon efter. "Hon måste vara trettiofem år gammal nu, och hon kanske till och med har egna barn."

"Du vet ju att John aldrig ger upp, och dessutom har han lärt sig att tackla myndigheterna", sa Clemmie och räckte fram några prydligt maskinskrivna papper.

Catriona läste igenom dem, och när hon var klar såg hon brett leende på Clemmie medan tårarna strömmade nedför kinderna. "Han har hittat henne!" utbrast hon. "Äntligen får jag träffa henne."

"Nej!" invände Clemmie skarpt. "Det vore ytterst oklokt. Hon har sitt eget liv nu, och det är dumt att gräva upp det förflutna. Hon tror säkert att du lämnade bort henne för att du inte ville ha henne. Gud vet vad de sa till henne på barnhemmet eller då hon bodde i fosterhem." Clemmie lade tröstande handen på Catrionas arm. "Hon vill inte träffa dig, tro mig, och jag vill inte att du ska lida mer."

"Men jag måste försöka", envisades Catriona och började gå fram och tillbaka i rummet. "Förstår du inte? Jag kan inte låta min dotter tro att jag övergav henne frivilligt." Hon körde ner händerna i byxfickorna. "Jag måste få tala med henne och förklara att jag själv bara var ett barn och inte hade något att säga till om."

Fylld av fasa såg Clemmie på henne. "Och hur ska du tala om att hon är resultatet av en våldtäkt? Tror du verkligen att hon skulle må bra av att få veta det? Det är knappast något att skryta om."

Catriona kände sig villrådig. "Men jag kan inte ge upp nu när jag är så nära." Hon slog upp en stor whisky åt sig och tog en klunk. "Jag måste inte berätta allt", sa hon slutligen som svar på Clemmies tysta ogillande. "Jag säger att jag var ovanligt försigkommen och blev med barn efter en kort romans."

"Hon kommer att tro att du var lättfärdig", påpekade Clemmie stelt. "Du var ju bara tretton!"

"Då får jag väl ljuga. Hitta på en historia."

"Det är inte bästa sättet att inleda en relation", sa Clemmie strävt.

"Varför agerar du djävulens advokat?"

Clemmie reste sig och slog armarna om Catriona, höll om henne hårt medan snyftningarna rev och slet. "För att jag älskar dig. Du är min bästa vän, och jag vill varken att du ska göra dig själv eller din dotter illa." Hon drog sig ur omfamningen och strök några långa, svarta hårslingor ur ansiktet på Catriona. "Du kanske inte kan träffa henne, men det finns andra sätt."

Catriona snöt sig och torkade ögonen. Så drack hon ur whiskyn och ställde ner glaset på det låga bordet intill bunten med fotografier som John också hade skickat med. Hon tog upp dem, sög i sig bilden av den unga kvinna som hon inte sett sedan den stund hon föddes. "Du har rätt som vanligt. Vad skulle jag ta mig till utan dig?"

De båda kvinnorna gav varandra en kram och Clemmie lämnade Catriona ensam för att hon skulle förbereda sig för kvällens föreställning. Men Catriona hade inte en tanke på att uppträda den kvällen. Hon ringde till konservatoriet, och för första gången i hela sin karriär spelade hon sjuk och sa att hon hade ont i halsen. Producenten blev inte glad, men det kunde inte hjälpas; hon hade inte missat en föreställning på trettio år, så det var på tiden. Dessutom, resonerade hon, snurrade det så i huvudet att framförandet skulle ha blivit lidande.

Medan mörkret sänkte sig över Sydney och lamporna tändes blickade hon ut på den magnifika byggnad som reste sig ur gruset på Circular Quay. Operahuset stod nästan färdigt och var ett under av fantasifullhet, så olikt både det gamla stadshuset och konservatoriet. Hon avundades de sopraner och kontraaltar som skulle debutera där.

Till slut vände hon sig bort från fönstret och slog sig ner vid den antika sekretären. Den var full av operaprogram och affischer, brev från beundrare, dirigenter och kollegor. Hon kunde känna sig lyckligt lottad, tänkte hon. Visserligen hade hon aldrig gift om sig och inte heller fått uppleva lyckan att uppfostra sina egna barn, men allt annat hade hon uppnått. Hon hade Belvedere och Poppys barnbarn, en strålande karriär och tillräckligt med pengar för att kunna dra sig tillbaka och leva gott. Ändå kändes livet tomt om hon inte fick dela det med sitt enda barn.

Efter att länge ha suttit och tänkt började hon skriva det brev som hon hoppades skulle leda till att hennes sista dröm gick i uppfyllelse.

15

Efter att ha tjatat i flera år fick Connor äntligen vara med och driva ihop vildhästar. Det överträffade allt han någonsin upplevt, och varje ledig stund höll han till vid paddocken och såg Billy Birdsong tämja de vilda, vackra hästar de drivit ihop. Mormodern klagade över att han aldrig var hemma och att skolarbetet blev lidande, men det struntade han i. Det var så här han ville leva, omgiven av djur, häst- och boskapsskötare, fri på de vidsträckta vidderna och delaktig i livet på Belvedere.

Connor betraktade längtansfullt fuxen då Billy ledde in den i paddocken. Den var inte särskilt stor men rörde sig stolt med flygande man och svans, och den vita bläsen avtecknade sig skarpt mot dess rödbruna hårrem. Connor noterade att det var en valack och såg märket på bakdelen. Det var inte en riktig vildhäst, utan den hade vid något tillfälle rymt från Belvedere och anslutit sig till vildhästarna.

Hästen var rasande över att befinna sig i fångenskap och försökte ta sig ut ur paddocken, sparkade upp sand, fäktade med hovarna i luften och skriade i protest. Connor satt på staketet och såg Billy tämja hästen. Det var som en sorts dans, ett långsamt, nästan sensuellt samspel mellan människa och djur. Hästen var vild och trotsig, och mannen var på sin vakt och lurade likt en siren hästen till underkastelse med sin mjuka röst. Connor satt som förtrollad, fast besluten att bli hästtämjare precis som Billy.

Det hade inte tagit lång tid för Billy att åter vänja hästen vid känslan av att ha en sadel på ryggen. Till sist satt han upp och kortade tyglarna då hästen konstrade. Grinden öppnades, och man och häst for som ett skott ut ur paddocken. Connor såg den hektiska galoppen över slätten och väntade. Och mycket riktigt, en timme senare kom de tillbaka i långsam trav.

Aboriginen log med hela ansiktet och gled ner från hästens rygg.

"Den är din", sa han, "och jag tror ni passar bra ihop."

"Är det verkligen sant?" viskade Connor. Långsamt sträckte han ut handen, och med sin mjuka mule nosade hästen honom i handflatan. "Du är vacker", andades han, "så vacker."

"Frun sa att du var för stor för ponnyn", förklarade Billy och räckte över tyglarna.

Connor skrattade då hästen puffade honom på axeln och nafsade efter håret. Han strök den över bläsen och det stolta huvudet. "Jag tänker kalla den Blixten", sa han.

Fred kom fram till Connor då han ledde hästen över stallbacken. Han sköt upp den fettfläckiga hatten på huvudet och torkade sig i pannan. "Varför är inte du i skolan?" frågade han.

"Skolan är trist", svarade Connor. "Jag är nästan tretton, och jag vill arbeta med dig och Billy."

Fred log så att hela ansiktet skrynklades ihop. "Du duger bra", sa han släpigt, "men det är frun som bestämmer. Hon vill att du ska kunna läsa och skriva ordentligt."

Connor visste när han var slagen, och Catriona och mormodern var obönhörliga. Han fick börja arbeta då han hade fyllt tretton, men inte en dag tidigare. "Det är orättvist!" muttrade han och sparkade med stöveln i dammet.

"Sånt är livet, pojk", konstaterade Fred muntert. "Men det är ju bara några veckor kvar tills du fyller år, så sluta gnälla. Stick i väg och hämta din syster efter skolan nu."

Connor svingade sig upp i sadeln och fattade tyglarna. Blixten spetsade öronen och stampade med hovarna i marken, otålig att få sträcka ut. Där Connor satt på Blixtens rygg och kunde titta ner på karlarna kände han stoltheten välla upp. Det var hans första stora häst, och inte vilken som helst heller! Rosa skulle bli grön av avund. Han red runt i en cirkel, gav ifrån sig ett upphetsat tjut och lät Blixten få fria tyglar. Tillsammans red de i sporrsträck över slätten mot det lilla samhället Drum Creek.

Skolan var en låg träbyggnad omgiven av träd. Längs framsidan löpte en bred veranda under ett plåttak, och på baksidan fanns en hage som användes som lek- och idrottsplats. Barnen bar inte uniform utan gick i sina vanliga kläder, mestadels snickarbyxor, mollskinnsbyxor eller jeans. Fotbollsmålen reste sig höga i det bleka gräset, och planens ytterkanter var markerade med krita. I hagens ena hörn syntes gungor, klätterställning och en basketkorg. Det fanns fyra klassrum, vart och ett utrustat med enkla bänkar och stolar, en svart tavla och en stor världskarta. Takfläktar vispade runt den heta luften på sommaren, och om vintern tände man en stockvedsbrasa på härden.

För barn som bodde långt ut på avsides belägna farmer fanns radioskolan, och skolan i Drum Creek var till för dem som bodde närmare. De flesta barnen var söner och döttrar till människor som ägde stora får- och boskapsfarmer i närheten, och de gick här de första sex åren. Sedan fortsatte de sin utbildning på internatskolor i städerna eller läste vid radioskolan ett tag. I Drum Creek sköttes undervisningen av mr och mrs Pike och deras ogifta dotter plus en ung och mycket attraktiv kvinna som nyligen hade flyttat dit från Adelaide för att undervisa de yngsta eleverna. De ogifta männen i området var stormförtjusta, och mr och mrs Pike undrade hur länge det skulle dröja innan de förlorade henne.

Då Connor närmade sig skolan saktade han ner till skritt. Han hade fått beundrande blickar av dem han mött på vägen och ville visa sig på styva linan för systern. Han höll in hästen vid spjälstaketet som omgav skolgården och väntade otåligt på att det skulle ringa ut. Under träden stod många ponnyer med hopbundna framben – de flesta barnen red till skolan, gjorde den långa ritten fram och tillbaka i mörker – men ingen av dem kunde jämföras med Blixten.

Då klockan genljöd i sommareftermiddagens stillhet slogs dörrarna upp, och barnen strömmade ut på gården. De yngsta rusade runt och skränade som rosenkakaduor medan de återupptog sina lekar sedan förra rasten. De äldre var lugnare men lika ivriga att komma ut i friheten. Pojkarna sparkade boll ett tag och brottades lite i dammet innan de sadlade sina ponnyer och red hemåt. Flickorna lindade armarna om varandra, skvallrade och fnissade medan de kastade beundrande och avundsjuka blickar på Connor och hans nya häst.

Det blev tyst på skolgården. Connor väntade. Som vanligt syntes inte ett spår av Rosa. Han skulle just till att sitta av för att gå och leta rätt på henne då hon kom ut ur skolhuset, arm i arm med sin bästa vän Belinda Sullivan. Connor suckade irriterat. "Kom!" ropade han så högt att Blixten ryckte till. "Du är sen, och mormor väntar."

Rosa och Belinda fnittrade. Flickorna hade blivit goda vänner redan första dagen i skolan. Bägge var klädda i snickarbyxor, men där slutade likheten. Rosa var liten och slank med kortklippt brunt hår

210

som glittrade kastanjerött i solen. Belinda var längre och lite knubbig med mörklockigt hår som hon bar i långa flätor. Båda flickorna avgudade hästar, hundar och allt som man blev smutsig av eller fick skällning för. Så fick de syn på hästen och kom springande. "Var har du fått hästen ifrån?" frågade Rosa.

Belinda stod där och stirrade på Connor i stum beundran, och han rodnade. Han antog att det var smickrande att vara föremål för dyrkan, men han kände sig bara generad och var tacksam för att inga av de andra pojkarna fanns i närheten. "Jag fick den av Billy", svarade han med utstuderad nonchalans.

"Det är orättvist!" utbrast Rosa. "Varför ska du få en sådan fin häst när jag måste rida gamla Dolly?"

"För att du är ett barn", sa han och undvek Belindas avgudande blick.

"Det är jag inte alls!" protesterade Rosa och stampade med foten i marken. De mörka ögonen blixtrade, och det lilla ansiktet blev rött av ilska. "Jag är nästan nio."

"Inte än på några månader", påpekade han. "Sätt fart nu! Jag är hungrig."

"Får Belinda följa med?"

Han kastade en blick på flickan. Hon låg ofta över, och han började bli trött på att ha henne i hälarna. Han skakade på huvudet. "Kanske i morgon."

"Varför inte i dag?" envisades Rosa. "Mormor har inget emot det."

Belinda löste Connors dilemma genom att gå och hämta sin ponny. Då hon kom tillbaka log hon rart mot honom och vinkade adjö.

"Skynda på!" sa Connor otåligt till systern.

"Ja, ja." Rosa stegade i väg och sadlade Dolly. Så satt hon upp och manade på den lilla ponnyn för att försöka hinna ifatt brodern.

Det var bara en timmes ritt till stugan, och inom några minuter tjatade Rosa om att få rida på Blixten. Connor höll ut ett tag innan han gav efter. Han hade aldrig kunnat neka sin lillasyster någonting, och trots att hon kunde vara en riktig retsticka älskade han henne. Så med Rosa i sadeln framför honom och ponnyn i grimskaft efter red de hemåt medan Rosa glatt pladdrade på om allt mellan himmel och jord.

De närmade sig stugan, och Connor höll in Blixten. Dörren var stängd, och det luktade bränt. Han svingade sig snabbt ur sadeln, band hästen vid staketet och skyndade grusgången fram. Rosa hoppade ner på marken och följde efter.

Connor störtade in genom ytterdörren och tvärstannade. Stugan var full av rök. "Stanna där!" beordrade han Rosa. Han drog upp snusnäsduken för munnen och näsan och trevade sig ut i köket. "Mormor! Mormor, var är du?" skrek han samtidigt som han hostade. Röken var tjock och hade en smak av metall. Han fick svårt att andas, och det sved i ögonen. Utan att se något tog han sig genom köket och slängde upp bakdörren och fönstren.

"Mormor!" skrek Rosa från ytterdörren. "Var är mormor?"

Connor kunde inte se mycket, men då röken skingrades och han såg att mormodern inte fanns i köket kände han en outsäglig lättnad. Men vart hade hon tagit vägen? Hon hade alltid teet färdigt då de kom hem från skolan. Vilt tittade han sig omkring i köket medan röken vällde ut genom dörren och fönstren. Orsaken till rökutvecklingen var att en kastrull, som fått stå och koka torr på vedspisen, hade fattat eld. Han fick tag i en grytlapp och drog kastrullen av elden, satte ner den i vasken och spolade i vatten. Det hade blivit ett stort hål i botten av kastrullen, och resterna av förkolnad köttgryta hade bränt fast på insidan.

"Var är mormor?" Rosas ögon var enorma i det lilla ansiktet där hon stod i dörröppningen.

"Jag vet inte. Kom, vi måste ut härifrån." Han tog systern i handen och ledde ut henne på den bakre verandan. Rosa hostade våldsamt, och själv kunde han knappt andas och än mindre bli av med den äckliga smaken i munnen.

Då de steg ut på verandan fick han syn på något genom rökmolnet. Han tittade igen, och känslan av att allt inte stod rätt till blev starkare. "Stanna här!" uppmanade han Rosa och rusade nedför trappan och fram till klädstrecket längst bort i trädgården.

De nytvättade lakanen fladdrade fram och tillbaka över den lilla orörliga gestalten likt väldiga, flaxande vingar, och runt omkring henne var klädnyporna utspridda och korgen låg uppochner.

"Mormor?" Connor störtade fram, men redan innan han hade rört vid henne förstod han att hon var död.

Rosa skrek, och han vände sig snabbt om och tog henne i famnen, skyddade henne mot den ohyggliga synen av mormoderns gapande mun och tomt stirrande ögon.

"Vad är det för fel med henne? Varför ligger hon i trädgården?" snyftade Rosa.

Connor försökte trösta systern, men hennes skrik och snyftningar återuppväckte skräckminnen från barndomen, och han hade fullt sjå att hålla tillbaka sina egna tårar. "Hon är hos änglarna i himlen", svarade han till sist. Lakanen smällde och slog i brisen och påminde om en flygande rovfågel, men den tanken skulle han behålla för sig själv. Systern var tillräckligt uppskrämd ändå.

Rosa klängde sig desperat fast vid honom. "Du tänker väl inte försvinna upp till himlen?" frågade hon bönfallande. "Lova mig det!"

"Jag lovar", sa han med ostadig röst, men det kändes som om hjärtat skulle brista då han lyfte upp lillasystern och insåg att han var den ende hon hade i hela världen. Han måste vara stark, ta hand om Rosa och hålla sitt löfte att aldrig lämna henne.

Catriona befann sig i Brisbane där hon repeterade *Tosca*. Operan skulle framföras i det fria på South Bank för att fira nationaldagen. Repetitionerna hade pågått i tre månader, och det var bara två veckor kvar till premiären.

Catriona tog handväskan och försökte släta till skrynklorna i den rakskurna klänningen. Linne var alltid ett misstag, det hade Brin ofta varnat henne för, men hon hade sett klänningen i ett skyltfönster och inte förmått stå emot. Så stack hon fötterna i de högklackade skorna. De klämde i tårna, och hon såg fram emot att få ta dem av sig.

Det var inte långt att köra till den hyrda lägenheten, men Catriona var trött, och för första gången kände hon av sin ålder. Nu var hon åtminstone ledig i några dagar, tänkte hon medan hon styrde genom eftermiddagstrafiken mot de norra förstäderna. Och när generalrepetitionen var över skulle hon få två dagar ledigt före första föreställningen.

Catriona svängde in bilen genom de automatiska grindarna och parkerade. Lägenheten var inrymd i ett låghus med utsikt över en terrass med swimmingpool och en lummig park. Hon steg in i svalkan i hallen och stängde dörren efter sig, sparkade av sig skorna, tog posten och tassade in i vardagsrummet där hon sjönk ner på soffan.

Ljudet av barn som lekte i poolen hördes in i lägenheten, och hon slöt ögonen. *Tosca* var den mest krävande av alla operor: dramatisk, mörk och fylld av passion. Trots att hon sjungit rollen förut och betraktades som sin generations största Floria började det hektiska tempot kännas ansträngande, och efter så många år i branschen hade hon förlorat suget efter att stå i rampljuset.

Catriona slog upp ögonen. Var det därför hon kände sig trött hela tiden? Var det därför rösten inte längre tycktes lika klar? Hon reste sig och gick fram till fönstret, drog ifrån de tunga draperierna för att släppa in solen och kunna blicka ut över poolen. Förändringen i rösten var hårfin och så omärklig att det hittills bara var hon själv som hade upptäckt den, men hon visste. Hon hörde den var gång hon kämpade för att nå den fulländning som hon förr i tiden klarat utan minsta ansträngning. "Hur lång tid har jag kvar?" viskade hon för sig själv.

Hon lämnade fönstret och gick ut i köket för att brygga en kopp te, men tankarna fortsatte att mala. Livet som operasångerska var aldrig lätt, och hon hade haft tur, men hur länge till skulle hon kunna hålla sig kvar på toppen? Konkurrensen var stor från andra sopraner som den temperamentsfulla Maria Callas, drottninglika Joan Sutherland från Australien liksom den nyzeeländska sopranen Kiri Te Kanawa, som just hade spelat in sin första skiva.

Catriona drack teet och stirrade ut i tomma intet. Hon var fortfarande primadonna, respekterad, älskad och eftersökt, men hur länge skulle det vara? Hon var nästan femtio, och eftersom hon börjat vid så unga år skulle rösten snart svika henne. Vad skulle hon då ta sig för? Tanken på att lämna scenen skrämde henne. Vad skulle hon göra med sin tid? Belvedere var hennes hem, och hon längtade alltid dit. Men hon var tillräckligt realistisk för att inse att den lugna lunken på farmen skilde sig starkt från det hektiska storstadslivet och operans dramatiska värld. Hur länge skulle det dröja innan hon tröttnade på de ändlösa vidderna och det dagliga knoget på en boskapsfarm?

Kanske kunde hon pendla? För pengar som hon skänkt hade en ny musikakademi byggts i Melbourne. Den delade ut stipendier till fattiga studenter, och hon kunde undervisa och hjälpa dem att utveckla sin talang. Men hon skulle sakna rampljuset, adrenalinet som flödade då man stod på en jättelik scen framför en uppskattande publik. Hon kunde naturligtvis spela in skivor och göra gästframträdanden, men det skulle inte vara samma sak. Catriona hade alltid trott på allt eller inget. Om hon drog sig tillbaka skulle det vara slutgiltigt, måste vara det. Hon hade ingen lust att bli en avdankad primadonna som fortsatte att sjunga långt in på ålderns höst och tog vilka roller som helst bara för att få stå på scenen.

Catriona blinkade och sköt ifrån sig de dystra tankarna. Än hade det inte gått riktigt så långt. Hon skulle snart uppträda som den stora stjärnan i *Tosca*, hennes mest berömda roll, och hon hade inte erbjudits den av medlidande. Hon var bara trött och behövde vila upp sig, och eftersom hon var ledig i några dagar funderade hon på att flyga till Belvedere och hälsa på Poppy. Hon såg fram emot att få träffa henne igen, för det senaste besöket hade varit alldeles för kort.

Posten låg på bordet där hon lagt den, och hon bläddrade tills hon hittade ett brev som såg intressant ut. Adressen på det stora kuvertet var skriven med en handstil som hon inte kände igen, och det var eftersänt från lägenheten i Sydney. Hon rev upp det.

Hennes eget brev ramlade ut. Det låg i sitt kuvert men var öppnat. Catrionas händer började skaka. Det fanns inget meddelande, och hon stirrade på handstilen, undrade om hennes brev hade blivit läst från början till slut eller om det bara ögnats igenom. Men det faktum att brevet skickats tillbaka sa tydligare än några ord att dottern inte ville ha något med henne att göra.

"Jag vägrar att ge upp efter att ha väntat och letat i så många år", förkunnade hon högt i tystnaden. "Jag ska skriva ett brev till och ytterligare ett tills hon tröttnar på att skicka tillbaka dem. Till slut kanske nyfikenheten får henne att läsa ett."

Telefonen avbröt hennes tankar, och hon sträckte sig efter luren. Bestört hörde hon Fred berätta om Poppy. "Ta hand om barnen. Jag är på väg."

Begravningen skulle äga rum tidigt morgonen därpå. Catriona kom till Belvedere sent på kvällen, men det lyste i mangårdsbyggnaden, och ljuset strömmade ut i mörkret. "Var är barnen?" frågade hon först av allt.

Fred var blek under solbrännan och ögonen sorgsna. "Rosa ligger nedbäddad i gästrummet. Billys fru, Maggie, har gett henne en av sina dekokter att dricka, så nu sover hon lugnt. Maggie sitter hos henne."

"Och Connor? Hur tar han det?"

Fred drog handen över hakans grå skäggstubb. "Han är ute med Billy. Pojken tar det hårt, men han klarar det, och han är av segare virke än man skulle kunna tro. Han talar redan om att börja arbeta på gården för att försörja sig och systern."

Catriona sa ingenting, men innerst inne tyckte hon att det var orättvist att Connor måste vara lika stark som en vuxen trots att han bara var ett barn. Det verkade som om Poppys beslutsamhet och styrka hade gått i arv till dottersonen, och även om Catriona önskade att det vore annorlunda visste hon att Connor skulle göra som han ville oavsett vad hon tyckte och tänkte.

Hon steg in i hallen och tog av sig pälsen. Det var otäckt tyst i huset, och hon kunde redan känna lukten av död. Hon önskade att hon kunde slå armarna om barnen och försäkra att de inte stod ensamma i världen. Hon behövde hålla om dem för sin egen skull också, för i och med förlusten av Poppy hade hon mist den sista länken till det förflutna, den sista tråden i den väv som varit hennes barndom.

Catriona kikade in på Rosa och motstod frestelsen att ta henne i famnen. Den lilla flickan hade på sig sin favoritpyjamas med Snobbenmotiv och sov med ena handen under sin rosiga kind. Maggie satt och nickade till i stolen vid sängen, och hennes mörka hand vilade beskyddande mot barnets arm. Catriona ville inte störa någon av dem utan stängde tyst dörren och gick genom den smala gången. Hon drog ett djupt andetag och kastade en blick på Fred innan hon sköt upp dörren.

Rummet lystes upp av mängder av stearinljus. Poppy såg ut att sova, och ansiktet var lugnt och slätt. Bekymmersrynkorna hade på något sätt slätats ut. Håret var kammat, och händerna var knäppta på bröstet med ett radband mellan de livlösa fingrarna. Hon hade på sig sin älsklingsklänning, klargul med stora röda blommor, som Catriona gett henne för många år sedan.

Med tårar i ögonen stod Catriona och betraktade Poppy. Hon låg i en fernissad kista som polerats tills den glänste. Den hade mässingshandtag, upptäckte hon, och var fodrad med ljuslila siden. "Hur har ni klarat av allt detta på så kort tid?" frågade hon genom tårarna.

Fred harklade sig. "Snickaren har alltid några kistor på lager", upplyste han strävt. "Det skulle ta för lång tid att tillverka en och flyga hit den, för man har bara högst ett dygn på sig före en begravning." Han skrapade med foten i golvet. "Maggie och de andra aboriginkvinnorna gjorde i ordning Poppy. Jag hoppas allt är till belåtenhet?"

Catriona svarade inte, tittade bara på Poppy och försökte att inte ge efter för det starka behovet att tjuta av sorg. Klänningen skar sig mot örhängena och armbandet, och inget gick ihop med det lila fodret, men det var Poppy, lika färggrann och tjattrande som en papegoja, lika

216

odygdig som pungråttorna Catriona kunde höra kila över taket. "Jag hoppas hon slapp lida", mumlade hon.

"Doktorn sa att det var hjärtinfarkt. Hon kan inte ha känt ett dugg."

Catriona nickade. "Jag sitter hos henne i natt", viskade hon.

Fred lämnade rummet, och Catriona drog fram en stol och lade händerna på Poppys. De var kalla och livlösa, helt olika den Poppy hon hade känt. Och medan hon satt där bland de fladdrande skuggorna mindes hon de knarrande, knakande vagnarna som skumpat fram i vildmarken. Hon mindes balettflickan med strassmycken och långa ben som haft sådan aptit på livet och som kunde berätta sådana underhållande och fräcka historier. Catriona vägrade att tänka på de dåliga tiderna då de varit fattiga och fått ta en dag i taget. Poppy hade klarat det, hennes karaktärsstyrka och livsglädje hade gett henne vilja att överleva tillräckligt länge för att se till att barnbarnen hade det bra. Det var ett mäktigt arv som redan syntes hos Connor.

Connor var glad att det var mörkt, för då syntes inte tårarna då han följde efter Billy Birdsong ut i vildmarken. Längtan efter mormodern kändes som en sten i bröstet, och han förstod inte hur han och Rosa skulle klara sig utan henne. Hon hade alltid funnits där, hade skyddat och älskat dem hur svårt hon än haft det själv.

"Kom", sa Billy med halvsjungande röst. "Vi ska gå i förfädernas fotspår."

Connor lyssnade till den mjuka stämman. Han hade känt den aboriginske stamäldsten ända sedan han var liten, hade älskat att höra hans historier och att få följa med ut i naturen då mormodern tillät det. Billy var hans hjälte, hans förebild, och en dag hoppades Connor ha lika stora kunskaper som han om djur och växter.

De var långt ifrån gården nu och hade lämnat hästarna för ett bra tag sedan. De båda gestalterna rörde sig likt skuggor genom högt gräs och träddungar. Vinden var ljum och mild som ännu en röst, och den viskade i mörkret och suckade i löv och buskar. Connor följde efter aboriginen mellan träden och ut på slätten. Han hörde inget annat än den sång som sjöngs av mannen framför, kunde inte se något annat än hans mörkare skugga mot natthimlen.

Till slut stannade Billy och stod där och väntade. Han var en lång och smal silhuett under stjärnorna, och håret såg ut som en gloria runt huvudet. Han höll ut armen. "Kom, Connor", sjöng han. "Sitt under stjärnorna medan jag berättar om Drömtiden och varför man inte ska gråta över döden." Han korsade benen och sjönk ner på marken i en enda mjuk rörelse.

Connor satte sig bredvid honom och undrade vilka ord Billy kunde säga för att mildra smärtan.

Billy började tala, och rösten var hypnotisk och betvingande då han berättade om den sista resan upp i himlen. "Poppy har stark ande", sa han, "och hon gör en bra resa upp i himlens land." Han kastade upp en handfull gräs i luften och såg det fångas och föras bort av vinden. "Precis som grässtrån blåser solgudinnan hit oss för att skydda moder jord. Medan vi sår frön för nya generationer blir vi gamla, och solgudinnan kallar hem oss. Hon sjunger, och vi kan inte stänga öronen. Det är dags att vila."

Connor snörvlade och torkade näsan på ärmen.

Aboriginen log, och tänderna glänste i månskenet. "Dina tårar vattnar de frön hon har sått", sa han. "De ger liv till andarna som väntar i jorden på att bli födda." Rösten blev till ett mjukt mummel. "Poppys tid är ute, men hennes ande är alltid med dig."

Connor såg på honom med tårfyllda ögon. Det kändes som om hjärtat ville brista.

"Var inte ledsen", sa stamäldsten. "Hon åker upp i andekanoten, och om du tittar riktigt noga kan du se den på den stora vita vägen." Han höjde en benig arm och pekade.

Connor blinkade bort tårarna och blickade upp mot himlen. Den var enorm och sträckte sig över och runt honom, och det var nästan som om han kunde se att jorden var rund. Och där bland miljontals stjärnor syntes Vintergatan, ett brett band av små ljusprickar som var för många för att kunna räknas. Vintergatan sträckte sig från horisont till horisont i en väldig glittrande båge, och medan han hade blicken fästad på den tyckte han sig se en ensam stjärna färdas längs himlens landsväg.

"Andekanoten för henne till mångudens land", berättade Billy lågmält. "Där förlorar hon jordisk skepnad, fäller den på samma sätt som ett eukalyptusträd tappar barken, och flyger högt, högt upp i himlen tills hon blir en stjärna, en stjärna som alltid ska lysa på dig och dem hon älskade."

Connors tårar var varma på kinderna då han såg den lilla ljuspricken färdas längs Vintergatan. Så utan förvarning syntes en blixt och något for tvärs över himlen.

"Så där ja", sa Billy.

Connor blinkade och tittade igen. Det fanns en ny stjärna på himlen, det var han säker på, och trots att han visste att Billy hade hittat på historien ville han tro på den mer än allt annat. "Kommer stjärnan alltid att finnas där?" frågade han.

"Alltid", svarade Billy. "Hennes ande bor i himlen nu, och hon är lycklig."

Connor satt länge bredvid den aboriginske stamäldsten. De sa inte mycket, betraktade bara himlen och stjärnorna tills de bleknade till pärlgrått och förebådade en ny dag. Då reste de sig tyst och styrde stegen mot gården.

Grannarna hade börjat anlända redan kvällen före, och då solen gick upp och svepte in Belvedere i guldglans vaknade tältstaden i hagen till liv. Man hämtade vatten och lagade mat över öppen eld. Pickuper parkerades bakom sovbaracken, hästar släpptes ut i inhägnaderna, och små flygplan landade och taxade längs landningsbanan. Vagnar och enspännare ställdes under träden. En del av dem var antika och skulle inte ha missprytt ett museum.

Catriona hade varit bekymrad för hur alla dessa människor skulle förplägas. Fem bröd och två fiskar skulle inte räcka långt, och hon var inte i form att uträtta underverk. Men till sin stora lättnad och tacksamhet upptäckte hon att det var tradition bland dessa godhjärtade människor på landsbygden att ta med sig egen mat vid sådana här tillfällen. Maten fraktades på serveringsfat, i korgar och lådor till kokhuset där den täckt med handdukar ställdes fram och var klar att ätas efter begravningen. Alla dessa rätter var resultatet av många timmars slit i kvävande heta kök där temperaturen ofta steg upp till fyrtio grader, och det fanns mat så det räckte till en hel armé.

Clemmie hade flugit dit tillsammans med *Toscas* regissör i hans privatplan, och invånarna i Drum Creek red eller körde i en lång konvoj av pickuper.

Catriona stod på verandan med Rosa vid sin ena sida och Connor vid den andra. Den natten hade hon inte sovit en blund. Hon hade ensam vakat över Poppy, talat med henne, gråtit och rasat mot ödet. Det var för tidigt att ha jordfästning, tänkte hon förtvivlat; hon hade inte hunnit hämta sig efter chocken över Poppys död, än mindre fått tid att förbereda sig själv och barnen. Men hettan gjorde att människor måste begravas så snabbt som möjligt. Det var en del av livet och döden i vildmarken, något hon måste finna sig i om hon så småningom tänkte leva här ute.

Catriona hälsade Belindas föräldrar, Pat och Jeff Sullivan, välkomna. Hon hade träffat dem många gånger tidigare och tyckte det var roligt att se dem trots den sorgliga anledningen till besöket. Belinda gick rakt fram till Rosa, och hand i hand försvann de båda flickorna till den bakre verandan. Connor drog ner hatten i pannan och stegade tvärs över gårdsplanen i sällskap med de tre pojkarna Sullivan. Han hade knappt sagt ett ord sedan han kom tillbaka i gryningen, men alla hade sitt eget sätt att hantera sorg, och Catriona förstod att vad Billy än sagt och gjort under natten så hade det gett pojken tröst och förberett honom för begravningen.

"Jag kan bara inte fatta att så många människor har gjort sig besväret att fara hela vägen hit", sa hon till Pat som stod bredvid henne på verandan. "Och de är så generösa. Vi har mat så att det räcker åt dubbelt så många."

"Poppy var unik", sa Pat, tog av sig koftan och torkade svetten ur ansiktet med näsduken. Det var över trettio grader varmt, och flugorna var redan en plåga. "Hon var trevlig att umgås med och fick mig att skratta med sina historier. Drum Creek blir sig inte likt utan henne." Pat snöt sig. "Hon ställde alltid upp: bakade kakor till basarer, sydde dräkter till skolpjäserna och satt barnvakt åt en del unga föräldrar så att de kunde gå på puben en kväll. Vi kommer alla att sakna henne djupt."

Ännu mer folk dök upp, och Catriona bara stirrade. Poppy verkade ha gjort ett bestående intryck i det här lilla hörnet av Australien och måste ha varit högt respekterad. Catriona noterade att karlarna hade bredbrättade hattar, långärmade skjortor och mollskinnsbyxor eller jeans, medan kvinnorna nästan utan undantag var klädda i urblekta bomullsklänningar och vita sandaler. Hon betraktade sina välskötta naglar, guldarmbandet och diamantringarna. Själv bar hon svart Chaneldräkt, svarta högklackade lackskor och nylonstrumpor – sista skriket i storstaden – och kände sig utstyrd bredvid den förståndigt klädda Pat.

Prästen hade flugits dit kvällen före. Nu kom han ut ur husets dunkel, och hans svarta sutan såg dyster ut i det starka solsken som strömmade in på verandan.

Clemmie hämtade Connor, och Pat hittade Rosa och Belinda. När alla var samlade tystnade folk, och processionen började röra sig. Kistan bars av Connor, Billy, Fred, pubägaren, ägaren till lanthandeln och den äldste av pojkarna Sullivan. Den var draperad med Poppys svarta sjal, den med röda rosor. Blomsterhyllningarna bars av dem som haft dem med sig, och liljor, nejlikor och rosor fyllde luften med sin doft.

Processionen skred långsamt över gårdsplanen och in på Belvederes lilla kyrkogård som kunde tjäna som en historielektion. Gravstenarna och träkorsen berättade om de människor som hade levt här och dött till följd av olyckshändelser, skogsbränder och översvämningar eller sjukdom, i späd eller hög ålder.

Då Catriona stod vid graven kunde hon inte låta bli att minnas alla dem som lämnat henne. Modern och fadern, Max och hans lilla hund, och nu Poppy. Summers varieté hade kommit till slutet av vägen. Hon blinkade bort tårarna, och för ett kort ögonblick tyckte hon sig höra det knakande ljudet av vagnshjul och Jupiters och Mars trygga lunk. Kanske hade de kommit tillbaka för Poppys skull. Det var trevligt att tänka sig att allihop var tillsammans igen.

Catriona lade armen om Rosa och höll om henne då kistan sänktes ner i jorden. Hon kastade en blick på Connor, såg hur blek han var och hur han höll sina känslor i schack, och hon längtade efter att hålla om honom också. Men han ansträngde sig så hårt för att vara man, en man i ett barns kropp, en pojke på tröskeln till vuxenlivet som inte skulle tacka henne för att hon fick honom att framstå som svag.

Jordfästningen var över, och folk drog sig bort medan karlarna började täcka kistan med Belvederes mörkröda jord. Catriona hade skickat tillbaka Rosa till boningshuset tillsammans med Pat Sullivan, men Connor stod ensam och såg karlarna slutföra sin uppgift. Hon gick och ställde sig bredvid honom utan att veta vad hon skulle säga.

Då sträckte han ut handen och grep tag om hennes fingrar, höll dem hårt. Han vände sig mot henne, och de nötbruna ögonen fylldes av tårar. "Hon var inte bara en mormor", sa han med skrovlig röst, "utan en mamma och en god vän. Jag älskade henne så oerhört mycket."

Catriona hade svårt att hålla rösten stadig och känslorna under kontroll. Hon kramade hans hand. "Det gjorde vi allihop", försäkrade hon. "Poppy var en underbar, modig kvinna, och jag är stolt över att ha känt henne."

Connor stod tyst en lång stund och stirrade ner i marken, och Catriona undrade vad han tänkte på. Så harklade han sig och berättade vad Billy hade sagt natten före. "Tror du att det är möjligt?" frågade han slutligen.

Catrionas hjärta svämmade över av kärlek till honom. "Varför inte?" svarade hon mjukt. "Poppy ville alltid bli stjärna."

16

Då maten var uppäten och solen stod lågt på himlen började folk anträda hemfärden. Vagnar och enspännare, pickuper och hästar tog sig långsamt fram längs landsvägen medan de små planen vrålade fram över startbanan och lyfte. Dammolnen hängde länge kvar i luften, och när de slutligen skingrades var det nästan mörkt.

Boskapsskötarna på Belvedere satt utanför sovbaracken och rökte cigaretter och pratade, och deras röster lät som ett dämpat mummel i tystnaden. Pat Sullivan hade tagit med sig Rosa hem till familjens fårfarm, Derwent Hills, på några dagar i hopp om att Belindas sällskap och miljöombytet skulle få sorgen att skingras lite. Connor syntes ingenstans till, och Catriona gissade att han var med Billy.

"Vilken dag!" suckade Clemmie och räckte Catriona en gin och tonic. "Hur känns det?"

Catriona tog en klunk av drinken. Det värkte i nacke och rygg, och det kändes som om varenda muskel hade töjts ut och blivit outhärdligt lång. "Det reder sig nog, men det skulle inte skada med en natts välbehövlig sömn." Hon lade handen på Clemmies arm. "Tack för att du stannade. Jag ville inte vara ensam i natt."

Clemmie klappade henne på handen. "Jag stannar så länge du behöver mig. John klarar sig själv några dagar, och eftersom du är min enda klient har jag inget viktigare för mig." Hon log. "Franz sa att du kunde ta en vecka ledigt."

Förbluffat stirrade Catriona på henne. Regissören lät aldrig någon slippa ifrån repetitionerna; de var alldeles för viktiga. "Det är inte likt honom. Är han sjuk?"

"Oroa dig inte. Han förväntar sig att du ska kunna texten till punkt och pricka, liksom alla scenanvisningar perfekt på genrepet." Hon skrattade. "Du vet ju hur Franz är. Han visar ingen barmhärtighet, låter bara skjuta sin sopran om han tror att hon har legat på latsidan."

"Då får jag åtminstone något annat att tänka på", svarade Catriona med ett snett leende. "Jag tänkte väl att det lät för bra för att vara sant."

De satt i korgstolarna och blickade ut i mörkret. Det var tomt på gårdsplanen, och himlen var svart med tindrande stjärnor. Högt ovanför syntes Södra korset, och stjärnbilden var så tydlig att det kändes som om man kunde sträcka ut handen och plocka den.

"Ingenting går upp mot en kväll i vildmarken", sa Clemmie drömmande. "Jag visste inte ens att det fanns så många stjärnor, och titta på Vintergatan! Är den inte fantastisk?"

"Du borde komma ifrån Sydney lite oftare", menade Catriona.

"Kanske det." Clemmie plockade upp citronskivan ur drinken. "Fast jag tror inte jag skulle stå ut här särskilt länge", sa hon till sist. "Det är så ..."

"Öde?" föreslog Catriona, och väninnan nickade. "Men det är det som är poängen. Ingen stress, inga neonljus, ingen skrällande popmusik, inga regissörer som ryter eller sångare som skriker åt varandra, bara vinden i träden, syrsornas sång och doften av eukalyptus och damm."

"Det är inte direkt någon bristvara", muttrade Clemmie med en grimas och borstade av den svarta kjolen. "Håret är fullt av damm, och gud vet vad det gör med hyn."

"Jag tror inte du behöver bekymra dig för den", anmärkte Catriona med ett svagt leende. Clemmie hade fyllt sextiotre men såg minst femton år yngre ut med sin släta hy och perfekta makeup. Håret var färgat i en ljusbrun ton och samlat i en chinjong som framhävde den långa, eleganta halsen. Klänningen var ett enkelt, svart fodral som måste ha kostat en förmögenhet, och skorna i ormskinn var handgjorda.

"Jag kan inte tänka mig att bo här", sa Clemmie, som tydligen hade bestämt sig för att hålla fast vid samtalsämnet. "Man behöver bara kasta en blick på kvinnorna för att se vad livet här ute gör med dem." Hon satt tyst en stund. "Även de yngre är väderbitna och rynkiga, och ingen tycks bry sig det minsta om sitt utseende", tillade hon upprört. "Deras bomullsklänningar är gräsliga och skorna med. En normal kvinna skulle hellre dö än gå klädd på det viset."

Catriona skrattade. "Var inte så snobbig", förmanade hon. "Folk här sliter hårt i en hetta du aldrig skulle stå ut med. Det spelar ingen roll vad de har på sig eller hur de ser ut, bara kläderna är praktiska och svala. Det är hederliga, hårt arbetande människor som skulle ge dig sin sista dollar om du bad dem." Hon hörde själv hur grinig hon lät och insåg att det senaste dygnet hade tagit på krafterna. "Livet här ute är inte någon modevisning", avslutade hon lågmält, "och ingen bryr sig om sådant."

Clemmie betraktade henne med ett gåtfullt uttryck i ansiktet. "Så det var därför du hade på dig Chaneldräkt och högklackade skor?"

"Det var ett misstag", erkände Catriona. "Jag hade så bråttom när jag gav mig av att jag inte tänkte mig för."

"Mmmm."

Trots många års vänskap började Clemmie gå henne på nerverna. "Vad är det du vill ha sagt? Ut med språket, för guds skull!"

Clemmie lyfte på ögonbrynen. Så suckade hon och började leka med berlockarmbandet. "Jag försökte föreställa mig att du bodde här", svarade hon slutligen, "men jag kunde inte."

"Varför?"

"Du har blivit storstadsmänniska. I hela ditt vuxna liv har du rest runt i världen och bott på lyxhotell, och du har blivit firad och avgudad var gång du visat dig på scenen. Du shoppar hos Chanel och Givenchy, du går på mottagningar på ambassader och slott och eskorteras av några av de mest eftersökta männen i världen." Hon såg Catriona i ögonen. "Du är stjärna med en stjärnas livsstil. Kan du verkligen tänka dig att leva med lantisarna här?"

Catriona satt tyst. Hon kunde inte bli arg på Clemmie, för när allt kom omkring gav väninnan bara uttryck åt en del av hennes egna tvivel. Hon beslöt sig för att byta samtalsämne. "Jag skrev ändå till min dotter", upplyste hon.

"Åh nej!" Clemmie stirrade på henne.

"Och du hade rätt", medgav Catriona tyst. "Hon ville inte veta något och skickade tillbaka mitt brev utan någon förklaring."

"Jag varnade dig", påpekade Clemmie. "Kanske är det lika bra att låta saker och ting bero. Hon vet åtminstone vem och var du är, och om hon ändrar sig kan hon alltid ta kontakt."

"Jag tvivlar på att hon någonsin gör det", sa Catriona och tillade inget mer. Clemmie behövde inte få veta att hon skulle fortsätta skriva tills allt hopp var ute, tänkte hon och betraktade stjärnorna medan hon undrade hur dottern hade reagerat då hon läste brevet.

"Vad ska du göra nu?" frågade Clemmie och avbröt hennes tankar.

"Jag stannar här ett par dagar och flyger sedan tillbaka till Brisbane. Jag har en opera att sjunga i, som du kanske minns?"

"Larva dig inte", sa Clemmie. "Du begriper mycket väl att det var barnen jag menade."

"Rosa är hos familjen Sullivan, och där är hon trygg. Connor tycks vara fast besluten att börja arbeta, och eftersom det bara är några veckor kvar tills han fyller tretton har jag gått med på det, under förutsättning att han har kontakt med radioskolan varje morgon och avslutar sin utbildning." Hon log. "Han gillar det inte, men det är en kompromiss."

"Rosa kan inte stanna hos familjen Sullivan i all evighet", anmärkte Clemmie. "Belvedere är hennes hem och brodern finns här. Han är den ende släkting hon har. Det vore grymt att skilja dem åt, och du måste hitta någon som tar hand om dem."

Catriona satt försjunken i djupa tankar, det snurrade nästan i huvudet. Så gick det upp ett ljus för henne, och allt stod med ens kristallklart. Ödet hade fattat beslutet åt henne. "Du har helt rätt", sa hon, reste sig och lutade sig mot verandaräcket. "Belvedere är Rosas hem, och Connor och jag är den enda familj hon har kvar. Det är dags att jag drar mig tillbaka."

Clemmie for upp ur stolen som ett skott. "Jag menade inte att du skulle ge upp din karriär", sa hon hastigt, "utan att du skulle tänka på barnens bästa."

För första gången på två dagar kände Catriona sig lätt om hjärtat. "Det är just det jag gör", förkunnade hon och tog Clemmies händer. "Förstår du inte? Det är ödet."

"Struntprat!" fnös Clemmie. "Du är bara trött och ur gängorna och sörjer Poppy. Naturligtvis kan du inte ge upp allt för ett par ungars skull som inte ens är dina egna."

"Vad tycker du att jag ska göra då?" undrade Catriona. "Slänga in Rosa på någon internatskola och låta Connor klara sig själv bäst han kan? Han är inte tretton år fyllda, och Rosa är bara åtta. De är barn, och jag skulle svika Poppy om jag övergav dem nu."

"Mina barn tog ingen skada av att gå i internatskola", fräste Clemmie.

"Dina barn växte inte upp ute på vidderna, och de hade föräldrar att fara hem till på helger och lov."

226

"Du kan ge Rosa ett hem i Sydney. Connor har det bättre här, och han har Billy och Fred som kan se efter honom. Han behöver inte bli ompysslad av dig." Clemmie, som i vanliga fall var en fridsam person, höll på att ilskna till. Ögonen blixtrade, och rösten höjdes. "Och att ge upp karriären för att du tror på ödet..." Hon drog ett djupt andetag och släppte ut luften i en väsning. "Det är rena rama idiotin!"

Catriona var medveten om att de båda hade fattat humör. Förr eller senare skulle någon av dem säga något som inte kunde tas tillbaka. Det var deras första allvarliga gräl på trettio år, och det sista hon ville var att bli osams med sin bästa och lojalaste vän. Hon tog Clemmie i armen. "Jag vill inte bråka med dig", sa hon mjukt.

"Och jag vill inte bråka med dig heller", svarade Clemmie, inte helt blidkad. "Men du har arbetat så länge och så hårt, och jag står bara inte ut med tanken att du ska hoppa av."

Catriona lade armarna i kors över bröstet och rös till. Brisen var svalare nu; den drog över gårdsplanen och fick det att prassla i trädens lövverk. Månen seglade majestätiskt fram över himlen, helt oberörd av människornas bekymmer, och dess blekgula ansikte kastade ljus och skugga över Belvedere. "Jag har uppnått allt jag ville", började hon med dämpad röst. "Jag är berömd och rik och har en livsstil som andra människor bara kan drömma om. Jag har haft tur."

"Tur har ytterst lite med saken att skaffa", protesterade Clemmie. "Du har arbetat hårt och gjort stora uppoffringar."

Catriona nickade. "Ja, det har inte enbart varit en dans på rosor." Hon suckade och såg på väninnan. "Men vad tjänar allt till?"

"Ett välfyllt bankkonto och en aktieportfölj som de flesta av oss avundas dig, plus tillfredsställelsen att veta att du kommer att gå till historien som tidens stora primadonna."

Catriona viftade undan hennes ord. "Pengar och ryktbarhet är förgängliga saker och betyder inte mycket när man är ensam. Och jag är ensam. Jag har ingen make, inga barn, utom en dotter som inte vill ha med mig att göra."

"Det var inte ditt fel."

Catriona ryckte på axlarna och fortsatte: "Jag fick aldrig chansen att ta hand om mitt eget barn. Hon växte upp utan mig, och jag hade ingen del i hennes liv, i hennes framgångar och bedrövelser. Ödet ger mig en andra chans att bli mamma, och jag tänker ta vara på den och göra mitt bästa för Rosa och Connor."

"Och hur blir det med karriären?" Clemmie hade blivit blek under den perfekta makeupen, och hon var spänd som en stålfjäder.

"Jag har nått vändpunkten. Min röst är inte längre vad den var." Catriona höll upp handen för att tysta protesterna. "Jag kan höra det, och snart kommer även andra att göra det. Min tid i rampljuset är nästan över."

En lång stund stod Clemmie tyst. Så plockade hon fram almanackan ur handväskan och blev affärsmässig. "Du måste sjunga i *Tosca*", sa hon. "Det är för sent att dra sig ur nu." Hon vände blad. "Och hur blir det med New York? Så är det London och Covent Garden i augusti."

"Det får bli mina avskedsföreställningar", sa Catriona fast.

Clemmie såg förfärad ut. "I så fall är det bäst att jag kastar mig på telefonen och talar med pressen. Det är mycket som måste ordnas. Det är tur att du ska sjunga *Tosca* i New York också, för det blir en passande avslutning på din karriär i Amerika." Hon talade snabbt och blinkade bort tårarna. "Covent Garden har redan bestämt vilka baletter och operor som ska sättas upp, och jag tvivlar på att de skulle vara villiga att ändra i programmet så här sent. Du blir tvungen att avsluta karriären med Colombina/Nedda i *Pajazzo*."

Catriona skrattade och klappade i händerna. "Det blir perfekt", utbrast hon. "Mitt första scenframträdande var med ett kringresande varietésällskap då jag bara var några minuter gammal, och jag är född på en teater."

Clemmie stirrade häpet på henne.

"Min pappa såg till att jag lärde mig att deklamera Shakespeare utantill, och den store skalden hade rätt", sa hon leende. "'Ja, hela världen är en skådebana, där män och kvinnor är aktörerna. Allt är bestämt: sortier och entréer; envar har flera roller i sitt liv.' Jag kommer att sluta som jag började, som en i en trupp artister och göra sorti, så att jag kan spela en annan roll i nästa kapitel av mitt liv."

"Jag står inte ut med tanken på att du ska sitta fast här ute i obygden", snyftade Clemmie.

"Var inte ledsen", bad Catriona. "Jag börjar ett nytt äventyr bara. Var glad för min skull, för jag får äntligen chansen att bli en riktig mamma."

"Moderskapet är inte alltid lätt, och ungar kan vara ena riktiga små lymlar."

Catriona log. "Jag vet, och jag ser fram emot utmaningen."

"Jag måste ringa några samtal", sa Clemmie och snöt sig. "Var är telefonen?"

"Det finns ingen." Hon skrattade högt åt väninnans min av oförställd fasa. "Vi använder kommunikationsradion som kopplar oss till telefonväxeln."

"Hur kan folk leva utan telefon?" flämtade Clemmie.

"Jag vet inte", svarade Catriona, "men jag ska ta reda på det."

Fred hade flyttat ut till sovbaracken, men Catriona och Clemmie gick ändå och lade sig i gästrummet. Metallfjädrarna i den gamla järnsängen knarrade var gång någon av dem rörde sig, men till sist slutade Clemmie att klaga och lade sig till rätta, och snart hörde Catriona henne andas djupt och regelbundet och förstod att hon sov.

Medan Catriona låg där i det sparsamt möblerade rummet och såg månskuggorna förflytta sig över taket kände hon hur tystnaden slöt sig omkring henne. Utanför husets timrade väggar bredde ödemarken ut sig åt alla håll. Hennes närmaste grannar fanns i Drum Creek, ett litet samhälle omgivet av vidsträckta, tomma vidder.

Hon greps av panik. Tänk om Clemmie hade rätt och hon inte klarade av ensamheten? Att bo här skulle vara en helt annan sak än de korta besök hon hittills gjort på gården. Tänk om barnen inte ville att hon skulle bli som en mamma för dem? Tänk om hon var en urusel mamma och misslyckades totalt? Hon vände sig om på mage i sängen och begravde ansiktet i kudden. Hon behövde sova, men tankarna snurrade bara runt runt.

Beslutet att lämna scenen skulle dra med sig en hel del. Först skulle hon sjunga i *Tosca*, och så var det turnén till New York och London som skulle ta upp en stor del av hennes tid under det närmaste ett och ett halvt året. Clemmie skulle utan tvekan planera in en mängd presskonferenser, teveframträdanden och skivinspelningar. Fred blev tvungen att flytta ut för gott, och någon av de små stugorna måste göras beboelig åt honom. Om hon skulle bosätta sig här, måste mangårdsbyggnaden renoveras. Rum behövde byggas till för barnen och köket rustas upp. Huset hade kanske dugt åt Fred, men hon var van vid moderna bekvämligheter och tyckte inte att det fanns någon anledning att bryta den vanan.

Hon rullade över på rygg och låg och stirrade i taket. Bostadshuset hon köpt i Sydney var förmodligen den bästa investering hon någonsin gjort. Med tanke på att operahuset skulle invigas om några år och att hela kajområdet skulle få en ansiktslyftning vore det idiotiskt att sälja. Efter Brins död hade hon hyrt ut lägenheten på bottenvåningen till ett medelålders par som betalade hyran i tid och tog hand om allt då hon var bortrest. Arrangemanget passade dem alla tre, och hon beslöt sig för att låta allt förbli som det var. Med tiden skulle hon säkert behöver komma ifrån Belvedere, och då kunde inget passa bättre än Sydney. Hon kunde ta med sig Rosa på teaterpjäser, baletter och även operor. De kunde shoppa och göra turer med färjorna, besöka konstgallerier och museer.

Catriona slöt ögonen då tvivlen ansatte henne. Rosa var bara en liten flicka. Tänk om hon inte gillade opera och balett? Och Connor? Hon hade inte haft mycket att göra med pojkar i hans ålder och hade ingen aning om hur man hanterade tonåringar. Hennes dröm om att äga Belvedere hade väckts då hon själv var barn. Nu undrade hon om det kanske var ett misstag att bosätta sig här och ta hand om Poppys barnbarn. Clemmie hade rätt. Livet i storstaden skilde sig för mycket från livet på landsbygden. Hon skulle bli tvungen att anpassa sig och kompromissa jämt och ständigt. Med ens blev Catriona osäker på om hon skulle klara av den stora uppgift hon hade tagit på sig.

Hon måste ha somnat, för när hon öppnade ögonen igen var det gryning, och papegojorna och kakaduorna i träden förde så mycket oväsen att de kunde väcka de döda. Hon tittade på Clemmie och skrattade. Väninnan satt upp i sängen med en kopp te i handen och ett irriterat uttryck i ansiktet.

”Äntligen!” knorrade hon. ”Jag har knappt fått en blund i ögonen på hela natten. Du snarkar, och de förbaskade fåglarna för ett oherrans liv.” Hon kastade en blick på den exklusiva guldklockan på sin handled. ”Är du medveten om att klockan är fem på morgonen!”

”Jag snarkar inte alls!” invände Catriona samtidigt som hon sträckte sig efter tekannan och slog upp en kopp te. Hon tog en klunk, lade i socker och lutade sig mot kuddarna. ”Och jag ska be att få tala om att du somnade i samma stund du lade huvudet på kudden. Du har fått dina åtta timmar, så försök inte med mig.”

Clemmie skulle till att protestera då de hörde en pickup närma sig i hög fart. ”Vad är det nu då?” utbrast hon surt. ”Är det ingen som sover på den här gården?”

Catriona rynkade pannan och drog på sig sidenmorgonrocken ovanpå den matchande pyjamasen. Pickupen hade bromsat in med tjutande däck, och hon kunde höra röster. Hon skyndade genom den smala gången och ut på verandan.

Rosa störtade ur pickupen och slängde sig i famnen på Catriona. "Res inte!" snyftade hon. "Snälla, lämna mig inte!"

Catriona höll om den lilla flickan och försökte lugna henne. "Jag ska inte lämna dig", försäkrade hon. "Så ja, gråt inte mer." Hon betraktade Pat Sullivan över barnets huvud.

Pat var alldeles blek i ansiktet. Hon hade varit uppe större delen av natten, eftersom hon blivit tvungen att köra tillbaka till Belvedere. "Det var bara bra med Rosa på vägen till Derwent Hills", förklarade hon då hon kom uppför verandatrappan, "men efter att ha sovit några timmar vaknade hon skrikande och var helt övertygad om att hon aldrig mer skulle få träffa dig och Connor." Hon suckade och strök flickan över håret. "Stackars unge. Jag försökte tala om för henne att hon bara skulle stanna hos mig några dagar, men hon trodde mig inte. Hon är säkert rädd för att alla förr eller senare ska försvinna, och man kan ju knappast klandra henne."

Catriona satte sig i en korgstol med Rosa i knäet. "Jag ska inte lämna dig", upprepade hon. "Jag tänker bo här med dig och Connor och ta hand om er."

De mörkbruna ögonen stod fulla av tårar i det lilla, ängsliga ansiktet. "Lo-lovar du?" hickade Rosa.

"Jag lovar", svarade Catriona fast. "Kom nu, så torkar vi tårarna och ser till att få i oss lite frukost. Du måste vara hungrig. Jag är i alla fall utsvulten."

"Var är Connor?" undrade Rosa och såg åter rädd ut. "Jag vill att Connor ska komma."

"Jag är här", hördes en röst från verandatrappan.

Rosa gled ner ur Catrionas knä och kastade sig i armarna på honom. "Jag trodde att jag aldrig mer skulle få se dig", snyftade hon och slog armarna om hans hals. "Jag ville inte åka bort. Skicka aldrig mer bort mig!"

Hon klängde sig fast vid honom, och hatten ramlade av då han tog upp systern i sin famn. Blicken i de nötbruna ögonen mötte Catrionas, och hon såg en klokhet som man vanligtvis inte fann hos pojkar i den åldern. "Tänker du verkligen stanna?" frågade han tyst.

Catriona nickade. "Ja."

"Hur går det då med dina operaframträdanden?"

"Jag har åtaganden, men hädanefter kommer du och Rosa i första rummet."

Pojken betraktade henne en lång stund och nickade sedan. "Tack", sa han skrovligt. "Rosa behöver oss bägge, men dig mest, tror jag." Han tvekade och blev lite röd om kinderna. "Och jag behöver dig också", tillade han.

Catriona kände tårarna välla upp och fick en klump i halsen. Hon fick inte fram ett ord, så hon lade bara armarna om pojken och hans syster och höll om dem. Hon hade fattat rätt beslut.

Dagen därpå lämnade Rosa inte hennes sida, och på kvällen grät flickan sig till sömns i Freds gamla rum. Hon var rädd och förvirrad och saknade Poppy. Catriona insåg att något måste göras. Hon flyttade in sin säng och ställde den bredvid Rosas, så att flickan kunde komma och lägga sig hos henne om hon vaknade på natten. Connor sov på kökssoffan. Det var inte någon perfekt lösning, men Catriona ville inte att han skulle bo ensam i Poppys stuga, och sovbaracken var inget bra ställe för en ung pojke. Boskapsskötarna på Belvedere var snälla och godhjärtade, men deras språk lämnade en hel del övrigt att önska, liksom deras renlighet.

Då veckan närmade sig sitt slut lämnade Catriona Rosa i Clemmies vård och körde till Poppys stuga. Efter begravningen hade hon varken haft tid eller ork att gå igenom Poppys saker, men dagen därpå skulle hon flyga till Brisbane med Rosa och Clemmie, så hon kunde inte skjuta upp det längre.

Hon stannade pickupen. Stugan såg redan övergiven ut, och då hon steg in genom dörren slog en unken doft emot henne blandad med en svag kvarvarande lukt av rök efter den brinnande kastrullen. Catriona slängde upp dörrar och fönster. Hon skulle sätta Maggie och de andra aboriginkvinnorna på att städa upp senare, men just nu ville hon bara vara ensam.

Medan Catriona vandrade runt i stugan mindes hon Poppys förtjusning över att ha fått ett eget hem, mindes hur hon hade skurat köksbordet, sytt gardiner och vävt trasmattor. Catriona tittade ut genom fönstret på trädgården bakom stugan. Någon hade gudskelov tagit in tvätten, och det syntes inte ett spår av den tragedi som utspelat sig där. Med en tung suck började hon samla ihop barnens tillhörigheter och packade ner dem i lådor. Det var inte mycket: några par jeans, skjortor och underkläder plus en klänning som Rosa haft vid festliga tillfällen. Böcker, leksaker och spel lade hon i en låda, Rosas dockor och nalle i en annan.

Hon bar ut lådorna och ställde dem i pickupen och fortsatte sedan med Poppys rum. På sängen låg ett färggrant lapptäcke, och i garderoben fanns gammalmodiga bomullsklänningar, nedgångna skor och några stickade koftor. Längst in hittade Catriona en skokartong, och då hon öppnade den förstod hon att det var Poppys samlade minnen.

I skokartongen låg några gamla flygblad från det resande varietésällskapets tid, ett paljettprytt diadem, en solfjäder och en fjäderboa liksom ett par långa glacéhandskar. Catriona tittade på de svartvita fotografierna. Där fanns ett på en mycket ung Poppy som stod mellan en man och en kvinna med kupolen på St Paul's Cathedral i bakgrunden. På ett annat var Poppy klädd i scenkostym och poserade tillsammans med balettflickorna i en trång och rörig loge. Det måste ha tagits då Poppy var på Windmill Theatre, tänkte Catriona. Det fanns också foton på andra människor som Catriona inte kände, men som uppenbarligen varit viktiga i Poppys liv, och ett par av Poppy själv tillsammans med Ellen som baby. Catriona lade på locket och ställde skokartongen åt sidan. Hon skulle spara den åt Rosa och Connor.

Det illa medfarna skrinet i läder ovanpå byrån innehöll Poppys smycken: billiga halsband, broscher med oäkta stenar och strassörhängen. Där fanns också armband i grälla färger, hårspännen och en guldmedaljong som var starkt anlupen. Catriona pillade upp låset. Inuti fanns ett foto av en stilig och leende man, och hon antog att det var Ellens pappa.

Därefter gick hon igenom kläderna och lade dem i en hög för sig. Någon skulle ha användning för dem, och hon stod inte ut med tanken på att bränna dem. Lapptäckena skulle påminna Rosa och Connor om livet med mormodern, så dem sparade hon, men lakan, filtar och handdukar var slitna och inte mycket att ha.

När Catriona hade stuvat in allt i bilen stod hon tyst framför stugan en stund. Hon kunde höra ekot av Poppys skratt och trampet av hennes fötter på golvet. Så stängde hon dörren och vred om nyckeln. För henne skulle det förflutna alltid dröja sig kvar här.

Connor hade kommit in från arbetet vid fållorna där han hade hjälpt Billy att skilja kalvarna från korna. Efter att ha tagit ett långt och varmt bad slog han sig ner vid köksbordet.

Catriona lade upp mat och räckte fram tallrikarna. Kocken hade skickat över en gryta, och doften fick det att vattnas i munnen. Pojken hade frisk aptit, noterade hon, och Rosa lät sig väl smaka. Det var ännu för tidigt att dra några slutsatser, men det verkade ändå som om barnen var av segare virke än hon trott. Kanske började de komma över den värsta sorgen och se framåt. Med den tanken i huvudet harklade hon sig. "Vi är tvungna att ge oss av mycket tidigt i morgon", sa hon, "för jag måste vara i Brisbane senast nio."

"Ska vi verkligen åka flygplan?" Rosas ögon var stora av upphetsning.

Catriona skrattade. "Prata inte med mat i munnen, Rosa! Jo, det ska vi. Planet släpper av oss i Brisbane och fortsätter sedan till Sydney med Clemmie."

"Hur länge blir ni borta?" Connor åt upp den sista tuggan och sköt tallriken ifrån sig. "Jag bara undrar, för Billy har sagt att jag kan få följa med och driva ihop boskapen."

"Jag kommer tillbaka om cirka en vecka och stannar några dagar", svarade Catriona, "och under de närmaste två månaderna flyger jag hit så ofta jag bara kan." Hon log mot Connor. "Visst får du vara med och driva ihop boskap, bara du sköter skolarbetet." Hon såg honom göra en grimas. "Och jag tänker kontrollera vad du har gjort, så tro inte att du kan komma undan", tillade hon strängt.

"Om du tycker att det är nödvändigt så", sa Connor släpigt och gav henne ett blygt leende.

Hon hade frågat om han också ville följa med till Brisbane och fira nationaldagen, men han hade sagt att han föredrog att stanna på Belvedere. Under de senaste dagarna hade de kommit varandra närmare, och hon hade insett att Connor bara ville stanna på gården och bli som andra män som levde här ute i vildmarken: tysta karlar som älskade jorden och sitt sätt att leva, som talade långsamt och föredrog hästar och boskap framför människor.

"Tror du att jag behöver plugga i Brisbane?" undrade Rosa. "Jag vill inte missa något, och nästa termin får vi skriftliga prov."

Catriona skrattade. Hur kunde två syskon vara så olika? "Några dagar kan du nog vara ledig, men sedan ska jag skaffa en privatlärare som också kan ta hand om dig när jag jobbar. Vad säger du om det?"

Rosa skrynklade ihop ansiktet och funderade.

"Ska jag få en alldeles egen lärare?" frågade hon.

Catriona nickade.

"Vänta bara tills Belinda får höra det!" utbrast hon upphetsat. Så slogs hon av en tanke, och all glädje försvann. "Men hur blir det med mina vänner?" jämrade hon sig. "Jag får inte träffa Belinda alls, och Mary Carpenter blir hennes bästa vän i stället."

Catriona strök flickan över kinden. "Du får träffa dem då du kommer tillbaka till Belvedere", lugnade hon. "Du ska bara ha privatlärare då vi är ute och reser, och när jag har fullgjort alla mina åtaganden ska jag se till att mina resor infaller under skolloven, så att du kan följa med mig." Hon gav Rosa en puss. "Belinda får hälsa på här när hon vill, och Pat kanske låter henne följa med till Sydney ibland."

Rosa verkade nöjd med det, och då alla tre hade ätit färdigt och bordet var avdukat slog det Catriona att det förmodligen var så här livet skulle gestalta sig fram till dess att Rosa började på högstadiet.

Rosa var så upphetsad inför galaföreställningen att hon knappt visste vilket ben hon skulle stå på. Flygresan till Brisbane hade varit ett äventyr i sig, och fyrverkerierna efter föreställningen hade varit praktfulla, men det som helt överväldigade henne var att för första gången få se en opera. *Tosca* blev den allra största upplevelsen. Rosa hade inte förstått att en opera kunde vara så dramatisk och mäktig eller att Catriona var så bländande på scenen. Hennes röst fick Rosa att rysa av välbehag, och ibland när den var lågmäld och sorgsen och nästan plågsamt ren lät den så vacker att hon ville gråta.

New York blev nästa upplevelse. Folk trängdes på gatorna, husen nådde ända upp till himlen, och det sjudande livet och jäktet gick inte att jämföra med den långsammare takten i Brisbane. De hade bott i en lyxsvit med utsikt över Fifth Avenue, och Rosa hade hållit med miss Frobisher, privatläraren, om att det kändes obehagligt att bo så högt upp.

Rosa förälskade sig i London. Staden var så gammal, och trots att där vimlade av folk tycktes den inte ha samma pulserande rytm som New York. Hon gillade att åka med de röda dubbeldäckarna och att handla på Carnaby Street och på Harrods. Miss Frobisher tog med henne för att titta på parlamentshuset, vaktombytet vid Buckingham Palace och livgardisterna i Towern, och Catriona hade bjudit henne på te på Brown's där smörgåsarna var pyttesmå, bakelserna utsökta och teet smakade på ett helt annat sätt än hemma.

Men Rosas favoritställe var Covent Garden där man satte upp *Pajazzo* och *Svansjön* och gav en rad konserter i ständigt återkommande ordning. Bakom scenen fanns ett gytter av små loger, trappor och trånga korridorer, och under scenen var det som en jättestor redskapsbod med väldiga maskiner som gnisslande hissade upp och ner kulisser och scendekor.

Miss Frobisher tycktes inte uppskatta att män och kvinnor gick omkring halvnakna, och hon fnös föraktfullt åt det språk som användes i hetsiga diskussioner liksom åt artisternas ogenerade sätt att kramas och pussas. Rosa älskade alltihop: färgerna, dräkterna, strålkastarljusen och människorna som påminde henne om mormodern. Hon mindes Poppys berättelser från den tid hon varit vid teatern, och när Rosa själv nu omgavs av dansare, musiker och sångare fick historierna nytt liv.

De hade varit i London i nästan tre månader, och den stora kvällen var inne. Det var dags för Catrionas sista scenframträdande. Rosa satt i publiken bredvid miss Frobisher. En vecka tidigare hade hon fyllt tio år, och klänningen och skorna som hon hade på sig var födelsedagspresenter. Rosa var fylld av förväntan, för trots att hon varit med på flera repetitioner och sett baletten och även kände till handlingen i *Pajazzo* så hade hon kvar upplevelsen att se operan i sin helhet.

Catriona var klädd i sin Colombinadräkt i svart och vitt och satt längst bak i den bjärt målade vagn som skulle dras ut på scenen av ett ädelt fullblod. Tenoren, som spelade Beppo/Harlekin, stod vid hästens huvud och väntade. Spänt hörde de Tonio avsluta prologen.

Den väldiga sammetsridån började långsamt glida upp. Guldtofsarna svängde fram och tillbaka, och äntligen kunde aktörerna se salongen i all sin glans. Det var en hisnande syn, en som Catriona visste att hon aldrig skulle glömma. I ljuset från strålkastarna fick teatern liv, och de förgyllda balkongerna och keruberna glimmade mot den djupröda sammeten.

Catriona lutade sig tillbaka med kjolarna utbredda omkring sig då Harlekin ledde in hästen till dunkande slag från Canios stora bastrumma. Hon andades lugnt, men det kändes som om hon förflyttades tillbaka till sedan länge svunna tider då detta inte var en scen i en opera utan hennes dagliga liv. Det här var hennes svanesång, hennes

236

sista föreställning, och inget kunde ha varit mer passande.

Rosa satt framåtlutad och ville inte missa en sekund av den sista tragiska scenen. Catrionas plåga hade varit så verklig, hennes skräck så stark att Rosa hade velat rusa upp på scenen och skydda henne. Nu låg Catriona alldeles stilla, blek och vacker, medan ridån gick ner framför henne.

Publiken blev som tokig. Bravoropen steg mot det utsirade taket, och applådåskorna dånade. Rosa kom på fötter, klappade i händerna, hurrade och hoppade upp och ner medan ensemblen blev inropad första gången.

Canio och Silvio ledde ut Catriona mitt på scenen där hon sjönk ner i en behagfull nigning. Blommorna regnade ner från balkongerna och galleriet och buketter bars in på scenen och lades för hennes fötter.

Rosa klappade så energiskt att det sved i händerna. Hon var så stolt över Catriona att hon hade fått en klump i halsen och kunde knappt se för tårarna som strömmade nedför kinderna. Det här var en annan Catriona än den Rosa var van vid, så levande och blodfull. Hur skulle hon klara av att ge upp allt detta?

Catriona neg djupt medan publiken applåderade och stampade med fötterna i golvet. Strålkastarna sken på havet av blommor runt omkring henne. Hon ville gråta och sjunga och ta publiken i famn. Det var hennes sista scenframträdande, och hon önskade att hon kunde fylla stämningen på flaska att tas fram vid framtida behov.

Hon kastade slängkyssar till åskådarna, njöt av bifallet och fruktade det ögonblick då ridån skulle gå ner för sista gången. Hur kunde hon ha trott att det skulle bli lätt? Hur länge skulle det dröja innan hon längtade tillbaka till rampljuset? Det här var hennes liv, det hon var född till. Var det verkligen klokt av henne att kasta bort det? Så föll blicken på Rosa. Det lilla ansiktet strålade medan hon klappade i händerna, och då deras blickar möttes insåg Catriona att det inte fanns något viktigare här i världen än ett barns kärlek.

Catriona drog ett djupt andetag, neg djupt och gjorde en signal till scenarbetaren. Så gick ridån ner för sista gången.

17

*F*ör en utomstående kunde tillvaron på Belvedere verka tråkig och enahanda utan något som skilde årstiderna åt. Men så småningom upptäckte Catriona att det alltid var något i görningen, och livet i vildmarken började utgöra en allt större lockelse för henne. Stadsresorna klarades av snabbt, för hon hade tröttnat på jäkt och stress och längtade tillbaka till sin lugna oas. Ändå var resorna ett nödvändigt ont, för Catriona hade ett skäl, ett skäl som ingen annan visste om. Trots att besöken i Sydney orsakade henne hjärtesorg visste hon att det var enda sättet att få se dottern.

Catriona suckade och slöt ögonen, lyfte ansiktet mot solen. De hade varken pratat med varandra eller träffats, och Catriona misstänkte att de aldrig skulle göra det heller, men att se dottern och veta att hon mådde bra och var framgångsrik i sitt yrkesliv fick lov att räcka. Rosa var visserligen bara ett barn, men hon var ett mycket trevligt sällskap vid de till synes oskyldiga utflykterna till Sydney. De brukade shoppa, äta lunch eller middag på små restauranger i hamnen och sedan avsluta besöket med att gå på teater eller se en balett.

Catriona lutade sig mot staketet vid landningsbanan medan hon väntade på postplanet. Det kom en gång i månaden, såvida inte vädret bestämde annorlunda. Hon blickade ut över betesmarkerna, såg vinden blåsa genom det höga gräset och förvandla det till ett blekgrönt hav som steg och föll i den vidsträckta dalen. Hon hade bott här ett år nu och kände sig helt hemmastadd.

Mangårdsbyggnaden hade renoverats medan hon var i London, och nu fanns det fyra sovrum och ett toppmodernt kök med en AGA-spis, direktimporterad från England. Takfläktar skänkte svalka om sommaren, och under de långa, kalla vinterkvällarna kunde man tända en brasa i vardagsrummet.

Fred hade varit ytterst tålmodig i början. Varje morgon hade han kommit med räkenskapsböcker och arbetsscheman, redogjort för kreatursbeståndet och förklarat allt in i minsta detalj tills Catriona förstod hur Belvedere fungerade. Connor och Billy hade visat henne runt i hagar och inhägnader, och när hon vant sig vid att rida igen hade hon för första gången varit med och drivit ihop vildhästar, och det hade varit nästan lika spännande som en operaföreställning.

Så var det fester och danser, picknickar, kapplöpningar och föräldramöten i skolan, och det fanns en rad olika föreningar. Folket i vildmarken bodde visserligen långt ifrån varandra, men de var ändå tätt sammansvetsade och tyckte om att umgås och koppla av tillsammans. Då kunde de skvallra, diskutera jordbruk och priset på ox- och lammkött, och ungdomarna fick träffas och knyta nya vänskapsband som ofta ledde till äktenskap och sammanslagningar av stora egendomar.

Catriona vände sig om mot mangårdsbyggnaden och log. Den hade fått en rejäl ansiktslyftning. Taket hade fått ny plåt, dörrar och fönster var grönmålade och verandan var ombyggd. Bougainvillea klättrade längs verandastolparna, och trädens täta lövverk skuggade huset. Invändigt hade hon gjort hemtrevligt med mjuka fåtöljer, bekväma sängar, nya gardiner och bordslampor.

Ett brummande ljud fick henne att vända sig om, och hon såg planet gå ner och landa, väntade på att piloten skulle taxa fram längs landningsbanan och stanna. Billy och två av boskapsskötarna tog emot den tunga postsäcken och lådorna med varor och travade upp dem intill staketet. Inom några minuter hade planet vänt och höll åter på att lyfta. Piloten hade ett snävt schema, och hans flygrunda gick över hundratals mil, så han kunde inte stå och prata bort tiden.

Catriona klättrade över staketet och skyndade fram till männen. "Jag tar posten", sa hon.

"Det är bättre att jag gör det", invände Billy. "Säcken är väldigt tung."

Hon kände på den och var tvungen att hålla med. Den måste väga ett ton. Otåligt satte hon sig i pickupen och väntade medan lådorna lastades på flaket. Så körde de den korta sträckan tillbaka till gården där varorna fördelades mellan kokhus och sovbarack, snickarverkstad och smedja.

"Nu är kocken på bättre humör", meddelade Billy och slängde upp postsäcken på ryggen, "och det blir konserverade persikor med vaniljsås till efterrätt."

Catriona log och försökte hålla jämna steg med honom. Kocken visste att Rosa älskade konserverade persikor. Han skämde bort henne. "Fick Fred verktygen han väntade på?"

Aboriginen nickade. "Det kom en massa verktyg, så nu kan vi laga pickupen." Han ställde ifrån sig postsäcken på köksbordet och studerade henne en lång stund. "Det verkar som om du väntar på något särskilt, för du är som en katt på ett hett plåttak." Billy skrattade och skakade på huvudet då hon försökte förneka det. "Jag tror att du hoppas på brev från en karl."

"Så tursamt är det nog inte", mumlade Catriona för sig själv då han lämnade mangårdsbyggnaden och stegade i väg till ladan. Sedan hon drog sig tillbaka från scenen lyste alla män hon känt med sin frånvaro, och man kunde lugnt konstatera att berömmelse lockade till sig fel sorts beundrare. Men hon kunde egentligen inte klandra dem, för det var inte alla som klarade av att leva här ute i ödemarken.

Hon tömde ut posten på bordet och började vant sortera den i högar. Fred fick främst auktions- och postorderkataloger, och där fanns brev och ett flertal paket till boskapsskötarna. Kocken verkade vara populär, för han fick en trave brev som var adresserade med rött bläck, och hon höjde ett ögonbryn då hon kände doften av parfymerat papper. Tydligen hade han en kvinnlig vän.

Det hade kommit serietidningar till Rosa och broschyrer till Connor, och hon lade dem åt sidan. Connor var ute på betesmarkerna och reparerade stängsel, och det skulle dröja ett tag innan han kom hem. Rosa väntades från skolan i vilket ögonblick som helst, och som vanligt skulle hon ha Belinda med sig. Flickan tycktes vara mer här än på Derwent Hills, och hon hoppades att Pat Sullivan inte hade något emot det. Catriona log för sig själv. Stackars Connor. Belinda dyrkade honom lika intensivt som någonsin, och det gjorde honom så generad att han ofta försvann ut i markerna och inte kom tillbaka förrän hon hade gett sig av. Kanske var det därför han varit så ivrig att ta på sig det jobb som varenda boskapsskötare avskydde?

Handen snuddade vid de två breven, och modet sjönk. De var hennes senaste försök att få kontakt med dottern, och precis som alla tidigare hade de skickats tillbaka oöppnade.

Fast besluten att inte låta sig nedslås rafsade hon ihop sina övriga brev som hon tänkte läsa senare. Resten av posten sorterade hon i stora kassar, som hon hade skaffat speciellt för ändamålet, och gick sedan tvärs över gårdsplanen för att ställa in dem i sovbaracken, kokhuset och Freds stuga. Då hon kom tillbaka till köket hade Rosa och Belinda redan ryktat hästarna och släppt ut dem i hagen, och de var i full färd med att äta mellanmål.

Catriona kramade Rosa och pussade den smutsiga kinden. "Vad i all världen har du haft för dig?" frågade hon samtidigt som hon satte i gång att laga mer te. "Du är ju lerig från topp till tå."

Rosa skrattade och körde händerna genom sitt korta hår. "Belinda och jag byggde en koja, och några av pojkarna försökte ta över den." Hon och Belinda växlade en blick. "Men vi gav dem allt så de teg!"

Belinda nickade eftertryckligt, och de mörka lockarna dansade kring de fylliga axlarna. "De försöker nog inte göra om det i första taget", sa hon med munnen full av smörgås. "Rosa gav Timmy Brooks en blåtira."

"Bra gjort", sa Catriona muntert. "Vi flickor måste stå på oss, och lite smuts dör man inte av."

"Där ser du!" utbrast Rosa triumferande. "Jag sa ju att hon inte skulle bråka."

Leende förde Catriona tekoppen till munnen. Att bli smutsig och slåss med pojkar hörde barndomen till. Rosa var både orädd och självsäker, och det skadade inte i dagens moderna samhälle. "Ser ni fram emot att börja på internatskolan?" frågade hon då de hade ätit färdigt.

"Ja", svarade de med en mun. "Vi tycker det ska bli jättekul", fortsatte Rosa. "Och nu är det bara tre veckor kvar på terminen. Ska vi flyga till Sydney och köpa skoluniformer?" Hon väntade inte på svar. "Får Belinda följa med också?"

"Jag ska fråga Pat", sa Catriona och hade svårt att hålla sig för skratt. Rosas lilla ansikte var så allvarligt att det nästan såg komiskt ut. Samtidigt kände hon sig vemodig. Det skulle bli tomt i huset utan dem, men alla mammor i vildmarken måste göra det offret för att deras barn skulle få en ordentlig utbildning.

Hon såg dem springa genom hallen, hörde nätdörren smälla igen och deras steg på verandan. De höll på att växa upp. Tiden gick alldeles för fort, och innan hon visste ordet av skulle de vara unga kvinnor.

Det var sent, och Catriona hade äntligen fått flickorna att släcka lampan och sluta prata. Då hon kom in i vardagsrummet fick hon syn på brevhögen och blandade en gin och tonic åt sig. Så satte hon på stereon på låg volym och lät Maria Callas ljuvliga röst sopa bort dagens bekymmer. Hon lade de båda returnerade breven åt sidan och började läsa de andra.

Clemmie och John var på kryssning; sedan Clemmie slutat som agent var de alltid bortresta. Där fanns beundrarpost som eftersänts från skivbolaget och en rapport från musikakademin hon grundat i Melbourne. Hon ombads dela ut priser vid avslutningskonserten, och hon gjorde en anteckning i sin almanacka. Där fanns vykort och brev från forna kollegor, ytterligare en vädjan från en av de välgörenhets-organisationer hon stödde liksom en påminnelse om att hon hade tid hos tandläkaren i slutet av månaden.

Två brev som såg viktiga ut återstod. Det ena visade sig vara en in-bjudan till den högtidliga invigningen av operahuset i Sydney där hon skulle bli presenterad för Hennes Majestät Drottning Elizabeth. Det andra var ett officiellt meddelande från Hennes Majestäts regering: Catriona Summers skulle tilldelas titeln dame som erkännande för sina insatser inom operans värld. Ceremonin skulle äga rum före in-vigningen.

"Det var som katten!" viskade hon, lutade sig bakåt i fåtöljen och läste brevet en gång till. Det måste vara ett skämt. Skulle hon bli ad-lad? Poppy skulle inte ha trott sina öron.

Hon drack några djupa klunkar och läste om brevet flera gånger. Sigillet längst ner på papperet såg definitivt äkta ut och brevhuvudet också. Kanske var det inget skämt? Tanken var svindlande. Fast då hon satt där i det milda lampskenet och hörde Callas sjunga en av de vackra ariorna ur *Tosca* tyckte hon sig minnas något Clemmie talat om då de var i London. Catriona hade egentligen inte lyssnat, för hon hade varit fullt upptagen av de sista repetitionerna inför avskeds-föreställningen på Covent Garden och trodde att Clemmie talade om att de borde gå och *titta* på Buckingham Palace, inte att hon skulle få en orden därifrån.

"Jösses!" utbrast hon och satte sig kapprak upp. "Det är sant, och jag ska bli dame av det brittiska imperiet." Hon fnissade och sa med sin bästa överklassaccent: "Sååå förtjusande, kääära du! Hädanefter får du allt vakta din tunga, tjejen!" Hon fnissade och slog upp ännu en drink. "Skål", sa hon och höjde glaset mot porträttet av sig själv ovanför spiselkransen. "Det här trodde du väl aldrig då du hade din romans med Rupert Smythe-Billings."

Catriona ville berätta nyheten för någon, men som vanligt fanns det ingen i närheten. Telefonen var kopplad till kommunikationsradion, så om hon ringde till någon skulle alla inom flera mils omkrets få veta det inom några sekunder. Rosa hade somnat, och Connor campade någonstans på Belvederes hundra tusen tunnland. Poppy var död, och Clemmie befann sig utomlands, och Pat Sullivan sov säkert, och det vore inte rätt att väcka henne efter den långa och tröttsamma dag som hon antagligen hade haft.

Blicken föll på de returnerade breven, och Catriona önskade att hon kunnat berätta den glada nyheten för sin dotter. Modfälld sjönk hon ihop i fåtöljen då situationens allvar gick upp för henne. Kände de människor som delade ut dessa ordnar till hennes förflutna? Spelade det någon roll för dem? Skulle det göra någon skillnad? Kanske borde hon skriva tillbaka och tacka nej? Men då skulle folk börja skvallra och spekulera. Vad skulle hon ta sig till? Om hon bara haft Clemmie i närheten. Hon skulle veta.

Catriona gick fram till kommunikationsradion och sökte kontakt. Det fanns en liten chans att Clemmie och John hade kommit hem från kryssningen. Posten var inte särskilt tillförlitlig här ute i vildmarken, och brevet var daterat för flera veckor sedan. Medan hon väntade på att telefonisten skulle koppla samtalet trummade hon med sina långa naglar mot det blanka träet i bordet, för otåligheten gjorde henne nervös. "Låt henne vara där", viskade hon. "Snälla Clemmie, lyft luren!"

"Hallå?" Rösten lät avlägsen och hördes nästan inte i det vita bruset på telefonledningarna.

"Clemmie?" Catriona höll hårt om luren.

"Vad är det?" Rösten lät tydligare nu.

"Jag har fått ett brev från England", upplyste Catriona. Hon måste vara försiktig, för det var säkert många som lyssnade. "Det är underbara nyheter, men jag behöver ett råd."

"Bra", svarade Clemmie. "Jag hade räknat med att höra ifrån dig tidigare. Fick du också en inbjudan till invigningen?"

"Ja, men jag kan inte tacka ja till någondera?"

"Varför inte?"

"Jag kan inte säga så mycket, linjen är alldeles för öppen, men du vet varför." Hon avbröt sig och hörde bruset av atmosfäriska störningar. "Susan Smith", sa hon slutligen.

Clemmie skrattade. "Var inte dum. Inte bryr de sig om det. De vill bara belöna dig för dina strålande operaframträdanden under årens lopp, för alla pengar och all den tid du lagt ner på musikakademin i Melbourne och för ditt välgörenhetsarbete."

Catriona kände livsandarna återvända. "Är du helt säker?" envisades hon. "Det skulle kännas förfärligt om de tog tillbaka orden."

"Ingen risk, raring. Du har förtjänat den." Hon småskrattade. "Dame Catriona Summers! Det låter väl inte så tokigt? Gratulerar. Får jag sova nu? Jag ringer i morgon förmiddag."

Catriona bröt förbindelsen och satte sig ner i fåtöljen igen. Hon var både upphetsad och nervös och glad över nyheten, men samtidigt kände hon sig djupt sorgsen. Hennes dotter skulle aldrig ta del av glädjen, skulle aldrig få veta att hon var högt älskad. Catriona sträckte sig efter breven, tryckte dem mot bröstet och brast i gråt.

Rosa stirrade in i skuggorna som kastades av månen. Hon visste inte vad som hade väckt henne, och hon lyssnade spänt. Antagligen bara en pungråtta på taket, avgjorde hon efter en stund, men det kändes irriterande, för nu var hon klarvaken och behövde gå på toaletten. Hon slängde av sig filten och klev ur sängen.

Rosa öppnade dörren och hörde ett ljud som hon först inte kände igen. Hon kastade en blick över axeln på Belinda. Väninnan hade sängkläderna uppdragna över axlarna och sov djupt. Rosa lämnade sovrummet på tå och smög genom den smala gången. Det strömmade ljus ut genom den öppna dörren till vardagsrummet, och det var därifrån ljudet hade kommit.

Försiktigt kikade hon in. Det hon såg fick henne att vilja störta in i rummet och erbjuda tröst, men något i Catrionas sätt att gråta hejdade henne. Tårarna strömmade nedför kinderna, och hon satt böjd över några brev och gungade fram och tillbaka. Vad skulle det betyda? Rosa bet sig i läppen. Hon borde inte vara där, borde inte snoka. Ändå förmådde hon inte röra sig ur fläcken, för hon blev helt fascinerad av vad Catriona gjorde härnäst.

Den gamla plåtkofferten hade stått bredvid sekretären ända sedan de flyttade in i huset. Det var en skattgömma av kläder, handskar och skor som Catriona hade låtit henne och Belinda prova. Där fanns också operaprogram, noter och beundrarbrev liksom fotografier av Catriona i de roller hon sjungit, men Rosa hade aldrig lämnats ensam med

244

kofferten, och nu förstod hon varför. Det var där Catriona även gömde sina allra mest privata tillhörigheter.

Rosa stod i mörkret utanför dörren och såg henne låsa upp kofferten och lägga breven längst ner på bottnen. Hon höll andan då nyckeln gömdes under guldbronsklockan på spiselkransen. I nästa stund blev hon tvungen att störta tillbaka till sovrummet, för Catriona vände sig om och närmade sig dörröppningen. Pulsen slog hårt, och Rosa hade svårt att andas lugnt då hon dök ner i sängen och låtsades sova. Hon hörde Catrionas steg i gången, hörde dem stanna utanför dörren som hon inte hunnit stänga ordentligt. Efter en lång stunds tystnad, då hon var säker på att hon skulle bli tagen på bar gärning, fortsatte stegen mot köket.

Rosa var alldeles för upphetsad för att kunna sova, men tiden tycktes släpa sig fram medan hon väntade på att Catriona skulle gå och lägga sig. Belinda sov fortfarande, och Rosa kände sig frestad att väcka henne. De berättade alltid allt för varandra, och det här var ett riktigt mysterium. Men just som hon skulle puffa till Belinda drog hon tillbaka handen. Det här var något privat, avgjorde hon, det var Catrionas hemlighet, och den kunde hon inte avslöja för någon annan.

Hon klev åter ur sängen och öppnade tyst dörren. Ljuset var släckt i Catrionas sovrum, men det var bäst att vänta en stund till för att vara säker på att hon sov. Rosa var lite ängslig, för om Catriona kom på henne med att rota i kofferten skulle hon få en rejäl utskällning. Samtidigt var det spännande, något av ett äventyr. Rosa gjorde en snabb avstickare till toaletten och lade sig sedan i sängen för att vänta.

Minuterna släpade sig fram, men då klockan i hallen slog elva var Rosa ganska säker på att Catriona sov. Hon gick på tå genom gången och lyssnade utanför hennes sovrumsdörr. Hon kunde höra regelbundna andetag. Med dunkande hjärta smög hon in i vardagsrummet och ställde sig på en stol för att kunna nå nyckeln. Den var liten och glänste kallt i det starka månskenet då hon vände sig mot kofferten.

Det kändes som om det var något mystiskt som låg där och väntade på henne. Rosas ben darrade, och hon sjönk ner på soffan med blicken som fastnaglad vid den rostiga metallen och de slitna läderremmarna. Tiden gick, och risken för att bli överraskad ökade för var sekund. Fast det stegrade bara hennes förväntan, och chansen skulle kanske aldrig komma igen.

Tystnaden i huset omslöt Rosa, och bilder frammanade av Catrionas berättelser avlöste varandra i huvudet. Det var flyktiga bilder från en sedan länge svunnen tid, men de verkade så bekanta att hon inte kunde motstå dem. Hon föll på knä framför kofferten, knäppte upp remmarna och brottades sedan med hänglåset. Till slut fick hon upp det, men locket gnisslade då hon öppnade det.

Rosa blev alldeles stilla och lyssnade spänt efter något tecken på att hon hade blivit upptäckt. Men det enda som hördes var det gamla vanliga knakandet och knarrandet i huset. Hon sjönk ner på hälarna och betraktade kofferten; hon var alldeles torr i munnen och förmådde knappt andas.

Överst låg noter, gamla operaprogram och reklamfoton i tjocka lager ovanpå ett stycke muslintyg. Den fräna doften av malkulor fick ögonen att tåras då hon tog upp noterna och lade dem åt sidan. Fotona var tagna av yrkesfotografer, en del svartvita och andra i färg, och visade Catriona från tjugoårsåldern och fram till slutet av karriären. Operaprogrammen liknade dem som Catriona förvarade i sekretären, var tryckta på en mängd olika språk och kom från La Scala i Rom, Paris, Madrid, London, Sydney, Moskva ... Rosa hade sett dem förut och lade dem snabbt ifrån sig.

Under programmen låg tidningar. De hade en gång rullats ihop hårt med gummisnoddar om som hade torkat med åren. Rosa kastade en blick på rubrikerna, men eftersom hon varken var intresserad av kungens abdikation, krigsförklaringen eller drottningens kröning, lade hon dem på golvet. Med darrande händer drog hon bort muslintyget.

Klänningarna var gamla vänner, och hon mindes historierna som var förknippade med var och en. Den mörkröda aftonklänningen i sammet hade Catriona burit då hon poserade för porträttet som satt ovanför spiselkransen. Rosa tog upp den ur kofferten, borrade in ansiktet i tyget och kunde fortfarande känna doften av parfym och talk. Hon hängde klänningen över armstödet på fåtöljen och tog upp nästa. Den var av purpurrött siden som skiftade i blått med vid kjol och glittrande stenar broderade runt urringningen. Därefter kom en elegant svart klänning. Catriona hade berättat att den var sydd av Dior, men det intresserade inte Rosa. Det var breven hon letade efter.

Sedan kom ännu en Diorklänning, en Chaneldräkt och en cocktailklänning från Balmain. Långa, vita glacéhandskar var inlagda i tygpåsar med dragsnöre, och skira spetsunderkläder låg mellan lager av silkespapper. Då Rosa försiktigt lade dem på soffan kände hon hur pulsen började slå fortare. För där, skimrande i månskenet, låg brudklänningen som Catriona hade vägrat att låta dem prova. Rosa tordes knappt röra vid den, för den var det utsöktaste ting hon någonsin hade sett i hela sitt liv. Spetslivet var insvängt, och i lager på lager böljade kjolarna från midjan ner till golvet broderade med sandpärlor och diamanter.

Då Rosa höll den intill sig tyckte hon sig höra musik i en kyrka, kunde nästan känna doften av blommor och den unga brudens darrande upphetsning då hon gick uppför altargången. Catriona måste ha känt sig som en drottning den dagen, tänkte hon och visste att hon själv skulle ha gjort det, önskade att hon fick låna brudklänningen den dag hon själv gifte sig.

Så insåg Rosa att hon slösade bort tiden. Efter att försiktigt ha draperat brudklänningen över ryggstödet på soffan stack hon åter ner händerna i kofferten och fick fram sidenskor och vita handskar. Då hon tog upp den florstunna slöjan upptäckte hon en ensam gul ros. Kronbladen var torra och spröda, och den hade inte längre någon doft. Men det var något hos rosen som rörde vid hennes hjärterötter, och hon undrade varför Catriona hade sparat den.

Så fick hon syn på breven, och handen blev stilla. En del var ombundna med sidenband, andra låg i stora, bruna kuvert märkta BEUNDRARPOST. Hon lade dem åt sidan, kastade en blick på dörren och tvekade lite innan hon tog upp den understa brevbunten. Fingrarna skälvde då hon rörde vid det rosa sidenbandet. Hon kunde känna Catrionas närvaro i rummet, kunde nästan höra Catriona säga åt henne att inte snoka.

Hastigt slängde hon ner brevbunten i kofferten igen, som om hon med det kunde tysta rösten i sitt huvud. Catriona litade på henne och skulle bli rasande om hon upptäckte vad Rosa höll på med. Hon körde fingrarna genom håret. Det kändes som om Catriona stod alldeles intill, och hon såg sig om, rädd för att ha blivit ertappad. Catrionas ande fanns i allt i rummet, hela hennes liv innan hon kom till Belvedere låg utstrött runt omkring Rosa, och då hon betraktade oljemålningen ovanför öppna spisen kunde hon ha svurit på att de violblå ögonen iakttog henne med stadig, anklagande blick.

Oförmögen att stå emot längre och trots känslan av att vara iakttagen tog Rosa åter upp breven. Det var en liten bunt, och adressen var tydligt skriven. Med fumliga fingrar tog hon fram pappersarken ur det enda kuvert som var öppnat. Det var daterat några år tidigare, och när hon läst det förstod hon varför Catriona hade gråtit.

Medan Rosa blinkade bort sina egna tårar lade hon snabbt ner allting i kofferten igen och låste den. Hon lade tillbaka nyckeln under guldbronsklockan, kontrollerade noggrant att hon inte hade glömt någonting och skyndade på tå till sitt sovrum. Medan månen seglade förbi fönstret stirrade Rosa ut i natten och brottades med vetskapen om vad hon hade upptäckt.

18

S:t Helens flickskola var privat och mycket eftersökt av förmögna jordägare och Sydneys societets grädda. Huset hade en gång i tiden varit ett privatresidens, men efter depressionen hade det köpts billigt av två företagsamma fröknar och gjorts om till skola. De gamla fröknarna var sedan länge döda, men deras anda levde kvar i de nya byggnaderna, i stallet och hagarna och i det välförsedda biblioteket och de prydliga klassrummen. En jättelik gymnastiksal hade betalats av en tacksam förälder, och sovsalarna var bekväma och trivsamt inredda tack vare donationer. På ena sidan huset fanns en stor swimmingpool som skyddades för solen av segelduk.

Huvudbyggnaden var kvadratisk, och taket ovanför entrén hölls upp av vita kolonner. Väggarna i rött tegel var övervuxna med murgröna som fick en sagolik röd färg på vintern. En grusväg genom en allé ledde till gårdsplanen framför skolan med en stor fontän mitt på, och där Catriona satt i taxin blev hon starkt påmind om hotellet uppe på högplatån Atherton Tableland.

"Vad är det med dig?" frågade Pat. "Du ser ut som om du har sett ett spöke."

Catriona skakade av sig minnena och försökte koncentrera sig på nuet. "Jag hoppas jag har packat allt", mumlade hon. "Listan var oändlig."

Pat skrattade. "Om vi har glömt något är det ändå för sent nu."

De steg ur taxin, och en vaktmästare dök upp, prickade av deras bagage på en lista och lastade det på en dragkärra. Belinda och Rosa var ovanligt dämpade, men Catriona mindes sin första dag på musikkonservatoriet och förstod exakt hur de kände sig. Hon ville krama om Rosa och ta med henne hem igen. Skolan var så enorm, och där fanns så många okända människor. Tänk om hon inte trivdes?

"Det blir säkert bra, ska du se", sa Pat. "Titta, de har redan träffat några de känner. De kommer inte att ha hemlängtan länge."

Catriona såg Rosa och Belinda hälsa på goda vänner, och fler strömmade till. "Jag tror jag känner igen minst hälften av flickorna", sa hon.

"Och här finns en del som har gott om pengar", anmärkte Pat då de gick fram till trappan. Hon nickade mot en bil med chaufför.

Catriona såg en liten flicka stiga ur bilen och lydigt vänta medan chauffören lastade ur hennes väskor och räckte dem till skolans vaktmästare. Hon var söt med glänsande ljust hår och stora, blå ögon. Precis som Belinda och Rosa bar hon skoluniformen: bomullsklänning, vita strumpor och mörkblå kavaj med skolans emblem fastsytt på fickan. Panamahatten satt käckt på sned på det underbara håret, men Catriona noterade hur hårt hon höll i sin dyrbara skolväska i skinn. "Stackars liten", sa hon lågmält. "Undrar var hennes föräldrar håller hus."

Pat fnös. "De är väl för upptagna av att tjäna pengar. Människor borde inte skaffa barn om de inte ens har tid att följa dem till skolan första dagen."

"Hon ser så bortkommen ut. Tycker du att vi ska be våra flickor gå fram och prata med henne?"

Pat betraktade flickan ett ögonblick och ruskade sedan på huvudet. "Det är nog bäst att inte blanda sig i", svarade hon då flickan skakade hand med några av lärarna och lugnt stod där och talade med dem. "Men man blir oroad då man ser ett barn med sådan fattning."

Catriona suckade. Pat hade rätt, men hon kände sig som en hönsmamma i en tom hönsgård. Hon drog pälskragen tätare om sig. Det var kallt i Sydney, och vintern gav sig till känna i vinden som blåste från havet.

De gick uppför trappan och in i en ekande hall där de blev presenterade för rektorn, en gladlynt kvinna som visade sig vara en stor operafantast. Efter en kopp te i hennes salong blev de visade runt i skolan av en av de äldre eleverna och fick se var Belinda och Rosa skulle sova under sitt första år. Catriona betraktade de två raderna med sängar i den stora sovsalen. Hon avundades Rosa, för det här var en riktig internatskola, som dem hon läst om som barn. Vad mycket roligt flickorna skulle ha, tänkte hon längtansfullt då de lämnade sovsalen. Det skulle bli midnattsfester och viskande samtal nätterna igenom, lektioner på dagarna och gott om tillfällen att rida de vackra hästar hon hade sett i stallet.

Flickorna kom störtande ut i hallen just som Catriona och Pat började undra vart de hade tagit vägen. "Det är toppen, mamma!" skrek Rosa och kastade sig i famnen på Catriona. "Här finns massor av hästar och en enorm swimmingpool, och Belinda och jag känner redan de flesta av flickorna i vår klass."

Catriona höll hårt om henne. Hon förmådde knappt andas. "Vad sa du, raring?"

Rosa drog sig bakåt och såg på henne. "Jag sa att det finns en swimmingpool och hästar och ..."

"Nej", avbröt Catriona, och hjärtat slog snabbt. "Inte det, utan det där första."

Rosa rodnade ända ner till rötterna av sitt ostyriga hår. "Mamma", sa hon och tvekade lite, vilket inte hörde till vanligheten.

Catrionas tårar strömmade nedför kinderna, och Rosa kramade henne hårt, hårt. "Jag vet att det är dumt", snyftade Catriona, "men du har aldrig kallat mig det förut, och jag har väntat så länge på att få höra det."

Rosa blickade upp i hennes ansikte. "Mamma", sa hon fast, "du är den bästa mamma jag skulle kunna få, och jag är ledsen att du fick vänta så länge, men jag var inte säker på vad du skulle tycka."

Catriona kramade och pussade henne. "Åh, älskling", suckade hon. "Jag tycker det är det vackraste ordet i hela världen."

Med ett leende drog sig Rosa ur Catrionas famn, och Catriona torkade bort läppstiftet från hennes panna och försökte släta till håret. "Vad i all världen har ni haft för er?" bannade hon mjukt. "Varför kan du inte hålla dig snygg i mer än fem minuter?"

"Vi har hälsat på hästarna", förklarade Rosa, "och de är fantastiskt fina." Hon drog efter andan. "Det finns en kemisal här också, så Belinda och jag ska göra stinkbomber och släppa på pojkarna i skolan längre bort vid gatan."

Catriona tittade på Pat över Rosas huvud. De växlade ett lättat leende. Deras flickor skulle klara sig utmärkt.

Pat hade gett sig av från Belvedere en timme tidigare, och Catriona satt på den bakre verandan och blickade ut över betesmarkerna. Det var för tyst. Det ekade i rummen, och hon kände sig ensam. Ändå insåg hon att det inte var någon mening med att sitta där och tycka synd om sig själv. Hon hade vetat att den här dagen skulle komma, hade förberett sig för den och gjort upp planer på att engagera sig djupare i välgörenhetsarbetet och musikakademin i Melbourne. Livet måste gå vidare, och glädjen över att få se Rosa och Connor mogna till vuxna människor skulle kompensera för de ensamma stunderna. Belvedere var deras hem, och hon var den fasta punkten i deras tillvaro, oavsett vad livet höll i beredskap åt dem.

En rörelse i skuggorna gjorde henne på sin vakt. Så log hon då en kattunge kom emot henne. För att vara så liten och smutsig hade den ett krävande jamande och en beslutsam gång. Hon tog upp den i knäet. Under smutsen kunde hon se att det var en rödgul hankatt med vitt bröst, vita strumpor och en mager, randig svans. "Var kommer du ifrån?"

Kattungen satt i hennes hand och stirrade på henne med sina gula ögon. Han såg ut att vara utsvulten, vägde nästan ingenting, och hon gissade att han bara var några veckor gammal. Hon klappade den smutsiga pälsen. Han började spinna, och tungan stack ut mellan de nålvassa tänderna. Hon skrattade. "Du verkar gilla det, men jag misstänker att vad du egentligen vill ha är mat."

Catriona visste att hon bröt mot alla regler då hon bar in honom i huset. Kattungen var antagligen minstingen i kullen och hade blivit övergiven av modern. Precis som allt annat på Belvedere måste katterna förtjäna sitt uppehälle genom att jaga skadedjur som tog sig in i ladugården och ibland angrep boskapen. Den här lille krabaten såg inte ut att kunna ta fast någonting alls och hade lämnats åt sitt öde.

Hon hällde upp mjölk på ett fat och såg honom lapa i sig den. Då han var klar tittade han på henne och ville ha mer. Hon gav efter och skar upp lite kyckling som hon tänkt ha till middag. Han åt med god aptit, och då han var färdig ägnade han lång tid åt att putsa morrhåren och tvätta pälsen. Mätt och belåten puffade han henne på benet och begärde att hon skulle ta upp honom i knäet. Så rullade han ihop sig och somnade.

Hon klappade katten och kände benen under pälsen. Med ens verkade huset inte längre lika tomt. Det var underligt och ganska underbart att ödet hade gripit in, för nu hade hon fått någon annan att ta hand om. "Vad ska jag kalla dig?" undrade hon högt.

Kattungen vaknade och spetsade öronen, slog upp ögonen och betraktade henne med överlägset lugn. Han tycktes tala om för henne att han hade kommit dit för att få mat, värme och vänlighet och att

Catriona borde förstå att från och med nu var det han som bestämde, att han gjorde henne en tjänst genom att adoptera henne.

Hon log och gav kattungen en kram. "Jag ska kalla dig Archie", sa hon, gick in i vardagsrummet och sjönk ner på soffan med katten i knäet. "Du och jag ska nog komma utmärkt överens."

Rosa hade varit på internatskolan i fem veckor, och Catriona förstod att Connor saknade henne. Men hon visste också att han kände sig lättad över att slippa ha Belinda i hälarna hela tiden och redan började fasa för loven.

Rosa flög hem på mitterminslovet och pratade nästan inte om någonting annat än sin nya goda vän Harriet Wilson, som hon höjde till skyarna. Harriet kunde dansa och rida och var även en duktig gymnast. Dessutom var hon både vacker och intelligent.

Connor var inte särskilt imponerad och tycktes mer intresserad av hästarna på skolan och de ridturer flickorna företog på kvällar och helger. Han tyckte att det var konstigt att det fanns stall och hagar i staden, och Rosa lovade att han fick komma på besök och se själv.

Lovet tog fort slut, och snart såg Catriona åter Cessnan stiga mot himlen. Fast hon skulle träffa Rosa redan veckan därpå, den 20 oktober 1973 då det var operahusets officiella invigning. Det gjorde henne sorgsen att Connor bestämt sig för att inte vara med och delta i hennes stora stund, men pojken hade inte förstått vad det betydde för henne, och han hade inte varit det minsta lockad av ett besök i Sydney.

Catriona log medan hon packade det sista för resan. Connor skulle definitivt inte ha njutit av att sitta och lyssna på arior, solistframträdanden och tal, och allt artigt kallprat på mottagningen efteråt hade gjort honom dödligt uttråkad. Trots att han säkert hade försökt verka intresserad för hennes skull, visste hon att han skulle ha vantrivts i högtidsdräkten och bara längtat tillbaka till hästryggen.

Rosa däremot bubblade av förväntan. Både klänning och skor var nya, och Catriona skulle låna henne det pärlhalsband som hon för länge sedan ärvt av Velda. Det var första gången Rosa var med på en sådan högtidlig tillställning, och Catriona höll tummarna för att allt skulle gå bra.

Den stora dagen grydde med varmt solsken. Hela området runt Circular Quay var pyntat med flaggor och lampor, och ute på floden syntes alla möjliga sorters flytetyg. Brandbåtarna sprutade vatten till salut medan de stora fartygen tutade med signalhorn och sirener. Färjor och fritidsbåtar var prydda med flaggspel, och massorna trängdes redan bakom avspärrningarna då flygvapnets musikkår spelade upp.

Med förtjusta rop och entusiastiskt viftande med flaggorna välkomnade folket i Sydney den kungliga kortegen som långsamt körde ut mot Bennelong Point och stannade vid foten av operahusets stora trappa. En röd matta var utlagd och löpte ner från entrén under en av de magnifika takvingarna som såg ut som svällande segel.

Catriona stod lugnt i raden av gäster i foajén och väntade på sin tur med Rosa bredvid sig. Flickan var blek, men ögonen lyste då hon slätade till klänningen och oroligt skrapade med fötterna. Så dök drottning Elizabeth upp, eskorterad av den brittiske ambassadören, och flickans ögon vidgades. "Hon har en riktig krona med diamanter!" utbrast hon viskande.

Catriona hyssjade åt Rosa men förstod varför flickan var imponerad. Drottningens tiara, halsband, örhängen och brosch blixtrade, och diamanterna gnistrade mot den blå klänningen. "Gör dig redo att niga", uppmanade hon då drottningen närmade sig. "Och säg inget om hon inte ställer en fråga till dig."

Drottningen förflyttade sig långsamt längs raden och blev presenterad för de stora i kulturens värld. Det var dansare, sångare och musiker, ett antal primadonnor liksom borgmästaren i Sydney och ministrarna i det australiska parlamentet.

Catriona höll andan då drottningen närmade sig Rosa. Flickan sjönk långsamt ner i den riktigt eleganta nigning som hon tränat i månader på. Drottningen log och sa "Bra gjort!" och fortsatte till Catriona.

Catriona neg och lyfte inte på huvudet förrän drottningen frågade hur hon trivdes med livet utanför scenen. "Mycket bra, Ers Majestät", svarade hon, och drottningen nickade leende och kastade ännu en blick på Rosa innan hon gick vidare.

Så visades drottningen in i den stora hall där hon skulle dela ut ordnarna. "Följ med Clemmie", viskade Catriona till Rosa. "Jag måste vänta här tills jag blir uppropad."

Rosa nickade, ställde sig sedan på tå och kysste Catriona på kinden. "Lycka till, mamma", sa hon med ögonen lysande av stolthet.

Catriona såg henne gå sin väg med Clemmie och drog ett djupt andetag för att lugna sig. Sorlet steg omkring henne, och till sin stora förtjusning såg hon många av sina gamla vänner. Där fanns barytoner, kontraaltar och sopraner som hon arbetat tillsammans med, dirigenter och regissörer som hon blivit osams med och medlemmar i baletten som hon delat loge med. Det var roligt att få höra det senaste skvallret, men det fanns inte mycket tid. De första namnen ropades redan upp, och sorlet dämpades till ett lågt mummel.

En förgylld stol klädd med röd sammet hade ställts fram i slutet av en lång, röd matta. Drottningen stod bredvid guvernören som räckte henne ordnarna och talade om vad varje mottagare hette.

Catriona kastade en snabb blick på Rosa och Clemmie medan hon väntade på sin tur. Så gick hon längs mattan, bugade för monarken och tog emot sin orden. Med några få ord gratulerade drottningen Catriona till hennes arbete för att dra in pengar till operahusbygget och talade om att hon under årens lopp haft stor glädje av hennes sång. Så tog drottningen ett steg bakåt, Catriona neg åter, och det var över.

Resten av dagen försvann som i ett töcken av lycka och förundran. Då Catriona fick ta emot gratulationer av borgmästaren, ambassadören och kulturministern kunde hon bara med knapp nöd låta bli att fnissa. Dame Catriona: det fick henne att låta som en viktig person. Vilken otrolig ära för en som börjat livet i ett varietésällskap!

19

*J*ulen kom och gick, och än en gång tog Catriona farväl av Rosa. "Får Harriet komma hit och vara här hela nästa lov?" frågade Rosa medan de baxade in kofferten i Cessnan.

Catriona tänkte efter. "Vill inte föräldrarna ha henne hemma?"

Rosa skakade på huvudet. "Hennes pappa är död, och hennes mamma är alltid på turné."

Catrionas intresse var väckt. "På turné? Är hon vid teatern?"

Rosa ryckte på axlarna. "Ja, hon är dansös eller något." Hon såg på Catriona. "Får hon det?"

Catriona hade svårt att koncentrera sig. "Hur är mamman?"

Rosa tvekade och försökte hitta de rätta orden. "Inte som du, inte kärleksfull och varm, och hon är fruktansvärt mager. Hon klagar alltid på att det är kallt och gillar inte smulor i bilen."

"När åkte du i hennes bil?" Rosa hade inte nämnt att de gjort några utflykter från skolan under terminen.

"Vi blev hembjudna på te till Harriets mamma då hon kom tillbaka från London. Det var jag, Belinda och tre av de andra flickorna, men jag tror inte hon gillade oss något vidare."

"Varför tror du inte det?" Catriona bemödade sig om att inte le, för Rosa såg allvarlig ut.

"Hur ska jag kunna veta det? Hon kanske inte tycker om barn. Fast om sanningen ska fram var vi rätt stökiga." Hon log. "Men vi fick jättegoda kakor till teet, mycket godare än vi skulle ha fått i skolan."

"Det är kanske inte värt att bjuda hit Harriet om hennes mamma är lite ..." Catriona lät resten av meningen bli hängande i luften.

"Hon bryr sig inte", svarade Rosa med tolvåringens tvärsäkerhet, "och hon kommer ändå att vara i Paris."

"Så flickan blir ensam hela lovet?"

Rosa nickade. "Ja, hon blir tvungen att stanna på skolan tillsammans med miss Hollobone. Harriet säger att det inte gör henne något och att hon är van vid det, men jag tror att hon mycket hellre vill vara hos oss."

Catriona stod inte ut med tanken på att den ensamma lilla flickan skulle tillbringa lovet i en tom skola. "I så fall tycker jag att du ska bjuda hit henne", sa hon då piloten startade motorn. "Jag ringer miss Hollobone senare i dag."

"Är det inte vackert?" sa Rosa då Cessnan gjorde en vid sväng och beredde sig att landa.

Harriet nickade. Det tycktes inte finnas ord för att beskriva vad hon kände, för det landskap som bredde ut sig framför henne var som taget ur en bilderbok. En liten grusväg letade sig nedför backen till en fridfull dal som såg gyllene ut i eftermiddagssolen. Gården låg på dalens plattaste del. Ekonomibyggnaderna såg ut som lite slarvigt utströdda höbalar kring gårdsplanens mörkröda mark, och i skuggan av ett pepparträd och en dunge eukalyptusträd låg mangårdsbyggnaden. Vid horisonten skimrade bergen blåa, och den varma vinden drog genom viddernas höga, gula gräs och fick det att bölja likt havet. Den molnfria himlen hade nästan tappat all färg och tycktes varken ha någon början eller något slut.

"Där står mamma och Connor och väntar på oss!" skrek Rosa.

Belinda sträckte sig förbi henne för att kunna titta ut genom fönstret. "Var?" frågade hon.

Rosa fnissade och såg illmarigt på Harriet. "Belinda är kär i min bror", upplyste hon med en teaterviskning. "Inte för att jag begriper varför. Han kan vara helt hopplös."

Belinda rodnade och stötte till Rosa hårt i sidan med armbågen, och de började puckla på varandra. Harriet log lite osäkert och visste inte vad hon skulle säga. Hon hade ännu inte riktigt vant sig vid de andra flickornas kamratliga och lättsamma sätt mot varandra. Eftersom Harriet var enda barnet och hennes mamma sällan var hemma hade hon nästan ingen erfarenhet av nära relationer med andra människor. Hon vände sig mot fönstret och såg en flock kängurur hoppa över slätten. Hur stod Rosa och Belinda ut med att lämna detta paradis?

Rosa fnittrade då Cessnan flög lågt över ett par betande emuer som skrämda satte i väg i en kobent språngmarsch som fick stjärtfjädrarna att burras upp. "De ser ut som sura cancandansöser", anmärkte hon.

257

Harriet skrattade åt de löjliga fåglarna, men hennes uppmärksamhet drogs snart till staketet vid landningsbanan och de människor som stod där och väntade. Det var första gången hon skulle träffa Catriona Summers, och hon kände sig nervös. Rosa hade berättat så mycket om den kvinna som hade tagit hand om henne och brodern och gett dem ett hem, och Harriet kunde inte låta bli att känna sig överväldigad av att den berömda sopranen Catriona Summers skulle vara hennes värdinna under lovet.

Rosa var först ur planet, sprang över gräset och kastade sig i armarna på en brett leende yngling i tonåren. "Hej!" skrek hon förtjust då han tog henne i famnen och gav henne en stor kram. "Aj, du knäcker revbenen på mig!"

Han satte ner henne. "Ursäkta. Gjorde jag dig illa?"

"Nej, men försök komma ihåg att jag är en flicka, inte en oxe", bannade hon. Så vände hon sig snabbt mot Catriona. "Hej, mamma", sa hon varmt och gav henne en kram och en puss på kinden.

Catriona blev röd om kinderna och ögonen strålade av glädje. "Jag märker att internatskolan inte har förändrat dig ett dugg", konstaterade hon tillgivet. "Fortfarande samma lilla yrhätta."

Rosa pussade den mjuka kinden igen. "Det är toppen att vara hemma igen, mamma", suckade hon belåtet.

Medan de andra hälsade på varandra passade Harriet på att studera dem. Hon var van vid att vara iakttagare, van vid att stå utanför, och hon hade för länge sedan upptäckt att hon lade märke till saker som andra inte såg. Det stämde att Belinda bara hade ögon för Connor, och trots att den sextonårige pojken var medveten om detta gjorde han sitt bästa för att inte låtsas om henne. Det rådde inte heller någon tvekan om att Rosa och brodern hyste djup tillgivenhet för varandra, men det var Catriona Summers Harriet fascinerades av.

Catriona var liten och slank och såg ut ungefär som på de gamla ateljéfoton som Rosa haft med sig till skolan. Ändå skvallrade den raka hållningen och uttrycket i de violblå ögonen om att hon hade en järnvilja. Håret var tjockt och svart, och hon hade det i en elegant frisyr. Kläderna verkade enkla, men Harriet såg på snittet att långbyxorna var skräddarsydda och tyget i blusen var dyrbart. Hon bar inte många smycken, bara ett par ringar, guldpärlor i öronen och ett hängsmycke runt halsen.

Det verkade som om Catriona var medveten om att hon blev granskad, för hon vände sig om och lät sin intelligenta blick nyfiket glida över flickan. "Och du måste vara Harriet", hälsade hon vänligt. "Välkommen till Belvedere."

Harriet tog den framräckta handen. Greppet var fast trots att fingrarna var smala, och diamantringarna gnistrade i solen.

"Jag är så glad att du kunde komma", återtog Catriona. "Rosa har berättat en hel del om dig." Hon log, och ögonen lyste upp. "Jag är säker på att vi får roligt tillsammans på lovet. Men nu vill ni väl ha något att äta innan Belinda ger sig av? In i pickupen med er allihop, så kör vi till huset."

Det riktigt lyste om Rosa då hon hjälpte brodern att baxa sitt stela ben uppför verandatrappan. Han hade blivit sparkad i knäet av en tjur några veckor tidigare och gick med käpp. "Harriet, det här är Connor", upplyste hon helt i onödan.

De hade inte hunnit hälsa vid landningsbanan, och nu blickade Harriet upp i nötbruna ögon som påminde om höstlöv. Irisarna hade svarta ringar, och ögonlocken var sömniga med täta ögonfransar. Hennes lilla näve försvann i hans stora, varma hand, och hon kände den sträva huden hos en person som aldrig suttit bakom ett skrivbord. Ärmarna på den rutiga skjortan var upprullade till armbågarna, så att man såg de solbrända, muskulösa armarna med mörka hårstrån. Han var lång och mörkhårig och klädd i åtsittande mollskinnsbyxor och dammiga läderstövlar.

Connor log, och de fina rynkorna som strålade ut från ögonvrårna fick honom att verka ännu mer tilldragande. "Hej", sa han släpigt. "Syrran har berättat om dig i sina brev. Roligt att äntligen råkas."

"Hej", mumlade Harriet, väl medveten om hans roade mönstring och den inverkan han hade på henne. Egentligen var Connor Cleary inte snygg; dragen var för oregelbundna. Men hon förstod varför Belinda var förälskad i honom. Han var urläcker.

Catrionas skratt ekade över verandan. "Det verkar som om beundrarklubben växer", skämtade hon.

Connor rodnade, och Harriet böjde på huvudet och undvek Belindas ilskna blick genom att låta håret falla ner runt ansiktet likt en gardin. Det sista hon ville var att göra sig ovän med den andra flickan, och Catriona gjorde inte saken bättre.

Alla följde efter Catriona in i köket. Harriet dröjde sig lite osäkert kvar innanför dörren medan de andra slog sig ner vid bordet efter att ha ställt väskorna i hallen. Huset var inte särskilt stort, upptäckte Harriet; det skulle lätt ha rymts i vardagsrummet i deras takvåning i Sydney. Men köket var trivsamt och hemtrevligt och uppenbarligen det rum där man helst höll till.

Catriona satte allihop i arbete. "Rosa, ta fram mjölken och sockerkakan. Och du, Harriet, kan väl duka brickan och bära in den i vardagsrummet?" föreslog hon leende.

Harriet nickade, glad över att ha fått något att göra, men det tog lite tid att hitta tallrikar och bestick, och det hjälpte inte att Belinda hela tiden blängde ilsket på henne. Rosa stötte till Harriet med armbågen. "Bry dig inte om henne", viskade hon medan de tog fram tallrikarna ur skåpet. "Hon är alltid så här när Connor finns i närheten."

"Men varför?"

"Rädd för konkurrens", svarade Rosa med munnen full av sockerkaka.

Harriet kastade en häpen blick på Belinda. "Men det är ju idiotiskt", väste hon.

"Jag vet, för vem i all världen utom Belinda skulle kunna finna min bror attraktiv?" De log konspiratoriskt mot varandra, och sedan tog Harriet tebrickan och följde efter Rosa in i vardagsrummet.

Där inne var det svalt, för det var sent på eftermiddagen, och solen höll snabbt på att sjunka bakom bergen. Möblerna hade definitivt sett bättre dagar, men sekretären var antik, och samlingen av glas och porslin i vitrinskåpen var utsökt. Harriet satte ner brickan på ett litet bord, noterade att det låg ett fint lager damm över allting och tänkte på moderns lyxvåning där inte minsta dammkorn tilläts. Hon avgjorde att hon trivdes bättre här där det var lite rörigare och man kunde slappna av.

Rosa gick ut i köket, och Harriet såg sig omkring. Ovanför öppna spisen hängde tre tavlor, och hon gick fram för att studera dem närmare. Det var porträtt, och trots att de såg ut att vara mycket gamla och behövde rengöras lyste personernas karaktärer igenom.

"Det är mina föräldrar", upplyste Catriona som kom in i vardagsrummet med Rosa i släptåg. "Porträtten målades kort efter det att de hade kommit hit till Australien. På den tiden fanns det pengar till sådant." Hon måste ha sett Harriets blick gå mellan porträtten, för hon log lite ironiskt och ställde sig bredvid henne. "Det är jag", tillade hon och pekade på det i mitten. "Jag såg bra ut på den tiden, eller hur?"

Hon tycktes inte förvänta sig något svar, för hon skrattade bara, vände ryggen åt tavlan och satte sig ner. "Porträttet påminner mig om att åren går och jag blir gammal och skröplig." Hon log. "Men alternativet är värre, så jag antar att jag får stå ut med det."

Harriet var uppfostrad av en mor som tog illa upp för minsta anspelning på hennes ålder och som avskydde födelsedagar, så hon höll tyst. Catriona hade varit en skönhet och var det fortfarande, för skönheten kom inifrån, och dessutom hade hon kvar sin perfekta hy och stolta hållning.

Rosa serverade teet när man slagit sig ner runt bordet. Alla pratade i munnen på varandra, och Harriet var fullkomligt nöjd med att sitta och lyssna. Hon kunde även höra ljud utifrån – kalvar ropade på sina mammor, hästar gnäggade och hundar skällde – som blandades med klirret av seldon och skrattande röster. Så annorlunda allt var här mot i den värld hon levde i, tänkte hon och tog en klunk te.

Under veckorna som följde underhöll Catriona de båda flickorna med anekdoter från sin barndom. Förutom i ett klassrum hade Harriet aldrig förr hört muntliga berättelser, och hon såg fram emot att varje kväll krypa ihop i soffan i pyjamas tillsammans med Rosa medan Catriona berättade om det kringresande varietésällskapet. Det hade blivit så verkligt för henne att hon ofta tyckte sig kunna höra ljudet av knarrande vagnshjul och balettflickornas skratt.

De dagar Catriona inte hade planerat picknick och de inte heller var bjudna på någon fest eller tillställning fick Harriet chansen att utforska Belvedere på hästryggen. Rosa hade visat henne alla sina älsklingsplatser, men den bästa hade hon sparat till sista lovdagen.

Längst bort i hörnet av en hästhage stod ladan. Den var förfallen med lagat tak och väggar som lutade inåt. Rosa satt av och slet i dörren, som hakade fast i det höga ogräset innan den gnisslande gled upp. Harriet hoppade av sin fux och steg in i dunklet. Solstrålar letade sig in, och dammet virvlade i solgatorna, och det fanns en kvardröjande doft av hö och havre, men Harriet hade bara ögon för föremålet mitt på golvet.

"Mammas glädje och stolthet", förklarade Rosa och lät fingrarna kärleksfullt glida över träet.

Harriet gick närmare och rörde vid målningen som glänste röd, grön och gul i solen. De klarröda bokstäverna på sidorna syntes lika tydligt som om de målats dit dagen före. "Det är vagnen!" viskade hon.

"Catrionas vagn. Men hur hittade hon den efter så lång tid?"

"Det var på en auktion på en farm. Ägaren hade använt vagnen som hönshus", svarade Rosa. "Mamma lät forsla hit den, och hon och Connor återställde den i ursprungligt skick sedan hon hade lämnat scenen. Visst är den fin?"

Harriet kände det som om hon redan hade sett vagnen. Efter att ha hört Catriona berätta var det underligt att stå inför något som hon skulle ha känt igen var som helst. Det var som om hon kommit tillbaka till ett förflutet som inte var hennes eget men som ändå var välbekant. "Det måste ha tagit åratal", sa hon och beundrade det utsökta gallerverket som löpte på utsidan längs vagnsgolvet och de vackert målade hjulen.

Rosa körde händerna i fickorna och nickade. "Belinda och jag brukade leka i den och låtsas att vi var tattare. Men jag vet att den är värdefull och förmodligen den enda i sitt slag. Det historiska sällskapet bönföll mamma om att få den, men den betyder för mycket för att hon ska vilja släppa den ifrån sig."

"Undrar var de andra blev av?" sa Harriet och sträckte på halsen för att titta in. Till hennes besvikelse var vagnen tom, men hon kunde föreställa sig korgarna med scenkostymer, madrasserna, grytorna och kastrullerna och allt annat som varietén hade fört med sig på sina resor kors och tvärs genom vildmarken.

"Vem vet?" svarade Rosa sorgset. "De står väl och blir förstörda någonstans. Mamma säger att folk inte intresserar sig för historia förrän det är för sent, eller om det går att tjäna pengar på det. Men den här vagnen är i alla fall i säkerhet", tillade hon och gled med handen över hjulet.

Harriet nickade och rörde vid målningen en sista gång. Då hon stod i dörren till den förfallna gamla ladan tyckte hon sig höra vagnshjul skumpa fram över ojämna vägar, ett stadigt klapper av tunga hovar och klirret av seldon, och då hon blickade mot horisonten kunde hon nästan se raden av vagnar där borta i värmediset medan dammet virvlade under hjulen och skratten ekade mellan tysta kullar.

"Hallå där, Harriet! Vad är det med dig?"

Hon blinkade bort bilderna och såg på Rosa, men huvudet var fortfarande fullt av ljuden från en svunnen tid. "Catriona gjorde det så verkligt för mig", förklarade hon, "och nu när jag har sett vagnen är det som om allt har fått liv."

"Akta, så att inte fantasin skenar i väg alltför mycket med dig", förmanade Rosa. "Annars hamnar du kanske på dårhus en vacker dag."

Harriet skrattade. Bilderna hade bleknat bort, och verkligheten var tillbaka. Hon sprang ut i solskenet och lossade tyglarna från kroken på väggen. "Kom, så rider vi vidare!" föreslog hon ivrigt. "Det är vår sista lovdag, och sedan är det gamla trista plugget igen."

När de kom ut på slätten satte de av i full galopp och gav hästarna fria tyglar. Med ens förlorade tiden all betydelse, och de njöt i fulla drag av att vara unga och bekymmerslösa mitt ute på de ändlösa vidderna. Det var som om de flög fram och var lika fria som fåglarna som flög ovanför eller som molnet som envist höll sig kvar långt borta över bergen.

Till sist höll de in hästarna och gled ner på marken. "Det var härligt!" utbrast Rosa, klappade hästen på halsen och lossade sadelgjorden. "Det var ett tag sedan jag sist red i sporrsträck."

"Jag med", flämtade Harriet som var alldeles andfådd efter den hektiska ritten, "och jag är både hungrig och törstig." Hon tog av sig hatten och torkade svetten ur ansiktet. Håret var genomvått, och skjortan klibbade fast vid ryggen. Det var inte lätt att hålla jämna steg med Rosa, och trots att Harriet hade ridit i många år hade hon haft fullt sjå att tygla sin häst under den halsbrytande galoppen över slätten. Det skulle värka i hela kroppen dagen därpå, insåg hon, men det var det värt, för det förflutnas spöken hade jagats bort, och hon var full av energi och livskraft och ett välbefinnande som hon inte känt sedan hon och fadern en gång var ute och red i skogarna nedanför Glass House Mountains uppe i Queensland.

Hennes fux kastade med huvudet och visade sina stora tänder då hon klappade den. Öronen var spetsade, och det fanns en glimt i ögonen som sa henne att hästen också hade njutit av den vilda ritten.

"Det finns en bäck en bit längre fram", upplyste Rosa. "Där kan vi äta lunch innan vi rider tillbaka till gården."

De ledde hästarna fram till en liten sänka där en bäck slingrade sig fram på en bädd av sten. Med tyglarna dinglande om halsen drack hästarna länge. Rosa och Harriet ställde sig på knä bredvid, blaskade av ansiktet och fyllde sedan hattarna, satte dem på huvudet och lät det svala vattnet strila ner. Så slängde de sig ner på marken under ett träd och låg där och blickade upp genom lövverket mot den blekblå himlen.

"Det här är annat än skolan det", sa Rosa med en belåten suck. "Jag minns att jag ofta red hit tillsammans med mamma när jag var liten. Vi brukade ligga här under trädet och prata om allt mellan himmel och jord." Hon rullade över på mage och sträckte sig efter smörgåspaketet. Med munnen full att kyckling och sallad återtog hon: "Mamma är toppen. Hon förstår sig på barn och vet att vi måste få prova på saker, och det gör inget om vi blir smutsiga. Connor och jag har haft tur."

"Pappa och jag brukade hitta på en massa roliga saker", berättade Harriet medan hon slog upp saft i plåtmuggar och räckte Rosa den ena. Kycklingsmörgåsen hade smakat bättre än något i staden, förmodligen beroende på den friska luften och de underbara omgivningarna. Hon svalde sista tuggan och torkade av händerna på byxorna, något som skulle ha fyllt modern med fasa. "Mamma tjatar alltid om att jag ska hålla mig ren och uppföra mig väl. När hon är hemma tvingar hon mig att bära förskräckliga volangklänningar där minsta fläck syns." Hon fnissade. "Då jag var riktigt liten brukade hon anmäla mig till skönhetstävlingar och klädde upp mig som en porslinsdocka med makeup och allt. Men det varade inte länge. Jag avskydde att paradera inför domarna och gjorde grimaser åt dem. Mamma blev rasande, men det fanns inget hon kunde göra åt saken."

"Stackars du", mumlade Rosa deltagande. "Det måste ha varit hemskt."

"Så länge pappa levde gick det an, för han tog alltid mitt parti, men efter …" Harriet svalde och blinkade bort tårarna. "Saker och ting förändrades", fortsatte hon, "och utan honom känns allt så tungt. Sedan mamma väl insett att jag inte tänkte bli dansös som hon tycks hon inte längre bry sig om mig."

"Jag är glad för att vi är goda vänner", sa Rosa med ett varmt leende, "och du får alltid komma hit på loven. Det sa mamma i morse."

Harriet log tillbaka, värmd ända in i själen av den generositet hon mötts av under sin vistelse på Belvedere. "Tack", sa hon och var oförmögen att i ord uttrycka de känslor som vällde upp inom henne.

Rosa ryckte på axlarna. "Om det inte hade varit för mamma vet jag inte vad det skulle ha blivit av Connor och mig. Det är inte mer än rätt att vi delar med oss lite."

Harriet hade nära till tårarna. Hon hade aldrig tidigare mötts av den sortens oegennyttiga vänskap och var djupt rörd. När hon slutligen lyckades få känslorna under kontroll rullade hon över på rygg och andades in den varma luften som doftade mimosa, tallbarr och eukalyptus. Hon kände sig sömnig och rofylld. Himlen var klar, och hon kunde höra syrsorna gnissla i gräset och en kookaburras skrattande läte. Det kändes som om Sydney, skolan och modern befann sig långt därifrån på en annan planet. Om det bara ville förbli så, tänkte hon längtansfullt, men det kunde det naturligtvis inte.

Harriet suckade och slöt ögonen. Hon hade fått se en annan sorts liv på Belvedere. Catriona hade umgåtts med henne och Rosa, tagit dem med på picknickar och simturer i vattenhålet, hon hade berättat historier och uppmuntrat flickorna att ge sig ut och utforska naturen. Allt skilde sig så markant från den välordnade och inskränkta tillvaron i Sydney, där Harriet hela tiden förväntades uppträda artigt och väluppfostrat. Rosa kunde skatta sig lycklig. Ändå var Harriet inte avundsjuk, förmådde inte missunna henne något. Hur skulle hon kunna göra det när Rosa hade varit så generös?

Jeanette Wilsons uppfattning att barn skulle synas men inte höras var något Harriet fått lära sig leva med tidigt i livet. Större delen av barndomen hade hon tillbringat på internatskolor, och under de korta perioder hon bodde ihop med modern på loven hade hon förväntats anpassa sig till moderns ständiga klättring uppåt på samhällsstegen. För husfridens skull hade hon följt med modern på veckosluten och hälsat på människor som hon knappt kände och inte gillade.

I skolan hade hon sluppit de stränga föreskrifter som gällde i den minutiöst välstädade takvåningen liksom de regler och förhållningsorder som hon måst rätta sig efter så långt tillbaka hon kunde minnas. Det hade varit lite lättare då fadern levde, och hon saknade honom djupt. Trots att han var en upptagen man tog han sig alltid tid att komma på föräldradagar, berömde henne när det gick bra och tröstade då det gick dåligt. Fadern hade varit hennes bäste vän och stöttepelare; han hade uppmuntrat henne att vara ambitiös, hade gett henne självförtroende och varit stolt över hennes blixtrande intelligens.

Jeanette hade helt andra idéer, och då Harriet blev äldre insåg hon att den fina utbildningen bara tjänade det syftet att hon skulle träffa 'rätt' sorts människor. Modern talade redan om en flickpension i Schweiz och möjligheterna att fånga en förmögen make med goda förbindelser, så att hon slapp arbeta för sitt uppehälle. Harriet var förbryllad över de dubbla budskap hon fick av modern. Jeanette hade arbetat i hela sitt vuxna liv – hon var prima ballerina i Sydney Ballet Company – och hade slitit hårt för att nå dit hon kommit. Varför skulle det vara annorlunda för hennes dotter?

"Vad är det?" Rosas röst väckte upp henne ur funderingarna.

"Ingenting", svarade Harriet med en belåten suck. "Jag bara njuter av livet."

Under de sex år som följde djupnade vänskapen mellan Harriet, Rosa och Belinda. Belvedere hade blivit ett andra hem för Harriet, och Catriona tog alltid emot henne med öppna famnen på skolloven. Belindas obesvarade kärlek till Connor avtog inte trots alla hans erövringar i Drum Creek, och Catriona började bli övertygad om att framgången hos kvinnor berodde på det nonchalanta sätt att gå som han lagt sig till med på grund av det skadade knäet.

Medan Catriona stod på gårdsplanen tillsammans med Pat Sullivan och såg de tre flickorna sadla hästarna och rida i väg slog det henne att Rosa, Belinda och Harriet inte längre var barn. Vid sjutton års ålder var Rosa liten och späd men hade lagt ut på alla de rätta ställena. Håret var kort med rödfärgade toppar och klippt i en spretig taggfrisyr. Hon gillade mörk makeup och läppstift, och kläderna var minst sagt okonventionella: vanligtvis svarta och snäva och helt oförenliga med livet på en farm. Hon blev mer lik Poppy för var dag som gick, och hennes smycken, korta kjolar och minimala toppar hade blivit ett allmänt samtalsämne i trakten.

Belinda var längre och kraftigt byggd som sina bröder. Hon föredrog jeans och T-shirts och kände sig mer hemma på en häst än i ett klassrum. Trots sin ålder var Belinda fortfarande något av en vildbasare. Det mörklockiga håret nådde nästan ända ner till midjan, ögonen var mörkbruna, och när hon log kunde hon få ett isberg att smälta.

Harriet var av medellängd, slank och elegant, och hon rörde sig som en dansare. Det tjocka, blonda håret gick till axlarna, hyn var gräddvit och ögonen stora och blå. Hon var den lugnaste av dem, men hennes äventyrslusta hade blommat upp under loven på Belvedere, och hon var en helt annan person än den blyga och ensamma lilla flicka som Catriona sett första dagen på internatskolan.

"Tiden tycks ha flugit i väg", anmärkte Catriona. "Jag kan inte få in i mitt huvud att de där tre yrhättorna nästan är arton år gamla."

Pat log. "Ja, fast ibland verkar de knappt ha vuxit ur barnskorna. De är hästtokiga och lika busiga som en hop apungar. Se bara som de sätter av i vild karriär utan en tanke i huvudet." Hon vände sig mot Catriona. "Ändå känns det som om det var i går du bosatte dig här ute", tillade hon. "Du ångrar inget?"

Catriona skrattade och drog fingrarna genom det kortklippta håret. Det var mer praktiskt, svalare också, och vid femtiosju års ålder klädde det henne. "Nej", svarade hon fast, "men utan dig skulle jag aldrig ha funnit mig till rätta så snabbt."

Pat ryckte på axlarna. "Jag gjorde inte mycket", invände hon blygsamt. "Din personlighet och ditt sätt att uppfostra Rosa och Connor räckte för att du skulle vinna allas respekt."

Catriona körde händerna i byxfickorna. "Jag visste att jag skulle få fullt sjå att uppfostra någon annans barn, och jag var orolig för att inte passa in efter alla år jag hade rest runt i världen", sa hon lågmält. "Du hjälpte mig mer än du anar. Jag var livrädd för att säga eller göra fel, för att komma i märkeskläder när det hade varit mer passande med jeans och skjorta." Hon kisade mot solen. "Jag vill inte skilja mig från mängden", erkände hon.

Pat gav henne en snabb kram. "Det kommer du alltid att göra", sa hon och log, "men det är bara trevligt, och vi älskar dina fantastiska historier. Det är som att ha Poppy tillbaka."

Catriona såg efter de tre gestalterna som nästan hade slukats upp av värmediset. "Det är nog den finaste komplimang du kunde ha gett mig", sa hon slutligen.

I långsam takt strövade de över gårdsplanen och in i huset. Archie ville som vanligt ha mat och blev högst missbelåten över att serveras torrfoder. Numera var han en stor och fet rödgul katt med strålande aptit som gärna sov hela dagarna. Catriona visste nog att det var han som bestämde, men han var trevligt sällskap då flickorna var borta, och hon tyckte om att ha den spinnande katten i knäet under de långa, kalla vinterkvällarna.

Efter att ha bryggt en kopp te satte sig Pat och Catriona i skuggan på verandan och såg boskapsskötarna röra sig mellan inhägnader och hagar, lador och verkstäder. Kalvarna hade skilts från sina mammor och klagade högljutt medan de rev upp dammet i fållorna. Landsvägståget skulle komma senare samma dag för att köra dem till boskapsmarknaden. Det var den enda tid på året som Catriona avskydde, men hon var klok nog att inte säga något. Här ute fanns ingen plats för sentimentalitet, bara goda affärer och sunt förnuft.

"Stackars Connor", suckade Pat då han kikade ut ur smedjan innan han korsade gårdsplanen. "Än i denna dag är han livrädd för Belinda."

De båda kvinnorna småskrattade. "Hon följer efter honom som en trogen hundvalp med stora ögon", sa Catriona, "och han gör allt för att undvika henne."

"Och stackars Belinda", suckade Pat. "Jag hade hoppats att hon skulle komma över honom och träffa någon trevlig pojke under åren i Sydney."

"Hon kanske träffar någon när hon börjar på universitetet", framkastade Catriona.

Pat tuggade på underläppen och började dra i en av knapparna i koftan. "Hon har bestämt sig för att inte gå på universitetet."

Catrionas ögon vidgades av förvåning. "Men jag trodde att hon var lika inställd som Rosa och Harriet på att läsa juridik? De har inte talat om något annat de senaste åren."

Pat strök det korta, grånande håret bakom öronen. "Belinda är trött på att plugga. Hon vill börja jobba och tjäna pengar." Hon suckade. "Jag har försökt tala med henne, men du vet ju hur envis hon kan vara. När hon väl har fattat ett beslut kan inget få henne att ändra sig."

Catriona tänkte på Belindas förälskelse i Connor. Det bådade inte gott för den stackars gossen, men å andra sidan skulle han snart fylla tjugotvå. Förr eller senare skulle någon flicka fånga honom, och hon gillade tanken på att få Belinda till svärdotter. Catriona samlade tankarna och koncentrerade sig på samtalsämnet i stället. "Jag förmodar att hon ska arbeta på Derwent Hills? Det förvånar mig inte. I själ och hjärta är hon en flicka som trivs allra bäst på landet."

Pat skakade på huvudet. "Hennes bröder är redan i färd med att ta över farmen, och det finns inte längre någon plats för henne. Hon tänker utbilda sig inom samma bransch som Rosa och Harriet men ägna sig åt att upprätthålla lag och ordning. Hon har blivit antagen vid polishögskolan i Sydney."

Catriona betraktade väninnans ansikte och såg besvikelsen. Pat hade önskat så mycket för sin enda dotter. "Det var tråkigt att höra", sa hon, "men Belinda har alltid tyckt bättre om att arbeta med händerna än att hänga över böcker."

"Ja, jag vet det, men jag hade sett fram emot att få en jurist i familjen." Hon skrattade. "Något att skryta om. Men om jag känner min dotter rätt klarar hon sig i vilket yrke hon än väljer, och jag tycker synd om den karl som försöker sätta henne på plats. Med tre bröder och livet på en fårfarm bakom sig är Belinda fullt kapabel att ta hand om sig själv." Hon kastade en blick på klockan. "Nej, det är nog bäst att jag tänker på refrängen. Jag har tusen saker att göra hemma innan det blir mörkt."

De båda kvinnorna drack ur teet, och Catriona följde Pat ut till pickupen.

Catriona gav henne en kram. "Jag flyger över med Belinda på söndag kväll", sa hon. "Så kan vi flyga vidare till Sydney på måndagen tillsammans och installera flickorna inför deras sista termin i skolan."

"Det är svårt att tro att de har blivit så stora", sa Pat och vred om nyckeln i tändningen. "Jag tycker det känns som om det var i går de började småskolan."

Catriona stod och vinkade på verandatrappan då Pat körde genom den första grinden. Hon såg dammolnet välla upp och långsamt lägga sig innan hon gick in i huset och slog sig ner vid miniflygeln i vardagsrummet. Efter att ha tänkt efter en stund började hon spela, och fingrarna löpte över tangenterna.

Melodin hette "Summertime" och var ur Gershwins *Porgy and Bess*, och den tycktes uttrycka exakt vad hon kände i den stunden. Medan hon började sjunga den suggestiva vaggvisan insåg hon att livet återigen var på väg att förändras, och trots att det var sorgligt att barnen började bli vuxna såg hon fram emot nästa fas i livet.

De tre flickorna kom instörtande strax efter solnedgången. De var smutsiga, andfådda och utsvultna – precis som vanligt. Catriona skickade ut dem i badrummet för att tvätta av sig och stängde locket till flygeln. Dagen hade runnit i väg medan hon förlorade sig i musiken.

Rosa kom inrusande i köket då hon höll på att skära upp rostbiffen. "Mamma", skrek hon, "Billy ska ta med oss ut i vildmarken i natt. Du får också följa med", tillade hon hastigt. "Säg att vi får, snälla!"

Catriona log åt eftergiften. "Kanske", svarade hon och fortsatte skära. "Vart mer exakt har Billy tänkt ta vägen med er?"

"Kommer inte Connor in och äter?" frågade Belinda, som just steg in i köket tillsammans med Harriet och satte sig vid köksbordet.

"Han äter med de andra boskapsskötarna", upplyste Catriona och skar upp de sista skivorna. Då hon såg den besvikna minen mjuknade hon. "Men vi får säkert träffa honom senare", tillade hon.

"Får vi rida ut med Billy då?" frågade Rosa otåligt.

Catriona tittade leende på henne. "Ska du inte förklara vad Billy tänker göra där ute mitt i natten?"

Rosa skakade på huvudet. Ögonen glänste, och hela hon strålade av upphetsning. "Jag har lovat att inte säga något. Det är en överraskning."

Antagligen ett av hans mystiska strövtåg, tänkte Catriona. Men varför inte? Det kunde bli kul. "Eftersom det är er sista helg hemma tycker jag att vi ska ge oss ut allihop", sa hon och såg på Belinda. "Connor kanske också vill följa med. Ska jag fråga honom efter middagen?"

Belinda rodnade och böjde ner huvudet. "Om du vill så", muttrade hon med utstuderad brist på entusiasm.

Rosa och Harriet stötte varandra i sidan och fnissade, och Catriona gav dem en irriterad blick. Rosa retade brodern skoningslöst för Belinda, och det hela började urarta. Kanske skulle polishögskolan bota Belinda från förälskelsen och få henne intresserad av annat.

Natten var stilla och tyst. De red ut från gården med Billy Birdsong och hans båda stadiga söner i täten. Catriona satt ledigt i den smala sadeln med ena handen om tyglarna och den andra på låret. Alla sinnen var på helspänn i den svala, friska luften, och dofterna slog upp mot henne då hästarna travade genom det höga gräset. Den blandade lukten av eukalyptus, tallbarr och vildblommor blev till ett utsökt potpurri, och månen förgyllde trädens toppar och kastade djupa skuggor under dem. En mild bris drog genom tuvorna av taggigt piggsvinsgräs och prasslade i de slokande eukalyptusbladen likt viskningar från forntida andar.

Catriona kastade en blick på flickorna och såg att även de påverkades av de majestätiska omgivningarna. Det riktigt lyste om Belinda, fast det var ju svårt att avgöra hur mycket som berodde på att Connor hade följt med, om än motvilligt.

De hade lämnat träden bakom sig, och nu bredde slätten ut sig framför dem med bergen som en avlägsen linje av mörka skuggor långt borta vid horisonten. Billy Birdsong saktade ner till skritt och pekade på en rad låga kullar. "Det där är Regnbågsormens ägg", upplyste han, "en helig plats där det finns gott om förfädernas andar."

Catriona log för sig själv. Billy dramatiserade som vanligt. Han var en underbar sagoberättare men hade en tendens att överdriva när han hade publik. Det syntes på de andra att de var förtrollade av nattens mystik, och de såg hänfört på aboriginen som med sin halvsjungande röst talade om Drömtiden.

Catrionas första ingivelse att ta det hela från den skämtsamma sidan sopades bort av insikten att Billy fullt och fast trodde på berättelsen om Regnbågsormen. Han förde dem längs outforskade stigar där ingen vit man hade satt sin fot, in i skapelsens myter och legender. Hur skulle hon kunna tvivla på dem? Känslan av tidlöshet ute på vidderna var överväldigande, och allt hon någonsin fått lära sig verkade oviktigt då aboriginen med sin lyriska stämma ledde dem in i det tysta hjärtat av detta urgamla, storslagna landskap.

Känslan av att befinna sig på en helig plats växte sig starkare då de styrde hästarna mot de låga kullarna, och Catriona blev medveten om att hon drogs till dem. Det var som om hon drömde, som om hon villigt lät sig övertas av en osynlig makt som var för stark att motstå. Ändå kände hon sig inte rädd, hade ingen önskan att vända om, för hon var övertygad om att hon skulle få uppleva något märkligt.

De mjukt böljande kullarna reste sig mot natthimlen likt valar som hade strandat där en gång i forntiden då de dök i gräshavet. Aboriginerna red först, och stamäldstens röst kom drivande med den svaga brisen då de långsamt uppslukades av de djupa skuggorna. Det dämpade ljudet av hovslag mot marken ackompanjerade hans melodiska röst och vindens suckande. De drogs in i Drömtiden, tillbaka till den tid då de första förfäderna lämnade sina fotspår på den nyskapade jorden.

På ett led red de efter aboriginerna, och Catriona undrade om de andra upplevde samma ensamhet, om de kände sig lika små och obetydliga som hon intill de urgamla kullarna och den väldiga himlen. Uppfattade de närvaron av sedan länge döda andar eller inbillade hon sig bara? Hon vände sig om i sadeln och betraktade de andra, men de var som förtrollade och följde blint efter aboriginerna in i Drömmarnas land.

Till slut var de framme och gled ner på marken. Efter att ha bundit ihop frambenen på hästarna gick allihop tysta efter de svarta männen längs en smal stig som slingrade sig uppför den högsta kullen. Billy Birdsong muttrade hela tiden obegripliga men förunderligt lugnande ord. Då han kom till kullens platta topp sjönk han ner på marken.

Catriona och de andra satte sig bredvid honom, och de var som förhäxade av hans röst och det vidunderliga sceneri som bredde ut sig framför dem. Förgyllda slätter sträckte sig mot horisonten, och silvriga vatten snirklade sig in och ut ur skuggorna där landskapet steg och föll i månskenet. Men det var himlen som fascinerade dem, och Catriona fann att det var den mest naturliga sak i världen att lägga sig på rygg i det spröda gräset och stirra upp, att förlora sig bland de glittrande stjärnbilderna.

Vintergatan syntes som en ljus väg genom mörkret, och Orion och Södra korset var så nära att det kändes som om hon kunde sträcka ut handen och plocka ner dem, som om hon kunde ta månen i handen och hålla i den. Medan Catriona kände den magnetiska dragningskraften från måne och stjärnor hörde hon aboriginens förföriska sång och kände jorden försvinna under sig. Hon var viktlös, drev omkring, gungades i skapelsens vagga av osynliga händer som långsamt förde henne till oändligheten. Det fanns ingen rädsla, bara en djup känsla av frid och att hon befann sig där hon var ämnad att vara.

Stjärnorna var närmare nu, slöt sig om henne, bar henne längs Vintergatan där varje stjärna var en sedan länge död förfaders ande. Hon kunde se deras ansikten och höra deras röster, och trots att de var främlingar kände hon att de välkomnade henne med värme och var inte rädd.

Hon drev, fortsatte att driva, gungade i armarna på en godhjärtad och kärleksfull skapare högt ovanför jorden där det var lätt att slå ifrån sig jordelivets bekymmer. Här fanns evigheten, här fanns mysteriet med livet och döden, och hon tog det till sig. Billys röst var som en vaggvisa i hennes huvud, och hon var återigen ett oskyldigt barn, utan falskhet och svek, utan fruktan för den kraft som bar henne så försiktig bland de oräkneliga stjärnorna. Hon sov i evighetens armar och var nöjd med att stanna där.

Tiden förlorade all betydelse medan hon utforskade det stora mörker som bredde ut sig bortom stjärnorna. Hon såg planeter födas och dö. Hon såg kometer skära genom det ändlösa mörkret, och topparna på månens spetsiga berg reste sig genom den kalla blå strålglans som omgav den. Hon kände värmen från den sammetsmjuka oändligheten, kylan från ringen runt månen och skapelsens andedräkt mot kinden.

Med sorg i hjärtat började hon driva bort från det himmelska förhärligandet av livet. Långsamt och obönhörligt ropade jorden till henne, kallade henne tillbaka, satte åter ner henne i det daggvåta gräset på den heliga kullen. Hon kände den kyliga nattluften tränga genom kläderna, hörde skriket från en ensam fågel och den stora tystnad som svepte in landskapet. Stjärnorna fanns kvar där uppe, och hon längtade tillbaka dit, till den tidlösa frid och de vaggande andearmar som så kärleksfullt hållit om henne på färden. Under natten hade hon varit tillbaka i Drömmarnas land, som nu var outplånligt inristat i hennes själ.

Så rörde sig någon, förtrollningen bröts och hon blinkade yrvaket mot de andra.

20

De senaste tio åren hade flugit i väg, och Catriona upptäckte med viss förvåning att hon snart skulle fylla sextiosju. Hur kunde hon plötsligt ha uppnått den åldern? Vart hade åren tagit vägen? Hon drog fingrarna genom det kortklippta håret, som numera var silvergrått i stället för ebenholtssvart, och körde tillbaka till huset med postsäcken. Hon tänkte aldrig på sig själv som så gammal, utan kände sig för det mesta flera decennier yngre. Hon hade fortfarande snygg figur och såg alltid till att vara välvårdad och elegant klädd, även om det numera alltid var i långbyxor och blus. Efter ett liv i offentlighetens ljus hade det blivit en vana, och hon hade ingen lust att bryta den.

Hon tömde ut posten på köksbordet och motstod frestelsen att öppna den. Förväntan var en del av tjusningen. Brev och tidningar kom bara en gång i månaden, men det var spännande att få allt på en gång, lite som julafton. I väntan på att tevattnet skulle koka upp blickade hon ut genom fönstret och tänkte tillbaka på de tio år som gått.

Det hade hänt mycket, både trevliga och tråkiga saker. Välgörenhetsarbetet innebar att hon ofta reste till Brisbane och Sydney, och hon hade engagerat sig mer i musikakademin i Melbourne. Hon hade varit i London och hälsat på goda vänner och även undervisat i mästarklasser och lett seminarier på operahögskolan vid Royal College of Music. Det hade varit en givande tid som hållit henne ung både till kropp och själ, för hur skulle man kunna ha med så begåvade unga människor att göra utan att smittas av deras entusiasm?

Besöket i Paris hade varit bitterljuvt. Då hon lade blommorna på Brins grav tänkte hon på sjukdomen som ryckt bort honom. Den var inte längre något mysterium, för läkarvetenskapen hade gått framåt och identifierat hiv-viruset. Nu för tiden kände alla till sjukdomen, men det fanns ännu inget botemedel, och många hade i likhet med Brin dukat under för den.

Clemmie hade gått bort några månader efter sin make, och Catriona saknade sin äldsta och närmaste vän djupt. När hon var i Sydney lade hon alltid blommor på deras gravar. Fred Williams hade överraskat alla genom att gifta sig med en änka från Bundaberg, och så snart Connor blivit tillräckligt gammal och erfaren hade han fått ta över skötseln av Belvedere medan Fred bosatte sig vid kusten i Queensland.

Rosas oväntade äktenskap med Kyle Chapman hade bara hållit ett knappt år. De hade gift sig hastigt och lustigt medan de gick på universitetet, utan att lyssna på Catrionas varningar om att de var för unga. Tyvärr fick hon rätt, för Kyle klarade inte av Rosas framåtanda och tog hämnd genom att ligga med så många andra kvinnor han bara kunde. Lyckligtvis hade de inte haft några barn, men skilsmässan blev uppslitande för bägge parter, och alla var lättade då det var över.

Rosa var nu tjugoåtta år gammal och hade tagit sin juristexamen med högsta betyg. I stället för att nappa på några av de erbjudanden hon fått från flera ansedda advokatbyråer i Sydney hade hon valt att arbeta på en liten firma som åtog sig rättshjälpsfall. Hon var outtröttlig i sin kamp för rättvisa åt de svaga, och Catriona tänkte att det kanske hade något med hennes bakgrund att göra.

Belinda hade gått ut polishögskolan och var kriminalassistent vid Brisbanes narkotikarotel. Pat Sullivan var orolig för henne, och Catriona med. Jobbet som narkotikapolis var både hårt och otäckt, men hon hade åtminstone en trogen beskyddare i Max, en stor schäfer som var tränad knarkhund. Belinda var populär och hade stort umgänge men bodde ensam i en liten lägenhet med utsikt över Brisbane River. Hon kom sällan hem på besök, men Rosa och Harriet höll kontakten med henne, så trots att Catriona själv inte hade träffat henne på åratal fick hon regelbundna rapporter tack vare Pat och flickorna.

Harriet besökte Belvedere så snart hennes hårt pressade tidsschema tillät det. Hon arbetade som affärsjurist på en firma i Sydney, och det skulle förmodligen inte dröja länge förrän hon blev delägare i företaget. Harriet hade anförtrott Catriona att modern visserligen inte gillade hennes yrkesval men var fast besluten att dottern skulle gifta sig med en av de yngre delägarna, som kom från en god familj och en dag skulle ärva en förmögenhet.

Catriona log vid tanken på den unga kvinna som kommit att bli som en medlem av familjen. Harriet hade stark vilja och skulle fortsätta att stå på sig och fatta sina egna beslut, och det beundrade Catriona henne för. Snart skulle huset åter genljuda av flickornas skratt, då Harriet och Rosa kom till Belvedere på några veckor för att fira hennes födelsedag. Catriona skakade av sig tanken att hon var på tok för gammal att fira den. Trots sin ålder tyckte hon att det var något magiskt med födelsedagar och såg fram emot den fest hon hade planerat.

Snabbt bläddrade hon bland breven, fann bara ett par av intresse som hon ögnade igenom, och tog sedan med sig tidningsbunten ut på verandan. Hon skulle sitta där i skuggan med Archie i knäet och läsa nyheterna.

Synen var inte vad den en gång varit, men inte ens utan läsglasögon hade hon några svårigheter att se tidningsrubriken. Orden, som var tryckta två veckor tidigare, stack henne i ögonen med tjocka, svarta bokstäver ovanför fotografiet. Hotellet uppe på högslätten Atherton Tableland hade till slut avslöjat sin fasansfulla hemlighet.

Händerna darrade, och hon grep hårt om korgstolens armstöd då hon kände ett oroväckande hjärtfladder. Rädslan grep omkring sig och gjorde med ens allt omkring henne för skarpt. Hon lutade sig mot kuddarna och slöt ögonen. Ändå såg hon bilderna för sig, tydligare nu än på flera decennier. Det var som om tidningsartikeln hade rivit ner den mur som hon avsiktligt byggt upp kring minnena och avslöjat den nakna sanningen i svart och vitt.

Catriona slog upp ögonen och betraktade omgivningarna som dåsade i eftermiddagssolen. Blicken drogs till påfågelsträden som stod i blom. Grenarna tyngdes ner av de scharlakansröda blommorna, och blombladen regnade över gräsmattan likt blodig konfetti. En snyftning steg upp i halsen, och hon kämpade mot det överväldigande behovet av att skrika och utestänga minnena av vad som hänt för så länge sedan.

Hon drog ett djupt andetag, blinkade bort tårarna och blickade ut mot den dallrande hettan. Livet hade lärt henne att visa behärskning, undertrycka känslorna och vara stark. Kanes övervåld hade förvisats till minnets innersta vrår, och mordet på honom hade bara dykt upp i någon sällsynt mardröm. Hon hade tidigt insett att om hon skulle överleva och nå framgång måste det förflutna begravas. Men chocken över tidningsartikeln hade återuppväckt den skräck som en gång i tiden varit hennes ständiga följeslagare. Hennes hemlighet var på väg att avslöjas. Hade hon den styrka som krävdes, dels för att berätta vad hon blivit utsatt för, dels för att erkänna vad modern och hon hade gjort?

Catriona stirrade rakt ut utan att se något medan tankarna snurrade i huvudet. Hon insåg att sanningen måste fram. Men hur skulle hon bära sig åt? Hur i all världen skulle hon kunna berätta om övergrepp och mord utan att krossa den tillit som Rosa och Connor hade till henne? Med ens vägde åren tungt då hon tänkte på vad som komma skulle. Livet hade alltid varit en utmaning, men nu var rustningen inte längre skinande ny och blank utan hon började bli gammal och svag. Saker och ting stod i begrepp att förändras just som hon minst av allt förväntade sig det, och det skrämde henne.

Hon suckade djupt och ansträngde sig för att jaga bort rädslan och slappna av. Så småningom började pulsen slå normalt, men då hon tittade ner på händerna, som fortfarande var välskötta med målade naglar och gnistrande ringar, upptäckte hon att de darrade. Diamanterna blixtrade i solskenet, och den släta guldringen satt löst och var sliten av ålder. Det hade gått så många år sedan Peter satte den på hennes finger, och det hade funnits en tid då hon funderat på att kasta den. Trots de sorgliga minnen den stod för visste hon varför hon aldrig hade gjort sig av med den. Den var en ständig påminnelse om hennes misstag, en varning för att någonsin mer lita på en man. Hon rörde vid den, snurrade den runt runt och mindes sitt kortlivade äktenskap och det förräderi som gjort slut på det.

Papegojornas skräniga tjattrande återförde henne till nuet, och med en otålig gest sopade hon ner tidningarna från knäet. Med skräckblandad fascination såg hon sidorna lossna och dala mot verandagolvet. Hon log ironiskt. Ödet tycktes fast beslutet att håna henne, för förstasidan med bilden på hotellet hamnade vid hennes fötter.

Hon satte foten mitt på sidan och sparkade in den under stolen. Den var utom synhåll men aldrig långt borta från hennes tankar. Snart skulle hon stå ansikte mot ansikte med det förflutna och de demoner som hon kämpat mot i hela livet. Skuggorna hade alltid funnits där, och nu gjorde de sig beredda att släppa in ljuset.

Catriona skakade på huvudet i ett försök att bli fri från dem och kom otåligt på benen. I nästan hela sitt liv hade hon väntat på att den här dagen skulle komma. Fram till nu hade hon lyckats förtränga det som hänt i det förflutna, och det skulle hon fortsätta med så länge som möjligt. Medan hon stod vid verandaräcket och tittade ut slog det henne att hon kanske lät känslorna och rädslan ta överhanden. Trots de otäcka rubrikerna kunde polisen näppeligen vara intresserad av ett mord som begåtts mer än femtio år tidigare. De hade fullt upp med nya fall, och när de sent omsider fick tid med det här skulle hon vara död och begraven. Dessutom, resonerade hon, hade hon varit ett barn, och alla som skulle ha kunnat minnas henne från den tiden var sedan länge döda. Sannolikt fanns det inte heller något som förband henne med hotellet, så varför i all sin dar greps hon av panik? Hon gick nedför verandatrappan, körde händerna i fickorna och höjde ansiktet mot solen innan hon stegade i väg för att inspektera de nya fållorna.

Boskapsfarmen bestod av fem hundra kvadratkilometer betesmarker, buskvegetation, berg och skog. Det närmaste samhället var Drum Creek, där man höll fast vid det gamla, även om ungdomarna övergav landsbygden och flyttade till storstäderna som lockade med nöjesliv och bättre möjligheter. Där Belvedere låg i triangeln mellan bergskedjorna Great Dividing Range och Chesterton Range torkade floder och vattenhål sällan ut, och trots att den senaste torkan hade varat i fem år rann vattnet ändå fram över de blanka stenarna och de släta, svarta klipporna i floden Drum Creek.

Men gräset var näringsfattigt, och eftersom det var dyrt att köpa foder hade Connor bestämt att hjorden skulle flyttas upp till bergsängarna och stanna där hela sommaren, eller åtminstone tills regnen kom. I och med att boskapen och de flesta boskapsskötarna var borta kändes det förunderligt öde på gården, en ödslig tomhet som tycktes förstärka hennes ensamhet. Då Catriona gick genom det höga, bleka gräset kunde hon ändå inte låta bli att njuta av doften av torr, varm jord blandad med mimosa och eukalyptus. Himlen var både oändlig och nära. Inga neonljus förstörde magin hos de stjärnklara nätterna, inga bilavgaser förorenade dagarnas friska luft, och Catriona kände det som om hon var ett med de primitiva människor som en gång beträtt dessa stigar före henne, oförstörda av det moderna samhället.

Hon omgavs av frid. Gräset vispade prasslande mot benen och påminde om den tid då hon brukade galoppera över slätten med vinden i håret, påminde också om promenader och utflykter tillsammans med barnen och långa, lata dagar vid vattenhålet. Medan hon gick kände hon rädslan lägga sig och lugnet komma tillbaka.

Hon kom till floden och bänken, som hon många år tidigare låtit bygga runt stammen av ett urgammalt eukalyptusträd, satte sig på den

278

och lutade sig mot trädets skrovliga bark. Det var hennes favoritplats, ett skuggigt hörn på den vidsträckta egendomen som under årens lopp hade blivit hennes privata tillhåll.

Vattnet i Drum Creek var klart och reflekterade solstänken som letade sig in genom de nedhängande grenarna. Det virvlade runt de svarta klipporna och forsade nedströms mot vattenhålet. Hon kunde höra fåglarna ropa till varandra, en symfoni långt vackrare än någon människan kunde skapa. Lyrfågeln sjöng och flöjtfågeln drillade, rosenkakaduor och papegojor skränade. Långt borta skrattade en kookaburra, och hon log, för det var det ljud som framför allt stärkte hennes kärlek till hemmet i vildmarken och värmde själen.

Trots skuggan från eukalyptusträdet kunde hon känna solens värme på axlarna. Hon viftade efter flugorna, men det var mer en vana som hon lagt sig till med under årens lopp, och hon visste att det inte tjänade något till, för flugorna var envetna och skulle inte försvinna förrän i solnedgången.

Lutad mot den varma barken betraktade hon floden och de klarblå småfåglar som blixtsnabbt dök ner från träden för att dricka. Det var för hett och ljust för vallabyer och känguror, men senare skulle de komma hit för att dricka, och det var en syn som alltid gladde henne. "Du börjar visst bli sentimental på gamla dar", muttrade hon förtrytsamt medan hon reste sig och borstade dammet av byxorna. "Det är på tiden att du tar dig samman." Hon blängde ilsket på floden, som om den skulle ha kunnat säga emot henne, vände sig sedan om och betraktade huset.

Det hade målats om många gånger under årens lopp och var inte särskilt likt det lilla hus hon sett som barn. Det hade fått många tillbyggnader, och även om verandan behövde repareras – termiterna tuggade hela tiden på trappan, och Archie älskade att vässa klorna på stolparna – var det för övrigt i perfekt skick. Med sina bleknade fönsterluckor och myggfönster smälte huset in i omgivningens jordfärger. Hon kunde ha lagt ner mer pengar på det – den varan hade hon trots allt gott om – men hon föredrog det som det var. "Vi kan bli gamla tillsammans", mumlade hon för sig själv.

Hon andades in den rena, friska luften och njöt av anblicken av sitt älskade hem. Belvedere dåsade i eftermiddagshettan, och hästarna stod och sov i skuggan av pepparträden längst bort i hagen medan mjölkkorna råmade och påminde om att det var dags att mjölka. I en

279

oregelbunden ring runt gårdsplanen låg lador och verkstäder, kokhuset och sovbaracken liksom hundgården, stallet, hönsgården och mejeriet. Belvedere var nästan självförsörjande, men åldern började ta ut sin rätt.

Solljuset var skarpt, och Catriona skuggade ögonen med handen då hon vände blicken mot förmannens stuga där Connor numera bodde. Han väntades hem samma kväll. Hon hade saknat hans glada leende och såg fram emot att få höra hur det hade gått med flyttningen av boskapen. Med en suck började hon promenera tillbaka till boningshuset.

Archie hoppade ner från sin kudde och sträckte på halsen för att hon skulle kunna klia honom under hakan. Han var gammal nu, förvärkt och överviktig, och inte det minsta lik den lilla magra kattunge som hon tagit hand om. Catriona klappade den rödgula pälsen och lät den yviga svansen löpa mellan fingrarna. "Du vill väl ha mat, kan jag tänka. Det är bara när du är hungrig som du bryr dig om mig."

Nätdörren knarrade då hon öppnade den. Archie seglade in i den smala gången och vände sig om för att kontrollera att hon följde efter. Efter att ha plockat upp tidningarna gick hon in i det svala dunklet och styrde stegen mot köket som låg på husets baksida. Trots att hon moderniserat det hade det kvar mycket av sin ursprungliga karaktär, och än i denna dag lagade hon mat på AGA-spisen som hon för många år sedan importerat från England.

Hon stoppade in tidningen i spisen och såg lågorna sluka papperet. Så lätt det gick och så fort det förvandlades till aska. Hettan från AGA-spisen jagade bort draget som vintertid visslade genom springorna i de timrade väggarna, men om sommaren, som nu, blev det varmt som i en bakugn i köket.

Catriona brottades med konservöppnaren, fick till slut upp burken och tömde ut innehållet på ett fat åt Archie, som satte i gång att äta med frisk aptit. Lutad mot en köksbänk såg hon honom sluka maten, och önskade inte för första gången att han kunde visa samma entusiasm för att jaga de råttor och möss som plågade Belvedere. Som katt på en farm var det egentligen hans plikt att hålla den fri från ohyra. Men till skillnad från de förvildade katter som höll till i lador och uthus var Archie fet och på tok för lat för att göra något annat än att ligga i solen och sova, och Catriona hade bara sig själv att skylla. Archie var bortskämd.

Hon ryckte på axlarna, lade teblad i tekannan och hällde på kokande vatten. Hon hade lite svårt att lyfta den tunga svarta järngrytan som alltid stod på spisen. Efter att ha gjort plats för tekoppen på bordet satte hon sig och betraktade röran. Hon hade alltid avskytt hushållsarbete och föredragit att vara ute med barnen eller ägna sig åt musiken, och största delen av sitt vuxna liv hade hon bott på hotell eller i lägenheter där någon annan skötte städningen. Nu när barnen var vuxna och hade flyttat hemifrån fanns det ingen som brydde sig, och hon tyckte det var meningslöst att lägga ner energi på att städa. Dammet kom alltid tillbaka, så vad skulle det tjäna till?

Med tekoppen i handen såg hon sig omkring. Köksbänkarna var belamrade med tidningar och kataloger. I hörnen låg stövlar, skor och jackor, och bordet dignade under böcker, notblad och brev som skulle besvaras. Från taket dinglade flugpapper, svartprickiga av offer, och det satt spindelnät i alla hörn liksom i takfläkten som knarrande av ålder vispade runt den kvalmiga luften med föga inverkan på temperaturen.

Catriona gjorde en grimas och tänkte att hon kanske hade låtit det gå lite väl långt. Flickorna skulle snart komma hem, och de skulle få en smärre chock då de såg hur ostädat och smutsigt där var. Hon plockade fram gummihandskar och förkläde och satte i gång. Det fysiska arbetet att skrubba, skura och feja var välgörande; det hindrade henne att tänka. Överallt och på de mest oåtkomliga ställen satt spindelväv, men hon lyckades till sist få bort dem. Slutligen sopade hon köksgolvet och stuvade in kläder och skor i en garderob i hallen.

Någorlunda nöjd med köket bytte hon lakan i sängarna och satte på tvättmaskinen innan hon gjorde en smörgås med kall fårstek på bröd som var bakat samma morgon och tog den med in i vardagsrummet. Det återstod en hel del att göra, upptäckte hon, men hon orkade inte med hur mycket städning som helst på en dag. Vad som behövdes var en rejäl storrengöring, och hon lade på minnet att hon skulle tala med Maggie och de andra aboriginkvinnorna om saken.

Hon tyckte om vardagsrummet. Det var inte särskilt stort, men fönstren skuggades av ett jättelikt eukalyptusträd vid husgaveln, och genom lövverket kunde hon se hagar och ängar. Soffan var insutten och bekväm. Vitrinskåpen med samlingen av glas och porslin tog upp större delen av ena väggen, och den antika sekretären var full av dagböcker, brev, operaprogram och affischer. Bokhyllorna bågnade nästan under alla böcker, och miniflygeln, som täcktes av en fransad silkessjal med massor av fotografier i silverramar på, behövde stämmas. Pianostämmaren skulle komma några dagar senare, och hon hoppades innerligt att han tänkte dyka upp den här gången och inte svika henne igen. Det var trist att inte kunna spela, och hon ville ha flygeln stämd till födelsedagsfesten.

Catriona gick fram till öppna spisen och betraktade porträtten på väggen ovanför. Föräldrarna hade varit ett stiligt par, båda med svart hår, och hon såg likheten med dem i sitt eget porträtt. Men det var också en stark påminnelse om att åren gått. Då porträttet målades hade hon befunnit sig på sin absoluta höjdpunkt och varit vacker, talangfull och mycket eftersökt. Där märktes inte heller en skymt av den skugga som vilade över hennes liv; inget i de klara, violblå ögonen skvallrade om vad hon upplevt i sin barndom. Hon hade varit en fullfjädrad skådespelerska.

På tavlan bar hon en aftonklänning av mörkröd sammet som lämnade de gräddvita axlarna bara. Rubinörhängen och ett diamanthalsband reflekterade ungdomens eld i hennes ögon. Det svarta håret var konstfullt uppsatt och pryddes av ett par orkidéer bakom ena örat, och den smäckra halsen var förföriskt välvd och gav en antydan om den lidelse som dolde sig under ytan hos denna eleganta unga kvinna. Konstnären hade varit stilig och uppfinningsrik som älskare, och hon undrade om han levde och mindes deras passionerade månad tillsammans i Paris då de knappt hade lämnat schäslongen i hans ateljé. "Säkert inte", muttrade hon för sig själv och vände tavlan ryggen. "På sig själv känner man ju andra, och jag kommer inte ens ihåg hälften av mina älskare."

Med ett leende satte hon sig ner i soffan och började på smörgåsen. Clemmie hade älskat att höra henne berätta om de män hon mött på sina turnéer. Som de hade skrattat åt jänkaren Hank och Jean-Paul med mustaschen som kittlat mer än hennes fantasi. Det var tider det.

När smörgåsen var uppäten blandade hon en gin och tonic åt sig, satte på stereon och lutade sig mot de mjuka kuddarna medan arian av Puccini klingade ut i rummet. Hon slöt ögonen, men tanken på vad framtiden månde bära i sitt sköte gjorde henne rastlös. Inget trevligt, det var hon säker på, fast hon var ju inte främmande för livets mörka sidor och skulle klara det, det visste hon.

Ginen och musiken började göra verkan, och Catriona tänkte på dottern hon förlorat. Hon skrev inte längre till henne, det var ingen mening, för hon hade aldrig fått något svar. Men som hon önskade att saker och ting kunde ha varit annorlunda. Tankarna gick vidare till Rosa, Connor och Harriet, och hon log och tackade försynen för dessa tre människor som hon älskade över allt annat.

Solen hade precis gått upp då Connor och boskapsskötarna kom tillbaka till Belvedere. De hade sovit under bar himmel i tre veckor och längtade efter ett rejält mål lagad mat; dessutom var de i starkt behov av ett bad. Connor satt av och sträckte på sig. Det värkte i ryggen, och den gamla knäskadan påminde honom om att sexton timmar om dygnet i sadeln i närmare fyrtio graders värmde inte var bra för en man på trettiotvå år.

Jord och sand som slitits upp av tusen biffkors klövar täckte huden, och den intorkade svetten i kläderna fick det att klia. Men trots hettan, flugorna och dammet visste Connor att han inte ville ha det annorlunda, och om han skulle vara helt ärlig njöt han av friheten. Det fanns ingenting som gick upp emot känslan av att rida med en boskapshjord över de vidsträckta, tomma vidderna, tänkte han medan han ryktade hästen och släppte ut den i hagen.

"Nu är det dags för frukost", sa en av boskapsskötarna. "Jag skulle kunna äta en häst."

Connor skrattade och torkade svetten ur pannan innan han satte tillbaka hatten på huvudet. "Jag håller mig nog till oxkött, det smakar bättre."

Mannen kupade händerna om tändstickan och tände sin handrullade cigarett. "Frun verkar vara på benen", påpekade han. "Det är tänt i vardagsrummet."

Connor kastade en blick på mangårdsbyggnaden och nickade. "Det är bäst jag går och rapporterar", sa han trött. "Vi ses senare." Han hissade upp mollskinnsbyxorna och stoppade in skjortan medan han gick över gårdsplanen. Egentligen skulle han ha föredragit att tvätta av sig först, och det kurrade i magen vid tanken på bacon och ägg och ett berg av potatismos, men han kände mamsen och visste att hon väntade på honom.

Han knackade på nätdörren, och då ingen svarade klev han in i hallen. Kanske hade hon bara glömt att släcka innan hon gick och lade sig. Det var nog bättre att han kom tillbaka senare. Men skräcken för att han en dag skulle komma hem och hitta henne död, precis som med mormodern, fanns alltid inom honom. Mamsen började bli till åren, även om hon själv vägrade att erkänna det, och trots att hon var pigg och alert för sin ålder gillade Connor inte att lämna henne ensam i några längre perioder. Han var medveten om att rädslan berodde på hans egen otrygghet, och att Catriona skulle ha blivit förfärad om hon kunnat läsa hans tankar, men han kunde inte rå för hur han var funtad.

Han steg in i vardagsrummet och upptäckte att Catriona hade somnat på soffan. Han tog av sig hatten och betraktade henne, och tillgivenheten för denna kärleksfulla kvinna lyste i ansiktet. Det verkade som om hon hade tagit sig en gin och tonic, och det mådde hon säkert inte illa av. I sömnen verkade hon så sårbar och liten bland de stora kuddarna, och han kände beskyddarinstinkterna vakna.

Connor såg sig omkring i rummet. Det glödde guldgult i gryningen, dammet virvlade i solgatan över soffbordet och skuggorna låg djupa i hörnen. Tyst och försiktigt började han gå mot dörren. Han skulle komma tillbaka efter frukost, för Catriona skulle inte uppskatta att han överraskat henne sovande.

”Vem är det?” Det grånade huvudet lyftes från kudden, och ögonen blinkade yrvaket.

”Det är bara jag”, svarade Connor från dörröppningen. ”Ursäkta. Det var inte min mening att väcka dig.”

”Vad är klockan?”

Connor kastade en blick på guldbronsklockan på spiselkransen, mindes att den hade stått på halv fyra de senaste tio åren och tittade ut genom fönstret. ”Solen är uppe, så den är väl runt fem.”

Hon brottades med kuddarna och tog sig med viss möda upp ur soffan. Så slätade hon till håret och försökte rätta till klädseln. ”Du borde inte smyga dig på folk så där”, bannade hon milt. ”Du skrämde mig.”

Efter alla dessa år var han van vid hennes bryska sätt, och förebråelsen rann av honom. ”Jag såg att det var tänt och trodde att du var vaken”, förklarade han.

Hon blängde på honom men förmådde inte hålla sig allvarlig någon längre stund. ”Nu är jag det”, sa hon och brast i skratt. ”Berätta! Hur gick det med boskapen?”

”Bra. Jag tror djuren kände lukten av friskt gräs på långt håll, så det

284

var inga svårigheter att få dem att röra på påkarna." Han körde händerna i fickorna och flyttade tyngden från den ena foten till den andra då det onda knäet gjorde sig påmint. "Betet uppe i bergen är utmärkt, och det finns gott om vatten i bäckarna. Men en del stängsel behöver lagas, så jag får skicka upp några av karlarna dit senare."

"Hur gick det för Billys sonson?"

Connor tänkte på den unge aboriginen och log. Johnny Tvåtår hade ridit sedan han var gammal nog att sitta på en häst. Han hade bott på Belvedere i hela sitt liv, och hans familj utgjorde en del av livet på farmen. "Inga problem. Johnny Tvåtår är född till det, precis som Billy Birdsong."

Hon besvarade leendet. "Löjligt namn på den stackaren. Han kan ju inte rå för att han har två lilltår på ena foten." Så rynkade hon ogillande på näsan. "Fast det tycks inte hindra honom från att göra rackartyg. Kocken har berättat för mig att han saknar en burk kakor." Hon såg uppfordrande på honom. "Vet du möjligen något om det?"

Connor tittade ner på stövlarna. "Vi tyckte allihop att det smakade gott med kakor", medgav han.

Catriona höjde ett ögonbryn men kunde inte se sträng ut länge. "Bra, det blir ju lite omväxling mot glödgräddat bröd och torkat kött."

"Om det inte är något annat går jag till kokhuset och äter frukost", meddelade han. "Varför kommer inte du också dit? Det var ett tag sedan du åt med oss andra."

"Aldrig i livet!" svarade hon bestämt. "Svettiga karlar, en vresig kock och sönderkokt kött är inte min uppfattning om en trevlig frukost. Jag äter här som vanligt."

Connor betraktade henne ömt. Mamsen hade ofta ätit i kokhuset under sina första år på Belvedere, men hon var medveten om att det gjorde karlarna illa till mods och insåg att det var bättre att hon lät bli. "Ingen fara på taket", mumlade han och vände sig om.

"Vänta!" Catriona tog honom i armen. "Jag behöver hjälp med en sak."

Han såg road ut. "Vad är det som är så viktigt att jag inte ens får äta och tvätta av mig först?"

"Angår dig inte!" Hon stötte till honom lätt i sidan. "Kom nu!"

Connor följde efter henne ut i hallen där hon pekade på takluckan. "Jag vill att du ska ta ner den stora plåtkofferten", sa hon, "och var försiktig, för den är full av ovärderliga ting."

Connor hämtade stegen från den bakre verandan och klättrade upp till det trånga vindsutrymmet där det luktade damm och spillning. Hettan var tryckande trots att det var så tidigt på morgonen, och kofferten stod längst in i det bortersta hörnet. Han kröp dit på alla fyra och drog den över golvet, baxade den genom luckan och nedför stegen. Kofferten var skamfilad och tung och täckt av spindelväv och pungråttornas spillning.

"Kan du bära in kofferten i vardagsrummet?" frågade Catriona.

Connors knä hettade som av eld, magen värkte av hunger, men självklart skulle han göra som hon bad. Först torkade han av den och betraktade alla adresslappar och etiketter som fascinerat honom som pojke. Han hade hört historierna om hennes liv innan hon kom till Belvedere, och trots att han sett kofferten många gånger hade han aldrig varit lika intresserad som systern av dess innehåll. Han släpade in den i vardagsrummet och ställde den vid väggen. "Vad ska du med den till?" undrade han. Den vägde minst ett ton, gud visste vad hon hade i den.

"Jag ska titta på några saker", sa hon med förströdd min. "Gå och ät din frukost nu! Och tack!"

Eftertänksamt betraktade han henne. Hon hade ett konstigt uttryck i ansiktet, och det fanns skuggor under ögonen som han aldrig sett förut. "Är allting som det ska?" frågade han oroligt.

"Självklart", försäkrade hon och satte hakan i vädret med en blick som varnade honom för att forska efter hennes motiv.

"Då så", muttrade han och satte hatten på huvudet innan han haltade ut i hallen. Mamsen hade något i kikaren, och förr eller senare skulle hon berätta vad för honom.

*

Kommissarie Tom Bradley klev ur duschen och virade en handduk runt midjan. Så torkade han bort imman från badrumsspegeln och studerade närsynt sig själv samtidigt som han tvålade in ansiktet. Vid trettionio började han bli för gammal för sitt jobb, avgjorde han medan rakbladet skar genom skäggstubben. De sena kvällarna, den tunga arbetsbördan och det motbjudande våld som utgjorde en stor del av hans arbete tog ut sin rätt, och efter många år inom poliskåren hade han fått nog. Han kunde se skuggorna under ögonen, de fina linjerna i ansiktet och de första grå hårstråna i den bruna kalufs som han aldrig lyckats få att ligga slätt.

Yrket hade förändrats en hel del sedan faderns tid och ännu mer sedan farfadern varit polis i Atherton. Det förekom mer våld, mer droger och korruption, och man hade mindre tid på sig att klara av allt detta. Det var mer pappersexercis som proppade igen systemet och färre personer som skötte fotarbetet. Kanske var det dags att lägga polisjobbet på hyllan och hitta på något annat att göra? Han var utled på mord och människans sämsta sidor. På kuppen hade han förlorat både hustru och barn, och det kunde väl ingenting vara värt?

Han blaskade av ansiktet med kallt vatten, torkade sig och kämpade med kontaktlinserna. De förbaskade tingestarna var nödvändiga, men han kunde inte förlika sig med att stoppa saker i ögonen varje morgon. Han blinkade, torkade tårarna och gick naken tillbaka in i sovrummet. Kostymen fick duga några dagar till, och skjortan var en i en trave som just kommit tillbaka från kemtvätten. Han knöt slipsen, drog på sig skorna och tog småpengarna på sängbordet.

Fotografiet stod vid telefonen. Det påminde honom om att han inte hade pratat med sönerna på ett par veckor. Brev och vykort skrivna i all hast var inte detsamma som att talas vid, även om han ibland fick nöja sig med enstaviga svar på sina frågor. Han kastade en blick på klockan. Så här dags skulle pojkarna vara i skolan, för Western Australia låg i en annan tidszon. Med en suck stoppade han plånboken i innerfickan, sträckte sig efter den gamla dossieren och lämnade lägenheten. Kanske skulle han få tid att ringa dem senare på dagen?

Brisbane skimrade i den tidiga morgonhettan, och i skyskrapornas glas reflekterades floden och trafiken som vällde fram över broarna till södra sidan av staden. Medan han återigen stannade för rött ljus satte han på bandspelaren och lät sig uppslukas av den vackra arian. Puccini var hans favoritkompositör, och Catriona Summers röst hade fångat Madame Butterflys tragiska öde på kornet.

Han lutade sig tillbaka i sätet i sin luftkonditionerade bil och tittade ut genom vindrutan på strömmen av turister, shoppare och affärsfolk som korsade övergångsstället. Han trivdes med att bo i en storstad, njöt av att ha liv och rörelse omkring sig, trots att han var väl medveten om den ondska som fanns alldeles under ytan. Och en morgon som den här önskade han att han inte hade varit det.

Medan Catrionas röst fyllde bilen kastade han en blick på dossieren som låg på passagerarsätet. Fadern hade behållit den, och Tom mindes att han suttit i farfaderns knä medan den gamle berättade om ryssen, engelsmannen och det försvunna silvret. När kroppen hittades hade fadern omedelbart tagit kontakt med honom. Tom hade varit och hämtat dossieren under helgen, och tack vare framstegen inom modern teknologi hade han lyckats spåra Velda och hennes dotter.

Det hade kommit som en chock för honom då han insåg att en av Australiens främsta primadonnor kom från så små förhållanden och att hon kunde vara inblandad i ett mord, även om det var många år sedan och hon bara var ett barn på den tiden. Men barn visste ofta mer än vuxna förstod. De såg och hörde saker eftersom de nästan var osynliga i vuxenvärlden; det hade han gång på gång fått erfara under sina år i polisyrket.

Ändå var Tom inte så naiv att han trodde att polisen kunde göra mycket i ett sådant gammalt fall. De hade fullt upp med dagens brott utan att behöva gräva i över femtio år gamla mord. Dossieren skulle hamna underst i högen fram till dess att den inte längre kunde ignoreras, vilket gav honom tid att utreda fallet innan pressen fick höra talas om dame Catrionas inblandning och hela historien spreds i medierna.

Ett signalhorns ilskna tutande väckte Tom ur tankarna, och han trampade på gasen. Stationen låg precis runt hörnet, och några minuter senare hade han ställt bilen på sin parkeringsruta och var på väg mot trappan.

Kriminalinspektör Wolff väntade på honom. "Polischefen vill ha det här uppklarat", sa han då Tom kom in och hängde kavajen på kroken vid dörren. "Helst i dag."

Tom tog den digra luntan med papper, tittade på den och slängde den på skrivbordet. Det var ett fall som de inte kom någonvart med. "Den risken är inte stor", muttrade han och låste in Athertondossieren i en skrivbordslåda. "Vittnena vägrar att säga något, särskilt flickvännen. Alla tycks ha drabbats av minnesförlust, och än så länge har vi inget som förknippar offret med någon av våra misstänkta."

"Jag skulle nog kunna få vittnena att tala", menade Wolff och rätade hotfullt på sina smala axlar. "Du är för blödig."

Tom satte sig vid skrivbordet. Det här senaste mordfallet var bara ett av många olösta brott som de måste ta itu med, och Wolffs aggressiva attityd gick honom på nerverna. Han gillade inte karln som blivit överförd från Sydney och skulle tillhöra hans grupp under tre månader. Det fanns inget Tom kunde göra åt saken, men han skulle bli glad när den tiden var till ända och Wolff var på väg tillbaka söderut. Karln var alldeles för snabb att ta till översittarfasoner och råka i slagsmål även när det lätt kunde undvikas. "Våld föder bara mer våld", påpekade Tom medan han gick igenom rapporterna i inkorgen. "Ibland är det bättre att pratas vid i lugn och ro och visa lite förståelse. Jag vill hellre bli betraktad som vän än som fiende, och du skulle bli häpen över hur halsstarriga folk kan bli när de känner sig hotade."

"Hon är en rik donna som tyckte det var kul att leka med de stora grabbarna. Så blev hon bränd och rusade hem till pappa", sa Wolff hånfullt.

Tom lutade sig bakåt i stolen och betraktade Wolff en lång stund. Han hade höknäsa, smalt ansikte och grinig mun, och vid tjugonio såg han snarare ut som skurk än kriminalinspektör. "Lämna vittnena i fred", beordrade han. "Den flickan är tillräckligt rädd ändå, utan att du ska behöva trakassera henne. Hon kommer att tala så snart hon inser att det ligger i hennes eget intresse."

Wolff sträckte sig efter luntan som Tom slängt på skrivbordet. "Jag visste inte att det fanns en lag för de rika och en annan för oss andra", snäste han, "och den dumma kossan står inte över lagen bara för att hon har en förmögen pappa." Ögonen glittrade elakt. "Hon vet saker om Robbo Nilson som gör att vi kan sy in honom för gott. Hon hindrar polisens arbete, och vore jag hennes pappa skulle hon få ett kok stryk."

Tom skar tänder. Han skulle inte ha något emot att ge Wolff ett kok stryk, men det löste inte problemet. "Tänk på vad du säger. Annars kanske jag täpper till munnen på dig", sa han släpigt.

Wolff rättade till slagen och glodde ilsket på honom. "Jag trodde du var emot våld", anmärkte han. "Akta dig, så jag inte anmäler dig för olaga hot."

"Gör du det, så ska jag informera polischefen om dina skumraskaffärer vid sidan av", kontrade Tom. "Ge dig i väg och gör lite nytta nu!"

Wolff gav honom en hatisk blick, vände på klacken och smällde igen dörren efter sig medan han mumlade något om att ge igen.

Korsdraget fick papperen på Toms skrivbord att singla i golvet. Han plockade upp dem och stod länge försjunken i tankar innan han kom till ett beslut. Innan han hann ändra sig eller tänka på konsekvenserna släppte han allt på skrivbordet, slet åt sig kavajen och stegade genom korridoren till polischefens rum. Nycklarna till skrivbordslådan blänkte i solskenet som strömmade in genom fönstret. I sin brådska hade Tom glömt dem.

21

"*J*ag vill inte gifta mig med honom", förkunnade Harriet. "Om jag ska vara helt ärlig intresserar äktenskapet mig inte alls för ögonblicket, så glöm det!" Hon såg på modern och undrade hur i all världen de hade halkat in på det samtalsämnet när hon egentligen kommit dit i ett helt annat ärende. Fast hon misstänkte att Jeanette avsiktligt hade fört saken på tal. Frågan var känslig, och Harriet visste exakt hur det skulle sluta. Trots att hon hade stor erfarenhet av att resonera logiskt i domstolarna hade hon aldrig lyckats smula sönder moderns slingriga logik, eller ens begripa sig på den.

Jeanette var inte den sortens kvinna som förstod en aldrig så tydlig vink. Hon var ofta väldigt enkelspårig – och för tillfället inriktade hon sig helt på frånvaron av en äkta man i dotterns liv. Nu lade hon armarna i kors, och munnen drogs till ett smalt, ogillande streck då blicken gled över den eleganta svarta dräkten, den vita blusen och de lågklackade skorna.

"Du börjar bli lite väl gammal för att vara kräsen, min vän", sa hon milt, "och du gör inte det bästa av de förutsättningar du har. Svart kan vara så intetsägande, särskilt till dina bleka färger."

"Jag kan knappast visa mig på kontoret i kortkort kjol och nätstrumpor." Harriet drog några djupa andetag i ett försök att kväva den stigande ilskan. "Jag är bara tjugoåtta", påpekade hon, "inte helt lastgammal." Hon gled med händerna över den snäva kjolen och blev rasande då hon upptäckte att de darrade. Hur kunde modern än i denna dag väcka så starka känslor?

"Tjugoåtta och ogift", sa modern med en min som var misstänkt skadeglad. "Klockan tickar, och snart är du för gammal för att ens fundera på att skaffa barn."

Harriet låtsades inte om hennes hånfulla ord. Hon hade många år på sig, och hon tänkte inte gifta sig med Jeremy Prentiss bara för att avla barn. "Jeremy är den siste jag skulle vilja ha som pappa till mina barn", genmälde hon. "Allihop skulle få engelsk accent men ingen haka." Hon andades in och försökte lugna ner sig. Det var orättvist mot Jeremy, som var både stilig och trevlig, men moderns elakhet gick henne på nerverna.

"Jag förstår mig inte på dig, gumman", sa modern och ansträngde sig uppenbarligen för att blidka henne. "Jeremy är delägare i juristfirman, en eftersökt ungkarl och tillhör en släkt med fina anor. Han är rik och upp över öronen förälskad i dig. Inser du inte att det är till fördel både för din karriär och din livsstil?" Hon knäppte händerna i knäet, och den ljusrosa kaschmirjumpern framhävde den perfekta hyn. "Du skulle få en våning nere vid hamnen, en lyxig båt. Vad mer kan du begära?"

"*Jag* behöver inte gifta mig för pengar." Harriet drog spännet ur det blonda håret och lät det hänga fritt. Hon hade ärvt faderns ljusa färger liksom hans otålighet, och moderns allt annat än diskreta uppskattning av Jeremys kvalifikationer som avelshingst var sista droppen.

"Skulle det vara en känga åt mig?" Jeanettes röst blev skarpare. Hon ryckte åt sig en cigarett ur silverskrinet på soffbordet i glas, knackade den ilsket mot locket och tände den med guldtändaren.

I sitt stilla sinne erkände Harriet att det var ett slag under bältet, och även om modern förmodligen förtjänade en dos av sin egen medicin visste hon att det varken var särskilt rättvist eller klyftigt. Men hon var trött på att modern ständigt tjatade om att hon borde gifta sig med Jeremy Prentiss. "Sluta nu, mamma!" utbrast hon trött och körde fingrarna genom håret. "Vi kommer aldrig överens i den här frågan, det är bara att inse."

"Jag är din mor, och det är min plikt att bry mig om dig", sa Jeanette och drog ett bloss på cigaretten.

"Jag vet", sa Harriet, "men om du verkligen brydde dig om mig skulle du inte vilja att jag tog Jeremy bara för att få våning, båt och pengar på banken. Jag älskar honom inte."

"Vad har det med saken att göra?" Jeanette betraktade henne genom cigarettröken, och de blå ögonen smalnade. "Äktenskap handlar om trygghet, och det skulle du få med Jeremy."

Harriet kunde ha anfört en lång rad argument till sitt försvar, men hon hade tappat lusten att bråka. Det var inte första gången de diskuterade saken, och hon var trött på den. Antagligen brydde sig modern om henne, men Harriet misstänkte att Jeanette i grund och botten bara ville ha barnbarn. Det hade alla hennes väninnor, och hon kände sig utanför i kotteriet.

Harriet suckade och slog upp kaffet. Modern hade gift sig med fadern dagen innan hon fyllde tjugofem, och Harriet hade fötts exakt nio månader senare. I och med det tyckte Jeanette att hon hade gjort sitt och gick helt upp i karriären som dansös plus att hon gjorde sitt bästa för att göra av med makens pengar.

Brian Wilson hade gjort sig en förmögenhet på att leverera maskiner och utrustning till oljefälten, och Jeanette hade föresatt sig att fånga honom. Han hade varit en kärleksfull far då tid och affärer så tillät, men han hade inte varit lycklig i äktenskapet, och grälen mellan honom och Jeanette var våldsamma. Harriet var tio då han under ett stormgräl fick en hjärtinfarkt med dödlig utgång.

"Jag är hellre lycklig", förklarade Harriet. "Ekonomisk trygghet är inte så viktigt som det påstås."

Jeanette rökte sin cigarett, och hennes tystnad sa mer än tusen ord.

Harriet reste sig och gick fram till glasväggen som vette mot Circular Quay. Än så länge var det bara tidig morgon, och det skulle bli en lång dag. Hon önskade att hon inte hade begett sig hit på vägen till kontoret, men hon ville berätta om sina planer för modern och även titta till henne. Det innebar att hon måste ta upp en annan känslig fråga, och hon hade ingen aning om hur hon skulle bära sig åt.

Jeanette hade ögonblickligen fattat motvilja mot Rosa och Belinda och ogillade skarpt Harriets vänskap med dem. Hon hade betraktat de båda flickorna som olämpligt sällskap åt dottern och gjort sitt bästa för att motarbeta det starka band som vuxit fram mellan dem. Dagen därpå skulle Harriet lämna Sydney för ett två veckors besök på Belvedere, och nu måste hon berätta det för modern.

Hon stirrade ut genom glasväggen och sökte inspiration. Takvåningen hade panoramautsikt över det upprustade hamnområdet. Hon kunde se eleganta skyskrapor i glas, viktorianska kyrkspiror och de kritvita, svällande seglen på operahuset. Hamnen sjöd redan av liv och rörelse. Sightseeingbåtar och hjulångare trängdes med taxibåtarna. Lyxyachter låg och guppade vid sina förtöjningar bortom botaniska trädgården, och vita ibisfåglar med svarta halsar och huvuden och långa, svängda näbbar vadade omkring i vattenbrynet och på gräsmattorna.

Sedan operahuset invigdes hade den här delen av Sydney genomgått en omfattande förnyelse. Borta var de gamla dockorna, magasinen och gyttret av andra byggnader runt hamnen, och i deras ställe hade det kommit skulpterat glas och kallt krom. Kafélivet blomstrade. Hela vägen längs den hästskoformade hamnen fanns små bord under brokiga parasoll, och exklusiva boutiquer och lyxhotell gjorde lysande affärer. På helgerna vimlade där av gatumusikanter, och de små husen i The Rocks – den klippiga strand där engelsmännen först landsteg – hade målats och rustats upp för att locka besökare till affärer och butiker.

Till vänster om sig hade hon Harbour Bridge. Bron välvde sig över vattnet från Sydneys norra stränder till skogen av höga kontorsbyggnader och arkitektoniskt nyskapande bostadshus i blått och grönt glas som omgivningen speglades i. Bron, som kallades Klädhängaren av Sydneyborna, hade två järnvägsspår och åtta filer för bilar och var den stora infarten in i staden.

Harriet suckade. Hon visste att utsikten var ännu mer vidunderlig nattetid. Ljusen reflekterades i vattnet, och längs trottoarerna låg pubar, barer och restauranger som fick den en gång förfallna delen av staden att sjuda av liv. Hjulångarna var smyckade med olikfärgade lampor då de gav sig ut på sina middagskryssningar, och neonskyltarna på kontorshusen blinkade och skimrade mot natthimlen.

Hon vände sig åter mot modern. Jeanette hade släckt cigaretten och höll på att bättra på makeupen framför den förgyllda spegeln ovanför spiselkransen. Hon såg inte illa ut, medgav Harriet. Det mörka håret var skickligt tonat och slingat för att täcka de grå stråna, och frisyren var klädsam. Vid femtiofyra års ålder var hon väl bibehållen. Figuren var trimmad efter alla år som dansös i Sydney Ballet Company och det nästan militäriskt disciplinerade motionsprogram som hon följt sedan hon pensionerade sig. Hon var en liten kvinna, men mycket målmedveten, en egenskap som Harriet misstänkte att hon själv hade ärvt. Kanske är det därför vi bråkar så mycket, tänkte hon trött. Vi är för lika.

Deras blickar möttes i spegeln, och Jeanette var den som först tittade bort. "Jag vet varför du kom hit i dag", sa hon medan hon granskade sin uppenbarelse, "men jag vägrar att diskutera saken."

"Du borde sluta stoppa huvudet i sanden och se verkligheten i vitögat", sa Harriet bestämt. "Rosa är min vän, vare sig du gillar det eller ej, och det är du helt enkelt tvungen att acceptera."

Jeanette vände sig mot henne. "Nej, det är jag inte", invände hon kyligt.

Harriets röst var skarp av irritation. "Det är viktigt för mig!"

Jeanettes blick lyste av beslutsamhet. "Ja, men inte för mig." Hon tog handväskan från bordet och sträckte sig efter den lila pashminasjalen som låg över skinnsoffans ryggstöd. "Jag är redan sen för ett viktigt frukostmöte. Du borde ha förvarnat mig om att du tänkte komma, så att jag kunde ha lämnat återbud."

Harriet tog dokumentportföljen. Jeanette hade aldrig i hela sitt liv lämnat återbud till ett viktigt möte – såvida det inte hade gagnat henne själv – och Harriet tvivlade på att hon tänkte börja med det nu. "Min resa till Belvedere är mycket viktigare än ett förbaskat frukostmöte!" utbrast hon.

"Var inte vulgär", förmanade Jeanette och vände sig om i dörröppningen. "Jag har inte lärt dig att tala till mig på det sättet. Det måste vara den där slampan Rosas inflytande."

"Hur vågar du! Du har bara träffat henne en enda gång och vet ingenting om henne", fräste Harriet och steg ut i farstun. "Jag är trött på att höra dig prata nedsättande om henne."

De blängde ilsket på varandra under tystnad tills Jeanette smällde igen dörren och började gå genom den tomma korridoren mot hissen. "Gå inte din väg!" Harriet hann i kapp modern och hejdade henne. "Orsaken till det här grälet försvinner inte bara för det. Vad är det med dig? Varför tycker du så illa om Rosa?"

Jeanette blev vit av ilska, och den strömmade ut från den prydliga lilla gestalten i vågor. "Hon är en slampa", upprepade hon. "Skild innan hon fyllde tjugoett, arbetar på det där sjabbiga kontoret i Paddington och umgås med bottenskrapet. Det är bäst du aktar dig! Annars kanske du finner att det dåliga ryktet smittar av sig på dig om du fortsätter att vara vän med henne." Bröstet hävdes och sänktes häftigt, och Jeanette gjorde en kraftansträngning för att behärska sig. "Man sår vad man skördar, men tro inte att jag bryr mig när proppen går ur din karriär."

Harriet backade. Det här var en sida hos modern som hon inte sett sedan faderns död. "Rosa är ingen slampa", viskade hon. "Jag kom bara hit för att berätta att jag tänkte vara på Belvedere i ett par veckor, och allt jag får höra är giftigheter."

Jeanette klev in i hissen och tryckte på knappen. "Du är en stor flicka nu och behöver inte informera mig om dina planer, särskilt inte när de inbegriper det stället."

Harriet följde efter modern in i hissen. Jeanettes blick var så kall att hon ryggade tillbaka. Hon hade vetat att modern skulle reagera, men inte så oresonligt. Hon tog moderns hand. Den var kall och avvisande.

"Jag vill bara att du ska acceptera min vänskap med Rosa och Catriona och vara glad för min skull. De gav mig ett hem när du var bortrest, gav mig kärlek och tillgivenhet trots att du klargjorde att du inte uppskattade det. Snälla mamma, var inte sådan!" Rösten var lågmäld, och behovet av moderns gillande fick den att skälva.

Jeanette ryckte åt sig handen. "Du fattar dina egna beslut. Förvänta dig bara inte att jag ska leda hejarklacken."

De stod sida vid sida i hissen, och bägge två stirrade på ingenting under tystnad och höll känslorna hårt i schack. Harriet kände den välbekanta doften av Rive Gauche från Yves Saint Laurent. Den var så starkt förknippad med modern att det skulle ha varit konstigt om hon använt någon annan parfym. Fast i det trånga utrymmet var doften nästan kväljande.

Äntligen gled den blanka ståldörren åt sidan med ett viskande ljud, och de steg ut från den iskalla luftkonditioneringen till hettan i parkeringsgaraget. Harriet drog ett djupt andetag. "Det gör mig ont att du inte gillar dem, mamma, men tycker du inte att din avundsjuka är aningen överdriven?"

Jeanette betraktade henne en lång stund och låste sedan upp sin BMW. "Avundsjuka är inte en känsla jag är bekant med", förklarade hon bestämt. "Gud förbjude att jag skulle avundas de där förskräckliga människorna."

"Sluta nu!"

Jeanette blängde på henne med de blå ögonen gnistrande av ilska. "De gav dig mat och husrum på skolloven, men det betyder inte att jag måste vara tacksam. *Jag* är din mamma, inte dame Catriona Summers. Det borde du kanske komma ihåg."

"Naturligtvis är du min mamma", sa Harriet uppgivet. "Vad talar du nu om?"

"Kom inte till mig och klaga när allt går åt skogen!" Jeanette satte sig i bilen och smällde igen dörren.

Harriet rynkade pannan. Moderns svartsjuka på Rosas familj hade alltid varit ett känsligt kapitel, men detta var mer än svartsjuka, det var illvilligt och dessutom oförklarligt. Hon låste upp MG:n och hoppade in. Med nedfälld sufflett och foten hårt på gaspedalen lämnade hon garaget och körde ut i solen. Det fanns inget mer att säga, inte ens adjö.

*

Tom hittade Belinda Sullivan i personalmatsalen. Max låg under bordet med nosen på tassarna, och med sina bruna ögon följde han varje tugga ägg och bacon som hans matte stoppade i munnen. "Hej, Tom", hälsade hon glatt efter att ha gett den sista baconbiten till den dreglande schäfern. "Vill du något särskilt?"

Tom drog ut en stol och satte sig. Belinda var vad kollegorna kallade 'en vacker stor flicka', en beskrivning som hon avskydde men ändå accepterade i varierande grad beroende på sinnesstämning. Håret var tjockt och lockigt i samma mörkbruna färg som ögonen. Hon var lång med fyllig figur och generös personlighet, men hon var ytterst vältränad, och han misstänkte att det var åren på föräldrarnas fårfarm som gjorde det; allt ridande och baxande av höbalar.

"Jag behöver din hjälp", började han.

"Tänkte väl det", sa hon med blicken fästad på hans ansikte. "Vad gäller det?"

Han beslöt sig för att gå rakt på sak. "Du känner ju dame Catriona Summers?"

Hon nickade och log. "Har du blivit autografjägare på gamla dar?"

Han skakade på huvudet. "Det är lite allvarligare än så", svarade han och såg sig omkring för att försäkra sig om att ingen lyssnade. "Jag behöver fara till Belvedere och tala med henne, och jag tänkte att eftersom du har känt henne i större delen av ditt liv kunde du kanske följa med." Han blev tyst. "Det är lite känsligt, och det vore bättre om en kvinnlig polis var med", avslutade han.

Allvarligt såg hon på honom. "Catriona har varit som en andra mor för mig. Det är nog bäst du förklarar lite närmare vad saken handlar om."

*

297

Det var Harriets tur att ta ratten. Hon och Rosa hade beslutat sig för att köra till Belvedere. Det skulle ge dem chansen att hämta andan och njuta av det vackra landskapet efter långa månader i storstaden. Dagen före hade de flugit upp till Dubbo där de hyrt bil, och nu hade de lämnat det lilla samhället Coonamble och var på väg mot Drum Creek och Belvedere.

Trots en god natts sömn på ett hotell i Coonamble plågades Harriet av grälet med modern. Men det var viktigt att hon koncentrerade sig. Vägarna ute i vildmarken var bedrägligt lugna, för landsvägstågen kunde dyka upp i full fart från ingenstans, och då gällde det att illa kvickt lämna vägen.

Rosa körde fingrarna genom det spretiga svarta håret som hon slingat med knallrosa lagom till semestern, eftersom domstolarna inte såg med blida ögon på sådana tilltag, och hon var fast besluten att ha lite roligt då hon var ledig. "Det är underbart att vara ute på vägarna, även om Connor sa att vi hade kunnat bli hämtade med planet." Rosa kisade på Harriet som höll uppmärksamheten på körningen. "Han är fortfarande singel", återtog hon och fnissade. "Är det säkert att du inte är förtjust i honom?"

Harriet gjorde en grimas. "Ska du börja nu också", morrade hon med spelad stränghet. "Mamma tjatar tillräckligt på mig som det är."

"Du vet att han är läcker", sa Rosa. "Belinda är lika förälskad i honom som någonsin."

"Visst är han snygg", medgav Harriet. "Om man gillar starka, tysta karlakarlen, men han är din bror och det skulle kännas som incest." Hon fnittrade. "Bortsett från det faktum att mamma skulle få slag om jag blev tillsammans med honom."

Rosa skrattade. "Mig lurar du inte, Harriet Wilson, och jag är övertygad om att du inte kommer att kunna motstå honom länge till." Så suckade hon. "Gudskelov för mamma", sa hon. "Det sparar en hel del energi att slippa förklara varje steg man tar, som du måste göra."

Hon körde åter fingrarna genom håret, så att det blev ännu spretigare, och stirrade ut genom vindrutan.

"Det är ett tag sedan jag var i de här trakterna", anmärkte Rosa. "Allting verkar så litet, trots att Coonamble inte hade förändrats ett dugg sedan jag var barn." Hon skrattade, ett mörkt, sexigt ljud som männen fann oemotståndligt. "Vet du att veckans höjdpunkt här ute är en kväll på hotellet, och karlarna pratar inte om annat än får, boskap och pickuper. Det är det enda de tänker på. Gudskelov att jag kom härifrån!"

Harriet log och kastade en blick på väninnan. Frånskild och utan barn levde Rosa ett hektiskt umgängesliv när arbetet så tillät. Hon var fast besluten att roa sig så länge hon hade chansen. Ögonmakeupen var effektfull, det svarta och rosa håret var format till spretiga taggar med hårgelé, och kläderna var rena orgien i färg. Ingen skulle kunna gissa att Rosa var den drivande kraften bakom en liten juristfirma som slet hårt för att försvara människor som inte hade råd att anlita advokat. Men varken bristen på pengar eller den tunga arbetsbördan tycktes dämpa hennes livsglädje. Harriet var glad över att de fortfarande var nära vänner, även om modern inte såg på det med blida ögon. "Du har säkert en chans hos Dwayne", retades hon. "Jag märkte nog hur han tittade på dig på hotellet i går kväll."

Rosa skrattade och rättade till säkerhetsbältet över brösten som hotade att hoppa ur den scharlakansröda omlottoppen. "Dwayne är en gammal kompis och en av anledningarna till att jag inte kunde stanna kvar på vischan. Han ska ingenstans, precis som sin far och farfar kommer han att stanna i Coonamble tills han lägger näsan i vädret."

"Jag tyckte han var trevlig, och han bjöd oss på middag trots att din klädsel fick varenda karl i baren att dregla."

Rosa fnissade. "Den lilla svarta var kanske lite väl vågad", medgav hon. "Men än sen! Lite får de väl tåla, och nu har de något annat än får att tala om ett tag framöver."

Harriet kunde inte låta bli att dra på munnen. Den lilla svarta chiffongklänningen hade med nöd och näppe täckt det allra väsentligaste, och eftersom Rosa var sexig med kurvor på de rätta ställena hade karlarna följt minsta rörelse hon gjorde i hopp om att få se mer. Rosa hade valt fel yrke. Hon borde ha blivit skådespelerska, men hon stod gärna i centrum för uppmärksamheten i rätten, och det kanske räckte för henne. "Det ska bli underbart att få två veckor tillsammans", sa Harriet och ökade farten, "men det är tråkigt att Belinda inte kunde följa med."

Rosa gjorde en grimas. "Hon drunknar i pappersarbete och har fullt upp med att jaga narkotikalangare. Jag avundas henne inte det minsta."

"Jag fick be på mina bara knän för att få ledigt, men som tur var hade jag semester kvar att ta ut. Fast det förvånar mig att du kunde komma loss."

"Jag har inte haft en ledig dag på månader", svarade Rosa, "och arbetet kommer att hopa sig medan jag är borta, men det kan inte hjälpas. Mammas födelsedag är viktigare." Ögonen lyste av odygd. "En flicka måste akta sig så hon inte stelnar till och tappar stinget. Det är hög tid att skaka liv i den gamla gården."

Harriet höjde på ögonbrynet samtidigt som hon höll blicken på landsvägen. Rosa skulle aldrig kunna stelna till; det hade hon på tok för mycket energi för. Till utseendet såg hon kanske lättsinnig ut, men under ytan fanns en ung kvinna som tog ytterst allvarligt på sitt jobb. Fast det var nog säkrast för männen på Belvedere att se upp.

Rosa drog upp toppen och lutade sig bakåt i sätet med slutna ögon. Hon var klädd i åtsmitande jeans prydda med färgglada lappar, och om midjan hade hon ett skärp i purpurrött läder. Fötterna var bara med ringar på tårna och en vristlänk i silver som var besatt med glänsande turkoser. "Ge mig fria vidder, vinden i håret och solen i ansiktet." Så öppnade hon ena ögat och blinkade åt Harriet. "Men bara för en tid. Ödsligheten ger mig cellskräck."

Harriet förstod att livet i ett litet samhälle styrdes av stränga regler, och om varje gård omgavs av milsvida slätter fick begreppet grannsamverkan en helt annan innebörd än i storstaden. Men medan de körde genom det oändliga, rödbruna landskapet med termitstackar, gröna betesmarker och höga eukalyptusträd kunde hon inte låta bli att känna sig starkt påverkad. Det fanns en primitiv storslagenhet under den höga, vida himlen, och det var nästan som om hon kunde förnimma dem som bott här en gång i forntiden. Precis som Billy Birdsong ofta hade sagt befann de sig i hjärtat av Drömtiden. "Vi kör genom Drömmarnas land", mumlade hon.

Rosa kisade mot solen och vände sig sedan mot henne. "Nu är du på väg att bli poetisk igen."

"Kanske", erkände Harriet. "Men det var vad Catriona brukade kalla det, och jag håller med. Naturen gör mig lyrisk. Jag kan inte rå för det."

Rosa nickade. "Jag förstår det, men försök leva här i mer än ett par månader, så kanske du ändrar uppfattning. Det är hett, torrt och nedlusat med flugor eller också iskallt och översvämmat. Männen är oftast den starka, tysta typen – urtråkiga om man tycker om givande samtal – och skulle förmodligen springa för livet om de trodde att en flicka tänkte slå klorna i dem. Nej, jag trivs mycket bättre i Sydney."

Harriet var inte helt säker på att hon höll med. Det kändes avkopplande med det öppna landskapet efter folkträngseln i The Rocks, där hon hade ett litet viktorianskt radhus. Det fanns inga bilar på landsvägen, och luften var så ren att hon nästan blev yr. Hon saknade inte den kaotiska morgontrafiken i storstaden eller vimlet på trottoarerna, och hon hade för länge sedan upptäckt att hon trivdes bra här ute. "Du måste se fram emot att träffa Connor igen", sa hon och styrde runt en död känguru och flocken av kråkor som satt och åt på den. .

"Ja, det ska bli kul. Det har gått alldeles för länge sedan sist, men vi lever så olika liv och det är lång väg att resa. Jag tvivlar på att vi har särskilt mycket att säga varandra numera. Sorgligt, men sånt är livet." Rosa lutade sig bakåt i sätet och blundade. "Han har aldrig varit mycket för allvarliga samtal och kommer antagligen att tråka ut oss med priset på boskap och läget på kreatursmarknaden. Men det ska bli underbart att träffa mamma igen. Det är över ett år sedan mitt förra besök, och det är inte samma sak att talas vid i telefon – även om det är enklare numera när man inte behöver gå via kommunikationsradion." Hon gäspade stort. "Väck mig när det är min tur att köra."

Timmarna gick, och utsikten framåt var likadan som den bakom: ändlösa mil av asfalterad väg som fortsatte mot horisonten. På höger sida hade hon Great Dividing Range, och mindre bergskedjor syntes som ett mörklila dis långt borta. Trots att det var i tidigaste laget började Harriet redan leta efter tecken på att de närmade sig Belvedere, som hon betraktade som sitt andra hem.

Catriona hade sovit illa och stigit upp före gryningen. Minnena snurrade i huvudet och hindrade henne från att sova, och hon insåg att hon inte längre kunde strunta i det förflutna. Efter att ha gett Archie mat tog hon med sig tekoppen in i vardagsrummet och satt och betraktade kofferten. I den fanns hela hennes liv samlat, och ändå hade hon inte mod att öppna den.

Det kändes som om skuggorna drog sig närmare trots det starka lampskenet, och hon tyckte sig höra spöklika röster ropa från andra sidan. Hon slöt ögonen, försökte få tyst på dem, men de vägrade att tiga. Med dem följde syner och ljud som hon trott att hon aldrig mer skulle behöva uppleva liksom påminnelsen om det övergrepp som hennes ungdomliga oskuld inte kunnat skydda mot.

Harriet gjorde det bekvämt för sig i passagerarsätet och lättade på byxlinningen. Modern skulle ha gillat hennes klädsel, tänkte hon med ett ironiskt leende, för de blå jeansen var stentvättade och åtsittande, och den ärmlösa, turkosblå blusen var av chiffong med blekgult foder och allt annat än dyster och förståndig. Hon körde händerna genom det tjocka håret, lyfte det från nacken så att luften fick cirkulera. Turkoserna i örhängena matchade stenen som hängde runt halsen i en silverkedja. Rosa hade gett henne den i födelsedagspresent för länge sedan och hävdat att turkoser hade magiska egenskaper. Det var Harriet skeptisk till, men hon kände sig alltid lugn och fridfull då hon bar den.

"Nu är vi nästan framme", meddelade Rosa medan hon tände ännu en cigarett och pekade på en liten grusväg. De hade varit på Belvederes mark sedan de lämnade Drum Creek en timme tidigare.

Harriet vaknade upp ur tankarna och tittade sig förväntansfullt omkring.

Rosa saktade farten och körde in genom portalen som var byggd av kraftiga timmerstockar med namnet Belvedere inbränt i träet. Den smala grusvägen slingrade sig fram under nedhängande trädgrenar och runt stora tuvor av piggsvinsgräs som vajade i luftdraget efter bilen.

Vallabyer stod redo att ta till flykten, och öronen vreds som små parabolantenner då de med nyfikna bruna blickar följde inkräktarna. Fåglar lyfte under protest från träden, och en flock vildgetter hoppade åt sidan då Rosa höll undan för gropar och djupa hjulspår. Ett skyggt myrpiggsvin grävde snabbt ner sig i jorden vid vägkanten medan solbadande varaner körde in sina livsfarliga klor i barken då de skyndade uppför närmsta träd.

Harriet höll sig fast i dörrhandtaget och försökte hålla balansen medan hyrbilen skumpade och skakade och kanade hit och dit. "Tänk på att vi förlorar depositionen på femton hundra dollar om vi skadar bilen", påpekade hon då växellådan protesterade och ena bakhjulet fastnade i ett djupt hål, så att avgasröret skrapade i marken.

"Det kan inte hjälpas", sa Rosa. "Connor lovade att laga vägen för åratal sedan."

Grusvägen användes uppenbarligen inte särskilt mycket, och det skulle säkert ha kostat en förmögenhet att asfaltera den, så Harriet kunde förstå att Connor inte hade gjort något åt den. Hon stirrade ut genom vindrutan och höll andan då de kom ut från de skuggande träden och körde uppför en låg kulle. I dalen nedanför låg gården och dåsade i eftermiddagssolen, lika välkomnande som alltid. Harriet suckade belåtet. Hon hade kommit hem.

Catriona satt vid toalettbordet och betraktade sin spegelbild. Sömnlösa nätter och mörka tankar var förödande för hyn, tänkte hon medan hon lade på underlagskräm och puder och borstade håret. Så plockade hon fram pärlhalsbandet ur smyckeskrinet och knäppte på sig det liksom de örhängen som hörde till.

Diamantringarna gnistrade då hon reste sig upp och slätade till klänningen över höfterna. Den hade samma färg som smör, var rakskuren och nådde en bit nedanför knäna. En chiffongscarf och lågklackade pumps var hennes enda accessoarer. Det fick duga. Så andades hon djupt några gånger och försökte le. Flickorna skulle komma hem, och hon tänkte inte låta dem märka att hon var orolig.

Hon hörde en bil närma sig och tittade ut genom fönstret. Nu kom de. Skyndsamt lämnade hon sovrummet och steg ut på verandan samtidigt som bilen bromsade in.

"Mamma!" Rosa slog armarna om henne, och hon var nära att tappa balansen.

"Catriona!" skrek Harriet och omfamnade henne.

Hon höll dem hårt och ville aldrig släppa dem. Hennes flickor var hemma igen, och allt skulle säkert ordna sig.

22

*H*arriet lämnade Rosa och Catriona i vardagsrummet och gick genom den smala gången ut på verandan. Hon kunde fortfarande höra mumlet av röster, och även om orden var otydliga förstod hon av skrattet att Rosa underhöll modern med historier om sina bravader i storstaden.

Harriet lutade sig mot verandaräcket och insöp den varma, väldoftande luften och friden på Belvedere. Så lät hon blicken glida över gårdsplan och ekonomibyggnader, hagar och fållor och mindes alla skollov hon tillbringat här. Det var stor skillnad mot det liv hon levde till vardags.

En vanlig dag i Sydney satt hon antingen vid skrivbordet på kontoret eller slogs med trafiken på väg till domstolen. Också hemma i radhuset i The Rocks var utsikten vidunderlig; hon såg ut över skyskrapor i glas och vattnet framför de eleganta seglen på operahuset. Sina arbetsdagar tillbringade hon i den stela miljön på en juristfirma med iakttagande av de regler och begränsningar som gällde inom det yrke hon valt. Men här fanns friheten.

Hon drog en förnöjd suck. Solen stod högt på en molnfri himmel, och hettan låg som ett skimrande dis över omgivningarna. Ett landsvägståg hade kört in på gårdsplanen, en jättestor långtradare med tre släpvagnar som rev upp ett moln av damm. Dammet virvlade runt och lade sig slutligen som en roströd slöja över allting medan de bölande stutarna drevs uppför ramperna och in i avbalkningarna.

Connor hade ännu inte kommit upp till huset och hälsat på dem, men nu vände han sig om, log mot henne och lyfte artigt på hatten. Harriet betraktade honom och de andra boskapsskötarna en stund tills hon begrep att även hon var föremål för förstulen granskning. Det märktes på blickarna under de svettfläckiga, bredbrättade hattarna, på männens utstuderade nonchalans då de gick fram och tillbaka och försökte se upptagna ut.

Hon böjde ner huvudet och höll tillbaka ett leende. Det hördes inga busvisslingar, men det påminde henne om bävan för att gå förbi ett bygge i staden, och det hade hon inte behövt oroa sig för på åratal, så på ett sätt var det smickrande att stå i centrum för uppmärksamheten.

Hon drog sig tillbaka in i skuggorna och gick längs verandan tills hon befann sig på andra sidan huset och utom synhåll för karlarna. Härifrån hade hon utsikt över slättens sega gula gräs som vajade i brisen med slokande eukalyptusträd som mörka skuggor här och där. Dungar av pinjer sträckte sig mot himlen, och mörkret under dem såg lockande och svalt ut.

Harriet satte upp håret i knut med ett hårspänne. Tanken på en lång, sval dusch var frestande, men hon skulle vänta till sängdags då den skulle göra mer nytta. Hon torkade svettpärlorna ur ansiktet med näsduken och slog sig ner i en stol. Det var hett, också i skuggan, och hon kunde känna svetten sippra längs ryggen och göra den tunna blusen dyblöt. Jeansen hade varit ett misstag. De satt för hårt, och hon önskade att hon valt shorts i stället.

Medan hon satt i den skamfilade korgstolen gick tankarna tillbaka till tidigare år då hon varit på besök. Catriona hade varit en vänlig och generös värdinna, den sorts kvinna Harriet önskade att hennes egen mamma vore. Det var förvånansvärt hur varsamt åren farit fram med henne. Catrionas hår hade fått den underbara silvergrå färg som var förbehållna dem som från början haft mycket svart hår. Ögonen var fortfarande violblå och hyn felfri. Det var svårt att tro att hon inom kort skulle fylla sextiosju.

"Jag trodde du hade gett dig ut på fotvandring." Rosas bara fötter gav knappt ett ljud ifrån sig på verandagolvet. "Jag har med mig något som du säkert behöver", sa hon och räckte Harriet ett glas som klirrade av is, damp ner i korgstolen bredvid och suckade belåtet. "Gin, tonic, is och en citronskiva. Precis vad advokaten rekommenderade."

"Är det inte lite väl tidigt?" protesterade Harriet.

Rosa kastade en kisande blick på himlen. "Solen har sjunkit bakom ladan. Då är det sent nog."

Harriet drack en djup klunk. "Den satt bra", höll hon med. "Var är Catriona? Hon brukar väl inte tacka nej till en gin och tonic?"

"Hon kommer strax. Det var någon som ringde." Rosa tog en klunk

305

innan hon ställde glaset på golvet och tände en cigarett. Så blåste hon ut röken och lutade sig tillbaka i stolen med slutna ögon. "Jag är orolig för henne", sa hon till sist. "Hon ser trött ut, och jag har en känsla av att hon bekymrar sig för något."

Harriet betraktade väninnan. "Vad i all världen skulle Catriona kunna bekymra sig för?"

"Jag vet inte." Rosa ryckte på axlarna. "Jag frågade faktiskt, men hon sa bara att hon hade sovit illa." Hon slog upp ögonen och stödde armbågarna mot knäna. "Men mamma har alltid sovit som en stock. Något är på tok, jag vet det."

"Vi borde kanske ta hit doktorn och se till att hon får genomgå en grundlig läkarundersökning?"

"Det har jag redan föreslagit, men hon vill inte lyssna på det örat", svarade Rosa.

"Jag vill inte ha hit någon doktor som vänder ut och in på mig", förkunnade Catriona som just kom runt hörnet. "Och jag vore glad om ni lät bli att diskutera mig bakom min rygg."

Harriet och Rosa ryckte till som två skuldmedvetna barn. "Om du inte talar om för oss vad som bekymrar dig ser vi ingen annan utväg", sa Rosa bestämt.

Catriona blängde irriterat på dem och slog sig ner. "Jag har ju redan sagt att jag har svårt att sova. Det beror nog på dålig matsmältning." Tonfallet visade att hon vägrade prata mer om saken, och hon bytte genast samtalsämne. "Har jag berättat om första gången jag såg Belvedere?" Hon väntade inte på svar. "När jag var liten drömde jag till och med om gården, och det var där uppifrån jag fick syn på den", tillade hon och pekade mot kullarna i väster. "Då visste jag naturligtvis inte att det skulle dröja så länge innan drömmen gick i uppfyllelse. Nu är det snart trettio år sedan jag slog ner mina bopålar här." Ansiktet lyste upp i ett leende, och hon höjde glaset. "Skål för ytterligare trettio."

De skålade, och Catriona såg nogsamt till att leendet satt på plats. Nu när flickorna var hemma blev det lättare att skjuta ifrån sig de mörka tankarna.

"Hur är det på jobbet?" frågade hon Rosa.

"Det gamla vanliga: problembarn, skilsmässor, kvinnomisshandel, sexuella övergrepp. Men jag trivs", svarade Rosa och drog ett bloss på cigaretten.

Catriona vände sig till Harriet. "Jag föreställer mig att du har det lugnare som affärsjurist."

Harriet skrattade till. "Skämtar du? Det utgjuts mycket mer blod i styrelserummen än i några skumma gränder. Stora pengar betyder stora egon och ännu större skurkar, men även jag trivs." Hon log med en humoristisk glimt i de intensivt blå ögonen.

Harriet hade vuxit upp till en liten skönhet, och med sin slanka figur och sitt behagfulla sätt att röra sig kunde hon ha blivit en framstående dansare. Juristyrket verkade så torrt och dammigt, men det tycktes passa flickorna. Catriona suckade och blev med ens avundsjuk på deras ungdom och entusiasm. Så annorlunda det hade varit på hennes tid då kvinnor inte hade tillträde till sådana yrken och förväntades lämna arbetslivet i samma stund som de gifte sig.

Försjunken i djupa tankar tittade Catriona ut över grässlätten. Tidningsartikeln gjorde att hon hade flera saker att ta ställning till. Risken fanns att hennes historia skulle få dessa unga kvinnor att ändra uppfattning om henne, och därför kände hon sig tveksam till att berätta den. Ändå måste hon göra det, för hemligheten skulle förr eller senare nå offentlighetens ljus, och det vore inte rätt att låta dem få reda på den genom radio och tidningar.

Harriet rörde vid Catrionas hand och förde henne tillbaka till nuet. "Vad tänker du på?" undrade hon med bekymrad min.

Catriona tvingade sig att le. "Jag har fått dåliga nyheter", började hon och avbröt sig genast.

De båda unga kvinnorna lutade sig oroligt framåt.

"Vad är det, mamma?" Rosas ögon vidgades av rädsla. "Du är väl inte sjuk?"

Catriona insåg att hon bar sig helt fel åt. "Nej då", försäkrade hon. "Jag är frisk som en nötkärna." Hon tog en klunk av drinken och tankarna snurrade medan hon såg ett eukalyptusblad blåsa i väg längs verandagolvet. Hon hade varken hjärta eller mod att avslöja sanningen och beslöt sig för att en liten vit lögn inte skulle göra någon skada. Hon tog ut problemen i förskott, såg spöken på ljusan dag på grund av sömnbrist och en överhettad fantasi. Polisen skulle knappast störta ut ur buskarna för att anhålla henne, och det var så länge sedan hon figurerade i tidningarna att journalisterna förmodligen inte ens visste vem hon var.

"Mamma?" Rosa darrade på rösten.

Hon samlade tankarna och rätade på ryggen. "Det är en gammal skandal som jag trodde var både död och begraven", började hon, och ironin i orden fick henne att grimasera. "En älskare jag hade för länge sedan hotar att avslöja allt för pressen om jag inte betalar."

"Säg åt honom att göra det och dra åt skogen", genmälde Rosa. "Vilket svin! Vad heter han? Jag ska skicka ett formellt brev och påpeka att utpressning är ett allvarligt brott."

Catriona brast i skratt. "Du är precis som en terrier när du får korn på något." Hon lade armen om Rosa och gav henne en kram. "Oroa dig inte. Jag ska nog ta itu med honom, och jag lovar att han inte ska få en cent av mig."

"Det förvånar mig att du bekymrar dig för en sådan småsak", insköt Harriet. "Pressen kan ju knappast vara intresserad av gamla skandaler."

Catriona reste sig och lade armarna i kors. "Du har helt rätt, jag förstorar nog upp det hela. Egentligen borde jag vara smickrad över att han ens minns mig, för det var många år sedan." Hon log mot dem. "Tydligen gjorde jag starkt intryck."

Rosa skrattade, men Catriona lade märke till Harriets stadiga blick och förstod att flickan inte hade låtit sig luras. Fast besluten att sätta punkt för samtalet vände hon sig bort och stirrade ut på dungen av pinjeträd och andades in doften av eukalyptus, tallbarr och torr, varm jord. En snabb rörelse fick henne att höja blicken, och ansiktet lyste upp av förtjusning. Det var en syn som hon inte hade sett så ofta på sistone, för just den här örnen siktades sällan i bebodda trakter.

Den gyllenbruna örnen svävade högt över hagen med vingarna utbredda för att fånga de varma uppvindarna, och blicken var fästad på någonting långt där nere i gräset. Hon såg rovfågeln långsamt och lättjefullt sänka sig nedåt på nästan ljudlösa vingar. Döden skulle bli ögonblicklig.

Hon höll andan då örnen dök och for mot marken likt en pil för att omedelbart stiga igen med bytet i klorna. Kaninen hade inte kommit undan, och Catriona undrade om det kanske var ett omen.

Harriet betraktade också skådespelet, flämtade till då örnen tog kaninen och lyfte, följde den med blicken tills den bara var en liten prick mot den flammande solnedgången.

"Det är en fascinerande syn, som man inte ser varje dag", sa Catriona och satte sig ner i korgstolen igen.

"I så fall känner jag mig dubbelt privilegierad", viskade Harriet. "Jag hade rätt om att Belvedere är Drömmarnas land, för här finns en alldeles särskild magi."

"Nu börjar hon bli så där romantiskt sentimental igen", insköt Rosa och suckade.

Catriona log. "Drömmarnas land. Det är en bra beskrivning, som jag själv brukade använda förr. Men alla drömmar slår inte in, och livet här ute i vildmarken kan vara både grymt och hårt, så låt inte entusiasmen skena i väg med dig."

Den milda förmaningen fick Harriet att bli röd om kinderna. "Förlåt", sa hon förläget.

"Inte behöver du be om ursäkt heller. Jag uppskattar din fantasi. Det här är trots allt det land där legenderna om Drömtiden föddes." Hon satte handen under hakan på Harriet och såg henne i ögonen. "Jag antar att Billys berättelser har påverkat dig, och jag vet att jag själv har tagit djupt intryck av dem. Han kommer alltid att vara trogen Drömtiden, den är hans arvedel och gör honom till den man han är."

Harriet nickade, som förtrollad av de violblå ögonen och den forskande blicken. Hon var starkt medveten om den äldre kvinnans beröring, om den mjukhet som stod i så skarp kontrast till den sofistikerade och eleganta dam hon verkade vara. Catriona hade gett henne så mycket under årens lopp, och tillgivenheten för denna kvinna gjorde Harriet fast besluten att ta reda på vad som verkligen bekymrade henne.

Catriona måste ha sett frågorna i Harriets blick, för hon drog sig undan. "Nog med prat", sa hon tvärt. "Nu är det dags att duscha och äta kvällsmat. Jag förmodar att ni är trötta båda två, och dagen börjar tidigt här ute, så ni måste snart gå och lägga er. Som vanligt får ni sova i samma rum, så slipper ni tassa omkring om ni vill ligga och prata."

Harriet kunde inte låta bli att kasta en blick på klockan. Den var lite över sju, och solen hade nyss försvunnit bakom kullarna. Hon hade totalt glömt det där med tidiga morgnar och kvällar.

"Jag vet att ni förmodligen går och lägger er sent i storstan, men reglerna är annorlunda här ute. Vi måste ta vara på dagsljuset, och man kan inte driva boskap i mörkret." Catriona började gå mot nätdörren. "Jag har gott om mat i huset. Boskapsskötarna vet att ni är här och är tillräckligt till sig i trasorna ändå. Jag tycker det är onödigt att ni äter i kokhuset, och stackars Connor har redan problem så det räcker."

"Herregud!" muttrade Rosa och följde efter Catriona längs verandan. "Man skulle kunna tro att de aldrig har sett en kvinna förr. De känner oss ju."

"Ni är inga barn längre", påpekade Catriona, stannade och gled med blicken över Rosas klädsel. "Kan du vara snäll och skyla dig lite mer", bad hon trött. "Det tog mig veckor att lugna ner männen efter ditt förra besök, och just nu har vi den brådaste tiden på året på gården. Jag vill inte att de ska tappa matlusten."

Rosa gav henne en puss på kinden. "Jag ska klä mig som en nunna om du lovar att vi får ta de bästa hästarna och följa med ut och driva ihop vildhästar."

Catriona gav henne en sträng blick men kunde inte hålla sig allvarlig särskilt länge. "Det skulle nästan vara värt det", sa hon med en humoristisk glimt i ögonen, "men jag antar att du varken har packat nunnedräkt eller dok, så här finns inget att förhandla om, unga dam."

Rosa sprang nedför verandatrappan och hämtade väskan i bilen. Så plockade hon fram den lilla svarta chiffongklänningen och höll upp den. "Den här duger bra i kväll när jag går och hälsar på min gamle vän kocken."

Catriona betraktade det minimala plagget med fasa, och Harriet hade all möda i världen att hålla sig för skratt. Det var samma klänning som Rosa gjort succé med kvällen före i Coonamble. "Du vinner", sa Catriona och kunde inte låta bli att dra på munnen. "Om Connor är med på det får ni följa med ut. Men du måste lova mig att aldrig någonsin bära den klänningen här, i synnerhet inte i närheten av kokhuset. Där finns för många vassa knivar, och jag vill inte förlora hela arbetsstyrkan i slagsmål."

"De borde skaffa sig ett liv", menade Rosa och stoppade ner klänningen i väskan igen.

Harriet var benägen att instämma, men uttrycket i Catrionas ansikte fick henne att hålla tyst. I stället hämtade hon sin egen väska, och alla tre gick in i huset.

"Hem ljuva hem", sjöng Rosa och började gå genom den smala gången men vände sig plötsligt om. "Tjing för att duscha först!"

Harriet följde efter Rosa. Allt var så välbekant och så olikt hennes eget prydliga radhus i Sydney och moderns takvåning, och som vanligt kände hon sig omedelbart hemma. På byrån mellan sängarna stod en bukett vildblommor i en syltburk, och mot den var en lapp med några välkomstord lutad.

"Du måste ha gjort gott intryck", anmärkte Rosa med en blick på blommorna. Hon släppte väskan på golvet och rotade fram necessären. "Så har Connor aldrig gjort förut."

Harriet ställde ifrån sig väskan och försökte rädda de slokande blommorna. Hon delade upp dem på två buketter och hämtade ytterligare en syltburk med vatten från köket. Det var en rar gest, tänkte hon. Connor var tydligen glad över att ha systern hemma. "Han ville väl bara vara artig", sa hon.

Rosa höjde ett ebenholtssvart ögonbryn. "Connor är inte intresserad av heminredning. Antingen har han dåligt samvete för något eller också försöker han imponera på dig." Hon skrattade till. "Jag kan slå vad om att han gjorde det i hemlighet. Kan du föreställa dig hur retad han skulle ha blivit ifall någon av de andra såg honom?"

Det kunde Harriet bara alltför väl, och hon kände en våg av medlidande med Rosas bror. Det måste vara ansträngande att hela tiden framstå som så supermanlig. "Det finns stunder då jag är uppriktigt glad över att vara kvinna. Fast jag måste erkänna att jag kanske har valt fel yrke. Jurister är rent otroligt konservativa, och eftersom karlarna alltid håller ihop är det inte det lättaste sättet att förtjäna sitt uppehälle."

"Exakt. Det här med manlig sammanhållning har gått överstyr, tycker jag. Men vad ska en stackars flicka ta sig till? Det är bättre att göra gemensam sak med dem än att ständigt bli motarbetad. Men kvinnokraften är på intåg." Rosa stegade i väg till badrummet, och några minuter senare hördes hon sjunga entusiastiskt men falskt.

Det sovrum de alltid delade då Harriet var på besök hade inte förändrats ett dugg, och det var som om klockan hade vridits tillbaka. Rummet väckte minnen från barndomen och var fullt av Rosas dockor och böcker, och på ena väggen hängde rosetter som de vunnit på traktens ryttartävlingar. Över sängarna var lapptäcken utbredda, och på det bonade trägolvet låg mjuka ryamattor. Det påminde också Harriet om universitetsåren då hon och Rosa hade delat en pytteliten studentlya i Kings Cross. De små rummen där hade varit ännu enklare än detta, men de hade fått det hemtrevligt med kuddar och gardiner och stora affischer som skylde över fuktfläckarna på väggarna. Pappersblommor, parfymerade ljus och rökelsepinnar hade gett det hela en exotisk anstrykning.

Modern hade förfasat sig och gjort sitt bästa för att övertala Harriet att flytta in i en dyrbar andelslägenhet i centrum av staden, men Harriet ville inte vara annorlunda än de andra studenterna och hade stått på sig.

Medan de slogs om utrymmet mellan de smala sängarna tycktes samma tanke ha slagit Rosa. "Precis som i gamla tider", sa hon, trängde sig förbi Harriet och började torka håret torrt. "Och det finns en hel del som borde kastas."

"Vi har blivit bortskämda", sa hon då Rosa drog på sig jeans och T-shirt. "Jag minns när du visade mig stugan där du bodde med din mormor. I jämförelse med den är det här rena palatset."

Rosa rufsade till sitt fuktiga hår tills det föll som krysantemumblad runt ansiktet och fick henne att se ut som högst tio. "Du har rätt. Det var ett kyffe, och det är förmodligen därför stugan har stått tom i alla år."

Eftersom förmannens stuga inte hade något badrum var Connor tvungen att stå i kö och vänta på sin tur vid de gemensamma duscharna i sovbaracken. Han kunde inte låta bli att flina då han hörde samtalen runt omkring sig och såg de ansträngningar boskapsskötarna lade ner på att bli rena. Han hade inte sett något liknande sedan den senaste marknadsdagen i Drum Creek. Det var häpnadsväckande vad åsynen av ett par kvinnor kunde göra, trots att de flesta av männen hade känt Rosa och Harriet sedan de var småflickor.

Efter att ha tagit en snabb dusch och rakat sig bytte Connor till rena jeans och en nytvättad skjorta innan han gick till kokhuset för att hämta middagsmaten. Precis som mangårdsbyggnaden var kokhuset närmare hundra år gammalt. Det var förfallet på sina ställen och behövde målas om, men på det hela taget var det i gott skick och skulle troligen stå i hundra år till, såvida inte termiter eller skogsbränder tog kål på det.

Det var högt i tak, och på det dammiga trägolvet stod ett långt hemsnickrat bord med träbänkar på var sida. Där fanns ingen duk, bara en rad flaskor med olika såser, kryddor och korgar med nybakat bröd.

Connor steg in genom dörren, och en ljudvägg slog emot honom. Det var helt otroligt att trettio karlar kunde föra så mycket oväsen. Rösterna larmade då männen berättade historier, skrattade och skämtade och kopplade av efter ännu en lång dag. Klirret av bestick mot

312

porslin ackompanjerades av skrapet av stolar och stövlar mot golvet. Och över alltihop presiderade kocken.

Ingen visste vad han hette, och om de hade vetat det hade de glömt det, för han hade varit här sedan urminnes tider. Kocken var av obestämd ålder med ett plufsigt, rött ansikte som glänste av svett då han serverade ångande grönsaker och nygrillade köttbitar. Armarna var som skinkor, och den stora magen skvallrade om att han var förtjust i sin egen mat. Hans dåliga humör var legendariskt, och den enda som kunde linda honom om sitt lillfinger var Rosa, som han avgudat sedan första gången han såg henne som liten. "Hej, Connor!" skrek han över oljudet. "Hur är det med min flicka? Hon har inte varit här och hälsat än. Säg åt henne att få ändan ur vagnen och komma hit." Han lutade sig framåt. "Jag hörde att hon har med sig Harriet också."

"Än sen?" ropade Connor.

Det blev dödstyst i kokhuset. Connor märkte att vartenda ögonpar vändes mot honom, och öronen fladdrade för att få höra lite skvaller.

"Kan jag få maten på en bricka. Jag äter i huset i kväll."

"Så du behåller bägge för dig själv?" ropade en boskapsskötare.

"Ja", svarade Connor. "Inte släpper jag någon av er i närheten av min syster."

"Den andra då? En riktig snygging. Jag tycker gott du kan dela med dig. Med mig skulle hon inte få tråkigt."

Detta påstående lockade fram ett gapflabb. Connor log då han upptäckte att talaren var en mager liten karl som måste var över femtiofem och helt saknade umgängesvett plus de flesta av sina tänder. "Jag tvivlar på att hon är intresserad av gamla gubbar, men jag kan skaffa telefonnumret till hennes farmor om du vill."

Ännu ett gapflabb hördes, och Connor skyndade sig att ställa maten på brickan och fly. Då han med långa steg gick över gårdsplanen såg han att Rosa och Harriet väntade på verandan. De var åtminstone anständigt klädda, noterade han tacksamt.

Rosa gav honom en kram och en kyss. "Vad skrattade alla åt?" frågade hon medan hon höll upp nätdörren och följde efter honom in i köket.

"Vad tror du?" sa han och hjälpte henne att duka fram maten. "Det kommer att bli urjobbigt att hålla ordning på karlarna medan ni två är här", tillade han och kastade en blick på Harriet.

"Nej då", sa Rosa avfärdande. "Du vet ju hurdana de är. Det är bara munväder. Jag kan slå vad om att ifall Harriet och jag gick dit nu skulle ingen ha ett ord att säga. De skulle bara lassa in maten och gå ut, fromma som lamm."

Connor skrattade, för han visste att det var sant. Männen här ute i vildmarken hade ingen erfarenhet av sådana exotiska varelser som Rosa och Harriet, bara kvinnorna på puben i Drum Creek kunde ge dem tunghäfta. Dessa karlar var vana vid manligt umgänge och förstod sig mycket bättre på boskap, gräs och elementens nycker än på kvinnors behov. De skulle betrakta de välutbildade unga kvinnorna som ett hot, som främmande fåglar från storstaden, och därmed oåtkomliga. Inte för att han var stort bättre själv, medgav Connor tyst och tog för sig av maten. Rosa förstod han sig på, även om deras liv tagit olika inriktning, men Harriet var en annan femma.

Rosa hade naturligtvis berättat om henne i sina brev, men trots att han känt Harriet sedan hon var barn blev han nervös av att ha en sådan attraktiv kvinna mitt emot sig vid bordet. Hon verkade så säker och sofistikerad men tycktes ändå finna sig helt till rätta här på Belvedere.

Han tittade upp från tallriken och fann sig blicka in i ögon med samma färg som en djup sjö. Han höll fast hennes blick en stund och såg sedan bort. Vad tyckte hon egentligen om Belvedere – och om honom? Det kunde vara intressant att få veta.

Harriet klev ur sängen och sträckte på sig. Hon hade sovit gott och kände sig utvilad och redo för en ny dag. Kylan fick henne att huttra, och hon drog en tröja över T-shirten som hon använde som nattlinne, plockade fram raggsockorna och kastade en blick på den andra sängen, varifrån det hördes dämpade snarkningar. Rosa låg nedborrad under filtarna, och bara en bit av håret stack upp. Det vore synd att väcka henne.

Harriet tassade ut ur sovrummet och in i köket. Solen strömmade in genom fönstret, och till sin stora förvåning upptäckte hon att klockan knappt var halv sex, en tid på dygnet då hon i vanliga fall var död för världen. Hon ställde sig vid AGA-spisen för att bli varm. Det var förvånansvärt kallt trots att sommaren kommit en bit på väg, men det mindes hon från tidigare besök och hade packat ner raggsockorna som hon nu drog på sig.

Hon rörde sig tyst medan hon bryggde en kopp starkt te och slog

314

sig ner vid köksbordet för att läsa en gammal veckotidning som låg på skänken. Det kändes ljuvligt att ha all tid i världen på sig, att sitta där i lugn och ro utan att telefonsignaler och skrivmaskinsknatter störde tystnaden.

"Jag hoppas det finns mer te i kannan", sa Rosa som kom hasande med håret på ända och ögonlocken svullna av sömn. Hon gjorde en grimas. "Tjusig klädsel! Raggsockorna är verkligen pricken över i:et."

"Det är kallt, och jag ville inte väcka dig genom att rota efter varma kläder." Harriet betraktade Rosas pyjamas, som var så stor att hon drunknade i den. "Du är inte direkt moderiktigt klädd du heller. Är det Connors?"

"Ja, jag hittade den längst ner i en låda. Jag hade så bråttom att jag glömde packa något att sova i." Rosa slog upp en kopp te och sjönk ner i en stol vid AGA-spisen. Ärmarna på den flera nummer för stora pyjamasen dinglade då hon sträckte sig efter cigaretterna.

Tidiga morgnar var inte Rosas starka sida, såvida hon inte var på väg hem från en klubb eller en fest, och Harriet visste att det var bäst att lämna henne i fred med morgonteet och cigaretten och låta henne vakna långsamt. Hon lämnade köket, tvättade sig och klädde sig i löst sittande bomullsbyxor och en tunn T-shirt med en tröja över axlarna för att hålla kylan borta. Så drog hon en kam genom håret och satte upp det i en slarvig knut som hölls på plats med några färggranna hårspännen. Hon betraktade sin bild i den lilla spegeln ovanför handfatet och avgjorde att hon inte orkade lägga makeup. Det var hon tvungen till varenda dag hemma i staden, och det skulle bli skönt att slippa för omväxlings skull.

Då hon tjugo minuter senare kom tillbaka till köket fann hon att Rosa inte hade rört sig ur fläcken men var tillräckligt vaken för att läsa veckotidningen. "Gå och duscha, så gör jag i ordning frukost", sa Harriet. "Har du sett till Catriona än?"

"Hon finns inte på sitt rum", svarade Rosa och gäspade stort, "så hon är nog ute på sin morgonritt." Hon hissade upp pyjamasbyxorna och lunkade i väg till badrummet.

Harriet bryggde ännu en kanna te och rostade bröd medan hon hörde Rosa sjunga i högan sky. Hon var åtminstone vaken, tänkte hon. Fast med den rösten var det nog säkrast att hon höll sig till advokatyrket.

Harriet bar ut frukosten på verandan, och med koppen på veran-

315

daräcket framför sig stod hon och såg Belvedere vakna till liv. Röken ringlade sig upp ur skorstenen på kokhuset, och med långsamma steg och händerna i fickorna kom karlarna gående över gårdsplanen. Ljudet av en hammare mot metall bröt den tidiga morgonens tystnad, och en tunn slöja av damm började virvla runt i hagarna då hästarna ändrade ställning och stampade med fötterna.

Connor kom ut ur kokhuset och vinkade innan han försvann runt hörnet. Harriet åt upp smörgåsen och drack teet i djupa klunkar. Han var trevlig, medgav hon tyst. Det var tydligt att han avgudade Rosa och Catriona, och hon hade blivit rörd av vildblommorna i syltburken. Connor hade kanske oanade sidor.

"Jag tänker gå och hälsa på kocken", meddelade Rosa, som med munnen full av rostat bröd kom ut på verandan. "Om jag skjuter upp det längre kommer han aldrig mer att tala med mig", tillade hon och svalde och såg på Harriet. "Följer du med?"

Harriet betraktade de prydliga långbyxorna och den välstrukna bomullsblusen. Rosas hår var borstat och såg ut som en glänsande mössa i rosa och svart, och hon hade bara en gnutta läppstift och lite mascara på ögonfransarna. Smyckena hade hon lämnat i sovrummet, utom silverklockan som satt på den smäckra handleden. Rosa såg nästan respektabel ut. "Snyggt!" utbrast Harriet. "Fast jag kände knappt igen dig."

"Alla här känner mig för väl för att jag ska kunna gömma mig bakom makeup och kläder", förklarade hon. "Kom nu!"

Harriet stack fötterna i bekväma loafers, och med trettio par ögon på sig gick de tvärs över gårdsplanen.

Connor dök upp bärande på sadel och träns och verkade inte särskilt belåten över att se dem. "Huset ligger åt det hållet", påpekade han strängt för Rosa.

"Ta det lugnt. Vi ska bara hälsa på kocken."

Connor blängde ilsket, och blicken gick från Harriet till boskapsskötarna som stod och hängde. "Se till att det går snabbt", morrade han. "Vi har mycket att göra i dag."

Rosa gav honom en puss på kinden. "Du börjar bli som en grinig gammal gubbe. Inte undra på att ingen kvinna vill ha dig." Hon skyndade därifrån innan han hann ge igen, och Harriet kunde bara rycka på axlarna och följa efter.

Catriona hade återigen sovit illa, och hon hade gett sig ut på sin morgonritt före soluppgången. Billy Birdsong hade varit i hästhagen, och hon hade bett honom göra henne sällskap.

De hade glömt tiden då de red över vidderna, och medan de pratade och diskuterade planerna för Belvedere kände Catriona hur bekymren rann av henne.

Hon och Billy kom tillbaka just som flickorna försvann in i kokhuset. Karlarna stod och stirrade efter dem, och Catriona log då de märkte att hon såg dem och snabbt tog itu med sina sysslor. Det var förbluffande att två vackra flickor kunde få arbetet på gården att avstanna helt.

"Det är nog bäst flickorna är på sin vakt", sa Billy med ett brett leende.

Catriona log tillbaka. "Jag tror de kan ta vara på sig, så oroa dig inte." Hon vinkade åt honom, och han försvann för att se vad fru och barn hade för sig.

Billy och hans familj hade haft ett läger på Belvedere sedan långt före hennes tid. Hon hade erbjudit sig att bygga stugor åt dem, men de föredrog att bo kvar i sina hyddor och tält i en glänta väster om gårdsplanen. Deras läger var ohygieniskt och fullt av skräp. Både hundar och barn lekte i smutsen, och kvinnorna tillbringade större delen av dagarna med att sitta under träden och amma sina barn medan de utbytte skvaller.

Catriona satte i gång att rykta hästen. Hon hade försökt lära aboriginerna det mest elementära om renlighet. Efter mycket tjat hade hon fått dem att vaccinera barnen då doktorn kom ut till gården, men sedan var det stopp. Till slut sökte Billy upp henne och förklarade att hans folk inte behövde den vite mannens medicin utan föredrog att hålla fast vid sina stamtraditioner.

Hon släppte ut hästen i hagen. Billys vittgrenade familj var förvånansvärt frisk, och de flesta uppförde sig väl och gjorde nytta på gården. Enda problemet var alkohol. Hon och Billy hade diskuterat saken, och som stamäldste hade han bestämt att det var förbjudet att dricka sprit. Men då och då gjorde någon av de unga aboriginska boskapsskötarna av med lönen på puben och kom hem och ville slåss.

Hon suckade. Som ägare till Belvedere hade hon ett stort ansvar, men hon skulle inte vilja byta mot livet i storstaden. Hon vände ryggen åt hagen och styrde stegen mot boningshuset och frukosten. Hon var utsvulten.

Archie klagade högt över att det var långt efter matdags, strök sig mot hennes ben och gick i vägen. Catriona trampade honom på tassen och var nära att ramla omkull. När hon grep tag i stången framför spisen för att hålla balansen brände hon sig på handen. "En vacker dag blir du min död, Archie!" väste hon och satte handen under kall-vattenskranen.

Archies jamanden blev högre och alltmer krävande. Han fick vänta på maten och gillade det inte.

"Här har du", sa hon och satte med en smäll ner matskålen på gol-vet. "Ät nu och håll tyst!" Så reste hon sig för snabbt, och det svart-nade för ögonen, och hon var tvungen att stödja sig på en stolsrygg tills yrseln gick över.

"Mamma! Hur är det med dig?"

Hon såg på Rosa och Harriet medan mörkret lättade. "Det är ingen fara, jag behöver bara sitta ner en stund." Rosa hjälpte henne till en stol och slog upp en kopp starkt te åt henne. "Det är ingen fara med mig", upprepade Catriona. "Jag har bara gått för länge på fastande mage." Hon tog en klunk te och grinade illa. Rosa hade lagt i alldeles för mycket socker.

"Sockret ger snabb energi", förkunnade Rosa, "så grina inte illa, utan drick upp."

Catriona tittade på Harriet och höjde ögonbrynet. "Hon är dikta-torisk så det förslår, fast själv har hon minsann aldrig gillat att ta order. Nu känner jag mig som ett olydigt barn." Hon blängde på Rosa över kanten på tekoppen, gjorde en grimas och drack upp. Det smakade gräsligt, men hon måste medge att det piggade upp henne.

"Jag ska göra frukost åt dig", erbjöd sig Harriet. "Vad vill du ha?"

"Ägg och bacon och rostat bröd, tack." Yrseln var borta, och hon mådde redan bättre.

Rosa började slamra med stekpannan medan Harriet letade i kyl-skåpet efter bacon. "Lågt blodsocker", avgjorde hon. "Du borde äta innan du ger dig ut och rider, mamma. Kocken serverar dig gärna frukost. Det sa han till mig nu på morgonen."

Catriona slöt ögonen och drog ett djupt andetag. Rosa lät som en hurtig skolfröken. "Om jag vill att kocken ska laga frukost åt mig

318

säger jag till", sa hon bestämt. "Min aptit är god, precis som den alltid har varit, och jag ser helst att du inte lägger dig i, Rosa." Hon slog upp ögonen. "Jag vet att du menar väl, men jag behöver inte kockens hjälp riktigt än." Hon log för att ta udden av den milda förebråelsen. "Både Archie och jag börjar bli till åren. Vi är för gamla för att ändra våra vanor, och vi tycker om att laga våra egna måltider."

"Kattrackan är bortskämd", muttrade Rosa och tittade på den feta, rödgula katten som satt och slickade pälsen ren framför spisen. "Han gör inget annat än sover och äter och springer framför fötterna på dig."

"Han är min kompis", förklarade Catriona, "och om jag inte har något emot att han sover på min säng och springer i vägen för mig så förstår jag inte varför du ska ha det. Låt honom vara i fred!" Hon brydde sig inte om Rosas protester, drack ur tekoppen och reste sig. "Om du vill vara till nytta kan du servera mig en kopp te till, fast med mindre socker, och ta in min frukost i vardagsrummet." Hon viftade bort Rosas invändningar. "Och du, Harriet, följer med mig. Jag har något att visa dig."

Harriet följde efter Catriona in i vardagsrummet och undrade vad i all världen hon kunde ha i bakfickan. Hon hade mer färg i ansiktet och verkade som vanligt igen, men det hade varit en chock att komma in i köket och se henne så eländig.

Catriona pekade på sekretären och satte sig i soffan. "Mitt testamente ligger i den", sa hon, "liksom alla papper Rosa behöver när jag är borta." Hon måste ha sett uttrycket av förnekelse i Harriets ansikte, för hon skakade otåligt på huvudet. "Se inte ut så där. Jag har alltid varit realist, och en dag behöver du veta var papperen finns."

Harriet bet sig osäkert i läppen. "Tror du inte att det vore bättre om Rosa ...?"

Men hon fick inte en chans att avsluta meningen. "Om jag hade velat att Rosa skulle gå igenom papperen skulle jag ha bett henne", avbröt Catriona.

"De borde förvaras hos en advokat och inte lämnas här vind för våg. De kan komma bort eller bli förstörda."

"Jag vet, och det var därför jag ville tala med dig. Vill du vara snäll och plocka fram dem?"

Harriet gick till sekretären och öppnade klaffen, och en flod av papper vällde ut och rasade i golvet. Hon böjde sig ner för att plocka upp dem. Där fanns färggranna operaprogram från London, Paris och New

York, affischer för föreställningar på världsberömda scener liksom en del beundrarpost.

"Det där är bara en del av mitt liv", påpekade Catriona från andra sidan av rummet. "Resten finns i den förbaskade plåtkofferten, fast det vet du redan. Du och Rosa har ju provat klänningarna många gånger." Hon skrattade till. "Jag borde väl egentligen gå igenom kofferten och rensa ut en massa, för det mesta är ändå bara gammalt skräp."

Harriet samlade ihop papperen i en hög och lät den vara så länge, och efter att ha letat i lådorna fann hon slutligen vad hon sökte. Hon räckte dokumenten till Catriona som snabbt ögnade igenom dem. "Här! Läs och tala om för mig om allt är i sin ordning."

Harriet läste igenom dokumenten. Catriona hade skrivit över Belvedere på Rosa och Connor för tjugo år sedan och på så sätt undvikit arvsskatt. "Vet de om att de äger farmen?" frågade hon.

Catriona skakade på huvudet. "Det var min revisor som rådde mig att skriva över den, men de behöver inte få veta det förrän jag är död."

Harriet gick igenom resten av handlingarna. Ögonen vidgades då hon läste igenom den långa lista på fastigheter, aktier och värdepapper som Catriona hade i sin aktieportfölj, och de vidgades ännu mer då hon noterade hur många dyrbara smycken Catriona ägde. "Jag hoppas du förvarar smyckena på ett säkert ställe", flämtade hon. "De är värda en förmögenhet."

"De flesta smyckena ligger i ett bankfack i Sydney. Det bör finnas ett brev från banken som bekräftar att Rosas och Connors barn ska ärva dem, om de någonsin skaffar några", tillade Catriona. "Tavlorna är permanent utlånade till Victorian Art Gallery i Melbourne."

Harriet såg beundrande på Catriona. Det var en kvinna med huvudet på skaft. Hon hade perfekt ordning på sina affärer, och skattmasen skulle inte hitta mycket att lägga vantarna på. Själva testamentet var det sista dokumentet, och Harriet läste snabbt igenom det. Det var skrivet tjugo år tidigare, undertecknat och bevittnat av två styrelsemedlemmar i en välkänd bank. Det fanns bara ett tillägg, som gjorts fem år senare. Hon läste orden, läste om dem och sedan om igen. Hon såg på Catriona.

"Det här tillägget", började hon med skrovlig röst och darrande händer. "Är du säker?"

Catriona viftade bort hennes tvivel. "Du har varit som en dotter för mig, och det är väl inte så konstigt om jag vill att du ska ha något litet minne av mig."

"Tre bostadshus är mer än ett litet minne", invände Harriet. "Bara en av fastigheterna måste vara värd över en miljon dollar."

23

*C*atriona lät sig frukosten väl smaka och lämnade inte en smul på tall-riken. När hon var klar drack hon ett par koppar te och bar ut det an-vända porslinet i köket. "Jag ska gå och prata med Maggie och be hen-ne och de andra aboriginkvinnorna att städa huset innan vi invaderas av gäster på min födelsedag." Hon slog ifrån sig flickornas erbjudan-den om att hjälpa till. "Ni är här på semester, och eftersom jag själv inte tänker städa kan jag inte se någon anledning till att ni ska göra det."

"Men vi har inget emot det", protesterade Harriet.

"Men det har jag", fastslog Catriona. "Gå och hitta på något trevligt att göra under resten av dagen. Man ska inte kasta bort ungdomen på slitgöra."

Harriet och Rosa såg på varandra då Catriona försvann ut genom nätdörren. De hörde stövelklackarna klappra mot verandagolvet, hör-de henne ropa till en av karlarna att sätta lite fart och sluta hänga utan-för huset.

"Formen måste ha gått sönder efter att hon skapats", anmärkte Harriet. "Hon är helt unik."

"Hon är hopplös, menar du väl? Hon vägrar att låta någon hjälpa henne och är envis som en mulåsna." Rosa tände en cigarett och blåste ut röken mot taket. Du begrep väl att hon ljög om älskaren och utpressningen?"

"Ja", svarade Harriet, "och hon gjorde sitt bästa för att blanda bort korten, så det lär inte bli lätt att gå till botten med vad det är som be-kymrar henne."

"Vad gjorde ni där inne? Varför ville hon tala med dig?"

Harriet bet sig i läppen. Det var konfidentiellt. "Hon ville bara att jag skulle titta på några papper", sa hon slutligen.

"Vad då för papper?"

"Hennes testamente och en del andra dokument." Harriet tvekade. "Oroa dig inte. Allt är i sin ordning."

Rosa släckte cigaretten. "Vi får hoppas att det dröjer länge innan de behöver tas fram i dagsljuset igen." Så skakade hon på huvudet som för att bli av med de dystra tankarna. "Vad sägs om att rida ut och ha picknick på vårt favoritställe?"

Under vänskaplig tystnad hjälptes de åt att göra i ordning matsäcken.

Så brast Rosa i skratt. "Inte undra på att mamma var så strålande på scenen", sa hon medan hon slog in smörgåsarna i smörpapper. "Hon är en fullfjädrad skådespelerska."

"Ja, hon är bra på att slå blå dunster i ögonen på folk."

Med ett leende tog Rosa fram en flaska vin ur gasolkylskåpet och lade ner den i sadelväskan. "Det här har jag aldrig berättat, men när jag var liten ville jag bli skådespelerska." Hon fnissade åt Harriets häpna min. "Jag funderade också på att gå i Catrionas fotspår och bli operasångerska."

Harriet skrattade. "Med den rösten! Du måste skämta?"

"På den tiden visste jag inte att den var så dålig. Jag var tolv år gammal då en mycket ärlig sångpedagog talade om för mig att han hellre lyssnade till en kör av paddor än mig och att jag borde sikta in mig på något annat här i livet. Eftersom jag är realist accepterade jag hans dom, och jag tror mamma blev lättad." Hon ruskade på huvudet. "Det måste ha varit rena pinan för henne att höra mig öva, och jag misstänker att hon tog hit sångpedagogen bara för att få tyst på mig."

Rosas skratt smittade av sig, och Harriet stämde in medan de plockade fram ost och sallad och packade ner maten i sadelväskorna. Hon kunde mycket väl föreställa sig vilken plåga det hade varit för Catriona att höra Rosa sjunga. Och att döma av morgonens sång i duschen hade hon inte blivit bättre på det. "Juridiken har fått en primadonna av ett annat slag", sa hon slutligen. "Du kanske inte får stående ovationer och buketter, men du har kommit underfund med vad du är bäst på, och det skulle jag hålla mig till om jag var du."

Connor hade ägnat morgonen åt att gå igenom räkenskaperna och ringa till olika leverantörer. Hela tiden hade han blivit avbruten av karlarna som kommit med de mest idiotiska frågor och problem som de lätt hade kunnat lösa själva om de bara ansträngt sig lite. Med en irriterad suck slog han igen böckerna och ställde in dem i bokhyllan.

Kontoret var ett kvadratiskt rum som byggts till på kokhusets gavel, och varifrån man hade god uppsikt över ingången till stora huset. Trots att takfläkten gjorde sitt bästa för att vispa runt luften satt doften av tusentals måltider i väggarna. Han sköt stolen bakåt och gick ut för att se hur långt karlarna hade kommit med dagens sysslor.

Billy Birdsong satt på huk i skuggan av maskinverkstaden och rullade en cigarett med sina flinka fingrar. "Tjäna, chefen!" Han plirade på Connor med blodsprängda ögon genom trasslet av grånande rödbrunt hår.

Connor betraktade aboriginen. Ingen visste hur gammal Billy var, förmodligen inte ens han själv. Billy Birdsong hade alltid varit den fasta punkten i tillvaron på Belvedere. Han hade lärt Connor allt han kunde, och Connor betraktade honom som sin bäste vän. "Tjäna! Är du klar med pickupen?"

"Ja, och nu ska den väl hålla ett tag", svarade aboriginen och tände cigaretten. "Men växellådan måste snart bytas."

Connor nickade. Det var precis vad han hade misstänkt. Pickupen var gammal och hade gått så många mil att det var ett mirakel att den alls rullade. Om Billy inte hade förstått sig så bra på motorer skulle den upphört att fungera för länge sedan.

Han skulle just gå därifrån då Billys röst hejdade honom. "Vad är det med frun? Är hon sjuk?"

Connor skakade på huvudet. "Inte vad jag har märkt." Det var inte mycket som hände på gården utan att alla kände till det, men det förvånade honom att höra att det kunde vara något fel på mamsen. Kvällen före hade hon verkat som vanligt, lite trött kanske, men det var inte så konstigt med tanke på att hon var i full färd med att planera sin födelsedagsfest. "Har du märkt något särskilt?"

"Hon verkade lite trött då vi var ute och red före soluppgången i morse."

"Vid den tiden på dygnet är vi alla trötta."

Billy nickade och log sedan. "Roligt att se Rosa igen", sa han. "Hon är vuxen nu, precis som mina pojkar." Han suckade. "Tiden går fort, chefen. Snart är det dags för Billy Birdsong att ge sig ut på sin sista vandring, snart får han träffa förfädernas andar."

Connor blev alldeles bestört. Inte var väl Billy så gammal? "Det finns mycket liv i dig än", sa han tillgivet. "Hur skulle mamsen klara sig om hon inte hade dig som lagade alla maskiner och motorer och berättade historier? Ta ledigt några dagar om du vill, men jag behöver dig här ett tag till, så jag hoppas att du inte tänker försvinna för någon längre tid."

Aboriginen skakade långsamt på huvudet, och blicken var tankfull då cigarettröken drev förbi ansiktet. "Om andarna sjunger för Billy måste han ge sig av", sa han lågmält. "Jag tror frun vet vad jag menar."

Connor granskade honom uppmärksamt. Han hade hört berättelserna om Drömtiden, hade lyssnat i timtal medan Billy med sin halvsjungande röst förklarade hur viktiga de rituella ceremonierna var, men det fanns också andra, mystiska krafter inom aboriginernas kultur som ingen vit man, inte ens Connor, kunde ge någon logisk förklaring till. "Vad är det du försöker tala om för mig?" frågade han.

Billy stirrade ut mot horisonten. "Andarna har sjungit, och jag måste gå." De bärnstensgula ögonen rymde urgammal kunskap då de mötte hans. "Det är samma sak för frun, fast hon hör en annan sång än den svarte mannen."

Connor körde händerna i jeansfickorna. "Låt henne inte höra dig tala på det sättet", sa han med skrovlig röst. "Då flår hon dig levande."

Billy flinade så att man såg några gula tänder i ett för övrigt tandlöst gap. "Hon kommer att kämpa emot. Oroa dig inte. Hon är inte redo än, för hon har saker kvar att göra."

Connor skulle ha velat fråga närmare, men aboriginen reste sig och strosade i väg och satte därmed punkt för samtalet. Med rynkad panna styrde Connor stegen mot mangårdsbyggnaden. Allt prat om andar och döden gjorde honom illa till mods, och han beslöt sig för att undersöka saken närmare.

Han hade kommit till trappan då nätdörren öppnades och Rosa steg ut på verandan tätt följd av Harriet. Båda skrattade och såg glada ut. "Vart ska ni ta vägen?" undrade han.

Rosa gav honom en kram. "Vi ska ut på picknick."

Orden gjorde Connor lugn, och han insåg att han förmodligen bara hade tolkat in för mycket i ännu en av Billys fantasier i det blå. Om det var något fel på Catriona skulle Rosa ha känt till det och berättat det för honom. Han log mot henne och försökte få in i sitt huvud att denna självsäkra unga kvinna var samma person som den lilla yrhätta han känt i hela sitt liv.

Hon kisade upp mot honom. "Finns det några hyfsade hästar på det här stället?" frågade hon. "Jag behöver känna lite fartvind."

Connor kliade sig på hakan och försökte se tveksam ut. Systern var en skicklig ryttare och kanske lite för våghalsig i hans smak, men han visste att han kunde anförtro henne vilken som helst av hästarna på gården. Han kastade en blick på Harriet. "Betyder det att ni vill ha våra två snabbaste och hetsigaste hästar?"

Harriets ansikte lyste upp i ett leende. "Självfallet", svarade hon. "Du känner ju mig och vet att jag inte kan låta Rosa ensam visa sig på styva linan."

"Följ med du också", föreslog Rosa och skuggade ögonen med handen. "Du kan behöva koppla av lite."

Connor skakade på huvudet. "Vi har för mycket att göra", sa han beklagande. Så fick han en idé. "Vad sägs om att ta en ridtur i kväll? Ni minns väl när vi brukade rida ut tillsammans med Billy?"

Rosa log vemodigt, och blicken blev fjärrskådande då hon såg mot horisonten. "Hur skulle jag någonsin kunna glömma det?" viskade hon.

"Vi kanske kan övertala Catriona att följa med", sa Connor, "precis som förr i världen."

Rosa vände sig till Harriet. "Kommer du ihåg första gången vi var ute i vildmarken med Billy? Visst var det fantastiskt?"

Harriet skulle aldrig glömma det, och tanken på att ge sig ut i mörkret, slippa alla världsliga bekymmer och sväva omkring bland stjärnorna var lockande. "Det var underbart", suckade hon.

Arm i arm gick alla tre över gårdsplanen till sadelkammaren. Efter att ha letat fram stövlar och hattar i rätt storlek åt dem stod Connor och såg på medan de sadlade hästarna och red ut från gården. Systern hade valt den temperamentsfulla skimmeln, precis som han vetat att hon skulle, medan Harriet hade tagit fuxen, en liten vacker valack med ett ego stort som Australien.

"Det där är vad jag kallar ögonfröjd", sa en av boskapsskötarna.

Connor förstod att han inte var den ende som uppskattade Harriets nätta bakdel som höjde och sänkte sig då hon satte hästen i galopp. Hon var verkligen läcker, och hon kunde definitivt rida. Den fina skola som hon och systern gått i hade åtminstone varit bra för något.

*

Tom Bradley kastade en blick på Belinda. Hon hade bleknat trots solbrännan, och hennes hopknipna ögon och hårda grepp om armstöden avslöjade att hon inte njöt av flygturen.

Som om Belinda hade läst hans tankar gjorde hon en grimas. "Jag kan för mitt liv inte begripa varför jag följde med!" utbrast hon och bet ihop tänderna. "Även under de bästa förhållanden avskyr jag att flyga, och den här skrothögen lär störta till marken när som helst."

"Helikoptern är idiotsäker", sa Tom i mikrofonen som var kopplad till hörlurarna. "Den underhålls regelbundet, och piloten skulle kunna flyga den med förbundna ögon."

"Det stämmer allt", ropade Vietnamveteranen över axeln, och rösten dränktes nästan av smattret från rotorbladen. "Den här gamla kärran och jag har hållit ihop länge, och den skulle aldrig våga störta efter alla våra år tillsammans." Som för att bevisa det gjorde han en sväng och en rad snäva girar. Han hade varit ute på över hundra uppdrag i Vietnam och flög fortfarande helikoptern som om han blev beskjuten av fienden, vilket enligt hans uppfattning var det enda sättet att flyga.

Tom klappade Belinda på handen. "Där ser du! Det är ingen fara, det kommer att gå alldeles utmärkt."

"Säger du, ja!" fräste Belinda. "Typiskt karlar! Jag förväntas koppla av bara för att du och Biggles här påstår att det är ofarligt. Tänk om vi möter en flock fåglar eller om det blåser upp, eller ... eller ..." Både ord och luft tycktes tryta.

"Lita på mig", sa han.

Belinda öppnade ena ögat och gav honom en hånfull blick, och av hennes min förstod Tom att han åter sagt fel sak. En del människor ville helt enkelt inte bli hjälpta, så han övergick till att titta ut genom fönstret. Långt under dem bredde den australiska vildmarken ut sig likt gröna och röda rutor i ett lapptäcke där sömmarna utgjordes av träddungar, saltpannor och bergskedjor. Det glimmande vattnet i bäckar och sjöar omväxlade med vidsträckta slättområden, berg och vattenfall, och de flög över ockraröd jord och böljande vetefält som krusades likt ett väldigt gult hav i vinddraget från rotorbladen. Som vanligt fylldes Tom av stolthet över sitt land, för det var hans arvedel, och dess make fanns inte på hela jorden.

Han vände sig mot Belinda för att dela upplevelsen med henne, men hon satt stel som en pinne i sätet med slutna ögon och händerna hårt om armstöden. I det tillståndet skulle hon inte kunna uppskatta skönheten hos någonting, tänkte han. En stund betraktade Tom henne, beundrade hennes försök att tackla flygrädslan. Belinda var en duktig polis, rolig att samarbeta med och hederligheten själv. Han hade inte behövt övertala henne att följa med, inte sedan han förklarat varför han behövde tala med Catriona. Tom suckade. På det här sättet slapp han också ifrån Wolff.

Belinda stönade då helikoptern lutade åt sidan i en lång, svepande sväng och sedan gick ner så lågt att den nästan snuddade vid trädtopparna. "Hur länge till ska den här tortyren pågå?"

Tom granskade henne. Nu hade ansiktet en grönaktig nyans. "Du tänker väl inte kräkas?" frågade han oroligt.

"Om jag gör det ska jag se till att det blir över dig", upplyste hon sammanbitet.

Tom bet sig i läppen för att inte skratta. "Vi borde vara framme om två timmar", sa han och försökte hålla rösten stadig. "Koncentrera dig på något annat, så kanske du mår bättre."

"Det tvivlar jag på", knorrade hon. "Och våga inte skratta åt mig! Om du gör det slår jag ihjäl dig."

Tom snöt sig och dolde ansiktet i näsduken tills han var säker på att han hade munterheten under kontroll. Stackars Belinda! Trots den självsäkra och tuffa fasaden hade hon en akilleshäl. Livet på en fårfarm i ödemarken hade uppenbarligen inte förberett henne på helikopterturer med Sam Richmond.

Tom vände sig bort och återgick till att titta ut genom fönstret då Sam styrde den lilla maskinen genom Great Dividing Range. Det var inte långt kvar till Belvedere, och han hoppades att det skulle gå lättare att få Catriona Summers att ta bladet från munnen då Belinda var med. Polischefen hade gjort klart för honom att han förväntade sig någon sorts resultat av besöket.

Harriet och Rosa hade varit ute och ridit i timmar. Då de närmade sig Belvedere saktade de ner till skritt, motvilliga att lämna slätterna och de fria vidderna. Hettan var intensiv och skimrande, och gården med ekonomibyggnaderna kunde ha varit en hägring. En flock kängurur låg och dåsade under en dunge eukalyptusträd. Molnet av flugor som svärmade över dem fick det att rycka i öronen. Med loj nyfikenhet betraktade de ryttarna och fortsatte att dåsa. Från buskvegetationen hördes surret av miljontals insekter, och fåglarnas rop var dämpade som om de inte hade ork att kvittra och tjattra i hettan.

"Vad sjutton är det för något?" Rosa höll in hästen och skuggade ögonen med handen medan hon tittade mot solen.

"Det låter som en helikopter", sa Harriet och lät blicken glida över den oändliga himlen. "Ja, det är det. Titta där borta!"

Rosa satte hästen i trav. "Den är på väg hit. Herregud, det kommer att bli kaos i fållorna."

De travade in på gårdsplanen och möttes av Connor och flera andra boskapsskötare som hade slutat arbeta och kommit ut för att se vad det var för oväsen. Harriet och Rosa gled ur sadlarna samtidigt som helikoptern smattrande flög in över hästhagen. Dammet virvlade upp i ett förblindande moln medan träden böjde sig och gräset plattades till. Hästarna slet i tyglarna, sparkade bakut och stegrade sig med bakåtstrukna öron och ögonen vidgade av skräck. Mjölkkorna råmade och stampade i båsen medan aboriginernas hundar skällde i kapp med vallhundarna. Boskapshästarna gnäggade och fäktade med hovarna i luften innan de satte av mot hagens bortersta ände. Det var kaos.

Harriet och Rosa kämpade för att hålla i sina hästar, och de knuffades hit och dit och löpte stor risk att bli nedtrampade i det täta dammmolnet. Harriet kunde inte se någonting, hörde ingenting utom det gräsliga kulsprutesmattret från rotorbladen och fuxens skräckslagna skrin. Hon hade ingen aning om var hon befann sig i den tjocka, röda filten av jord och sand som stack som nålar i ansiktet. Hennes häst drog så hårt i tyglarna att det bara var en tidsfråga innan den slet sig lös. Men hon klamrade sig fast, för fuxen skulle säkert skada sig om den kom loss.

En stark arm lades runt hennes midja, och en kraftig hand tog över tyglarna, och hon leddes därifrån och in i lä bakom stallet där hon blinkade febrilt och försökte hämta andan.

"Nu klarar du dig nog", sa Billy Birdsong till henne medan han lugnade hästen. Det mörka ansiktet sprack upp i ett brett leende, men uttrycket i de bärnstensgula ögonen var allvarligt då han tittade över axeln på helikoptern som hade landat i hästhagen. "Idioter!" muttrade han. "Kommer hit och ställer till bekymmer."

"Tack, Billy", flämtade Harriet, torkade sig i ansiktet med näsduken och försökte få bort sanden ur ögonen. "Jag vet inte vad jag skulle ha tagit mig till utan din hjälp."

"Inget att tacka för", sa han släpigt.

"Följ med, Harriet!" ropade Rosa. "Jag ska gå och läsa lusen av de där tjockskallarna."

"Jag kommer så snart jag har tittat till hästarna!" skrek Connor efter dem. "Uppför dig ordentligt", tillade han. "Tänk på att du är en dam."

"Så katten jag gör!" skrek Rosa tillbaka.

Harriet var inte heller på humör att vara artig. Hon hade varken uppskattat oljudet eller den fara idioterna i helikoptern hade försatt dem i, och ilskan växte för varje kliv hon tog i det höga gräset.

Rotorbladen snurrade fortfarande, och det smattrande vinddraget slog emot dem och tvingade dem att stanna en bra bit ifrån helikoptern. Dörren öppnades, och två gestalter hoppade ner på marken. Dubbelvikta sprang de under rotorbladen med ryggsäckarna skumpande och dunsande. "Det verkar som om de tänker stanna", anmärkte Rosa. "Tror de att det här är en campingplats?"

Harriets svar drunknade i det vrålande motorljudet då helikoptern åter lyfte, och med håret piskande i ansiktet kämpade hon och Rosa för att hålla balansen i det hårda vinddraget.

"Jag ber om ursäkt. Hoppas ingen kom till skada."

Harriet och Rosa blängde på den mörkhårige mannen. "Det berodde mer på tur än ert omdöme och er skicklighet, det är då ett som är säkert!" gastade Rosa över oväsendet.

"Av alla dumma, idiotiska och tanklösa tilltag! Jag har väl aldrig..." Harriet fann att orden tröt och blev medveten om att han betraktade henne med en road glimt i de bruna ögonen.

Till slut kom hans följeslagare fram. "Jag talade om för piloten att det inte var någon bra idé", sa hon, "men som alla karlar trodde han sig veta bättre."

"Belinda!" Båda två rusade fram och kramade henne. "Vad gör du här?" frågade Rosa och drog sig ur omfamningen. "Du sa ju att du inte kunde komma."

Belinda log och strök håret ur ögonen. "Jag vet, men så dök det upp en sak."

"Vem är det här?" undrade Harriet och blängde argsint på Tom.

Han sträckte fram handen. "Kommissarie Tom Bradley, men säg Tom", log han. "Jag beklagar djupt det som hände, men ibland tror Sam att han är kvar i Vietnam."

330

Tom drunknade i ett par blå ögon. Han kunde se fläckar av grönt och violett och påmindes om ett stormigt hav, såg hur solen glänste som guld i de täta ögonfransarna och hur fina stänk av fräknar framhävde det vackra men dammiga ansiktets utsökta hy. Håret var tjockt, blont och axellångt, och slingor av det smekte kinderna och den kysstäcka munnen. Mer än något annat ville han vara den gyllene hårslingan, ville förlora sig i de blå ögonen och se dem skifta färg allt efter sinnesstämning. Belindas hårda knuff i revbenen återförde honom till verkligheten. Han hade inte hört ett dugg av vad som sagts. Han tittade på Belinda, såg munterheten i hennes blick och rodnade.

Den blonda kvinnans handslag var fast och kort, ändå gick det som en stöt igenom honom. "Harriet", sa hon utan att le, "och det här är Rosa."

Tom slet blicken från Harriet och såg ett litet, skälmskt ansikte och intelligenta ögon. "Trevligt att råkas." Det var intressant att äntligen få träffa Rosa som han hört Belinda tala så mycket om, men trots att hon såg bra ut kunde hon inte mäta sig med Harriet, och han fann att blicken hela tiden drogs till henne.

"Jag visste inte att du hade en pojkvän, Belinda", sa Rosa och stötte till väninnan i sidan. "Det har du inte sagt något om. Vad är det för fel på honom?"

Belinda ställde ifrån sig ryggsäcken. "Det är inte min pojkvän, utan för tillfället är han min chef", väste hon.

"Din chef?" utropade Rosa och Harriet med en mun.

"Varför har du tagit med dig chefen till mammas födelsedagsfest?" frågade Rosa. Då hon inte fick något annat svar än generad tystnad tillade hon: "Är ni här i tjänsten?"

"Ja", insköt Tom hastigt, "men det är inget att hetsa upp sig för, inget dramatiskt. Vi behöver bara tala med dame Catriona."

"Varför?" Harriet tittade stint på honom med sina vackra ögon.

"Det är något jag bara kan diskutera med dame Catriona", svarade Tom och vädjade till henne med blicken att försöka förstå hans brydsamma situation. "Polischefen tyckte att jag borde flyga hit och tala med henne, och jag bad Belinda följa med."

"Hur kunde du, Belinda?" Rosa stod med armarna i kors och såg stridslysten ut. "Varför ringde du inte innan och förvarnade oss?"

"Det gjorde jag", svarade Belinda. "Jag talade med Catriona i går eftermiddag."

"Det sa hon aldrig något om", mumlade Harriet.

De gyllene ögonfransarna gnistrade i solen. Tom kände hur han åter var på väg att drunkna i hennes ögon och gjorde en kraftansträngning för att samla tankarna.

"Jag har den allra största respekt för Catriona Summers", förkunnade han, "och det är inte min avsikt att gå bakom er rygg. Jag vill också att ni ska förstå att varken jag eller Belinda vill göra henne upprörd, men jag har ett jobb att sköta."

Harriet lade märke till hur solen lockade fram stänk av guld i de bruna ögonen och hur det glänste av silver i det ostyriga håret. Hans fasta handslag hade gett intryck av styrka och uppriktighet, och hon noterade att han höll sina känslor i schack medan han förklarade sitt ärende. Det var något hos Tom Bradley som tilltalade henne starkt; hon kände honom inte men var övertygad om att hon kunde lita på honom.

Den bruna blicken höll fast hennes. "Det är Catriona som bestämmer, men som hennes advokater har vi rätt att närvara vid alla samtal du har med henne", sa hon, "om hon beslutar sig för att samarbeta, vill säga."

Han log och verkade lättad. "Tack."

"Tacka inte mig", sa Harriet och log tillbaka. "Catriona har inte gått med på någonting än, och ingen av oss har minsta aning om vad saken handlar om." Det var en tydlig uppmaning som ingen av de båda poliserna låtsades om.

Det brände som eld i Connors knä. En skräckslagen häst hade sparkat honom och träffat den gamla skadan. Linkande närmade han sig hagen, fast besluten att tala om för de där idioterna vad han tyckte och tänkte om dem. Han kunde se mannen tydligt, men hans följeslagare, en kvinna, stod skymd. Han skulle allt skälla ut dem efter noter och köra i väg dem.

Connor hade några meter kvar till den lilla gruppen då kvinnan vände sig om. Det var något bekant med henne, men Connor visste att om han träffat henne förut skulle han ha kommit ihåg henne. Hon var urläcker. Inte för att han tänkte låta sig hindras av det. "Jag är förman här!" skrek han. "Nästa gång ni landar med helikopter i en av mina hagar stämmer jag er."

"Tomma löften, Connor. Hur mås det?"

Han tvärstannade. Den rösten gick inte att ta miste på. "Belinda?"
Han stirrade på den yppiga figuren i de åtsmitande jeansen, det vackra ansiktet och glorian av mörka lockar.

"Det var länge sedan sist", sa hon och log. "Akta så att du inte får munnen full av flugor!"

Han stängde munnen och rodnade häftigt, och det han hade tänkt säga var som bortblåst. Ändå kunde han inte sluta stirra på henne. Kunde detta verkligen vara den efterhängsna lilla unge som en gång förpestat livet för honom?

"Du ser inte så illa ut själv", retades hon som om hon kunde läsa hans tankar.

"Nu är det min tur att hälsa", sa Catriona som kom springande och tog Belinda i famnen. "Det är underbart att se dig igen." Så drog hon sig tillbaka och granskade den unga kvinnan. "Inte undra på att du fick Connor att tappa målföret. Sist jag såg dig hade du flätor och gick klädd i snickarbyxor."

Belinda gav Catriona en snabb kram och såg henne sedan rakt i ögonen. "Hör på", började hon. "Jag önskar verkligen att du hade sluppit det här, men jag tyckte ändå att det var bäst att jag följde med." Hon kastade en blick på Tom. "Både Tom och jag har tagit ut några semesterdagar, och vi är här inofficiellt i ett officiellt ärende, så att säga. Och jag är ledsen för att tidpunkten är illa vald. Jag hade helt glömt bort att du fyllde år."

"Det är ingen fara", försäkrade Catriona lugnande, "och jag vet att det inte är ditt fel."

Connor insåg att det var lönlöst att försöka begripa något. Det verkade som om Belinda var där i tjänsten, men han hade ingen aning om varför. Förr eller senare skulle säkert någon berätta det för honom. Han tittade på Belinda, såg hur det glittrade i de uttrycksfulla ögonen och kunde inte låta bli att le mot henne. Det var lätt att tycka om den vuxna Belinda, och han gillade hennes stil. Han noterade den tunga ryggsäcken vid hennes fötter och sträckte sig efter den.

Belinda hann före honom.

"Den tar jag själv", sa hon och hivade med lätthet upp den på ryggen, "men jag vore glad om jag kunde få låna badrummet. Jag avskyr att flyga, och helikoptrar är det värsta jag vet. Jag mår inte riktigt bra, om du förstår vad jag menar."

Han tittade närmare på henne och upptäckte att huden hade en grönaktig nyans kring munnen. "Det är bäst du kommer med till huset nu med en gång. Du kan få ditt gamla rum."

"Tack." Hon höll jämna steg med honom då de tog täten över gårdsplanen.

Rosa följde långsamt efter brodern och Belinda. Vad var i görningen? Modern visste det uppenbarligen och skulle säkert informera dem så småningom, men det kändes frustrerande att inte veta, särskilt som Harriet hade sagt till Tom Bradley att Rosa och hon var Catrionas advokater. Hon vaknade upp ur sina tankar då hon insåg att kriminalaren gick vid hennes sida och kastade en blick på den väldiga packning han hade på ryggen. "Det är bäst att du ställer in ryggsäcken i sovbaracken. Vi har inget rum åt dig i huset."

Tom verkade inte ta illa upp över hennes skarpa tonfall. "Jag har tält med mig", upplyste han.

"En riktig scout, med andra ord", sa hon föraktfullt.

"Det är aldrig fel att vara redo för olika slags eventualiteter."

Harriet trängde sig emellan dem. "Nu är det dags att lägga ner vapnen." Hon log och skakade på huvudet. "Ni låter som ett par småungar. Vad sägs om en kopp te, Rosa. Jag är säker på att det är fler än jag som tycker det skulle smaka bra."

"En utmärkt idé", instämde Catriona. "Det var omtänksamt av dig att ta med tält, Tom", sa hon leende, "men här finns gott om sängar, så du behöver inte ha det obekvämt."

"Jag gillar att campa, särskilt ute i vildmarken."

"I så fall kan väl du visa honom var han ska sätta upp tältet, Harriet? Bästa platsen är nog under det gamla eukalyptusträdet."

Harriet öppnade munnen för att protestera, men Catriona gav henne en sträng blick, och Harriet stegade i väg mot eukalyptusträdet utan att ta reda på om Tom följde efter eller ej.

Catriona log mot Rosa. "Kom, så brygger vi te!"

"Vad är det som står på?" frågade Rosa och fick småspringa för att hinna med. "Varför talade du inte om att Belinda skulle komma, och varför vill polisen prata med dig?"

Catriona skyndade uppför verandatrappan och in genom nätdörren. Archie väntade som vanligt på mat. Hon lade lite kattmat i matskålen. "Det är möjligt att jag har handskats lite lättsinnigt med sanningen", började hon, "men det är inget ni flickor behöver oroa er för."

"Om det inte är något allvarligt kan det väl inte skada att berätta det?" sa Rosa och satte händerna i sidorna.

Catriona sjönk ner vid köksbordet och plockade med en gammal tidning. "Jag vet att du menar väl", sa hon med en suck, "men du behöver inte beskydda mig."

Rosa lade armarna i kors och blängde ilsket. Catriona var tålamodsprövande, och hon höll på att tappa humöret för andra gången den dagen. "Du kan väl berätta!"

Catriona rätade på ryggen, och ansiktet var beslutsamt. "Jag ska berätta för alla i sinom tid, men tills vidare får du ge dig till tåls."

"Rosa brukar inte vara så stingslig", förklarade Harriet där hon gick genom gräset bredvid Tom. "Men Catriona har varit som en mamma för henne sedan hon var åtta år gammal, och både Rosa och jag är lite oroliga för Catriona."

Harriet tittade rakt fram, och Tom kunde bara se profilen. Den mjukt rundade kinden och den svaga antydan till uppnäsa var så intagande att han nästan glömde varför han var där. Med en enorm viljeansträngning lyckades han koncentrera sig. "Det kan jag förstå, för jag vill också skydda henne."

Harriet stannade till med händerna i byxfickorna och såg på honom med frågande blick. "Varför?"

Han rättade till ryggsäcken. "För att jag älskar hennes musik", svarade han enkelt. "Hennes röst var så ren, och lidelsen så djup. Jag får gåshud varenda gång jag hör henne sjunga."

Harriet höjde ett ögonbryn, och en humoristisk glimt syntes i ögonen. "Du förvånar mig", sa hon. "Inte trodde jag att du var operafantast."

"Alla poliser är inte okultiverade råa sällar", påpekade han.

Hon rodnade och tittade bort. "Förlåt. Det var inte min mening att vara oartig."

Han försökte slå bort det. "Glöm det, det är ingen fara." De gick vidare, och Tom förklarade varför han beundrade Catriona. "Min pappa är en stor operaälskare. Han har alla hennes skivor, och jag växte upp i ett hus där det ofta spelades operamusik. Rock'n'roll och hårdrock passar på fester, men opera rör vid alla sinnen och ger fantasin vingar." Tom blev röd om kinderna då han upptäckte att han började bli lite väl poetisk och bytte samtalsämne. "Bor du här ute?"

335

Harriet skakade på huvudet. "Nej, jag bor i Sydney, men Belvedere är mitt andra hem, även om det finns somliga som inte gillar det."

Svaret gjorde honom konfunderad, och han tyckte sig se blicken mörkna en aning. Ändå var tonfallet nonchalant. Det skulle bli intressant att ta reda på mer om henne, men inte riktigt ännu. Först måste hon lita på honom.

Catriona hade valt en bra plats, tänkte Tom och bankade ner den sista tältpinnen. Det var bara en kort promenad till kokhuset och tvättavdelningen i sovbaracken, och han kunde se mangårdsbyggnaden på andra sidan gårdsplanen. Tältet var uppslaget på slät mark en bit ifrån flodstranden, skuggades av träd, och där fanns inga tuvor med piggsvinsgräs som kunde utgöra ormbon. Det var det perfekta stället att fördriva några timmar med ett metspö, om han hade tänkt på att ta med sig ett.

"Du är inte här på semester", muttrade han för sig själv, "och det lär inte bli tid över för att fiska."

Trots anledningen till sitt besök kände han sig rofylld. Han hade inte campat på åratal. Sist var det uppe i Blue Mountains tillsammans med sönerna, men numera ansåg de sig ha vuxit ifrån sådana barnsligheter och föredrog att surfa. Han kunde inte låta bli att dra på munnen vid minnet av enda gången han försökt sig på att rida på vågorna i Surfers Paradise. Han hade varit nära att drunkna och gjort sig så illa att han knappt kunnat gå på en hel vecka. Pojkarna hade skrattat sig fördärvade, skämtat om ålder och skröplighet, och det hade väl legat något i det, det var han tvungen att medge. Fast kul hade han haft.

Han rullade ut sovsäcken, plockade upp kläderna ur ryggsäcken och tog fram alla papper han skulle behöva senare. Efter att ha dragit upp blixtlåset på enmanstältet, så att inga objudna gäster kunde ta sig in, satte han sig på den gamla träbänken runt stammen på det väldiga eukalyptusträdet och tänkte på Harriet och den häpnadsväckande inverkan hon haft på honom.

Med det yrke han hade måste han vara realist, och en del skulle förmodligen kalla honom cynisk. Och han antog att han var det. Man kunde inte arbeta i många år i en miljö präglad av brottslighet och våld utan att påverkas av det. Det han tvingades bevittna och höra varje dag hade samma effekt som när droppen urholkar stenen. Hans mjukhet hade slitits bort, och kvar fanns till slut bara ett hårdhudat skal.

Hans fru hade inte gillat denne annorlunda Tom utan lämnat honom. Barnen hade blivit som främlingar för honom och föredrog styvfadern. Hur hade han då kunnat falla så pladask för Harriet? Och varför kände han sig så lycklig och säker på att hon tyckte han var attraktiv, trots att hon inte visat minsta tecken på det? För om han skulle vara ärlig begrep han inte vad en sådan vacker och intelligent kvinna kunde se hos honom.

Tom tog upp en sten och kastade den i flodens klara vatten. Kärlek vid första ögonkastet var en myt, något som damtidningsnovellerna brukade handla om och som man inte borde ta på allvar. Det var löjligt att känna så starkt efter så kort bekantskap, särskilt som föremålet för hans känslor betraktade honom som ett hot.

Tom försökte slå tankarna på Harriet ur hågen. Han var för gammal för kärlek och romantik, intalade han sig strängt. Ändå kunde han varken förneka att det hade känts som om blixten slog ner då han mötte hennes blick eller att han fyllts av glädje då han gick vid hennes sida och talade med henne eller att han kände ett starkt behov av att bara få titta på henne. Om inte det var kärlek visste han inte vad han skulle kalla det.

Tom kastade ännu en sten i floden och såg hur solskenet glittrade i ringarna på vattnet. Hela situationen var ju befängd. Harriet var en kvinna som under andra omständigheter inte skulle ha skänkt honom en blick. Bortsett från utseendet var hon jurist med fin utbildning och förmögen bakgrund. Alla tecknen fanns där, och han skulle ha sett dem om han inte varit så förblindad: rösten, sättet att föra sig, de till synes enkla kläderna som hon bar med sådan elegans. Allt skvallrade om att hon kom från en helt annan miljö än han själv.

Han reste sig från bänken och körde händerna i fickorna. Trots att det mesta pekade på motsatsen kände han att det skulle kunna bli något mellan dem. Hon hade väckt något inom honom till liv igen, fick honom att känna sig till freds med sig själv, och han visste utan skuggan av ett tvivel att han ville lära känna henne närmare.

"Snuten är förtjust i dig", fnissade Rosa medan hon och Harriet dukade middagsbordet.

"Larva dig inte. Att flörta med mig är bara ett sätt för honom att komma åt Catriona."

"Försök inte! Jag tror att han flörtar med dig för att han gillar dig."

De mörka ögonen glittrade roat medan hon mönstrade Harriet från topp till tå. "Du ser inte illa ut."

Harriet snärtade till henne med kökshandduken. "Jag förstår att du är avundsjuk. Alla kan ju inte ha en okänslig hy som varken blir röd eller fjällar så fort solen tittar fram. Och tänk på att blondiner inte blir gråhåriga, utan bara bleknar på ett elegant sätt."

"Elegant? Pyttsan!" fnös Rosa. "Grått är inte en nyans som jag någonsin tänker ha på mitt hår, inte när man kan färga det", sa hon och tillade: "Men du byter samtalsämne. Karln är förtjust i dig, och jag får en känsla av att du inte är helt okänslig för honom heller. Vad tänker du göra åt saken?"

"Ingenting."

"Vad viskar ni om?" Catriona kom in i köket och började ta fram ingredienser till middagsmaten. "Ni låter som ett par tonåringar."

"Vi pratade om hur långt en del människor kan gå för att få sin vilja fram", svarade Harriet.

Rosa förklarade medan hon fortsatte att duka. "Kärleken har kommit flygande i helikopter, och Harriet har en beundrare. Det ska bli spännande att se vad som händer." Hon himlade med ögonen och slog dramatiskt ut med händerna. "Kommer hon att duka under för hans charm och falla i hans starka armar? Eller står hon emot och låter honom återvända till Brisbane med svansen mellan benen?" Rosa log okynnigt. "Missa inte nästa avsnitt i vår följetong."

"Det är ju roligt att ni kan hitta något att skratta åt under omständigheterna. Tror du att livet är en lek, Rosa?" undrade Catriona strängt.

Ångerfulla rusade bägge flickorna fram och gav henne en kram. "Vi menade inte att göra oss löjliga över situationen", försäkrade Harriet, "men vi är oroliga, och du vägrar ju att tala om något för oss. Jag förstår inte att Belinda har mage att dyka upp här i tjänsten."

Catriona skakade på huvudet. "Belinda och jag hade ett långt telefonsamtal", sa hon, "och flickan sköter bara sitt jobb, så det är inte hennes fel." Hon log, ett trött leende som inte nådde ögonen. "Det är mitt bekymmer, men det ordnar sig."

Catriona höll sig sysselsatt genom att laga middag. Förmodligen hade det varit enklare att be kocken skicka över mat, men hon ville inte ha fler komplikationer. Boskapsskötarna hade sett poliserna komma, och det skvallrades säkert friskt. Det behövdes bara ett förfluget ord för att krutdurken skulle explodera.

"Hur går det för dig?" Belinda kom in i köket och gav Catriona en kram. "Det är underbart att vara här, och jag beklagar bara att det har en tråkig anledning."

Med ett varmt leende betraktade Catriona den unga kvinnan framför sig. Håret stod som en sky kring det vackra ansiktet och böljade ner över ryggen i en kaskad av bruna lockar. Ögonen var mörkbruna och figuren yppig men välproportionerlig. "Har du berättat för din mamma och pappa att du är här? Jag vet att Pat längtar efter att få träffa dig."

"Jag ska försöka hälsa på dem innan jag reser tillbaka", svarade Belinda.

Catriona vände sig om då Connor kom in i köket, tätt följd av Rosa och Harriet. Han kastade en ilsken blick på Tom, som stod vid fönstret, innan han ställde sig bakom stolen. Catriona noterade att Connor inte kunde låta bli att titta på Belinda. Numera lade han åtminstone märke till henne, tänkte hon lite ironiskt. Fast det vore svårt att inte göra det.

"Skulle någon vilja tala om för mig vad det är frågan om", bad Connor.

"Allt i sinom tid", svarade Catriona. "Nu ska vi först låta oss maten väl smaka. Var så goda och sitt, allihop." Hon brydde sig inte om hans protester utan slog sig ner vid huvudänden av matbordet och vände sig till Tom. "Belinda är dotter till goda vänner som driver en fårfarm i närheten. Första gången vi träffades var hon en liten knubbig skolflicka med långa flätor, en riktig vildbasare som alltid ställde till bus tillsammans med Rosa." Hon log mot Belinda. "Du har förändrats en hel del sedan den tiden. Det har ni allihop", tillade hon och lät blicken glida runt bordet.

Belinda skakade håret ur ögonen och skrattade. "Gudskelov för det", sa hon. "Det skulle inte vara lätt att vara polis med finnar och långa flätor."

Catrionas glädje över att se henne igen dämpades något av insikten om varför hon var där. "Jag förstod aldrig riktigt varför du valde polisjobbet", sa hon.

"Det är en utmaning, och för det mesta trivs jag", svarade Belinda. "Men jag saknar hemmet och de öppna vidderna här ute." Hon såg på

Tom som hittills inte hade sagt ett ord utan bara satt och kastade förälskade blickar på Harriet. "Men det är männens värld, och det är nog tur att jag växte upp med äldre bröder och fårfösare. Det gjorde mig tuff, och eftersom jag var hårdhudad från början hade jag lättare att stå på mig mot mina manliga kollegors chauvinistiska inställning."

"Jag är ingen manschauvinist!" utbrast Tom. "Det var orättvist, och det vet du!"

Belinda log mot honom, och de mörka ögonen lyste av munterhet. "Har jag anklagat dig personligen, kanske?" Hon såg på Rosa som satt mitt emot. "Allihop är likadana, med egon sköra som äggskal. Minsta antydan till kritik, och de går i taket."

"Precis", instämde Rosa. "Men om du tror att snutar är besvärliga, så skulle du prova på att arbeta hos oss. Advokater är värst." Hon stötte till Connor i sidan med armbågen. "Och bröder är inte mycket bättre", retades hon.

Connor och Tom växlade en blick av samförstånd. "Småsystrar kan göra en galen", sa han släpigt. "Och om man låter en kvinna ta ansvar för något bryter hon en nagel och måste ligga till sängs i en vecka för att komma över traumat."

En kör av röster höjdes i protest, och Rosa slog honom så hårt på armen att han grimaserade av smärta.

Catriona njöt i fulla drag av att ha dem där. Det var åratal sedan hon haft en grupp unga människor runt köksbordet, och det påminde henne om den tid då Rosa och Connor var små och brukade ta med sig sina skolkamrater hem. Hon satt och betraktade dem och gladde sig åt att huset åter genljöd av skratt.

Medan ljudnivån steg och överröstade klirret från besticken insåg hon hur ensam hon hade blivit trots välgörenhetsarbetet och alla andra åtaganden. Hennes liv hade stagnerat, och för första gången på många år längtade hon tillbaka till gamla tider då hon reste runt i världen, träffade nya människor och fick uppleva nya städer, nya operor. Det hade varit en berusande tillvaro, mindes hon, men ändå hade den aldrig gett henne samma djupa tillfredsställelse som livet på Belvedere.

Rösterna steg och kinderna blossade medan debatten rasade runt bordet. Lite motvilligt avgjorde Catriona att diskussionens vågor började gå lite väl höga och slog skeden mot glaset för att få tyst på dem. "Håll klaffen!" ropade hon och skakade på huvudet med spelat ogillande. "Unga människor tror alltid att de tillhör den första generation som stått på egna ben."

"Glastaket håller på att försvinna", sa Harriet och skickade runt efterrätten, "och vi har snart lika lön för lika arbete och samma rättigheter. Det har ingen generation kvinnor haft tidigare."

Catriona betraktade Rosa, Harriet och Belinda, så unga och naiva trots sin utbildning och beslöt sig för att bryta mot sina egna regler och ge sig in i debatten. "Min mammas generation var självständig, förmodligen självständigare än ni någonsin kommer att bli." Hon höll upp handen för att tysta de protester som detta påstående väckte. "Hon lämnade föräldrahemmet vid sjutton års ålder, var gift och på väg till andra sidan jordklotet innan hon hade fyllt arton. Hon hade äventyrslusta, en längtan efter att se saker som få människor hade sett. Hon var den fasta punkten i vårt kringresande varietésällskap och klarade allt. Hon körde häst och vagn, högg ved, fiskade och gillrade fällor. Hennes hem var en vagn med en säng som fälldes ner om kvällarna, men det hindrade henne varken från att uppfostra mig eller att uppträda som sopran och vara artisttruppens stora stjärna. Om inte det är att vara självständig, så vet jag inte vad."

Catriona drog efter andan och betraktade dem triumferande. De kunde inte ha något att säga emot det.

"Det var ett annat slags jämlikhet", menade Rosa. "Om hon hade försökt få ett vanligt jobb skulle hon snart ha upptäckt att hennes lön var lägre än männens och att hon inte skulle ha haft samma möjligheter att stiga i graderna. Få kvinnor kunde bli advokater och läkare, de yrkena var nästan stängda för dem. Du talar om en tid då kvinnorna förväntades stanna hemma och föda barn. Din mamma var ett undantag."

Catriona var tvungen att bita sig i läppen för att inte brista i skratt. Typiskt Rosa att hitta argument.

"Berätta om den tiden", bad Belinda.

"Varför?" Catriona var omedelbart på sin vakt. Det var varken rätt tid eller plats att tala om mordet på Kane.

Belinda log. "För att jag är intresserad, och för att det är evigheter sedan du berättade någon av dina historier."

Catriona betraktade ansiktena runt bordet. Rosa och Harriet böjde sig framåt med ängslig min. Stackars Connor såg enbart förbryllad ut. Tom Bradley hade lyckats slita blicken från Harriet och lutade sig bakåt i stolen med armarna i kors. Trots att han verkade avslappnad kunde Catriona se att han hade sinnena på helspänn och förstod att kriminalkommissarie Tom Bradley aldrig var ur tjänst.

Hon tittade på Belinda och såg ingen falskhet i det älskliga ansiktet. "Varför inte. Men det är en historia som jag har berättat många gånger, och jag hoppas att ni inte blir uttråkade."

24

*C*onnor var lika fängslad som de andra, men han märkte att Catriona började bli trött. Han tittade ut genom fönstret och kastade en blick på klockan. "Du har pratat i över en timme. Det är mörkt ute, och du behöver sova", förkunnade han med eftertryck.

"Måste jag det?" frågade hon beklagande.

"Det är sent", sa han bestämt och blängde på Tom. "Och jag är säker på att våra gäster inte vill hålla dig uppe längre. Oavsett vad de är här för kan det vänta till i morgon."

Det gick nästan att ta på spänningen i luften, och med ens var den trevliga stämningen som bortblåst. "Belinda vet var hennes gamla rum ligger", sa Catriona i ett försök att lätta upp det hela, "men eftersom ni flickor antagligen har massor att prata om vill hon kanske hellre ligga inne hos er", tillade hon och såg på Rosa och Harriet.

Harriet gav Belinda ett frostigt leende. "Med tanke på omständigheterna är Belinda kanske inte så pigg på att tala om gamla tider?"

Connor undrade vad hon anspelade på och funderade på att gå emellan. Fast Belinda var fullt kapabel att försvara sig mot Harriet; de hade munhuggits på det här viset i åratal.

"Jo då, det är jag", försäkrade Belinda glatt. "Det var länge sedan vi flickor hade en rejäl pratstund, och jag ställer upp om du gör det", tillade hon ljuvt och gav Harriet en utmanande blick.

Harriet knep ihop läpparna och började duka av bordet. "Det är ingen tävling", påpekade hon.

Connor rynkade pannan. Kvinnor var ett mysterium med oförklarliga tankekedjor. Varför uppträdde de så kyligt mot varandra när det hade varit mycket enklare att säga vad de menade och rensa luften?

Catriona småskrattade. "Jag älskar att sätta katter och duvor i samma bur, livet blir så oändligt mycket intressantare."

"Det beror på vem som är katt", muttrade Harriet och travade tallrikarna på diskbänken.

Connor kunde inte låta bli att dra på munnen. Catriona hade alltid kunnat provocera Harriet, och hon nappade som vanligt på kroken. Ändå bekymrades han av att de båda kvinnorna var så ovänliga mot varandra. De borde ha kommit över sitt barnsliga agg för länge sedan.

"Bry er inte om disken!" befallde Catriona med en avfärdande gest. "Några smutsiga tallrikar gör ingen skada, och jag är säker på att ni hellre plockar fram rena lakan till Belinda och hjälper henne att bädda." Hon log tillgivet mot Harriet innan hon vände sig till Tom. "Tänd ingen lägereld nere vid eukalyptusträdet, är du snäll", bad hon. "Det är min favoritplats, och jag vill inte ha den förstörd." Hon suckade. "Förr i tiden älskade jag att sova ute i det fria, så jag avundas dig."

"Det var så sant", insköt Connor. "Jag har pratat med Billy, och han tar oss med ut i kväll."

"Låter mystiskt", anmärkte Tom.

"Det är det också", sa Harriet med ett brett leende, och det dåliga humöret var som bortblåst. "Det är en upplevelse som slår det mesta, tro mig."

Connor log och såg på Tom. "Är du sugen på äventyr?" frågade han lite utmanande.

Tom nickade försiktigt.

"Vi ska rida långt ut från gården på boskapshästar som inte är särskilt lätthanterliga", förklarade Connor och vände sig till Belinda. "Du rider väl fortfarande?"

"Dum fråga! Jag rider minst lika bra som du."

Connor såg henne rakt i ögonen. "Det tvivlar jag inte ett ögonblick på", sa han lågmält och kände hur hans beundran för henne växte. "Och du då, Bradley?"

Tom rodnade och betraktade stövelspetsarna. "Jag har aldrig lärt mig rida. Storstan är inte bästa platsen för hästar." Han tittade upp och fann att fem par ögon stirrade på honom med fasa i blicken. "Vad är det med er?" utbrast han. "Man skulle kunna tro att jag hade begått ett ohyggligt brott. Jag kan inte rida. Än sen?"

"I så fall får du inte följa med."

Tom bet ihop käkarna och kände hur det ryckte i en muskel i kinden. "Jag kan låna en pickup och köra efter er", föreslog han.

Connor skakade på huvudet. "Vi kommer att vara på helig mark, och motorer är inte tillåtna."

Tom visste när han var slagen. Han kastade en snabb blick på Harriet, som verkade generad över Connors ogästvänlighet. Uppmuntrad av tanken att hon inte tyckte han var helt värdelös beslöt han sig för att roa sig på egen hand. "Hur är fisket här?" undrade han. "Finns det någon chans att få låna ett metspö, eller är det också förbjudet?"

Connor hade vett nog att se skamsen ut. "Nej då, inte alls", svarade han. "Kocken har tillräckligt med fiskedon för att öppna affär, och han lånar säkert ut både metspö och annat som du kan behöva."

"Då var den saken avgjord", sa Catriona. Hon sjasade ner katten från knäet och reste sig. "Jag följer inte med den här gången. Det har varit en lång dag, och jag behöver vara pigg och fräsch för morgondagens förhör", avslutade hon.

Tom noterade hur ömt Harriet, Rosa och Connor sa god natt till henne och kände sig utanför trots att Belinda också var där. Det var länge sedan han hade haft någon att ge en godnattpuss, och efter att ha träffat Catriona hade han blivit påmind om hur mycket han älskat sin egen mor och hur djupt han saknade henne.

Alla fem gick ut i månskenet på gårdsplanen, och medan Connor, Rosa och Harriet satte kurs på hästhagen saktade Tom in på stegen, så att han fick tala ostört med Belinda. "Vad ska ni göra där ute egentligen?" frågade han.

Belinda berättade om Billys magiska resa upp till Vintergatan. "Jag har gjort den flera gånger", avslutade hon, "och det är en rent sagolik upplevelse. Synd att du inte kan rida, för du missar något."

"Var försiktig", uppmanade han. "Harriet är på krigsstigen, och även Connor har taggarna utåt."

Belinda log och strök håret ur ögonen. "Jag följer med just för att Harriet inte vill ha mig med", upplyste hon med glimten i ögat, "och för att det är en chans att få vara tillsammans med den man jag har avgudat sedan jag var barn. God fiskelycka!"

Catriona var trött, men tankarna snurrade i huvudet och hindrade henne från att somna. Med den gamla pälsen över nattlinnet tassade hon barfota ut på verandan. Där ställde hon sig i månljuset som strömmade in över golvet och blickade ut. Månen sken på en molnfri himmel där miljontals stjärnor blinkade, och medan hon betraktade dem kunde hon urskilja vilka som lyste blått, rött eller kallt vitt. Det var något hon hade lärt sig som barn, och en gång i tiden hade hon också vetat varför de sken med olika färg, men med åren hade hon glömt det, och det spelade inte längre någon roll.

Hon suckade. Aboriginerna hade sina egna legender om skapelsen och stjärnorna, och hon avundades ungdomarna och önskade nästan att hon hade följt med. Det var ett bra tag sedan hon var ute vid de heliga kullarna med Billy Birdsong och drev längs Vintergatan.

Catriona rös till och svepte pälsen tätare om sig. Det var en kall kväll, men det var snarare onda aningar som fick henne att rysa. Billy visste saker som den moderne vite mannen inte förstod sig på. Han kunde se tecken i vinden, kunde höra röster ropa från andra sidan och känna dragkraften hos den sång som slutligen skulle kalla dem alla till den sista vilan. Där hon stod i den tysta natten tyckte hon sig kunna höra de viskande rösterna, tyckte att andarna drog närmare medan deras skuggor lekte kurragömma under träden.

Hon log åt sin egen fantasifullhet. Rösterna hon hörde kom från de båda männen nere vid floden. Kocken tråkade förmodligen livet ur Tom medan han skröt om sina fiskebedrifter, och hon hoppades att Tom hade tålamod med honom, för det var inte ofta kocken hade någon att fiska med.

Då Catriona såg det fladdrande ljusskenet från lyktan påmindes hon om barndomen. Fast till sin förvåning upptäckte hon att minnena hade blivit förunderligt opersonliga, som om det handlade om ett annat barn, en annan Catriona för länge, länge sedan.

Tankarna avbröts av en telefonsignal. Vem i all världen ringde vid den tiden? tänkte hon och skyndade in i huset.

"Vem är det?" frågade hon skarpt.

"Är det dame Catriona Summers?" Rösten var manlig, påstridig och lät inte bekant.

Catriona var omedelbart på sin vakt. "Vad vill ni?" undrade hon barskt.

"Mitt namn är Martin French, och jag har viktiga upplysningar åt dame Catriona."

"Er har jag aldrig hört talas om", svarade hon, "och jag uppskattar inte att bli störd så här dags på dygnet." Hon skulle just slänga på luren då hans nästa ord hejdade henne.

"Jag ringer för att be er kommentera den artikel som finns med i

346

morgondagens upplaga av *The Australian*."

De onda aningarna kom tillbaka, och hon höll hårt om luren. "Vad gäller det?" undrade hon beslutsamt.

"Vi har fått information om en mordutredning som leds av kommissarie Tom Bradley." Reportern gjorde en paus, och Catriona var inte säker på om det var för effektens skull eller för att han letade efter de rätta orden. Pulsen började slå häftigt, och benen darrade så häftigt att hon var tvungen att sätta sig ner. Reportern malde på. "Vi har fått reda på att ni bodde på hotellet utanför Atherton där kroppen hittades, och nu undrar jag om ni vill göra ett uttalande?"

Catriona bet ihop och drog flera djupa andetag för att lugna sig. "Var har ni fått de lögnerna ifrån?" frågade hon.

"Vi kan tyvärr inte avslöja våra källor, dame Catriona", förklarade han undanglidande, "men jag ger er en chans att berätta er version av historien."

Catriona slängde på luren och blängde ilsket på den då det omedelbart ringde igen. Hon drog ur jacket och var starkt frestad att dänga telefonen i väggen. "Det var det fräckaste!" utbrast hon.

En stund satt hon där medan tankarna virvlade i huvudet. Hon avfärdade ögonblickligen möjligheten att någon i familjen kunde ligga bakom, för ingen av dem visste varför Tom var där. Men det gjorde polisen, så det måste vara där läckan fanns. Tanken på att det kunde vara Belinda, efter alla år de känt varandra, gjorde henne djupt beklämd, och så var det Tom Bradley. Hon hade varit beredd att lita på honom, hade även börjat tycka om honom. Nu verkade det som om han eller någon i hans närhet hade fallit för frestelsen att tjäna grova pengar på att sälja historien till tidningarna.

Hon reste sig, stack fötterna i gummistövlarna och stegade ut på gården. Lyktan lyste fortfarande nere vid floden. Snart skulle Tom Bradley allt få se en annan sida av dame Catriona Summers.

Kocken hade gett sig av en halvtimme tidigare, och Tom njöt av några minuters tystnad innan han kröp till kojs. Den fete kocken hade varit trevligt sällskap, och de bägge männen hade druckit flera burkar öl och berättat fiskehistorier och gjort upp lösa planer om att kanske ge sig ut och fiska vid en sjö i närheten där kocken hade sin båt.

De hade inte fått mycket fisk, bara lite småspigg som de kastat tillbaka. Men blotta känslan av att sitta vid en flod med ett metspö i handen hade räckt för att få Tom att slappna av. Han kände sig behagligt sömnig och såg fram emot en natt i tältet då han hörde någon närma sig. "Vem där?" frågade han skarpt och kikade ut i mörkret bortom lyktan.

"Det är jag." Catriona klev in i ljuset och ställde sig framför honom med armarna i kors.

Tom höjde blicken mot henne. Hon riktigt sjöd av vrede. "Vad är det som har gjort dig så uppretad?"

Rasande blängde hon på honom. "Du", sa hon kort.

Hennes våldsamma ilska gjorde honom alldeles bestört. "Varför det?" utropade han och begrep ingenting.

"Jag gillar inte hycklare och lögnare."

Orden kom som en chock, och först kändes det som om han hade fått en hink vatten över sig. Så ilsknade han till och reste sig. Ingen, inte ens dame Catriona Summers, hade rätt att kalla honom lögnare. "Vad har du för skäl att kalla mig det?" undrade han lågmält.

Hon gav honom en hård, föraktfull blick. "Du lovade att vara diskret och att allt jag berättade skulle förbli konfidentiellt. Det var därför jag gick med på att du kom hit."

"Ja, och det löftet står jag vid."

"Lögnare", upprepade hon med rösten drypande av avsky.

Tom körde ner händerna i fickorna för att hindra dem från att skaka. Han tänkte inte låta henne se hur hårt han tog hennes anklagelser. Tankarna snurrade i huvudet medan han försökte komma på vad som kunde ligga bakom hennes utfall. "Vad är det frågan om?" sa han slutligen.

Catriona berättade om telefonsamtalet från reportern. "Och du som lovade att hålla mitt namn utanför tidningarna!" fräste hon ursinnigt. "Men där ser man vad dina löften är värda! Upplysningarna var alldeles för detaljerade för att ha kommit från någon annan än dig, eller någon i din närhet. Vad har du att säga till ditt försvar?"

Trots att Tom kände sig lättad över att få veta skälet till hennes ilska fylldes han av raseri över att någon förrått den kvinna som han beundrat så länge. "Det var inte jag, det ger jag dig mitt ord på."

"Bevisa det", kontrade hon. "Annars kan du ta ditt pick och pack och försvinna härifrån!"

Tom knöt nävarna. Det här var det sista han behövde. Catriona hade börjat lita på honom, hade till och med berättat lite om sin barndom. Vem hade gått till tidningarna och varför, vad skulle det tjäna till? Trött körde han fingrarna genom håret. Vilken soppa!

Han betraktade kvinnan som stod och glodde på honom. Avskyn i hennes ögon gjorde honom illa till mods. Om blickar kunde döda skulle han varit stendöd vid det här laget. Egentligen var det hela lite komiskt, men om han försökte bagatellisera saken kunde han glömma att få ur Catriona sanningen. På något sätt måste han bevisa att han var oskyldig.

Efter att ha avfärdat Catrionas familj återstod bara Wolff, den troligaste kandidaten i sammanhanget. Toms mun blev till en hårt streck. Wolff gillade att leva i lagens utkant, gillade alla mutor och förmåner han fick av att se genom fingrarna med saker och ting. Han hade också en dyrbar livsstil och gick gärna på kasino. Troligen betalade tidningarna en stor summa pengar för en sådan historia. Med glasklar skärpa mindes han plötsligt skrivbordsnycklarna. Han hade glömt dem i låset och sedan hittat dem i en låda. Det hade förbryllat honom lite, men nu gick sanningen upp för honom. Wolff hade bara behövt låsa upp lådan och läsa igenom Atherton-dossieren. Han hade gjort allvar av sitt hot att ge igen.

"Jag måste ringa några samtal", meddelade han strävt. "Är det inte bäst att du går och lägger dig? I morgon ska du få veta hur det går."

"Så lätt kommer du inte undan", invände hon. "Jag stannar vid din sida tills saken är uppklarad."

Tom betraktade henne med en blandning av tillgivenhet och irritation. Hon var magnifik i sitt raseri, men han kunde se rädslan under ytan, och den väckte hans beskyddarinstinkt. De promenerade tillbaka till huset, och han kastade sig på telefonen. Han hade en god vän på sportsidorna på *The Australian* som var skyldig honom några tjänster. Det krävdes fyra samtal för att få tag i honom, och efter en halvtimme lade Tom på luren. "Min bekant måste ringa några personer", förklarade han för Catriona, som inte hade slutat blänga ilsket på honom. "Han lovade att höra av sig så snart han kan, men det dröjer nog ett tag."

Catriona böjde ner huvudet, och som genom ett trollslag försvann ilskan.

Han betraktade henne eftertänksamt. "Jag tycker verkligen att du borde gå och lägga dig", sa han vänligt. "Det här kommer att ta tid."

"Jag bryr mig inte om vad du tycker. Om jag vill stanna uppe hela natten i päls och gummistövlar, så gör jag det."

Det fanns inget svar på det, och Tom såg uppgivet på henne. Hur kom det sig att äldre kvinnor trodde att de fick vara hur oartiga och besvärliga som helst? Han log. För att andra människor accepterade det, förstås.

"Vad ler du åt?" undrade hon, och det ryckte i mungiporna.

"Jag tänkte på att när jag kommer i din ålder kan jag också vara oartig och säga vad jag vill till folk", svarade han. "Hör på mig, Catriona. Det är sent och kallt, och vi behöver sova bägge två."

Hon log och gav honom en tankfull blick. "Du är en bra karl, Tom Bradley", sa hon, "men jag tänker inte be om ursäkt för min anklagelse. Den här Wolff som du nämnde i telefonen, är det en av dina underlydande?"

Tom nickade. "Om det var han ska jag allt se till att han blir av med jobbet."

Telefonsamtalet från reportern hade varit mer omskakande än Catriona först insett. När Tom hade gått bryggde hon en kopp te mot kylan och gick in i sovrummet med Archie i hälarna. Där sjönk hon ner i korgstolen med katten i knäet, och han satte i gång att spinna likt en väloljad maskin. Hon drog den gamla pälsen tätare om sig, tog tekoppen mellan sina kalla händer och tänkte på vilka konsekvenser samtalet kunde få.

Själv hade hon levt som en eremit de senaste åren, men hennes karriär och rykte hade levt vidare i världen utanför genom alla skivor och kassettband som fortfarande såldes. Tack vare välgörenhetsarbetet och musikakademin i Melbourne hade hon nyhetsvärde. Hennes hemlighet skulle komma ut, och skvallertidningarna skulle jubla.

Med en suck insåg hon att hon hade förlorat kontrollen över situationen, och även om Tom var en hygglig ung man fanns det inte mycket han kunde göra för att hejda vågen av spekulationer nu när dammluckorna hade öppnats.

Catriona slöt ögonen och medgav för sig själv att det var dags att berätta sanningen. Hon hade hållit tyst för länge, hade ägnat sitt liv åt att skjuta ifrån sig de mörka minnena tills de förvandlats till bleknade fotografier av ett spöklikt förflutet som inte längre kunde skada henne. Nu måste hon ta mod till sig och avslöja sin hemlighet, något hon borde ha gjort för åratal sedan. Det hade alltid funnits ett pris att betala, en botgöring för det förskräckliga som hänt, och nu var tiden inne att erkänna det och bli fri från det förflutnas bojor.

Men egentligen bekymrade hon sig mer för sin dotter än för sig själv. Hur skulle hon kunna skydda dottern och hålla hennes namn utanför? Catriona fick tårar i ögonen, och sucken kom djupt inifrån och vittnade om allt hon önskade att hon gjort och alla förlorade chanser att ställa saker och ting till rätta. I hela sitt liv hade hon varit på flykt, men hur långt och snabbt hon än sprang så var det förflutna alltid två steg efter, och nu hade det hunnit i fatt henne, och hon var tvungen att se det i vitögat.

Väldoftande ånga steg då hon förde tekoppen till munnen och drack en klunk. Det var ingen mjölk i, bara en gnutta socker, men det var en gammal vana att lägga i ett eukalyptusblad i kannan, något som hon lärt sig tidigt i livet då teet lagades över öppen eld i en sotig bleckkastrull. Månen lyste genom trädens grenar och kastade spräckliga skuggor på sängöverkastet. Men hennes tankar var långt borta. Precis som biograffilmen, som blivit nådastöten för föräldrarnas sätt att leva, dök minnen från förr upp för hennes inre öga, och varje scen var som en pytteliten kamé som visade vem hon var och hur den tiden hade format henne till den kvinna hon blivit.

Harriet stötte till Rosa i sidan och pekade på gestalten som kom ut ur huset. "Jag trodde han skulle ut och fiska", anmärkte hon medan hon stängde grinden till hagen och tog sadeln och tränset.

"Det sa han", svarade Rosa, och de mörka ögonen fylldes av misstänksamhet. "Men jag antar att han var ute efter mer än fisk. Undrar hur länge han har varit hos mamma?"

"Om Tom sa att han skulle fiska så gjorde han det också", inflikade Belinda solidariskt.

Harriet och Rosa betraktade henne under tystnad medan Connor fnös föraktfullt innan han försvann för att titta till kalvarna. På hemvägen hade Rosa satt honom in i situationen, och det hade visat sig att han haft fog för sina misstankar.

"Fråga honom om du inte tror mig!" uppmanade Belinda. "Han kommer hitåt."

Harriet flyttade sadeln till andra armen och väntade medan Tom stegade över gårdsplanen. Det gick inte att komma ifrån att han var stilig. Månljuset fick de grå stänken i det ostyriga håret att skimra, och han utstrålade manlighet i varje kliv. Hon hade inte uppfattat honom

351

som falsk, utan hade snarare fått intrycket att han kände sig lite illa till mods. Det förvånade henne att hon blev så besviken vid tanken på att han passat på att förhöra Catriona medan de hade annat för sig.

"Gick det bra med fisket?" undrade Rosa med rösten drypande av ironi innan Tom fick en chans att hälsa.

Leendet blev osäkert, och han kastade en förbryllad blick på de tre kvinnorna. "Jo tack, men jag fick mest småspigg: inget för grytan."

Rosa blängde på honom. "Jag talade inte om fisk utan om att du har försökt pressa mamma på information."

Tom tappade hakan och bara stirrade. "Det har jag inte alls gjort!" utbrast han.

"Förklara i så fall vad du gjorde i huset nyss", sa hon utmanande och lade armarna i kors. "Och försök inte förneka det, för vi såg dig allt."

Käkarna spändes, och det syntes en hård glimt i ögonen. "Jag behöver inte förklara någonting för dig", påpekade han kallt, "men fråga Catriona om du är så orolig." Han vände sig mot Belinda. "Jag vill tala med dig. Nu genast!"

Harriet såg ilskan koka inom Tom och att Belinda kastade en förbryllad blick på Rosa innan hon följde efter honom. Hon vände sig till Rosa. "Vad tog det åt dig? Nu gick du väl ändå lite väl långt?"

Rosa betraktade mannen och kvinnan som stod i skuggorna vid smedjan, djupt inbegripna i ett samtal. "Jag litar inte på honom", svarade hon, "och jag slår vad om att han sa att han inte kunde rida bara för att bli ensam med mamma."

"Det vet du inte säkert, och det kan finnas en helt oskyldig förklaring till att han befann sig i huset." Det var tungt att stå och hålla i sadel och träns, och Harriet började gå mot sadelkammaren. "Jag har aldrig sett dig vara så elak förut, och det bekymrar mig. Det är inte likt dig."

Rosa hängde upp sadeln och tränset, vände sig om mot Harriet och log. "Och du verkar tycka synd om honom", förkunnade hon. "De smäktande blickar han hela tiden kastar på dig börjar göra verkan." Leendet försvann, och blicken blev eftertänksam. "Men jag skulle allt hålla ögonen på honom." Hon vände sig till Connor som just kom in i sadelkammaren. "Vad tror du?"

Han lutade sig mot en av de bastanta, bärande pelarna. "Jag tycker Harriet har rätt. Karln är snut, så vad hade du förväntat dig?" Han grävde i fickorna efter rulltobaken. "Varför gör du inte som han säger och frågar mamsen vad han gjorde i huset? Det lyser, så du väcker henne inte."

Harriet avgjorde att det nog var bäst att låta Rosa gå ensam, så att hon fick lätta på trycket. "Jag går till kokhuset och tar fram lite mat."

"Jag följer med", sa Connor. "Jag är vrålhungrig efter ridturen."

"Jag kommer snart", meddelade Rosa förtrytsamt innan hon stegade i väg över gårdsplanen.

"Herregud!" suckade Harriet. "Hon låter som Arnold Schwarzenegger i miniatyrformat."

Tom såg på Belinda, och lättnaden var enorm, för om det funnits minsta anledning att tro att hon låg bakom läckan skulle deras uppdrag här vara slut. "Jag var tvungen att fråga", sa han ursäktande.

"Jag trodde du litade på mig", svarade Belinda. "Jag skulle inte ens ha kommit på tanken att misstänka dig, än mindre grilla dig så här hårt."

Tom drog ett djupt andetag och släppte långsamt ut luften. Timmen var ändå inte så sen, men det kändes som om han hade bråkat med den ena kvinnan efter den andra ända sedan han satte foten på Belvedere. Just i det ögonblicket skulle han ha föredragit att stå inför en rad hårdhudade brottslingar. Dem visste man åtminstone var man hade, kvinnor var en helt annan femma. "Jag håller på med ett känsligt fall", förklarade han. "Förmodligen är Catriona det enda levande vittnet till ett mord som begicks för över femtio år sedan, och jag får inte ur henne någonting så länge hon misstror mig. Till råga på eländet betraktar hon läckan som mitt fel, och jag har lovat att ta itu med saken och hemlighålla den. Det här får du absolut inte berätta för de andra, förstått?"

"Har du sagt det så", sa Belinda, "men de behöver bara läsa en tidning eller höra nyheterna på radio för att få reda på det. Tycker du inte att allt är krångligt nog utan tissel och tassel?"

Han log trött och sparkade till en jordkoka med stövelspetsen. "Det är så Catriona vill ha det, och vi får helt enkelt ta en sak i taget." Han suckade. "Jag är ledsen att jag tvivlade på dig, men jag måste försäkra mig om att du stod på min sida."

"Naturligtvis gör jag det, din dummer", sa hon tillgivet, "men det skulle ha varit bra mycket enklare om du bara hade sagt varför du var hos Catriona i kväll." Hon gav honom en frågande blick. "Tycker du inte att du borde förklara hur svårt du hade att över huvud taget få ta ledigt och komma hit? Borde du inte berätta vilka besvär du hade att få låna mig från narkotikaroteln?" Hon log. "Ibland är du din egen värste fiende."

I sin frustration körde Tom fingrarna genom håret så det stod på ända. "Allt jag ville var att klara upp farfars fall, och det var aldrig min mening att det skulle bli så dramatiskt. Catriona är ett nationalhelgon, en kvinna vars liv och verk jag har beundrat i åratal, och jag är fast besluten att klara upp det här fallet utan att hon får lida eller på minsta sätt komma till skada."

"Tala om det för dem då", rådde Belinda med ett stänk av otålighet i rösten. "Var öppen och ärlig i stället för att tråna efter Harriet och gräla med Rosa vid minsta anledning. Hon ligger i försvarsställning, och du vet ju att anfall är bästa försvar. Ge henne en chans, så ska du se att du gillar henne."

"Jag trånar inte efter Harriet!" förnekade han hett medan färgen steg på halsen och i ansiktet.

Belinda drog lite på munnen. "Det gör du visst det", sa hon ljuvt, "men smaken är ju olika."

Tonfallet förvånade honom. "Du tycker inte om henne", konstaterade han. "Varför det? Jag trodde ni var som ler och långhalm alla tre." Han var nyfiken på vilken relation Belinda hade med de båda andra och undrade också hur andra kvinnor såg på Harriet.

Belinda bet i underläppen, djupt försjunken i tankar. "När vi var barn kom vi bra överens, och en tid tyckte jag synd om Harriet, för hennes mamma är en riktig ragata."

Tom höjde ett ögonbryn men visste bättre än att störa Belinda då hon tänkte.

"Egentligen är det väl löjligt", återtog hon, "men Rosa var min vän, och då Harriet kom in i bilden kände jag mig utanför. Då jag beslöt mig för att börja på polishögskolan och inte på universitetet kom vi ifrån varandra." Hon blickade ut i mörkret. "Vi har hållit kontakten främst genom Rosa."

"Vad tycker du om Harriet numera?"

"Hon är inte lika lättretad som Rosa, men hon har alltid varit lite väl lugn och avmätt i min smak. Dessutom är hon attraktiv och mycket intelligent, vilket förmodligen är anledningen till att hon inte låtsas om dina patetiska försök att uppvakta henne." Innan han hann förneka påståendet fortsatte Belinda: "Det är säkert min lantliga uppfostran som gör det, men jag har aldrig gillat storstädernas eleganta kvinnor som tycks ha allt – och tro mig, hon har det."

"Vad menar du?" undrade Tom nyfiket.

Hon betraktade honom högtidligt. "Pappan hette Brian Wilson, en mångmiljonär som gjorde sig en förmögenhet på att leverera maskiner och utrustning till oljefälten. Han dog när Harriet var tio. Mamman har varit prima ballerina i Sydney Ballet Company och är en riktig streber."

Tom hade instinktivt vetat att Harriet kom från en fin familj, men han hade inte haft någon aning om att den var så välbärgad.

"Harriet behövde inte arbeta på barer och klubbar för att försörja sig medan hon läste juridik. Och när hon var klar med studierna väntade ett jobb på en av Sydneys mest ansedda juristfirmor där hon får allt viktigare uppdrag. Hon är ensamstående och utan barn, äger ett radhus i The Rocks, som är betalt, och uppvaktas av en yngre delägare i firman som heter Jeremy Prentiss, också han stenrik."

Upplysningen att Harriet redan var upptagen skakade om Tom rejält. Vad hade en snut för chans mot en rik jurist? Så blev han medveten om att Belinda roat betraktade honom. "Du gillar henne alltså inte alls?"

Belinda såg tankfull ut. Så ryckte hon på axlarna. "Det är inget större fel på Harriet, men vi är inte längre kompisar som när vi var barn. Vi har egentligen aldrig haft särskilt mycket gemensamt, och våra skilda världar har vidgat gapet."

"Men du är fortfarande god vän med Rosa?"

Hon nickade. "Vi har samma bakgrund, och hon sätter sig aldrig på sina höga hästar som Harriet gör. Rosa har varit min bästis sedan vi var i blöjåldern. Jag vet vad hon tänker och känner, och även om hon kan vara rätt jobbig ibland är vi lika bra vänner som någonsin."

Maten stod på bordet då Belinda steg in i kokhuset där Harriet, Rosa och Connor satt vid ena änden av det långa träbordet. "Tack för att ni har lämnat mat till mig", sa hon och drog ut en stol. "Jag är utsvulten."

Harriets leende var stelt. "Det finns så det räcker åt Tom också", upplyste hon.

"Han åt korv och bönor med kocken medan de fiskade", sa Belinda och lade för sig av potatismoset.

"Är allt som det ska?" frågade Harriet, som var nyfiken på vad Belinda och Tom hade talat om. "Tom såg inte vidare uppåt ut."

"Han har sina problem, men inget som inte går att lösa." Belinda log tvunget. "Men jag tycker att ni ska sluta bråka med honom." Hon vände sig till Rosa som var fullt upptagen av att skära en bit av sin lammkotlett. "Talade du med Catriona?"

Rosa tuggade ur munnen och drack lite vin. "Ja", sa hon kort. "Mamma tog en promenad och bjöd in Tom på en drink."

Belinda förstod att det var menat som en ursäkt och gav sig i kast med maten. När hon stillat den värsta hungern lade hon ner besticken och tog en rejäl klunk vin. Efter en blick runt bordet tog hon till orda. "Tom kommer säkerligen inte att tacka mig för att jag berättar det här, men jag tycker att ni ska få veta att han var tvungen att ta till det stora artilleriet för att jag skulle få följa med, för jag tillhör egentligen inte samma rotel som han." Hon betraktade de andra, lät blicken vila på var och en för att understryka sina ord. "Han beundrar Catriona och är väl medveten om hur högt vi älskar henne."

"Varför skulle han bry sig om det?" undrade Harriet. "Han är bara en polis som sköter sitt jobb. På det ena eller andra sättet tänker han genomföra det han har föresatt sig, och att använda dig för att mjuka upp henne är inte rent spel."

"Det är visserligen sant", medgav Belinda, "men vare sig du gillar det eller ej, så har Catriona gått med på att bli förhörd." Hon gjorde en paus. "Tom stannar så länge det behövs", tillade hon, "och det är det inte många poliser som skulle göra. Catriona kan skatta sig lycklig."

Harriet såg på Belinda en lång stund. "Det kanske stämmer. Och nu kanske du vill förklara varför du och Tom är här?"

"Det kan jag inte, för jag har lovat Catriona att inte avslöja något."

Harriets ansiktsuttryck blev hårt. "Du njuter av det här!" utbrast hon anklagande.

"Faktiskt inte", sa Belinda.

Connor lämnade kokhuset och styrde stegen mot sin stuga, men i stället för att gå in sjönk han ner i stolen på verandan och stirrade fundersamt rakt ut i tomma intet. Han var Catriona djupt tillgiven och hade henne att tacka för allt. Hon hade tagit hand om honom och systern och visat dem stor generositet. Han strök sig över skäggstubben på hakan, och fingrarna sökte sig automatiskt till det månformade ärr han som fyraåring fått av fadern. Catriona hade alltid funnits till hands då han behövde stöd, och nu var det hans tur att göra något för henne.

Connor grävde i fickorna efter rulltobaken. Han rökte inte särskilt mycket, men då och då hjälpte nikotinet honom att slappna av. Men den här kvällen var det annorlunda, upptäckte han. Både tankar och minnen snurrade i huvudet, och bekymren var för djupa för att blåsa bort med röken från en cigarett. Han kände hur tårarna stack i ögonen då han mindes sig själv som liten pojke, en pojke vars första barndom slagits i spillror av våld. Connor satt där och kände raseriet mot Michael Cleary välla upp.

Slutligen reste han sig ur stolen, masserade sitt stela knä och gick in i stugan. Han hade lärt sig att lita på andra människor igen, och han och Rosa hade fått en trygg uppväxt. Catriona var den första han kunnat tala med om fadern utan att känna skam, den första som erbjudit hjälp och praktiska råd liksom den tillgivenhet som både han och Rosa så väl behövt efter mormoderns död. Belvedere hade blivit deras hem och fasta punkt i tillvaron.

Långt om länge gav Connor upp alla försök att sova. Det var för hett, och han lyckades inte få tankarna att sluta snurra. Han slängde av sig lakanet, drog på sig ett par gamla shorts, tog tobakspungen och gick ut. Barfota strövade han omkring i gräset och njöt av att känna varm jord under fötterna medan en sval bris smekte bröstet. Det var inte en natt att vara instängd inomhus, för magin efter deras resa upp till stjärnorna dröjde sig fortfarande kvar inom honom trots de fruktansvärda barndomsminnena.

Hettan hade avtagit något, månen lyste klar där uppe på himlen, och han kände kärleken till Belvedere välla upp. Lutad mot staketet runt hagen stod han och såg hästarna dåsa i månskenet.

"Kan du inte heller sova?" sa en mjuk röst vid hans sida.

Med ett ryck vaknade Connor upp ur sina tankar, glatt förvånad över att hon kom och gjorde honom sällskap. Med ens kände han sig blyg. "Jag går ofta ut på nätterna", erkände han. "Då är det lättare att tänka och få perspektiv på saker och ting."

Belindas blick gled över hans nakna bröst, kraftfulla ben och bara fötter. "Det sägs att det är nyttigt med själsliga betraktelser, och du är sannerligen en fröjd för ögat." Hon log då han rodnade. "Fast det vet du väl redan."

"Jag märker att du inte har förändrats", sa han med en retsam blick. "Hur skulle jag kunna lura dig?" undrade hon med skratt i ögonen "Varför kan du inte sova i natt?"

"Jag känner mig rastlös", svarade Belinda. "Det är åratal sedan jag var här, och jag vill hålla kvar magin så länge som möjligt."

"Saknar du inte Derwent Hills?" frågade han och började rulla en cigarett. "Jag kan inte föreställa mig dig någon annanstans än där."

"Under lång tid kunde inte jag det heller, men det var ingen större idé att stanna kvar. Jag upptäckte att det fanns en stor vid värld som bara väntade på att bli utforskad, så jag började vid polisen, och på den vägen är det."

Connor såg olika uttryck avlösa varandra i Belindas ansikte och ögon. Hon var ljuvlig att se på, lätt att komma överens med, och han hade fortfarande inte kommit över chocken att träffa henne igen. Han fann också att han inte längre kände sig illa till mods i hennes sällskap, trots att han var halvnaken. "Men du saknar väl livet här ute i ödemarken?" envisades han.

"Jo, det är klart", suckade hon, "och det är vid sådana här tillfällen jag saknar det allra mest." Belinda lutade sig mot staketet med blicken fästad på hans ansikte. "Kvällens ridtur fick mig att minnas allt så tydligt", sa hon lågt. "Kommer du ihåg när vi var barn? Billy skulle ta hand om oss medan Catriona var borta, och han brukade hypnotisera oss och lämna oss där uppe i timmar, trygg i vetskapen att vi inte skulle komma till skada." Hon fnissade. "Jag misstänker att han bara ville ha oss sysselsatta så att han kunde vandra." Hon tackade ja till ett bloss på cigaretten och lät röken långsamt driva i väg med brisen.

"Var du aldrig rädd?" undrade han. "Jag minns min första erfarenhet av att flyga uppe bland stjärnorna. Jag var livrädd för att falla ner och krossas mot jorden. Men sedan upptäckte jag att jag varken kunde röra mig eller komma ner ens om jag ville, och då blev jag livrädd för att bli lämnad där uppe för evigt."

Hon nickade. "Jag med, men man lär sig snart att det inte varar. Magin sopar bort allt logiskt tänkande."

De rökte resten av cigaretten under tystnad, var och en försjunken i sina egna tankar men starkt medveten om den andre.

"Hon är där ute och flörtar med min bror", upplyste Rosa, drog för gardinen och klev i säng.

"Låt dem vara", sa Harriet och försökte hitta en sval fläck på kudden. "Hon har varit ute efter Connor i nästan hela sitt liv, och det är kanske hennes sista chans att snärja honom." Hon drog upp lakanet till hakan. "Dessutom kan hon förmodligen inte sova, och jag klandrar henne inte. Ditt snarkande håller alla i huset vakna."

"Jag snarkar inte", invände Rosa.

Harriet satte sig upp i sängen. "Jo, det gör du och mycket högt, kan jag tala om."

"Kyle klagade alltid på det", medgav Rosa, "men jag trodde att han överdrev för att få något att gräla om."

Harriet lyfte på ögonbrynet. Rosa nämnde ytterst sällan sin före detta man. "Vad fick dig att tänka på Kyle?" frågade hon.

Rosa satte sig upp och slog armarna om knäna. "Jag vet inte riktigt. Kanske för att jag med ens känner mig väldigt gammal och väldigt ensam." Hon stödde hakan mot knäna och stirrade rakt fram. "Jag fyller snart trettio, och jag har inte sett skymten av 'den rätte' än."

Harriet rynkade pannan. Rosa hade aldrig tidigare uttryckt något behov av "den rätte", och hon undrade vad som kunde ligga bakom. "Du har alltid sagt att du gillar att vara fri."

"För det mesta gör jag det, men sedan jag kom hem har jag insett hur tomt mitt liv är." Rosa körde fingrarna genom det spretiga håret som blev ännu rufsigare än det redan var. "Jag har ett arbete som jag trivs med och ett trevligt umgänge, men det finns ingen speciell, ingen som skulle bry sig om ifall jag bara försvann."

"Det där var lite väl djupsinnigt, även för att vara mitt i natten." Harriet klev ur sin säng och satte sig med benen i kors på Rosas. "Jag skulle bry mig", påpekade hon lågmält, "liksom Connor och Catriona och den långa rad män som du håller på halster." Med handen rörde hon vid Rosas hårt knutna nävar. "Du är bara lite melankolisk. Du känner dig säkert bättre efter en god natts sömn."

Rosa gjorde en grimas och ryckte på axlarna. Så sträckte hon sig efter cigaretterna och knep ihop ögonen då den starka lågan tände tobaken. Med en suck blåste hon ut ett rökmoln. "Kyle var ett misstag, ett äktenskap som bottnade i lust snarare än i kärlek, och det tänker jag inte göra om. Jag har det bättre ensam." Hon tittade ut genom fönstret då Harriet öppnade för att släppa ut cigarettröken. "Jag hade stora förhoppningar om att du och Connor skulle bli ett par, men det verkar som om Belinda äntligen får honom dit hon vill." Hon skrattade till. "Fast du var väl egentligen aldrig intresserad?"

Harriet lindade armarna om knäna och log lite. "Inte det minsta, men det betyder inte att jag inte tycker om honom. Han är bara inte min typ."

"Mmm", suckade Rosa. "Jag håller med om att ni inte har särskilt mycket gemensamt, och den starke, tyste mannen kan vara urjobbig när en flicka vill ha en reaktion av något slag." Ögonen gnistrade av okynne. "Du borde kanske ändå fundera på Jeremy Prentiss. Jag har bara sett honom i förbifarten, men han är rik, snygg och förtjust i dig, och om du gifte dig med honom skulle din mamma vara i sjunde himlen."

"Prata inte om min mamma", muttrade Harriet olycksbådande, "och inte om Jeremy heller för den delen. Jag erkänner att jag har målat upp en nidbild av honom, men det är bara en försvarsmekanism mot mammas äktenskapsmäkling." Hon tuggade på underläppen och suckade. "Han är i själva verket ovanligt trevlig, men personkemin saknas."

"Du har åtminstone ett alternativ", påpekade Rosa och släckte cigaretten. "Tom Bradley väntar i kulisserna." Hon tystnade då Harriet blängde ilsket på henne. "Och jag skulle faktiskt inte ha något emot att lära känna honom lite närmare. Mamma gillar honom i alla fall."

Harriet gav henne en häpen blick. "Låt den stackars karln vara i fred. Du har ju inte direkt gjort något för att vinna hans tillgivenhet. Nu får du ge dig!"

Rosa höjde på ögonbrynen. "Jag tycker vissa somliga protesterar lite väl högt." Hon såg frågande på Harriet. "Karln formligen dryper av sex appeal, men om du verkligen inte är intresserad – och varför skulle du vara det, han är ju bara en enkel snut – så borde du kliva åt sidan och låta en riktig kvinna visa hur det ska gå till."

Harriet dunkade till henne med en kudde. "Sov nu och sluta prata strunt", sa hon bestämt. Rosa skrattade högt medan Harriet klättrade över till sin egen säng och drog lakanet över huvudet. Rosa var helt hopplös, tänkte hon. Som om hon, Harriet Wilson, skulle kunna finna en sådan vanlig och ordinär person som Tom Bradley sexuellt attraktiv. Blotta tanken var befängd.

25

*C*atriona kastade en blick på telefonen och drog ur jacket igen. Reportrarna skulle säkert försöka ringa, och hon ville inte bli störd. Senare på förmiddagen blev hon också tvungen att avstå från sitt favoritprogram på radio, för nyheten skulle säkert diskuteras även där. Den morgonen såg hon enbart fördelar med att tidningarna bara levererades en gång i månaden.

Trots den tidiga timmen var hon redan klädd och kände sig förunderligt energisk då hon gav Archie mat och åt en tallrik flingor med mjölk. Om bara några timmar skulle hon bli fri från den börda hon burit i alla år, och under den långa natten hade hon insett att det var vad hon undermedvetet väntat på sedan hon var tretton år gammal. Äntligen skulle hon få berätta vad som hänt henne – och bli trodd.

Archie följde efter in i vardagsrummet och strök sig mot hennes ben då hon gick fram till kofferten. En stund stod hon och betraktade den, försjunken i djupa tankar. Så suckade hon. Hon skulle velat gå igenom kofferten och de hemligheter som så länge legat förborgade där, men tillfället var illa valt med tanke på att kriminalkommissarie Tom Bradley befann sig på gården. Hon beslöt sig för att strunta i det tills vidare och i stället ge sig ut på sin morgonritt.

Tom förstod att han skulle komma att tillbringa en ganska stor del av dagen i kvinnligt sällskap och föredrog att äta frukost i kokhuset. I likhet med alla manliga bastioner var där bullrigt, och stämningen var glad med muntra skratt. Karlarna drog roliga historier, och dagens arbete diskuterades och fördelades. Trots de fientliga blickarna kände Tom sig väl till mods, och det smakade gott med bacon och ägg och stekt potatis som sköljdes ner med hett, väldoftande kaffe. Maten var bättre än i polishusets matsal, avgjorde han, och sällskapet var mindre stelt och uppsträckt. Såvitt han kunde se fanns här inga vassa armbågar, inget fjäskande för överordnade eller baktaleri av kollegor. Männen på Belvedere föreföll nöjda med sin lott, och kamratandan var stark.

"God morgon", sa Connor, ställde ner sin överfulla tallrik på bordet och satte sig. "Gick det bra att sova i tält?"

"Ja tack", svarade Tom och gjorde en grimas då han skållade tungan på kaffet. Han behövde stärka sig med koffein för att komma i gång. Han kastade en blick på Connor som hade börjat prata med en av boskapsskötarna. Det verkade som om karln mjuknat lite, och det var han tacksam för. Allt som återstod var att få Catriona att berätta vad hon visste, så kunde han resa hem sedan.

Tom kopplade bort sorlet runt omkring sig, och tankarna gick till Harriet. Han hade drömt om henne på natten, vilket kändes både idiotiskt och barnsligt med tanke på att hon redan hade sällskap och dessutom umgicks i helt andra kretsar än han själv, men det hindrade inte att blotta tanken på henne fick det att pirra i magen eller att han såg fram emot att få träffa henne nu på morgonen. De behagfulla drömmerierna avbröts av en barsk röst.

"Vad gör du här egentligen?" Mannen som satt bredvid Tom hade ett ansikte som väder och vind gjort läderartat med ett nätverk av djupa rynkor.

"Jag är bara här på besök", svarade Tom och gav Connor en varnande blick.

"Jag hörde att det skulle vara allvarligare än så", sa karln mitt emot släpigt. "Något om ett mord."

Det blev dödstyst i kokhuset, och allas blickar riktades mot Tom och Connor.

De närmast nonchalanta orden överrumplade Tom, och pulsen började slå häftigt. Nyheten kunde väl ändå inte ha nått hit så snart? Han tvingade sig att förbli lugn trots att många ilskna ögonpar såg på honom. "Mord?" upprepade han så lättsamt han förmådde. "Varför tror du det?"

"Hörde det på radion i morse", svarade mannen med sin blå blick fästad på Toms ansikte.

Han svor inombords. Han hade vetat att det var ett misstag att hålla saken hemlig, och han borde ha stått på sig då Catriona bad honom att inte säga något. Belvedere låg visserligen långt ute i obygden, men radioapparater, telefoner och allt annat som tillhörde det moderna samhället innebar att folk här ute inte längre var avskurna från civilisationen. Han skar tänder, sköt stolen bakåt och reste sig. Han var medveten om tystnaden, om alla anklagande ansikten som var vända mot honom. För boskapsskötarna på Belvedere var Catriona mer än en arbetsgivare, insåg han plötsligt. De älskade och beundrade henne, och han fick en känsla av att de betraktade honom som hennes värsta fiende.

"Man ska inte tro allt man hör", sa Tom, och tonfallet var fast trots att raseriet mot Wolff bubblade inom honom. "Massmedierna får jämt allting om bakfoten."

Kocken stod upp med armarna i kors över den bastanta bringan, och ansiktsuttrycket var bistert. "Det kan inte vara helt och hållet fel", invände han, "och medierna vet att de kan bli stämda för ärekränkning, så man såg säkert till att alla fakta stämde innan inslaget sändes."

Det hade Tom inget svar på, och han var förvånad över kockens kunskaper. Fast det visade bara att man aldrig skulle underskatta människor.

"Så du är den fähund som skickats hit för att gripa henne?" En skräckinjagande bjässe sköt stolen bakåt med ett gnisslande ljud och vände sig aggressivt mot Tom. "Det ska vi allt bli fler om!"

Tom såg resten av karlarna komma på fötter, och de betraktade honom med hotfulla blickar. Stämningen kändes otrevlig, det behövdes inte mycket för att situationen skulle urarta. Varför kunde inte medierna hålla tyst? Varför måste folk prata bredvid mun innan han hunnit reda upp saker och ting? "Ingen kommer att bli gripen", försäkrade han, "såvida inte någon här hoppar på mig."

Connor reste sig långsamt från bordet och ställde sig bredbent bredvid honom. "I så fall måste ni först slå ner mig", upplyste han lugnt.

Tunga stövlar skrapade mot golvet, och det hördes ett ilsket muttrande.

"Vi behöver talas vid", sa Connor med blicken på karlarnas ansikten.

"Ja", höll Tom med om, "men inte här." Han visste inte om han skulle vara lättad över att Connor tycktes stötta honom eller om han skulle förbereda sig på att bli nedslagen.

"Så det är inte sant då?" envisades bjässen. "Fähunden är inte här för att gripa frun?"

"Vad gör han här?" hördes en annan röst. "Han är ju snut."

"Just precis. Frun har inte gjort något fel, och den som säger motsatsen slår jag på käften."

"Håll klaffen, Sweeney, och ät upp din frukost!" morrade Connor åt den unge stallskötare som verkade sugen på att slåss. Han såg strängt på resten av boskapsskötarna. "Vi har massor av arbete som väntar, och halva dagen har redan gått", röt han. "Frun kommer inte att tacka er för att ni slösar bort dagsljuset, så rör på påkarna!"

Connor stegade ut ur kokhuset med Tom i hälarna, men så snart de var utom hörhåll för männen, som nyfiket strömmade ut efter dem, vände han sig mot Tom.

"Det är allt säkrast att du har en bra förklaring", sa han med dödligt lugn, "annars ska jag slå dig sönder och samman!"

Harriet tassade in i köket och noterade att telefonjacket var urdraget. Eftersom hon fortfarande var halvsovande funderade hon inte på varför utan satte i jacket innan hon lagade kaffe. Telefonen ringde nästan genast, och hon svarade. Det var modern, och Jeanette var inte på skämthumör. "Har du sett dagens tidningar?"

"Nix", svarade Harriet och öppnade fönstret för att släppa in lite frisk luft. Röken från Rosas cigarett fick ögonen att tåras.

"Var är du någonstans?" frågade modern.

"Långt från Sydney", svarade Harriet och betraktade den vidunderliga utsikten. Solen hade just stigit upp över bergen i fjärran och färgade hagarna röda och orange.

"Var inte näsvis!" förmanade Jeanette.

"Jag är ute i vildmarken", sa Harriet drömmande, "och du skulle bara veta hur vackert det är här ute."

Jeanettes röst lät som ett ilsket bi i örat medan Harriet såg Tom och Connor marschera ut ur kokhuset och inleda en upphetsad diskussion. De andra karlarna stod och hängde i närheten och försökte tjuvlyssna, och hon undrade nyfiket vad som var å färde. Modern malde på, och Harriet rynkade pannan då hon tittade på klockan och upptäckte hur tidigt det var.

"Du brukar vara död för världen vid den här tiden på morgonen", påpekade hon och avbröt ordflödet. "Varför är du så upphetsad?"

"Är du på besök hos Rosa? Var det telefonnumret dit du gav mig?"

Harriet kastade en blick på väninnan. "Det berättade jag innan jag

364

reste hit", påminde hon. "Vad är det frågan om?"

"Det tycks dra ihop sig till otrevligheter på Belvedere. Det står om det i alla dagens tidningar."

"Om vad då? Vad menar du?" Hon kastade en blick på Rosa och ryckte på axlarna som svar på hennes tysta fråga.

Med gäll röst sammanfattade Jeanette snabbt vad som stått i tidningarna. Moderns ord gjorde Harriet alldeles kall, och hon fylldes av fasa då hon insåg vilken brydsam situation Catriona befann sig i. Många saker fick sin förklaring, men läckan till pressen hade tydligen kommit från en närstående källa.

Hon kikade ut genom fönstret. De bägge männen skakade hand och tycktes vara överens. Men hade deras samtal handlat om läckan? I så fall hade kanske Rosas misstroende mot Belinda och Tom varit befogat. Fast å andra sidan skakade Connor glatt hand med honom. Det var en gåta.

Tankarna snurrade i huvudet då Harriet vände sig från fönstret. "Sägs det någonstans varifrån historien kommer?" frågade hon då modern slutligen hämtade andan.

"Nej", svarade Jeanette kort.

Harriet bet sig i underläppen. Hon hade vetat att frågan var en rövare. Reportrar avslöjade aldrig sina källor, och det krävdes ett parlaments- eller domstolsbeslut för att ändra på den saken. Men moderns reaktion på nyheten hade gjort henne ännu mer förbryllad. "Det är olikt dig att vara bekymrad för Rosas familj. Hur kommer det sig?"

"Jag struntar fullkomligt i Rosa", genmälde Jeanette. "Det är dig jag är orolig för. Om ni är tillsammans, och du blir inblandad i den här mordutredningen kan det bli slutet på din karriär och alla chanser till ett äktenskap med Jeremy."

Eftersom Harriet visste hur Jeanette skulle reagera behöll hon sina åsikter om både karriären och Jeremy för sig själv. Det fanns viktigare saker att oroa sig för. "Det är roligt att höra att du bekymrar dig", sa hon torrt, "men det behöver du inte göra. Jag är fullt kapabel att ta hand om mig själv."

"Det gläder mig", sa Jeanette, "och jag hoppas att det betyder att du reser hem. Du har hamnat i dåligt sällskap och borde se till att komma bort från den där gräsliga familjen med det snaraste."

Harriet kände hur hon började ilskna till, som alltid då modern kom in på det samtalsämnet. "Catriona är min vän, och jag stannar här", förkunnade hon kallt. "Jag ska ge henne all den hjälp hon kan behöva, också juridisk."

"Du skulle bara *våga*!" utbrast Jeanette, fylld av fasa.

"Hej då, mamma", sa Harriet och lade på luren. I köket höll ett gräl på att segla upp. Rosa hade tydligen hört tillräckligt för att konfrontera Belinda som nyss dykt upp.

"Det måste ju komma någonstans ifrån!" fräste Rosa.

"Om du kunde hålla tyst så länge att en annan fick en syl i vädret skulle du kanske begripa att det inte ligger i vårt intresse att det blir offentligt", rasade Belinda.

Harriet betraktade dem och kunde inte låta bli att le. Rosa drunknade i Connors pyjamas och håret stod på ända, och Belindas ögon ljungade där hon tornade upp sig över henne i shorts och T-shirt. "Ni skulle se er själva", sa hon. "Ni uppför er precis som två barnungar."

"Det är inte ett dugg roligt", sa Rosa. "Du skulle höra det sista."

"Det är just vad jag har gjort", påpekade Harriet, "genom min kära mor som tycker att jag med det snaraste ska ge mig av härifrån."

"Jag önskar att jag kunde det", sa Connor som steg in i köket tillsammans med Tom. "Ni har inte gjort annat än ställt till bekymmer sedan ni kom." Han höll upp handen då Rosa öppnade munnen för att protestera. "Håll klaffen!" sa han och vände sig sedan till Tom. "Det är bäst du skyndar dig att förklara, för jag gillar inte den stridslystna glimten i min systers ögon."

Harriet lyssnade medan Tom berättade varför han var där och att det var Catriona som krävt att pressläckan skulle förbli hemlig. Den lättnad hon kände var oerhörd, för hon ville inte tro att han var så bakslug. Han hade en behaglig röst, upptäckte hon, och hon tyckte om hans sätt att röra händerna då han ville understryka något. Händerna var breda och starka med rena, välskötta naglar.

Hon såg ner på sina egna händer då objudna tankar dök upp i huvudet. Det gick inte att förneka att Tom var attraktiv, medgav hon tyst för sig själv, och det tilltalade henne att han med sådan lätthet tog kommandot, fick allihop att lugna ner sig och hamnade i centrum för uppmärksamheten. Hon misstänkte att starka och passionerade känslor dolde sig under hans lugna yttre och undrade vad som skulle kunna hända om han släppte loss dem i stället för att hålla dem i schack.

Fler objudna tankar dök upp i huvudet och fick rodnaden att stiga uppför halsen, och hon böjde ner hakan och lät håret falla fram likt en gardin runt ansiktet.

Det här är ju löjligt, tänkte hon irriterat. Han är bara en karl, en helt vanlig karl som är upprörd över vad som hänt och uppriktigt bekymrad för hur det påverkar Catriona. Varför skulle hon bli alldeles till sig för det? Ta dig samman och visa att du är vuxen, sa hon strängt till sig själv, och tänk på att Catriona behöver dig. Tom var uppenbarligen hjärtligt trött på hela historien, och vem kunde klandra honom? Dessutom verkade det som om han skulle behöva deras stöd, för hon kunde inte bortse ifrån att han hade gått med på att hemlighålla läckan, och hon befarade att det beslutet skulle stå honom dyrt. Hon hade ett bestämt intryck av att Tom Bradley var både ärlig och rättskaffens, att han inte gillade hemlighetsmakeri utan alltid satte sanningen i högsätet, hur otrevlig den än var.

Morgonritten hade sopat bort nattens trötthet, och Catriona kände sig uppiggad och redo att möta den nya dagen. Då hon närmade sig boningshuset hörde hon höjda röster, och en stund stod hon på verandan och lyssnade. Hennes hemlighet var avslöjad.

Hon steg in i köket, lade ifrån sig ridspöet på en stol och slog upp en kopp te åt sig.

"God morgon, mamma", sa Rosa. "Varför har du inget sagt?"

"Sudda bort den fula minen!" uppmanade Catriona. "Den klär dig inte."

Rosa log, oförmögen att sura någon längre stund. Hon gav Catriona en kram. "Litar du inte på oss?" frågade hon.

"Jag var inte redo att berätta om det för någon", svarade Catriona och såg leende på de tre flickorna. Rosa var som en frisk, ungdomlig fläkt som fladdrade in och ut ur hennes liv och beredde henne glädje. Harriet var också ung och vacker med långa ben som framhävdes av de elegant skurna långbyxorna. Det tjocka, blonda håret var glänsande och fick Catriona att vilja röra vid det. Det var inte att undra på att Tom inte kunde ta ögonen ifrån henne. Belinda utstrålade livsglädje, energi och en jordnära ärlighet. Catriona hoppades att Connor skulle ta sitt förnuft till fånga innan den unga kvinnan återvände till storstaden och försvann ur hans liv för evigt.

Connor kom fram och kysste Catriona på kinden. "Håll inte saker och ting för dig själv nästa gång", bannade han milt. "Du märker ju ändå att det inte går att bevara hemligheter någon längre tid här ute."

Catriona nickade innan hon vände sig till Belinda och Tom. "Det är väl lika bra att vi sätter i gång", sa hon. "Vid det här laget har reportrarna säkert redan hittat på sina egna historier, och det är bättre att ni får höra sanningen direkt av mig."

Hon gick före in i vardagsrummet där hon satte sig i soffan med Archie i knäet och väntade tills allihop hade slagit sig ner. Stunden var inne.

"De andra har hört historien om mitt liv förut, Tom", började hon, "men det jag nu ska berätta är nytt för dem också. Det var en ganska kort period i mitt liv, men minnena av den har plågat mig ända sedan dess.

Tom satt och såg uttrycken växla i hennes ansikte och förstod hur plågsamt det måste vara för henne att berätta en sådan historia. Av hela sitt hjärta önskade han att han aldrig hade börjat rota i det gamla mordfallet. Fast medan Tom lyssnade insåg han att hon behövde bli kvitt det onda som hemsökt henne under större delen av livet, för då det hände hade samhället inget stöd att erbjuda barn som utsatts för övergrepp.

Han kastade en blick på Belinda och anade att hon tänkte likadant. Men nu var det för sent, och det gick inte att vrida klockan tillbaka. Catriona var väl medveten om vad hon gjorde och tycktes faktiskt hämta kraft ur sin bekännelse. Hennes karaktärsstyrka och fasta beslutsamhet var beundransvärda. Om hon inte hade varit av så segt virke skulle hon ha krossats av det som hänt. Men nu, över femtio år senare, framstod hon som starkare än någonsin. Mot alla odds hade hon vunnit och lyckats här i livet. Hon var en överlevare.

Snabbt bytte Tom kassettband och batterier i den lilla bandspelaren. Catriona hade talat i över en timme och borde ha varit utmattad, ändå satt hon där med högburet huvud och verkade nästan likgiltig för den historia hon berättade.

Tom ställde tillbaka bandspelaren på soffans armstöd, stack handen i fickan och kände på den lilla plastpåsen. I den låg hans bevis, men hittills verkade det inte passa in i Catrionas redogörelse.

Catriona andades ut i en lång suck och kom till slutet av historien. "Det var över", sa hon lågmält och böjde på huvudet. "Kane var död och begraven."

Det blev dödstyst i rummet. Hon betraktade sina åhörare, och det hon såg fick hennes hjärta att brista. Rosa var vit i ansiktet med blicken fylld av fasa, och hon höll handen för munnen medan tårarna strömmade mellan fingrarna. Belinda och Harriet hade blivit askbleka, och deras ögon stod fulla av tårar. Toms mun var som ett bistert streck, och han stirrade rakt fram med armarna i kors. Connor lutade huvudet mot bröstet med armbågarna på knäna och de breda händerna om nacken medan han grät tyst.

"Sörj inte för min skull", bad Catriona. "Han är död och kan inte skada mig mer."

Rosa kastade sig i famnen på Catriona och höll henne lika hårt som Velda hade gjort den där gräsliga natten för länge sedan. Hon pratade osammanhängande och snyftade mot hennes axel.

Connor reste sig, stod och betraktade dem en stund med grått ansikte och tårdränkta kinder. Så vände han sig om och lämnade vardagsrummet.

Catriona tröstade Rosa och såg efter honom. Han skulle hitta sitt eget sätt att bearbeta den fasa han just fått ta del av. Han hade ärvt Poppys styrka och skulle klara det.

Belinda och Harriet rusade fram till Catriona och slog armarna om henne. Hon kysste dem båda två och räckte Rosa sin näsduk och körde sedan fingrarna genom det korta, spretiga håret. Den kärlek hon kände för alla tre flickorna var så stark att den nästan kändes överväldigande.

När lugnet var återställt vände hon sig till Tom. "Ingen trevlig historia precis", sa hon.

"Jag vet inte vad jag ska säga. Det du måste ha gått igenom är fasansfullt." Tom hade rest sig ur soffan för att lämna plats åt Rosa. Han ställde sig vid den öppna spisen, men ansiktsuttrycket stämde förunderligt illa med hans ord. "Och du kommer inte att åtalas för mordet på Kane."

"Det var ju skönt att höra."

"Men jag har ett problem." Han skrapade med foten, kastade en blick på Belinda och tittade ner på stövlarna.

"Ut med språket, karl!" uppmanade Catriona. "Jag vill få den här historien ur världen, så att livet kan gå vidare."

"När jag ringde dig verkade du veta exakt varför jag behövde komma hit och tala med dig. Du visste att ett mord hade begåtts på hotellet utanför Atherton och blev inte förvånad över att en kropp hade hittats vid renoveringen."

Catriona började förlora tålamodet. "Ja, och jag har just berättat vad som hände och var den är begraven. Jag förstår inte problemet."

"Det var inte Kanes kropp vi hittade", svarade Tom.

26

"Var inte löjlig!" utbrast Catriona, kom på fötter och blängde ilsket på honom. "Naturligtvis var det Kane."

Med beklagande min skakade Tom på huvudet. "Kroppen vi hittade låg gömd bakom en vägg i vinkällaren. Eftersom där praktiskt taget var lufttomt var kroppen väl bevarad, nästan mumifierad. Offret visade inga tecken på att ha klubbats ihjäl med en ljusstake." Han svalde och drog ett djupt andetag innan han fortsatte: "I själva verket hade han blivit strypt med en rännsnara."

Catriona rös vid den bild som hans ord lockade fram i hennes huvud. "Men jag förstår inte", viskade hon. "Vem skulle det...?" Orden dog bort då en fasansfull misstanke vaknade.

Tom stoppade handen i fickan, tog fram den lilla plastpåsen och öppnade den. "Det här hittade vi i en av hans fickor", upplyste han lågmält och höll upp ett halsband.

Catriona stirrade klentroget. Det var en exakt kopia av det halsband hon själv alltid bar. Hon sjönk ner i soffan igen med blicken fästad på det. "Så Dmitrij övergav mig ändå inte", mumlade hon förundrat. "Han fanns där hela tiden." Hon lade guldhänget i handflatan och slöt fingrarna hårt om det. Det störde henne inte att det hade hittats på ett sådant otäckt ställe, utan hon kände bara en djup sorg över att han gått ett så fasansfullt öde till mötes. "Var finns han nu?" frågade hon, och rösten bröts av rörelse.

Tom satte sig på huk framför Catriona och lade sina varma händer ovanpå hennes. Det uttrycksfulla ansiktet var deltagande. "Han ligger på bårhuset i Cairns." Vi kunde ju inte identifiera honom med säkerhet, och trots att obduktionen talade om både hur och när han mördades, så hade vi bara misstankar att gå efter. Min farfars rapport har utgjort en del av vår familjs historia i tre generationer, och då den här kroppen hittades trodde jag att bara du kunde sitta inne med svaren."

371

"Så du visste inget om Kane?"

Han skakade på huvudet. "Jag hade en kropp, det var allt. Jag visste inte vem det var, men jag hade mina misstankar om att det kunde vara Dmitrij Jevtjenko. Efter att ha gjort en del efterforskningar upptäckte jag att du var den enda från den tiden som fortfarande fanns i livet."

Catriona drog åt sig händerna och stod upp. "Du borde ha sagt något", snäste hon. "Du borde ha talat om var kroppen hade hittats."

Han rodnade häftigt. "Då jag först pratade med dig i telefon sa du att du visste varför jag ville tala med dig, och du förnekade inte att du kände till kroppen", påminde han. "Eftersom du bara var ett barn då mordet begicks misstänkte jag aldrig att du kunde ha varit inblandad. Och eftersom jag alltid har beundrat dig och ville orsaka dig så lite bekymmer som möjligt tyckte jag att det var bäst att jag kom hit och talade med dig personligen."

"Så du lät mig gräva en stor fälla åt mig själv och såg till att jag gick i den!" Catriona var rasande och glodde på honom med blossande röda kinder. "Jag hade inte behövt berätta om mordet på Kane och utsätta mina närmaste för detta, och all denna självrannsakan och ängslan har varit helt i onödan."

Tom suckade skamset och körde händerna i fickorna. "Tro mig, jag hade ingen aning om att vi talade förbi varandra. Du verkade så säker på att du visste vem offret var och hur han hade dött. Hur skulle jag kunna veta att du talade om ett helt annat mord?"

Catriona blev till sist tvungen att titta bort. "Du har rätt", medgav hon. "Jag kunde inte föreställa mig något annat än att det var Kane man funnit, och även om det har varit tungt att riva upp alla gamla minnen borde jag kanske tacka dig för att du har hjälpt mig att bli fri."

"Vad menar du?"

Hon såg stadigt på honom. "Jag har redan avtjänat livstidsstraff för mordet på den mannen", förklarade hon. "Det har inte gått en dag utan att jag har tänkt på vad mamma och jag gjorde den gången. Men genom att berätta historien har jag blivit fri och kan börja om på nytt. Jag har äntligen lyckats få honom ur mitt huvud. Han är borta och har inte längre makt att göra mig illa."

"Något gott har saken ändå lett till", sa Tom med en suck. "Jag är ledsen, och det var aldrig min mening att åsamka dig lidande."

"Det förstår jag", sa Catriona och försökte le, "men om du hade berättat om halsbandet redan från början skulle vi inte ha det här samtalet just nu." Hon lade huvudet på sned. "Varför gjorde du inte det?"

Han slickade sig om munnen och petade på mattan med stövelspetsen. "Någon begick ett misstag", medgav han. "När papperen skickades ner till mig var halsbandet inte med. Jag ringde till en av mina kollegor uppe i Atherton, och han berättade att plastpåsen med halsbandet på något sätt hade kommit bort och att ingen kunde hitta den."

Catriona såg strängt på honom, och han förmådde inte riktigt möta hennes blick.

"Karln var överlupen av jobb och hade gett dossieren till en nyanställd som hade blandat ihop den med några andra fall de arbetade med." Tom stirrade på en punkt någonstans ovanför hennes axel. "Senare hittades halsbandet bland ett annat mordoffers tillhörigheter. Lyckligtvis var offrets make ärlig nog att påpeka att det inte var hennes."

Med bistert ansiktsuttryck tittade Catriona på Rosa. "Är inte vår poliskår underbar", sa hon med rösten drypande av ironi. "Man kan alltid vara säker på att de gör pannkaka av saker och ting."

"Det där var väl ändå lite orättvist!" protesterade Tom.

"Glöm det", bad Catriona. "Men nu vill jag veta vad ni har gjort för att lösa mordet på Dmitrij."

"Av vad du har berättat kan jag bara våga mig på en kvalificerad gissning", sa han med en blick på Belinda. "Jag tror Dmitrij misstänkte att Kane höll på med något fuffens, men att han inte visste vad. Om Dmitrij anat att du var i fara skulle han säkert ha skickat polisen på Kane. Kane i sin tur visste att Dmitrij var fullt kapabel att slå ihjäl honom och var förmodligen livrädd för att du skulle berätta vad som pågick. Det var därför han var så angelägen om att du inte skulle umgås med Dmitrij."

"Om Dmitrij hade sina aningar om vad för slags man Kane var, varför skyddade han mig inte eller sa något till mig eller mamma?"

Tom ryckte på axlarna. "Vem vet?" svarade han med en suck. "Det är ett känsligt samtalsämne och inte något man gärna diskuterar med en ung flicka som kanske inte ens begriper vad det handlar om. Dmitrij var en obildad man i ett främmande land vars hela familj hade förintats av kosackerna. Så kom du och påminde om den dotter han förlorat. Han blev djupt fäst vid dig. Kanske trodde Dmitrij att Kane inte skulle våga göra dig något så länge du stod under hans beskydd."

"Men Kane hade redan börjat förgripa sig på mig och var inte villig att ta risken att jag kunde tala om det för Dmitrij", fyllde Catriona i. "Han blev allt otåligare och ville gå längre. Dmitrij var dödsdömd."

"Det är verkligen ödets ironi", sa Tom lågmält. "Av vad du har berättat, så verkar ingen annan ha haft minsta aning om vad som pågick. Kane måste ha manipulerat dig väldigt väl."

"Han fick mig att tro att jag var den skyldiga, att det var jag som uppmuntrade honom. Det tog mig åratal att begripa att jag naturligtvis aldrig hade gjort det, men då när det hände trodde jag att jag kunde få de andra att förstå genom att vara oförskämd, olydig och lynnig." Hon log sorgset. "Och det var ju helt idiotiskt, för ingen märkte något förrän det var för sent." Hon trädde halsbandet över huvudet och kände dess tyngd. "Jag vill att Dmitrij ska få en värdig begravning. Kan du ordna det åt mig?"

"Givetvis", sa Tom. "Vill du själv närvara?"

Catriona tänkte efter ett tag. "Nej, jag ska alltid minnas honom och sörja, men nu är det framtiden som betyder mest." Hon log mot Tom. "Hur ser min framtid ut?"

"Fallet läggs ner. Dmitrij har blivit identifierad, och hans död kommer att tillskrivas en eller flera okända personer. Vi har inga bevis för att Kane gjorde det, även om vi misstänker det." Tom släppte långsamt ut luften, som om han hade hållit andan för länge. "Vi blir tvungna att gräva upp jorden i verkstaden och undersöka eventuella kvarlevor, men jag tvivlar på att det finns mycket kvar om ni hällde syra på kroppen."

"Och du är säker på att jag inte kan bli åtalad för mordet på Kane?" Hon betraktade honom uppmärksamt och såg olika känslor avlösa varandra i hans ansikte.

Han nickade. "Din mamma mördade honom, och hon är död. Du var bara ett barn. Man kan visserligen hävda att du hjälpte till att gömma kroppen, men jag ska se till att ditt namn hålls utanför."

"Och hur ska det gå till? I så fall måste du tumma på sanningen."

"Förmodligen." Han växlade en konspiratorisk blick med Belinda och log mot Catriona. "Men de enda människor som vet varför morden begicks är vi här i rummet, och vi säger väl inget till någon?"

Catriona log tillbaka. "Jag är inte helt övertygad. Du glömmer bandspelaren. Där finns allt inspelat."

Han sträckte sig efter den. "Kan du tänka dig?" utbrast han. "Jag glömde visst att sätta på den efter att ha bytt band och batterier."

Catriona hade tagit en promenad ner till eukalyptusträdet. Hon behövde vara ensam ett tag, för att smälta dagens händelser och få perspektiv på dem. Hon satt på bänken försjunken i djupa tankar då hon såg en skymt av Harriet mellan träden. Med väskan i handen sprang Harriet nedför verandatrappan, hoppade in i bilen och smällde igen dörren.

Catriona skulle just till att ropa på henne då bilen sköt i väg längs grusvägen. Vart skulle flickan ta vägen? Och varför hade hon tagit väskan med sig? Gav hon sig av utan att säga adjö? Catriona bet sig i läppen och funderade på vad hon skulle göra. Rosa syntes inte till, och hon undrade om flickorna blivit osams om något. Hon kunde inte se någon annan förklaring till den brådstörtade avresan.

Hon beslöt sig för att hålla huvudet kallt och gick långsamt tillbaka till huset. Det hade hänt alldeles tillräckligt den dagen, och hon ville inte uppleva ytterligare ett drama.

Rosa var i köket och bolmade på en cigarett samtidigt som hon dängde med porslin och kastruller. Catriona lade armarna i kors och betraktade henne. Rosa var uppenbarligen ilsken som ett bi. "Vad står på?" frågade Catriona lugnt.

"Ingenting!"

"Vet du, Rosa, du kan vara förbaskat irriterande. Låt bli disken och tala om varför Harriet just har gett sig av hals över huvud medan du verkar färdig att explodera."

Rosa vände sig från diskbänken. "Hon måste tillbaka till Sydney."

"Varför?"

Rosa körde fingrarna genom håret och suckade. "Ingen aning", muttrade hon, släckte cigaretten och tände en ny.

Det ryckte i munnen på Catriona då flickan argt glodde på henne. Rosa skulle inte klara av att hålla masken länge till utan snart berätta alltihop. Det gjorde hon alltid.

Tystnaden drog ut på tiden, och till slut gav Rosa upp. "Jag ska berätta", sa hon och slog ut med händerna. "Harriet och jag grälade, och vi var båda två överens om att det bästa var att hon gav sig av, så att vi bägge fick lite andrum." Hon tappade aska på golvet och trampade in den i träet med stöveln. "Dessutom hade hon ett viktigt ärende i Sydney", tillade hon med tillkämpad nonchalans.

Catriona böjde ner hakan. Hon började förstå. "Verkligen? Och du har väl ingen aning om vad det var som var så viktigt?"

"Nej", svarade Rosa och undvek hennes forskande blick. "Harriets göranden och låtanden angår inte mig."

Catriona fnös. "Visserligen börjar jag bli gammal och orkeslös, men låt bli att behandla mig som om jag inte vore vid mina sinnens fulla bruk, är du snäll."

"Jag har aldrig betraktat dig som vare sig gammal, orkeslös eller från dina sinnen!" utbrast Rosa. "Harriet och jag grälade. Det var om något jag sa utan att tänka mig för, och stämningen här är ju så laddad att det är lätt att säga fel saker."

"Jag håller med om att dagen har varit besvärlig, men ni måste ha grälat om något allvarligt, annars skulle inte Harriet ha gett sig av utan att säga adjö." Catriona tystnade och vätte läpparna. "Mig kan du inte lura, Rosa, och jag vet allt vad du har gjort."

Rosa höjde ett ögonbryn och försökte verka oskyldig, men ansiktsfärgen avslöjade henne och oförmågan att möta Catrionas blick utgjorde det slutgiltiga beviset för att hon var skyldig. Trotsigt satte hon hakan i vädret, beredd att in i det sista slåss för sin sak. "Och vad är det du tror att jag har gjort?"

"Du har lagt dig i saker som inte angår dig", svarade Catriona, "och jag hoppas du är beredd att ta konsekvenserna. Ingenting är någonsin så enkelt och okomplicerat som det ser ut; den slutsatsen kan man dra av Harriets försvinnande."

Rosa bet sig i läppen då ilskan sopades bort av tvivel. "Vad menar du?"

"Du förstår precis vad jag menar."

Connor betraktade kvinnan som stod bredvid honom. Hon var klädd i jeans och blus och hade en tröja knuten runt midjan. Det tjocka håret böljade kring axlarna, och hon hade inte en gnutta makeup i ansiktet. Han tänkte på den eleganta, sofistikerade Harriet och kunde inte låta bli att jämföra. Han hade känt sig dragen till henne – vilken man skulle inte ha gjort det? – men bortsett från att Harriet var god vän med Rosa och tog sig bra ut på hästryggen kunde hon inte mäta sig med den kvinna som nu stod bredvid honom.

"Du ser lite tankfull ut", anmärkte Belinda. "Är det något som bekymrar dig?"

Han rodnade och såg in i de mörka, strålande ögonen. Det var som om hon kunde läsa hans tankar, och han förstod att han måste passa sig, annars riskerade han att göra sig till lika stort åtlöje som Tom Bradley. "Det börjar bli sent", mumlade han, "och jag borde fördela morgondagens arbetsuppgifter bland karlarna."

Belinda log mot honom, lutade sig mot staketet och gäspade medan hon körde fingrarna genom det fuktiga håret. Connor kunde inte undgå att lägga märke till hur brösten avtecknade sig mot det tunna blustyget. Hon märkte att han tittade, vilket fick honom att rodna igen, och hennes hesa skratt gjorde Connor starkt medveten om den inverkan hon hade på honom.

"Kul att du gillar utsikten", sa hon skämtsamt.

Connor studerade marken vid sina fötter. Hon flörtade med honom, och han var inte säker på hur han skulle reagera. Så beslöt han sig för att ge sig in i leken. "Den är klart bättre än rumpan på en tjur", muttrade han.

Hon kastade huvudet bakåt och tjöt av skratt. "Tack, jag antar att det var menat som en komplimang?"

Han log och kände sig som barn på nytt. "Det skulle föreställa det", svarade han släpigt.

"Du är inte så tokig själv", anmärkte hon och lät blicken glida över honom. "Du ser nästan bättre ut än Max, även om han har något som du inte har." Det ryckte i mungiporna, och ögonen glittrade av okynne.

"Max?" Connor visste att han inte borde ha frågat, han visste att det var ett spel men kunde inte låta bli att delta.

"Det är min partner", upplyste hon, och skrattet bubblade sexigt i halsen.

"Åh!" utbrast han och kände livsandarna sjunka. "Jag trodde inte att du hade någon pojkvän."

"Stackars Connor, jag borde väl inte retas med dig?"

Han såg förbryllat på henne. Han skulle aldrig begripa sig på kvinnor men önskade att de åtminstone ville låta bli att tala i gåtor.

"Max är min partner på jobbet", förklarade hon och vände sig mot honom. "Han är intelligent och lojal och den bäste vän jag någonsin kommer att få." Hon tystnade, betraktade Connors ansikte och log ljuvt. "Max är en schäfer med kall, våt nos och för mycket hår som hatar katter och bovar, fast inte nödvändigtvis i den ordningen. Så jag tror inte att han utgör något hot mot dig", avslutade hon mjukt.

Lättnaden var överväldigande. "Bra", sa han och önskade att han kommit på ett mer slagfärdigt svar.

Belinda såg på honom med ett gåtfullt uttryck i sina mörka ögon och tystnaden mellan dem blev alltmer laddad. "Det har varit en lång dag", sa hon. "Vad sägs om en ridtur?"

Connor tyckte att det var en toppenidé, men det skadade aldrig att visa sig nödbedd. "Jag trodde du måste jobba."

Hon ryckte på axlarna. "Det kan vänta till i morgon, och det är egentligen inte mycket jag kan göra förrän jag kommer till Cairns." Hon böjde huvudet bakåt och betraktade honom högtidligt. Hon stod närmare nu, och han kunde känna doften av hennes hår. "Vad säger du? Jag är ju faktiskt ledig och kan behöva både frisk luft och motion", sa hon och lade handen på hans arm. Den var mjuk och varm och skickade rysningar av vällust längs ryggraden. "Kom, så smiter vi härifrån", viskade hon.

Solen stod lågt och höll på att gå ner bakom kullarna då de satte hästarna i galopp och styrde ut mot grässlätten. Kvällssolen svepte in vildmarken i en varm glöd, fick bergstopparna att glänsa och kastade djupa skuggor över pinjeskogen på sluttningarna.

Connor log förnöjt mot Belinda som red vid hans sida med håret fladdrande i vinden. Hennes ansikte lyste av glädje över att vara fri på de vidsträckta, öppna vidder som omgav Belvedere. Han kände sig inte längre illa till mods i hennes sällskap, var inte längre blyg och tafatt, för han visste att hon var den kvinna han ville dela sitt kungarike med.

Himlen flammade i orange och purpurrött, fåglarna slog sig ner i träden för att sova, och kängurur och vallabyer dök upp ur busskogen för att beta. Träden avtecknade sig som silhuetter, och vildblommornas nattliga doft blandades med lukten av pinje och eukalyptus och kom drivande med brisen. Då mörkret snabbt föll saktade de ner till skritt. De behövde inte prata, för de kände sig avslappnade tillsammans, och det räckte med en nick eller ett leende. Det var som om de befann sig i harmoni både med varandra och naturen.

Connor blickade ut över de marker som kommit att betyda så mycket för honom och upptäckte att landskapet blev ännu vackrare då han hade chansen att dela det med någon som uppskattade det lika högt som han själv. Han kastade en blick på Belinda och fann att hon iakttog honom. "Vad är det?" undrade han lite avvaktande.

"Du älskar verkligen vildmarken", konstaterade hon.

"Livet här ute är mycket bättre än i stan", svarade han.

"Jag håller med, för jag älskar också vildmarken och förstår bara alltför väl varför du inte kan tänka dig att flytta härifrån." Hon suckade. "Jag önskar ...", började hon.

"Vad önskar du?" frågade han då de närmade sig raden av låga kullar som de ridit genom kvällen före.

Hon sträckte på sig i sadeln, rätade på axlarna och log mot honom. "Jag önskar att jag vore man", sa hon. "Då kunde jag ha stannat kvar hemma på Derwent Hills och bett mina bröder dra åt skogen."

Connor var glad över att hon inte var man och att det var mörkt, för hennes leende fick färgen att stiga på hans kinder och pulsen att slå fortare. "Det finns många kvinnor som har skött farmer med stor framgång", påpekade han och försökte verka samlad. Hon påverkade honom så starkt att allt Connor kunde tänka på var att han måste få kyssa henne.

"Det stämmer, men de kvinnorna har inte tre bröder som verkligen vill stanna kvar hemma på gården. Typiskt att jag ska vara enda flickan i en familj där alla älskar livet här ute. Men stället är inte stort nog för oss alla, så vad ska en stackars flicka göra?"

Connor insåg att hon egentligen inte väntade sig något svar och att hon förmodligen skulle ha blivit förfärad om hon kunnat läsa hans tankar. Han red före genom de tysta, majestätiska kullarna och höll in hästen vid foten av en smal stig som ledde upp till en urgammal grotta och en gräsbevuxen platå som nästan doldes av några klippor. De gled ur sadeln, och medan de stod där bredvid varandra kunde han nästan känna hur det slog gnistor mellan dem.

Belinda var den som först bröt ögonkontakten. Hon vände sig bort och kastade en blick uppåt den branta stigen. "Vad finns det där uppe?" undrade hon.

Rösten var hes och sände njutningsfulla rysningar genom honom. Han harklade sig. "Världens bästa utsikt", svarade han. "Orkar du klättra upp?"

"Om du gör det, så." Hon log, och innan han hann reagera var hon springande på väg uppför stigen och försvann utom synhåll.

Han band ihop frambenen på hästarna och plockade fram några saker ur sadelväskan innan han satte efter. En lång stund senare kom han upp till platån, svettig och andfådd, och fann att hon lugnt väntade på honom. "Du tog god tid på dig", retades hon.

Med svetten strömmande nedför kinderna böjde han sig fram och stödde händerna mot knäna medan han hämtade andan. "Var har du lärt dig att springa så fort?" flämtade han. "Du måste ha satt nytt världsrekord."

"Som polis måste man hålla sig i form", förklarade hon en aning självbelåten." Hon lade sig på rygg i gräset med armarna under huvudet och blickade upp mot stjärnorna. "Dessutom är jag mycket yngre än du." Connor skulle till att protestera då hon vred på huvudet och såg honom rakt i ögonen. "Men för att vara så gammal är du riktigt duktig", tillade hon.

Connor satte sig bredvid henne och drack djupt ur vattenflaskan han tagit med sig. Utan att bry sig om hennes utsträckta hand satte han på korken och höll flaskan utom räckhåll. "Vi gamlingar tänker på att ta med oss vatten och något att äta", sa han och försökte hålla tillbaka skrattet som bubblade upp samtidigt som han plockade fram smörgåsarna som han hämtat i kokhuset innan de gav sig av. "Men eftersom du är så ung och vältränad är du väl varken hungrig eller törstig?"

Hon knuffade honom i sidan. "Ge mig vattnet, annars ska jag minsann visa i hur god form jag är", hotade hon dramatiskt.

"Det ska bli intressant att se." Han satte tänderna i en utsökt kycklingsmörgås och tuggade belåtet. "Kom an då!"

Hon stötte till honom igen, och smörgåsen flög all världens väg.

Connor tog tag om hennes handleder då hon försökte rycka åt sig vattenflaskan, och i nästa stund satt han på hennes fäktande ben. "Är du törstig?" undrade han retsamt, skruvade av korken och hällde vatten över hennes ansikte.

"Din elaking!" spottade hon, sliten mellan skratt och sårad stolthet. "Vänta du, Connor Cleary, det här ska du få igen."

"Visst", skrattade han och tryckte henne mot marken.

Med ens blev hon alldeles stilla, och han hejdade sig, osäker på vad han skulle göra härnäst. Belinda var allt annat är förutsägbar. Tystnaden tätnade medan de såg på varandra i månskenet, och Connor var säker på att hon kunde höra hur snabbt hans hjärta slog.

"Vad väntar du på?" frågade hon mjukt. "Du vet att du vill kyssa mig."

Connor tvekade. Det fanns en okynnig glimt i hennes ögon, och den frestande munnen log utmanande. Hon retades med honom igen. Ändå var det omöjligt att motstå ett sådant erbjudande. Han böjde huvudet och snuddade efter ett ögonblicks tvekan vid hennes kind.

"Är det det bästa du kan åstadkomma?" undrade hon. "För att vara så gammal vet du inte mycket." Hon slog armarna om hans hals och drog honom närmare. "Jag ska visa hur vi gör i storstan."

Hennes läppar var varma och rörde sig under hans, och han kände hur njutningen spred sig till varje fiber i kroppen. Hon körde fingrarna genom hans hår, och de fylliga brösten trycktes mot hans bröstkorg. Han fick svårt att andas, och alla sinnen skärptes. Hon doftade härligt friskt av luft och gräs, häst och hö. Han kysste den vackert formade näsan, de mörka, välvda ögonbrynen och den persikolena huden nedanför örat.

Han hörde henne sucka då hon drog upp hans skjorta och gled med fingrarna över hans rygg likt en violinvirtuos, visste exakt vilka strängar hon skulle spela på. Connor förstod att hon var medveten om hur upphetsad han var då hon pressade höfterna mot hans, och trots att det var det sista han ville drog han sig undan, för han visste att han snart inte skulle kunna hejda sig.

Belinda drog honom intill sig igen, lindade benen om hans och höll hårt om honom. "Sluta inte", viskade hon. "Jag har väntat så länge på detta."

Uppmuntrad lät Connor händerna glida längs hennes hals och borrade in fingrarna i hennes hår medan han kysste henne. Han kunde känna smaken av hennes tunga, kunde känna hela sin kropp brinna av åtrå till henne. Han ville äga henne, göra henne till sin här ute under stjärnorna och månen i vildmarken.

Med klumpiga fingrar slet de i knappar och bälten, åtsittande jeans och trilskande underkläder. Så var de plötsligt nakna och hejdade sig, andlösa i det laddade ögonblick av ren extas innan de gav efter för sin längtan.

Connor såg hennes skönhet i månens gyllene sken, och fingrarna gled från naveln till klyftan mellan brösten. De var gräddvita, fasta och fylliga med mörka bröstvårtor som hårdnat av åtrå. Han tog den ena i munnen, slickade den och hörde ett njutningsfullt ljud stiga upp ur hennes hals. Hon smakade sött, och hennes hud doftade som blommor.

Hon gled med händerna över hans kropp, utforskade och eggade honom med fingertopparna, drog honom närmare intill sig medan upphetsningen stegrades. Connor var lika upphetsad som hon men förstod att hon förtjänade det bästa och att han måste ge henne lite tid.

Han smekte hennes lår och mage och upptäckte att huden var som siden, mjuk och förgylld av månljuset. Han lät händerna glida över hennes rygg och axlar och upp till kinderna. Så lade han sig ovanpå henne och trängde försiktigt in i henne.

Han kände hennes sammetsmjuka kropp omsluta sig och hur hon drog honom längre in tills allt han upplevde var ett pulserande behov av att komma till klimax. De rörde sig, hud mot hud medan deras svett blandades med varandra, dansade i takt till den uråldriga rytm som var lika naturlig som att andas. Han rullade runt med henne tills hon satt gränsle ovanpå honom, och han höll händerna om hennes skinkor medan de hungrigt slukade varandra på väg mot explosionen av himlastormande njutning.

De hade somnat på platån under stjärnorna, och när de vaknade sträckte de sig åter efter varandra och älskade ömt och långsamt med kläderna som filt. Tillfredsställda och tätt omslingrade gled de mellan sömn och vaka och såg månen färdas över himlen och börja försvinna nedanför horisonten.

Connor betraktade henne leende. Hennes yppiga former kändes så rätt i hans famn medan hennes mjuka andetag fick håren på hans bröst att röra sig. Hon såg ung och nästan sårbar ut i sömnen. De tjocka ögonfransarna vilade mot kinden, och den generöst tilltagna munnen log i drömmen. Vem kunde ha anat att hennes härliga kropp dolde en sådan lidelse, att hon skulle tända en så våldsam passion hos honom?

Han snuddade vid hennes panna med läpparna, följde ögonbrynens kurva och näsan ner till nästippen, och inom honom vaknade ett överväldigande behov av att beskydda henne. Aldrig tidigare hade han känt på det sättet eller upplevt känslan av att ha kommit hem.

Belinda rörde sig och slog upp ögonen. Så smög hon sig närmare, lindade armar och ben om honom medan hos kysste hans mun med sömnig belåtenhet. "Det är bäst vi rider hemåt", sa hon beklagande. "Det är snart gryning, och jag måste fara till Cairns."

Connor kysste henne igen, blev rädd för att förlora henne och svartsjuk på soluppgången som skulle skilja dem åt. Han ville att natten skulle vara för evigt, ville utestänga resten av världen och stanna här i hennes armar under stjärnorna. Men det var naturligtvis omöjligt.

Belinda tycktes känna likadant, för när de slutade kyssas för att hämta andan drog hon sig ur hans omfamning och såg honom rakt i ögonen. "Den här natten ska jag aldrig glömma", sa hon mjukt. "Det kunde inte ha varit mer perfekt, och jag önskar att jag inte var tvungen att ge mig av härifrån."

"Det kan bli fler nätter", sa han och körde fingrarna genom lockarna som stod som en sky runt hennes huvud. "Och dagar med. Far inte tillbaka till Brisbane."

Belinda pussade honom snabbt på nästippen och började klä sig. "Jag är tvungen", förklarade hon med skallrande tänder medan hon drog på sig jeans och blus, tröja och stövlar. "Men jag blir inte borta länge." Hon betraktade honom och log. "Jag har väntat för länge på dig för att släppa dig nu."

Connor kysste hennes kalla kind och klädde sig snabbt med känslorna i uppror. Han var en man som sällan visade sina känslor, en man som aldrig vågat lita på någon och ryggat tillbaka för ord som kärlek och löften om trohet. Men Belinda hade fått murarna att rasa, han hade låtit henne bryta ner hans motstånd och blicka in i hans hjärta. Hon hade släppt fram den lille pojken i den vuxne mannen, visat honom ljuset och värmen i den kärlek som han så länge sökt.

Han såg på henne medan han spände åt bältet. Hur kunde denna vackra unga kvinna älska honom efter så många år? Hon var ett mirakel, och han var livrädd för att förlora henne. "Belinda", började han, "om jag frågar dig något, lovar du att inte skratta?"

Hon vände sig mot honom, och månskenet kastade skuggor över hennes ansikte, försilvrade ögonfransarna och framhävde kindens mjuka kurva. Med ens blev han rädd för att tala och säga de ord som fanns i hans hjärta av fruktan för avslag.

"Jag lovar att ta vad du än säger på största allvar", sa hon, gled in i hans famn och höll om honom, gav honom mod att tala.

"Vill du gifta dig med mig?" Så var det sagt och gick inte att ta tillbaka.

"Så småningom", svarade hon och såg glädjestrålande på honom. "Vad fick dig att tro att jag inte ville det?"

27

*C*atriona såg Cessnan lyfta och flyga i väg med Tom och Belinda till Cairns. Piloten skulle komma tillbaka med planet samma kväll. Trots att hon förmodligen inte skulle få något vettigt ur Connor den dagen var hon lättad över att något gott kommit av polisernas besök. Det hade inte undgått henne att Connor och Belinda tillbringat natten ute i det fria, och det gladde henne att se dem stråla av lycka då de kysste varandra till avsked.

Hon lämnade Connor i dörröppningen och gick nedför veranda-trappan, stod ett ögonblick i morgonsolen och kände sig lättad över att det värsta var avklarat. Men Rosa och Harriet var fortfarande ovänner, och det kändes inte bra. Ändå hade hon en känsla av att de skulle bli sams förr eller senare. Flickorna hade ju varit goda vänner sedan barn-domen, och även om grälet hade varit allvarligt, så var hon säker på att vänskapen mellan dem skulle överleva.

Catriona sköt ifrån sig bekymren och tittade ut över ekonomibygg-naderna som låg i en ring runt gårdsplanen. Hon drog en belåten suck. Gården hade inte förändrats särskilt mycket sedan första gången hon betraktade den uppe från kullarna, och hon njöt av åsynen av träden som såg så vackra ut då solen lyste på dem och fick den silverfärgade barken att glöda som eld. Hon sög i sig synintryck och dofter, återupp-rättade sitt förtroende för det liv hon skapat åt sig på Belvedere. Hon kände lukten av hetta från jord och mark, hörde fåglarna sjunga och hundarna skälla, uppfattade surret av miljontals insekter i gräset.

Hettan sög inte musten ur en som den gjorde uppe i norra Queens-lands regnskogar, och det kändes inte som om man levde i en bastu. Här fick hettan svetten att dunsta på huden och bländade ögonen, och ljuset var så klart och skarpt att man kunde urskilja minsta förändring i landskapet. Till och med genom de spräckliga skuggorna kunde hon se gestalten som stilla och vaksam satt under träden med benen i kors.

"Kommer du in och äter frukost, mamsen?" ropade Connor.

"Börja du", svarade Catriona då aboriginen kom på fötter. "Jag vill tala med Billy Birdsong." Hon såg honom närma sig, och de långa, magra benen verkade bräckliga i dammet som revs upp och virvlade runt fötterna. Solen bakom honom stod fortfarande lågt på himlen och förvandlade honom till en lång, smal silhuett som påminde henne om den värdiga svarta och vita jabirun, en australisk stork som blev allt mer sällsynt.

Catriona log medan hon väntade. Beskrivningen var träffande med tanke på att hans mor hade sett just en av dessa fåglar då hon fick den första födslovärken. Hon hade trott på sitt folks traditioner, och från den stunden hade Billy Birdsongs totem varit jabirun.

"God morgon, frun", sa han och kom och ställde sig framför henne.

"God morgon, Billy", svarade hon och såg tillgivet på sin gamle vän. I stället för skjorta och byxor som han brukade gå klädd i bar han ett höftskynke av säckväv, och den mörka huden hade mönster gjorda med vit lera. Med sorg i hjärtat förstod hon att det var sista gången hon talade med honom.

Han lyfte ena benet, stödde den läderartade fotsulan mot knäet på det andra och höll balansen med hjälp av en lång pinne som han täljt till ett primitivt spjut. "Jag vet att frun såg den onda anden och hade kraften att kämpa emot."

Catriona log mot honom. Hans förmåga att varsebli saker och ting upphörde aldrig att förbluffa henne. Vi måste te oss underliga tillsammans, tänkte hon. En gammal aborigin, som står på ett ben som en stork klädd i föga mer än trasor, och en åldrande vit kvinna i skräddarsydda långbyxor och sidenblus som har en liten pratstund mitt ute i ödemarken. Det var troligen inte något man bevittnade ofta. Ändå kändes det fullkomligt naturligt för dem bägge. Hon och Billy hade utbytt många förtroenden, och denne kloke gamle man hade invigt henne i landskapets mysterier och fått henne att förstå varför hon var så starkt dragen till det.

"Det onda har försvunnit, Billy."

Det urgamla, skrynkliga ansiktet sprack upp i ett leende, och man såg att han inte hade många tänder kvar. "Frun är stark i anden och borde ha blivit svart kvinna", förkunnade han.

Catriona kastade huvudet bakåt och brast i skratt. "Du förnekar dig visst aldrig, Billy", utbrast hon. "Om jag hade varit en aboriginsk kvinna skulle du allt ha fått det hett om öronen."

"Det tror jag säkert, för frun är eldig av sig. Det är nog säkrast att de vita männen aktar sig noga."

Tidens tand hade gått hårt åt Billy, men hållningen var lika stolt som någonsin. Han tillhörde en stam som höll fast vid de gamla sedvänjorna, och Catriona förstod att han beredde sig på sin sista vandring. "Jag kommer att sakna dig, gamle vän", sa hon lågmält.

Han nickade, och trasslet av grått hår fångade solens strålar. "Andarna sjunger. Jag hör dem, och snart flyger Billy Birdsong upp till stjärnorna."

Catriona tittade upp mot himlen och mindes alla gånger han nattetid hade tagit henne med upp på toppen av kullen där hon lyftes upp i skapelsens armar och bars längs Vintergatan. De upplevelserna hade varit en lisa för själen och gett henne styrka att leva med det förflutna.

"Det blir nog en fantastisk resa", sa hon med sorg i rösten.

De bärnstensgula ögonen studerade henne uppmärksamt. "Frun har funnit goda andar och blivit frisk", konstaterade han och nickade som för att bekräfta sina ord. "Farväl." Han satte ner foten på marken.

Hon ville sträcka ut handen och röra vid honom, ville hindra honom från att lämna henne. Han hade funnits på Belvedere redan då hon kom dit första gången. Hur skulle hon klara sig utan hans vänskap och klokhet? Ändå visste hon att det vore att bryta vartenda tabu om hon försökte hindra honom eller ens följde efter. Det var hans heliga och sista sökande efter förfäderna. Billy skulle vandra tills han inte orkade ta ett steg till, och sedan skulle han sätta sig ner och vänta på döden. Hans fru och de andra kvinnorna i stammen skulle tillverka sorgmössor av lera och sörja honom, och till slut skulle han bli till stoft och återvända till jorden, den jord som han med brinnande intensitet inte ansåg att någon människa kunde äga. Han hade vaktat Drömtidslandet för en tid, men nu var den till ända, och hans ande skulle flyga upp till himlen och bli en ny stjärna.

Catriona såg honom vända sig om och långsamt gå sin väg. Den långa, smärta gestalten tycktes krympa ihop då avståndet mellan dem växte. Så suddades den ut av värmediset och Catrionas tårar. "Farväl, gamle vän och lycka till på färden!" viskade hon.

Rosa försökte baxa den tunga plåtkofferten ut ur vardagsrummet. "Stå inte bara där, Connor! Hjälp mig att få den ur vägen innan mamma kommer tillbaka."

"Jag begriper inte varför", invände han. "Det var ju hon själv som bad mig ta ner den från vinden."

Rosa sjönk ner på hälarna. "Hon har gått igenom tillräckligt det senaste dygnet, och kofferten är bara en obehaglig påminnelse." Hon tog tag i läderremmarna. "Det man inte ser har man förhoppningsvis inte ont av. Kom och hjälp mig då!"

"Låt den vara, Rosa!" Catriona stod i dörröppningen med rödgråtna ögon.

"Men..."

Catriona viftade bort hennes invändningar. "Det finns inget i den som kan göra mig illa längre", förklarade hon. "Inte efter i går." Hon steg in i rummet. "Jag säger inte att jag inte ångrar en del misstag jag har begått i mitt liv, och det finns en del jag önskar att jag kunde ändra på, men jag har kommit att acceptera att det inte hjälper hur mycket man än önskar."

Rosa tog henne i handen. Modern såg trött ut. "Jag tycker du har gått igenom tillräckligt, men du avgör ju själv om du vill ha kofferten här eller inte."

Catriona nickade och satte i gång att blanda gin och tonic. Hon slog upp var sin drink åt dem. "För Dmitrij", sa hon och höjde glaset, "och för Billy. Gud välsigne honom."

Connor släpade kofferten till rummets bortersta hörn. "Vad pratade du och Billy om?" frågade han. "Ni såg så allvarliga ut."

Catriona tog en klunk till av drinken. "Han kom för att ta adjö", svarade hon. "Han har hört andarna sjunga och vet att det är dags för den sista färden tillbaka till Drömtiden. Han tror att han får möta sina förfäder och bevittna världens skapelse och att han kommer att få erkänna de fel han gjort under sin tid som Jordens väktare. Då han har träffat de goda och onda andarna och visat att han är redo att bli mottagen får han möta Solgudinnan och förs upp till himlen där han blir en stjärna på Vintergatan." Catriona suckade. "Jag avundas honom hans tro."

"Den skiljer sig inte så mycket från vad vi fick lära oss i söndagsskolan", påpekade Rosa. "Personligen tvivlar jag på att det finns ett liv efter detta. Det är bara något man slår i folk. Eftersom vi inte står ut med tanken på att vi är så obetydliga och att allt en dag ska ta slut har vi hittat på paradiset, och även det är bara till för några få utvalda."

"Kära nån!" suckade Catriona. "Du är på tok för ung för att vara så cynisk", sa hon tillgivet och rufsade om Rosa i håret. "Men just nu har jag alldeles för mycket att göra för att ge mig in i en religiös diskussion. Tänk på att jag fyller år i morgon. Jag måste diskutera maten med kocken, och så har jag bordsplaceringen att tänka på liksom var orkestern ska sova."

*

Tom och Belinda steg ur polisbilen. Polisens brottsplatsutredare skulle vara där om en timme, och de ville ha tid på sig att ensamma undersöka huset som Catriona så livfullt beskrivit.

Järngrindarna såg kusliga ut trots att de var gamla och övervuxna av murgröna och andra slingerväxter. De stod öppna och hängde på trekvart på rostiga gångjärn, och den kraftiga kedjan, där det en gång i tiden hade suttit ett bastant hänglås, var trasig. Belinda rös till. Den mörka och mystiska regnskogen omgav dem, och där var otäckt tyst, som om skogen bevakade dem och väntade på någon sorts reaktion. Träden hade tunga grenar som kastade djupa, nästan hotfulla skuggor över den igenvuxna uppfartsvägen, och huset reste sig ur grönskan likt en ondskefull varelse, vinkade henne till sig, drog henne närmare med de fasansfulla hemligheter som det bevarat i ett halvsekel.

"Hur känns det?" Toms röst fick Belinda att rycka till.

"Bra", ljög hon, "men det är spöklikt här."

"Vi ska inte stanna länge", sa han. "Kom nu!"

Motsträvigt följde Belinda efter honom uppför den söndervittrade trappan och stannade mellan stenlejonen medan Tom satte axeln mot ytterdörren och lyckades få upp den. Ljudet av gnisslande gångjärn ekade i den väldiga foajén.

"Kom då!" uppmanade Tom. "Det finns inga spöken."

Belinda var inte lika säker. Catrionas berättelse hade gjort det så verkligt, och nu när hon var här framstod det som hänt än mer fasansfullt. Hon steg in i foajén. Där fanns inte mycket kvar av den prakt som Catriona hade beskrivit. Väggarna var nakna, både tapeter och tavlor var borta, och marmorgolvet täcktes av bråte. Där fanns inga möbler, ingen kristallkrona, och av den breda, svängda trappan syntes nästan inga spår. Allt som återstod var lite kall aska efter en sedan länge slocknad brasa i öppna spisen.

Belinda följde efter Tom då han gick genom rummen på bottenvåningen. Fukten hade trängt in i väggarna och lämnat mögliga, gröna avtryck överallt, och den genomsyrade luften med sin unkna lukt. Dammet virvlade i solgatorna. Här och var låg trasiga möbler, tapeterna flagade, och de en gång så vackra golven var repiga och fläckiga. Sammetsdraperierna vid de höga, eleganta fönstren hängde i trasor.

"Jag har sett nog", sa Tom. "Kom, vi letar reda på verkstaden."

Belinda tyckte det var skönt att komma ut. Det fanns ondska i huset, hon kunde känna den stråla ut från väggarna.

"Här är ju rena djungeln", klagade Tom.

Belinda trängde sig fram mellan buskar, genom snår och över ogräsbevuxna blomrabatter som en gång måste ha varit magnifika. Den stora gräsmattan hade återtagit naturligt tillstånd, och gräset nådde henne nästan till midjan. "Hur länge har stället stått tomt?" undrade hon.

"Sedan 1934", svarade Tom och inspekterade med en grimas smutsen på sina dyrbara skor. "En gång var det ett populärt tillhåll för älskande par, luffare och ryggsäcksturister. Under kriget använde militären huset som sjukhus, men sedan dess har det fått förfalla."

De stannade en stund för att hämta andan.

"Det verkade ju som om Dmitrij hade gett sig av", återtog Tom. "Ingen visste vart han hade tagit vägen, och eftersom han inte var dödförklarad kunde huset varken ärvas – om det nu fanns några arvingar – eller säljas. Inte ens skattmasen kunde lägga vantarna på det utan att först bevisa att Dmitrij var död."

Belinda stod i det höga gräset och betraktade huset. Fasaden var grön av lavar och fukt, och växter hade fått fäste i sprickor i stenen. Det skrämde henne, och hon kunde inte låta bli att rysa. "Här skulle då inte jag vilja möta min käraste."

"Inte jag heller", instämde Tom, "men är man desperat så ..." Han behövde inte säga mer. Belinda var en modern kvinna och förstod.

De trängde sig vidare genom snåren. "Hur kunde någon börja renovera huset trots att ägaren inte hade blivit återfunnen?" frågade Belinda.

Tom log. "Jag undrade just när du skulle fråga det", sa han. "Det verkar som om en byggmästare här i trakten inte stod ut med att se egendomen förstöras och helt sonika körde hit med sina maskiner.

Han tog över stället och hoppades att ägaren eller dennes arvingar inte skulle få reda på det. Byggmästaren stod just i begrepp att kräva besittningsrätt till huset då hans mannar började röja upp i vinkällaren, knackade ner en vägg och hittade Dmitrij. Stackars sate", sa Tom utan minsta spår av medlidande i rösten. "Han trodde att han skulle göra sig en förmögenhet på gratis mark, han hade till och med sökt byggnadslov för en rad lyxvillor. Men nu när Dmitrij har återfunnits kan han glömma alltihop. Det måste finnas ett testamente någonstans, och gör det inte det så kommer skattemyndigheten att sälja egendomen för en smärre förmögenhet. Tomterna är dyra här uppe på Atherton Tableland."

Belinda klättrade över en nedfallen trädstam som var övervuxen med slingerväxter. "Rätt åt honom", sa hon. Så fick hon syn på det som varit verkstaden. "Herregud", stönade hon, "det kommer att ta evigheter innan vi får bort all växtlighet. Nu önskar jag att vi inte hade ringt till brottsplatsutredarna utan bara lämnat honom där."

Tom ryckte på axlarna. "Han skulle bara dyka upp vid något senare tillfälle och ställa till bekymmer. Det är bättre att gräva upp honom och bli av med honom en gång för alla."

De stod i den mörka regnskogens skugga och betraktade de kraftiga slingerväxter som hade letat sig in i det gamla skjulet. Taket hade rasat in, fönstren var trasiga och dörren stod halvöppen. Naturen hade tagit över, och nu var det inte mycket kvar av det som en gång varit Dmitrijs verkstad.

"Jag tvivlar på att vi hittar något", sa Tom. "Det har gått för lång tid." Han körde händerna i fickorna och suckade. "Men då jag kommer tillbaka till Brisbane ska jag ge mig på ett grävande av annat slag. En man som Kane lämnar alltid spår efter sig, och jag är nyfiken på vem han egentligen var."

*

Catriona hade inte insett hur trött hon var, och när födelsedagsfesten väl var överstökad kunde hon äntligen få vila och sova ut. Sömnen helade, vederkvickte kropp och själ, och de skuldkänslor hon burit på i alla år försvann, sopades bort av insikten om att hon varit offret. Så lätt det var, tänkte hon, när man såg tillbaka och kunde se klart. På den tiden hade hon trott Kane då han sa att det var hennes fel, att hon hade uppmuntrat honom till att göra vad han gjorde.

Catriona fyllde på vatten i järngrytan och ställde tillbaka den på spisen. Hon skulle inte låta läkeprocessen förstöras av försåtliga tankar. Hon var oskyldig och hel igen. Han var död och begraven och med honom även hans synder. Han kunde inte längre göra henne något illa.

Medan hon väntade på att vattnet skulle koka upp lyssnade hon till ljuden på Belvedere. Det knakade och knarrade i det gamla huset, och pungråttorna förde oväsen på taket. Hon kunde höra karlarna ute på gårdsplanen, mjölkkorna råmade och hönsen kacklade i hönsgården. En hund skällde någonstans, och från ladan genljöd hammarslag, så någon hade äntligen satt i gång med reparationerna. Det hördes steg på verandan, och nätdörren slog igen. Hon kastade en blick på klockan och upptäckte att den var fyra på eftermiddagen. Rosa måste ha kommit tillbaka från ridturen.

”Hur är det med dig?” Rosas glada ansikte dök upp i dörren med kinderna blossande av frisk luft och solsken.

”Bra”, svarade Catriona, slog upp var sin kopp te åt dem och beredde sig på en pratstund. Rosa luktade häst, och det påminde henne om att hon själv inte varit ute och ridit på över en vecka. ”Det verkar ha varit en trevlig ridtur. Följde Connor med?”

Rosa sjönk ner i en stol. Håret var fuktigt av svett och stod på ända, och det var tydligen så hon ville ha det. ”Ja, och han har äntligen insett att det finns annat i livet än kor och hästar”, svarade hon. ”Vi red och tittade på den gamla stugan där vi bodde som små. Det kändes konstigt att se den igen.”

Catriona log. ”När man besöker ställen där man varit som barn verkar de alltid mycket mindre än man minns dem.”

Rosa gjorde en grimas. ”Mindre och sjabbigare, och jag förstår inte hur en hel familj kunde få plats där. Inte undra på att det blev bråk.”

”Din pappa var en alkoholiserad bråkmakare, och du hade tur som slapp bli utsatt för honom”, sa Catriona.

”Ja, jag vet.” Rosa slet i en lös tråd i skjortan. ”Men det är synd om Connor. Han har fortfarande ärr inombords.”

”Men han har blivit tryggare med åren”, sa Catriona, ”och jag tror att vi får se honom blomma upp nu när han och Belinda har tagit förnuftet till fånga.”

Rosa log. ”Men telefonräkningen kommer att bli astronomisk. De talar alltid med varandra. Är inte kärleken fantastisk?" Hon hoppade upp från bordet och började leta i skafferiet efter något gott.

Catriona gick fram till fönstret. Hon kunde se Connor stega över gården, och det verkade som om det skadade knäet gav honom mindre bekymmer nu när han var lättare om hjärtat. Hela hans uppträdande skvallrade om förnyat självförtroende, och Catriona hoppades innerligt att han skulle få behålla det.

Rosa skar upp var sin kakbit åt dem. "Jag bakade den i morse medan du var ute och promenerade", upplyste hon och betraktade den med kritisk blick. "Den ser god ut, men man vet ju aldrig."

Catriona tog en tugga av chokladkakan och höjde ögonbrynet. "Den är utsökt. Inte visste jag att du kunde baka."

"Jag kan om jag vill", svarade Rosa, "det är bara det att jag inte brukar ha lust. "Woolworth's och jag har en överenskommelse. De säljer kakor och jag köper dem."

Catriona såg på Rosa och förstod vad som låg bakom hennes huslighet. "Du måste ha tråkigt."

"Nej, men jag känner mig rastlös. Jobbet hopar sig på kontoret, och min chef börjar muttra i skägget." Hon satte ner koppen och tittade på Catriona. "Jag måste snart resa härifrån, mamma, för mina två veckor är nästan slut."

"Jag kommer att sakna dig hemskt mycket", sa Catriona och tog hennes hand. "Lova bara att det inte dröjer så länge till nästa besök."

Rosa nickade. "Jag ska försöka komma oftare, om inte annat så för att se hur romansen mellan Connor och Belinda utvecklas."

Då de vara klara med teet gick Rosa för att ta en dusch medan Catriona satte i gång att göra en köttfärspaj. Medan hon arbetade tänkte hon på samtalet tidigare. Det förvånade henne att Rosa och Connor hade besökt den gamla stugan, för det var ju ett ställe som måste väcka blandade minnen hos honom.

Catriona sjöng för sig själv medan hon dukade bordet. Köket var varmt och doftade gott, och hon trivdes med att gå där och stöka. Connor hade kommit in och satt vid bordet och bläddrade i den senaste katalogen med jordbruksmaskiner. "Försöker du hitta nya sätt att göra av med mina pengar?" retades hon.

Han lade katalogen i knäet och lutade sig bakåt i stolen. "Rosa och jag var ute vid den gamla stugan i dag", började han lite trevande.

"Ja, Rosa sa det." Catriona undrade vart han ville komma.

"Stugan har fått stå och förfalla, och det är synd och skam. Den skulle kunna bli fin om man rustade upp den." Han vred och vände på katalogen. "Jag tänkte att Belinda och jag skulle kunna bo där", avslutade han.

"Det är en underbar idé", sa hon varmt och ställde en rågad tallrik med mat framför honom. "Jag är bara lite förvånad över att du vill bo i den igen. Du måste ju ha en del otrevliga minnen från din tid där."

Connor skruvade lite på sig i stolen. "Det som hände då tillhör det förflutna. Nu är det Belinda och jag och framtiden som räknas. Förmannens stuga blir för liten när vi får barn."

"Herregud! Han talar redan om att skaffa barn!" utbrast Rosa som just kom in i köket. "Ge flickan en chans att finna sig till rätta här ute först."

Han rodnade och fortsatte med maten, och resten av kvällen ägnades åt att göra upp planer. Då Catriona gick och lade sig diskuterade Connor upphetsat olika idéer med Belinda som var kvar i Cairns.

Gryningskören var i full gång då Catriona slängde av sig filten och klev ur sängen. Hon hade sovit gott, och eftersom det var Rosas sista dag innan hon for tillbaka till Sydney hade Catriona tänkt hitta på något alldeles särskilt. Det hade varit underbart att höra Rosa sjunga i duschen, även om rösten var gräslig, och det skulle bli trist när hon hade åkt. Rosas korta men ack så händelserika besök hade väckt minnena av Poppy till liv igen. De var så lika med sin lustfyllda aptit på livet och sina varma personligheter. Det var som om Poppys ande levde vidare i dotterdottern, och det var en välsignelse.

Catriona duschade och klädde sig och stod en stund vid fönstret, såg röken slingra sig upp ur skorstenen på kokhuset och boskapsskötarna röka en cigarett och prata innan de gav sig i kast med dagens arbete. Hon kände sig till freds och nöjd med sitt hem, sin familj och sina omgivningar.

Med ett glatt leende betraktade hon fåglarna. De svärmade i stora moln av färg mot den tidiga morgonens blekblå himmel; hon skulle aldrig tröttna på att iaktta dem, för de var fria från alla jordiska bekymmer, fria att flyga vart dem lyste.

Fåglarnas flykt och sång fick henne att tänka på Billy Birdsong. Hade han funnit den frihet han sökte, var han tillbaka i Drömtiden bland sina förfäder? Hon misstänkte det, för hon hade hört aboriginkvinnorna gråta, och de flesta männen hade gett sig ut på vandring tre dagar tidigare. Det skulle bli en sorgeceremoni följd av en rituell dansfest, vilket betydde att de förmodligen skulle komma raglande tillbaka.

Catriona vände sig bort från fönstret och gick ut i köket. Aboriginernas förmåga att ana saker och ting upphörde aldrig att förbluffa henne, för rent logiskt kunde de inte veta att Billy var död. Men tack vare sitt sätt att leva hade de kanske bevarat kontakten med det sjätte sinnet, för till skillnad från sina bröder i städerna levde de i vildmarken och höll fast vid gamla sedvänjor.

Rosa sov fortfarande med Archie på sängens fotända. Den rödgula katten hade inte gillat att Catriona hade råkat sparka ner honom från sängen under natten. "Dumma kattracka", sa hon då han öppnade ett förebrående öga och ilsket glodde på henne. "Du får sura så mycket du vill, men jag kan slå vad om att du är hungrig."

Han hoppade ner från sängen, gick genom gången och strök sig mot hennes ben. I sin iver att få mat fick han henne nästan att snubbla. Matfrieri var väl förståeligt, tänkte hon medan hon öppnade burken och skedade upp det starkt luktande köttet, men nu gick han väl ändå lite för långt.

Rosa kom ut i köket. "Du skämmer bort katten", anmärkte hon och gäspade stort. "Han väger ett ton och höll mig vaken hela natten med sitt snarkande. Du borde sätta honom på diet."

Catriona tittade på Archie och han på henne. Ingen av dem tyckte att det var någon lysande idé, utan de beslöt sig för att behandla förslaget med det förakt det förtjänade.

Catriona lade te i tekannan och stoppade bröd i brödrosten. Hon var nöjd med sina planer för dagen, men det vore kanske bäst att kolla att Rosa inte hade bestämt något annat. "Hade du tänkt göra något särskilt i dag?"

Rosa sjönk ner vid köksbordet. Håret stod på ända, och ansiktet var sömndrucket. Hon gäspade igen. "Jag måste kolla oljan och vattnet i den gamla pickupen och se till att allt fungerar som det ska innan jag ger mig av i morgon eftermiddag", svarade hon, "och så tänkte jag titta över till stugan. Jag har lite idéer om möbler, kök och badrum, och så snart alla mått är tagna kan jag beställa alltihop när jag kommer tillbaka till Sydney."

"Jag tror Belinda föredrar att själv välja inredning", påpekade

Catriona milt förebrående medan hon hällde vatten i tekannan och ställde fram den på bordet. "Det är trots allt hon som ska bo i stugan."

"Visserligen, men hon kan väl inte ha något emot att jag hjälper till?"

Catriona satte sig ner och tog hennes hand. "Jag är säker på att hon blir glad för din hjälp, men det är hon som ska inreda hemmet åt sig och Connor, så ge dig till tåls och vänta tills du blir ombedd." Hon log mot Rosa för att ta udden av sina ord och påmindes åter starkt om Poppy. Rosa var så lik mormodern, otålig och impulsiv med en sprudlande livsglädje, som just nu visserligen saknades hos den gäspande unga kvinnan. "Jag har en bättre idé", sa Catriona. "Vi ska ut i friska luften, och då kanske du vaknar."

"Ursäkta, men det är den förbaskade kattens fel", sa Rosa. "Jag önskar att han ville sova inne hos dig i stället."

Catriona kastade en blick på den utsvultna katten som slukade maten. "Archie surar, men han kommer tillbaka till mig när han har förlåtit mig." Hon knäppte händerna på bordet och log mot Rosa. "Jag tycker vi ska ta fram den gamla vagnen ur ladan. Vi kan låta någon av de sävligare hästarna dra den och ge oss ut på äventyr. Det blir precis som förr i världen."

"Har du blivit galen?" Klarvaken stirrade Rosa på henne med ögonen fyllda av fasa. "Vagnen faller säkert i bitar i samma stund vi flyttar på den. Och är inte du lite för gammal för att sitta och skaka på kuskbocken?"

"Tack ska du ha", sa Catriona torrt. "Jag närmar mig kanske sjuttio, men jag står faktiskt inte med ena benet i graven."

Rosa rodnade. "Förlåt. Jag bara låter munnen gå."

"Det vore kanske bättre om du tänkte först och talade sedan", anmärkte Catriona. Hon bredde smör på en rostad brödskiva, satte tänderna i den och lät den snabbt följas av en till. Hon åt med samma goda aptit som hon alltid hade gjort, och när den var stillad kände hon sig full av energi och entusiasm inför dagen. "När du är klar med frukosten kan du gå och säga till Connor att jag vill ha vagnen utdragen ur ladan och gamle Razor förspänd."

"Connor kommer inte att gilla det", påpekade Rosa envist.

"Connor behöver inte följa med om han inte vill", upplyste Catriona. "Gör nu som jag säger. Det blir kul, och vi kan ha picknick, precis som när ni var små."

Rosa suckade tungt, drack ur teet och stegade muttrande ut ur köket. Catriona log. Rosa var snart trettio, men ibland uppförde hon sig som en tolvåring.

En timme senare stod de på gårdsplanen och kunde bevittna hur vagnen långsamt drogs ut ur ladan. Catriona tittade sig omkring och hade svårt att inte fälla en syrlig kommentar då hon såg alla karlar som stod och hängde. De hade mangrant slutit upp för att se på, och ingen av dem verkade ha en tanke på att göra skäl för lönen.

Men hon glömde sin publik då hon ställde ner picknickkorgen på marken och lät händerna glida över vagnens målning i rött, grönt och gult medan hon mindes de lyckliga åren i barndomen då den varit hennes hem. Vagnen såg mindre ut, tyckte hon, och var ganska skamfilad trots att den var både reparerad och nymålad. Ändå fanns det en sorts majestätisk värdighet hos den.

Connor stod vid hästens huvud och höll i tränset. Catriona gick fram till honom. "Det är inte nödvändigt att hålla så hårt i hästen", sa hon. "Den är för gammal och fet för att skena."

"Razor är gammal och fet men inte van vid att dra vagnar", knorrade Connor. "Hästen vet inte vad den ska göra. Lika lite som du", tillade han och blängde på henne.

"Vi vet precis vad vi ska göra, eller hur?" sa hon och klappade Razor på den grå mulen. "Vi behöver bara lite tid på oss, det är allt."

Connor muttrade något som inte lät smickrande, varken för henne eller Razor, och hon valde att inte låtsas om det och gick i stället runt till andra sidan vagnen. Hon skulle inte klara av att klättra upp på kuskbocken, insåg hon sorgset. Hon hade inte längre den styrka i armarna som krävdes för att dra sig upp och klarade inte heller av att balansera på hjulnavet samtidigt som hon svingade ena benet över kanten, och hon tänkte inte göra sig till åtlöje inför alla dessa människor genom att försöka. "Jag kliver på där bak", meddelade hon myndigt. "Kom och hjälp mig, någon!" Det hördes ett mummel, och karlarna skrapade med fötterna. "Snabba på!" beordrade hon, och otåligheten fick rösten att låta skarp.

Då Rosa sköt på bakifrån och kocken drog i armarna lyckades hon till slut ta sig ombord. En stund stod hon i vagnens dunkel för att hämta andan. Sedan länge glömda dofter kom tillbaka, och hon förlorade sig i minnet av de till synes ändlösa dagar och nätter som hon tillbringat här. Det luktade terpentin och cederträ, målarfärg och lite svagt av parfym. Då hon slöt ögonen tyckte hon sig höra Poppy ropa, tyckte att hon kunde se gnistrande paljetter och den violblå färgen i moderns ögon.

"Mår frun bra?" frågade någon intill henne.

Catriona vände sig om mot kockens omfångsrika stofthydda som tycktes fylla hela vagnen. "Självfallet. Hjälp mig till kuskbocken!"

Kocken betraktade henne eftertänksamt, och innan hon hann protestera hade han tagit upp henne i famnen och bar henne genom vagnen till träbänken längst fram. Där satte han bestämt ner henne, backade sedan tillbaka och skyndade ner därifrån. "Jag har väl aldrig varit med om maken!" utbrast hon.

Connor och Rosa, som inte hindrades av ålder och krämpor, klättrade upp och satte sig bredvid henne, och Connor tog tömmarna. "Vart ska vi?" frågade han på aningen bättre humör.

"Först till stugan och sedan ut till vattenfallet. Jag vill se så mycket som möjligt."

Razor började lunka över gårdsplanen, och Catriona höll sig hårt fast i bänken tills hon åter hade vant sig vid vagnens skumpande. Hjulen knarrade, och seldonen klirrade, och allt kom tillbaka. Modern och fadern var med henne, det var hon säker på. Och från de spökaktiga vagnar som tyst följde efter dem på vägen genom vildmarken kunde hon höra komikern och balettflickorna skratta och den lille terriern Fläcken gläfsa gällt.

Medan dagen gick och solen klättrade allt högre på himlen körde de över slätter och längs bäckar. De såg en örn sväva högt ovanför och en flock kängurur som hoppade in i snårskogen. De pinjeklädda bergen avtecknade sig så tydligt att man kunde urskilja vartenda enskilt träd, och de kunde se stora stenmonoliter som låg likt strandade valar i den dallrande hettan på de öde vidderna liksom höga, rostfärgade termitstackar som stack upp ur buskvegetationen och påminde om gravstenar.

Catriona sög i sig dofter, synupplevelser och ljud och njöt i fulla drag av sitt paradis på jorden.

*

Tom gäspade och samlade ihop papperen i en hög. Sedan han hört Catrionas historia och dessutom själv sett de kusliga omgivningarna i verkligheten hade han haft svårt att sova.

Han och Belinda hade varit i Cairns i tio dagar. Det hade bekräftats att det var Wolff som sålt historien till pressen. Men i stället för att få avsked på grått papper hade han till Toms stora förvåning bara fått smäll på fingrarna och skickats tillbaka till Sydney. Efter det såg Tom inte fram emot att träffa sin chef, även om han längtade hem.

Tom lade pappershögen i en mapp och stoppade ner de andra dokumenten på skrivbordet i portföljen. Tack vare Catrionas vittnesmål hade han lyckats gräva djupare i Dmitrij Jevtjenkos liv, och dessa dokument måste överlämnas till hans arvingar. Han hade också med framgång forskat i Kanes förflutna, och nu måste han besluta hur Catriona skulle informeras om det han fått veta.

Det hade tagit tre dagar att gräva upp kvarlevorna i skjulet och ytterligare två att fastställa dödsorsaken. Syran som Catriona hade hällt över honom hade gjort sin verkan, men det fanns ändå tillräckligt för kriminalteknikerna att arbeta med. Kvarlevorna skulle kremeras samma dag, och den enkla jordfästningen betalades av staten. Han tvivlade på att det fanns några som sörjde den mannen.

"Är du klar?" Belinda stod i dörröppningen.

Tom tog kavajen som hängde över stolsryggen och satte den på sig. "Så tjusig du är!" utbrast han och betraktade den svarta dräkten och den prydliga vita blusen.

"Tack. Jag har varit ute och shoppat enkom för tillfället, tyckte jag borde bemöda mig lite, men jag vänjer mig aldrig vid kjol och klackskor." Hon gjorde en grimas, sparkade av sig den ena av de lågklackade pumpsen och masserade tårna. "De förbaskade tingestarna klämmer och skaver så jag blir vansinnig."

Tom skrattade och rättade till slipsen. Belinda skulle alltid känna sig mer hemma i jeans och stövlar. "Jag ska bara lämna några papper på vägen, så kan vi ge oss av sedan. Jag har bokat platser på ett plan som går halv sex."

"Har du fått reda på mer om Kanes bakgrund?" frågade hon sedan Tom lämnat in mappen på polischefens kontor.

"En hel del faktiskt", svarade han medan de gick nedför trapporna. "Kane kom hit 1922 och bodde i Sydney en tid innan han försvann ur sikte. Jag lyckades spåra upp fartyget han reste med, och på så sätt fick jag en adress i England. Hans riktiga namn var Francis Albert Cunningham, och han var andre sonen till en förmögen jordägare."

"Det stämmer med vad Catriona sa om att han fick pengar hem-
ifrån."

Tom nickade. "Det blev en skandal med en mycket ung statardot-
ter. Fadern mutades för att hålla tyst om saken, och Kane sattes på
första bästa båt till Australien och fick ett frikostigt underhåll av för-
äldrarna för att stanna där."

"Förgrep han sig på några andra barn?" undrade Belinda lågmält.

Tom nickade och suckade. "Det gick rykten om flera barn, men
han tycktes alltid försvinna innan någon hann anmäla honom. För-
modligen var det därför han valde att leva ett kringflackande liv. Han
måste ha sett det resande varietésällskapet som en skänk från ovan."

"Du tycks ha gjort grundliga efterforskningar."

"Jag har en god vän och kollega som arbetar på folkbokföringen i
London. Så snart vi hade fastställt Kanes identitet var det enkelt att
fylla i luckorna i hans liv innan han kom hit. Det var lätt att hitta upp-
gifter om den tid han bodde i Sydney, och en annan av mina kollegor
lyckades spåra upp en person som mindes Kane. Gossen var gammal,
men minnet var knivskarpt."

De kom ner till entréhallen. "Hur är det med pengarna hans familj
skickade? Kan man hitta dem och använda dem på något vettigt sätt?"

Han log. "Det är redan ordnat. Det fanns två års penningförsän-
delser som inte hade hämtats ut innan familjen slutade skicka mer.
Det är en betydande summa, och jag har donerat den till en fond för
barn som utsatts för övergrepp."

Hon besvarade leendet. "Mycket passande."

Han nickade. "Ja, jag tyckte det."

"Tänker du berätta det här för Catriona?"

"Ja. Hon har rätt att få veta." Tom körde fingrarna genom håret.
"Och hon är klok nog att inse att en man som Kane måste ha haft
många offer."

"Det svinet fick åtminstone inte chansen att förgripa sig på fler
barn!" förkunnade Belinda med en våldsamhet som gjorde honom lite
häpen. "Han är gudskelov död, och det är bara att beklaga att lagen
inte tillåter oss att ha ihjäl de andra också. De ändrar sig inte och kan
inte botas. De borde avlivas."

Tom var böjd att hålla med. De lämnade byggnaden under tystnad.

Hettan var intensiv. Solljuset reflekterades i fönstren, och värmen
strålade upp från asfalten. De satte på sig solglasögonen och steg in i

bilen som deras kollega Phil väntade med vid trottoarkanten. Det skulle ta en knapp timme att köra till Atherton.

Den lilla kyrkogården var sista viloplats för de män som hade byggt järnvägen från Cairns till Kuranda i Tableland liksom för de pionjärfamiljer som hade bosatt sig uppe på den svala högslätten. Kyrkogården låg bakom den protestantiska kyrkan, en liten träbyggnad som hade stått i denna lugna oas sedan mitten av 1800-talet. Timret var så blekt av solen att det nästan lyste vitt, plåttaket var lika rött som jorden, och de enkla, målade glasfönstren och träkorset förde tanken till en annan tidsålder.

De tre poliserna promenerade längs gången som ledde till kyrkogården. Runt omkring den bredde hagar ut sig som längre bort övergick i regnskog. Det var en fridfull plats där den varma vinden susade i det höga gräset till ackompanjemang av fågelkvitter och insektssurr. I en hage gick en fux och en shetlandsponny och betade av det saftiga gräset, en idyllisk syn som tagen ur en bilderbok.

Tom stod mellan Phil och Belinda vid graven medan prästen förrättade jordfästningen och Dmitrij Jevtjenko äntligen lades till vila i den bördiga röda jord som gjort honom förmögen. Så småningom skulle där resas en gravsten av marmor, men tills vidare låg där en krans av sagolikt vackra röda och vita rosor som Catriona hade beställt. Då begravningen var över läste Tom på kortet.

Dmitrij, min vän!
Döden har skilt oss åt, men du ska alltid finnas i mitt hjärta. Vila i ro i vetskap om att du är älskad.

Catriona

"Det förvånade mig att hon inte ville vara med", anmärkte Belinda då de hade tackat prästen och åter satt i bilen.

"Jag tycker inte att det är så konstigt", menade Tom då de började köra tillbaka mot Cairns. "Hon kan inte göra någon nytta genom att resa ända hit och begrava en man som har varit död i över femtio år, och det var hon klok nog att inse. Men minnet av honom lever kvar inom henne, och det är allt som betyder något."

De satt tysta en stund, var och en försjunken i sina egna tankar medan Phil snabbt körde dem ner i dalen så att de skulle hinna med planet till Brisbane. Tom betraktade landskapet och tänkte på Harriet. Han undrade om hon hade återvänt till Belvedere eller om hon var kvar i Sydney. Han hade inte fått någon chans att säga adjö, och anledningen till att hon gett sig av var ett mysterium. Hur som helst skulle han säkert aldrig mer få träffa henne, tänkte han missmodigt.

De sa adjö till Phil och gick in i flygterminalen. Deras plan skulle gå i tid, och de hade bara en kvart på sig innan det var dags att gå ombord. Tom köpte kaffe åt dem, och de stod vid de stora fönstren och såg planen starta och landa. Det var något med flygplatser som Tom fann spännande, och han önskade att han skulle flyga till något intressantare ställe. Bali vore trevligt så här års, tänkte han, eller kanske Fiji. Han kände behov av miljöombyte, var rastlös och ville slippa ifrån jobbets krav. Ändå var han innerst inne medveten om att den verkliga anledningen var Harriet snarare än arbetet eller livsstilen. Han ville vara med henne, prata med henne och lära känna henne.

"Jag säger upp mig när vi kommer tillbaka", upplyste Belinda.

Tom vaknade ur dagdrömmarna och stirrade klentroget på henne. "Varför? Jag trodde du trivdes som polis?"

"Jag trivs tillsammans med dig och de flesta andra killarna, men jag har fått nog", svarade hon fast. "Jag vill inte ha en chef som inte gör något för att bli av med ett avskum som Wolff. Det var inte därför jag blev polis."

"Inte jag heller", medgav Tom.

Hon vände sig från fönstren och såg rakt på honom. "Besöket på Belvedere fick mig att inse hur djupt jag har saknat vildmarken."

"Men du sa ju att du inte fort nog kunde komma därifrån", protesterade han. "Du sa att du trivdes i Brisbane och att det inte fanns något som lockade dig hemma."

"Jag vet, men efter den här historien med Wolff står jag inte ut längre." Belinda tog av sig dräktjackan och hängde den över en stolsrygg. "Jag känner mig som en fisk på torra land", förklarade hon. "Jag har försökt, men i själ och hjärta är jag en flicka som hör hemma på landsbygden." Hon såg på honom. "Jag längtar tillbaka."

Tom visste inte vad han skulle säga. Hon var en duktig polis, en lojal och hårt arbetande kvinna som han kommit att beundra och lita på. Men då han blickade in i de mörkbruna ögonen förstod han att det inte fanns något han kunde säga för att få henne att ändra sig. "Det är för Connors skull du reser hem, eller hur?"

Hon nickade. "Killar som han växer inte på träd, och jag har väntat i många år på att han skulle lägga märke till mig."

"Du kunde pendla", föreslog han hoppfullt.

"Nej." Hon tog ur hårspännena och skakade på huvudet så att de mörka lockarna dansade kring ansikte och axlar. "Det sägs att kärleken växer med avståndet, men jag tänker inte riskera min framtida lycka för en gammal amsaga." Hon plockade fram ett papper ur dräktfickan. "Jag fick bekräftelsen i dag", upplyste hon och viftade med den framför hans näsa, "och om en månad börjar jag på polisstationen i Drum Creek."

28

Picknicken hade varit lyckad med kylt vitt vin, frukt, ost och kall kycklingsallad som de ätit sittande på en filt under träden. De hade låtit sig väl smaka, och efter maten hade Catriona kavlat upp byxbenen och vadat omkring i dammen nedanför vattenfallet tillsammans med Connor och Rosa. Själva fallet hade minskat till en rännil till följd av torkan, men där var ändå behagligt svalt och påminde Catriona om när Rosa och Connor var barn och badade nakna i dammen medan de tjutande av skratt stänkte vatten på varandra och fångade kräftor i leran.

Connor höll in Razor vid ladan och hjälpte Catriona ner från vagnen. "Tack, mamsen", sa han. "Det var trots allt en god idé, och jag hoppas du har haft lika trevligt som vi?"

"Det var den bästa dag jag har haft på evigheter", svarade Catriona och log, fast hon skulle förmodligen ha ont i kroppen dagen därpå efter att ha suttit och skakat på den hårda kuskbocken. Kanske hade Rosa haft rätt i att hon började bli lite väl gammal för den sortens strapatser? Hon beslöt sig för att strunta i den otrevliga tanken och klappade först Connor på kinden och sedan Razor. Det var en fin gammal häst, och det verkade som om den också njutit av dagen sedan den väl vant sig vid att dra vagnen. Det såg faktiskt ut som om hästen fått ny spänst i stegen då Connor tog av seldonen och släppte ut den i hagen.

Arm i arm med Rosa, som bar picknickkorgen, strövade Catriona över gårdsplanen mot huset. Himlen randades av band i scharlakansrött och orange, solen höll på att sjunka bakom kullarna, och en varm glöd förgyllde träden och jorden medan fåglarna svärmade en sista gång innan de slog sig till ro för natten. Catriona log belåtet. Allt var som det skulle i hennes värld.

Så upptäckte Catriona att det stod någon på verandan och väntade på dem. "Jag visste väl att hon skulle komma tillbaka."

Rosa grep Catriona i armen. "Mamma, det är något jag måste berätta."

"Och jag har något att berätta för dig med, men det kan vänta." Hon vinkade åt Harriet. "Har du varit här länge?"

Harriet vinkade tillbaka. Hon såg sval och elegant ut i linnebyxor och fräsch vit blus. Det raka och tjocka blonda håret snuddade vid axlarna och vek sig lite inåt vid hakan. "Hela eftermiddagen", svarade hon då de kom till det nedersta trappsteget. Blicken gled kyligt över Rosa innan hon åter fäste den på Catriona. "Var i all världen har ni hållit hus? Jag började bli orolig."

Catriona log mot henne. "Vi har varit ute med den gamla varietévagnen", svarade hon och gick uppför trappan. "Vad synd att du inte kom tidigare. Då kunde du ha följt med."

Harriet log tillbaka och tog hennes hand. "Det skulle ha varit trevligt", sa hon, "men det får bli nästa gång." De kysste varandra på kind, och Harriet höll upp dörren. "Jag hoppas du inte har något emot att jag våldgästade dig? Men ingen syntes till, och det kändes som om jag skulle dö om jag inte fick en kopp te."

"Sedan när behöver du be om lov?"

Rosa gav ett konstigt ljud ifrån sig, men Catriona låtsades inte om henne. Tids nog skulle hon få komma till tals. "Ni två kan brygga te medan jag slår mig ner i vardagsrummet och vilar min skinnflådda bak." Catriona såg flickorna gå mot köket. Stämningen mellan dem kunde knappast varit kyligare, tänkte hon. Medan hon satt i den mjuka soffan kunde hon höra att det pågick ett snabbt samtal, och trots att orden var otydliga så uppfattade hon vreden i deras röster, de med knapp nöd dolda giftigheterna från två katter som försökte klösa ögonen ur varandra. "Kära nån", suckade hon. "Vilket slöseri med energi."

Flickorna kom in i vardagsrummet och slog sig ner i var sin fåtölj, och en stund senare dök också Connor upp. Mörkret hade fallit, och dagens arbete var avklarat. De drack sitt te under artigt samtal. Connor tycktes inte märka den spända atmosfären där han satt bekvämt tillbakalutad i fåtöljen med benen utsträckta framför sig. Harriet och Rosa kastade förstulna blickar på varandra, och Catriona kände att bägge två var på vippen att explodera. "Det är roligt att ha dig tillbaka, Harriet", började hon. "Jag hoppas att det inte var något jag sa som fick dig att ge dig av så brådstörtat?"

"Nej." Harriet satte ner tekoppen, och handen var så ostadig att den klirrade mot fatet. "Jag tycker det var oerhört modigt av dig att berätta vad du hade blivit utsatt för. Jag vet inte om jag skulle ha klarat det."

Catriona ryckte på axlarna. "Man vet inte vad man är kapabel till förrän man har försökt", sa hon nyktert. "Men jag överlevde, och nu är jag nästan fri." Hon blev tyst och kastade en blick på kofferten borta i hörnet. "Jag säger nästan, för jag var inte Kanes enda offer."

"Män som han har alltid en lång historia", insköt Rosa. "Han har säkert våldfört sig på fler än dig."

Catriona nickade. "Tyvärr har du säkert rätt", instämde hon, "men det var inte det jag menade." Hon drog ett djupt andetag. "När en person utsätts för övergrepp uppstår ofta en kedjereaktion, så att offrets närmaste också påverkas. Min mamma återhämtade sig aldrig psykiskt från mordnatten, och även mitt äktenskap krossades av vad Kane hade gjort mot mig."

"Hur kom det sig?" undrade Connor. "Kane var ju redan död."

"Kane var död, men vad han sått levde vidare", svarade hon och lutade sig tillbaka i soffan, för hon behövde en stund på sig att samla tankarna. Hon kastade en blick på moderns porträtt ovanför spiselkransen och började sedan berätta om flykten från hotellet utanför Atherton och vad som sedan hände.

Tystnaden hade tätnat då hon reste sig ur soffan, gick fram till plåtkofferten och plockade fram babyplaggen: små klänningar, mössor och sockor. Hon begravde ansiktet i en mjuk filt som hon stickat medan Velda var på arbetet. "Jag stod inte ut med att göra mig av med babykläderna", förklarade hon. "Det skulle ha varit som att lämna bort mitt barn en gång till."

"Försökte du någonsin spåra din dotter?" undrade Harriet.

"Mamma ville inte tala om var hon fanns – och ingen annan heller för den delen. Det dröjde många år innan jag fick veta något om henne."

"Det här kan inte ha förbättrat relationen med din mamma", anmärkte Harriet.

Catriona skakade på huvudet. "Nej, hon var oförsonlig och vägrade blankt att diskutera min baby. Men sedan dess har jag begripit att det blev för mycket för mamma att förlika sig med. Hon kunde inte förlåta sig själv för att hon inte märkt vad Kane höll på med, och hon kunde inte heller förlåta mig att jag inte hade berättat något – och hon stod definitivt inte ut med att jag skulle föda Kanes barn vid tretton års ålder. Hon förstod inte varför jag ville behålla det, och nu kan jag bättre förstå henne. Babyn skulle ha blivit en ständig påminnelse, och hon uthärdade inte ens tanken."

"Herregud, vilken soppa!" viskade Harriet. Med händerna nedkörda i fickorna gick hon fram till den öppna spisen och betraktade porträtten på väggen ovanför. "Vad hände sedan?" frågade hon.

Catriona satte sig åter i soffan och snurrade på ringarna medan hon berättade om Peter Keary och hur han svikit hennes kärlek och tillit.

"Men till slut fann du ändå din dotter?" sa Rosa.

Catriona nickade. "Åren gick, lagarna förändrades och alla efterforskningar gav äntligen resultat. Hon hade själv blivit mamma, och jag trodde att hon därför skulle förstå mitt behov av att få kontakt med henne. Så jag bröt mot alla regler och skrev till henne. Mitt brev kom tillbaka, och det var det enda hon någonsin öppnade. Jag skrev brev på brev och hoppades att hon skulle vara nyfiken nog att läsa dem, men det gjorde hon aldrig." Catriona stirrade ut i mörkret bortom fönstret. "Min dotter vände mig ryggen, precis som jag en gång gjort mot henne. Hur skulle jag kunna klandra henne?"

"Var finns hon nu?" undrade Harriet mjukt, satte sig bredvid Catriona och tog hennes hand.

Catriona log och gav hennes fingrar en kram. "Jag antar att hon är i Sydney", svarade hon med rösten tjock av rörelse. "Det gör mig ont att hon fortfarande är så bitter att hon inte kunde följa med dig, men det verkar åtminstone som om min dotterdotter har förlåtit mig. Tack för att du kom hem, Harriet."

"Du visste det ju hela tiden?" Harriet tog mormoderns hand.

Catriona nickade och log. "I samma stund jag såg dig stå där i din skoluniform och vänta på att chauffören skulle lasta ur dina väskor."

"Men hur kunde du veta vem jag var?"

"Jag hade letat efter min dotter i åratal. Så småningom fick jag veta att Susan Smith hade ändrat sitt namn till Jeanette Lacey, och då var det lätt att hålla sig informerad om både henne och hennes dotter och följa hennes karriär som dansös."

"Så det var därför vi alltid gick och såg balett när vi var i Sydney!" utbrast Rosa. "Och jag som trodde att du bara försökte bibringa mig lite kultur."

"Det var enda sättet för mig att få se min dotter", svarade Catriona och drog efter andan. "När Harriet kom på besök första gången var jag utom mig av glädje. Äntligen fick jag lära känna min dotterdotter, även om jag aldrig kunde berätta för henne vem jag var."

"Varför sa du inget?" Harriet kände tårarna välla upp och blinkade bort dem. Det var en känslosam stund, men hon måste förbli lugn och samlad.

"Det skulle inte ha varit rätt. Din mamma ville inte ha något med mig att göra, och du hade ingen aning om att vi var släkt. Jag var nöjd med att låta saker och ting bero."

Harriet nickade. "Det förklarar en hel del", sa hon. "Först och främst mammas inställning. Jag kunde inte begripa varför hon hade så mycket emot att jag var god vän med Rosa och reste hit på besök." Catriona tog Harriet i famnen, och Harriet klängde sig fast vid mormodern. I hela sitt liv hade hon längtat efter att få tillhöra en riktig familj och uppleva närhet och värme.

När de till sist drog sig ifrån varandra strök Catriona mjukt håret ur ansiktet på Harriet. "Vill du inte berätta hur du kom underfund med att jag var din mormor?" bad hon med ögonen strålande av kärlek.

Harriet kastade en blick på Rosa och mindes deras hetsiga gräl. "Jag visste inget förrän den dag du berättade om Kane", sa hon bittert. "Det verkar som om jag blev förd bakom ljuset av min så kallade goda vän Rosa."

Rosa hoppade upp ur fåtöljen. "Det där var orättvist!" skrek hon. "Jag förklarade alltihop för dig, men du ville inte vara förnuftig och lyssna."

"Förnuftig!" Harriet störtade upp ur soffan. "Du vet inte ens vad ordet betyder!"

"Syrran försökte bara hjälpa till", insköt Connor.

"Håll dig utanför det här Connor Cleary", ropade Rosa. "Det är inget som angår dig."

"Nej, det är en sak mellan mig och Rosa", instämde Harriet.

"Håll tyst, allihop!" dundrade Catriona. "Lugna ner er." Flickorna blängde ilsket på varandra och satte sig ner på var sin sida om henne. "Jag tror det är bäst du förklarar, Rosa. Och jag vill höra hela historien, inte bara de delar som framställer dig i fördelaktig dager."

Rosa tittade på Connor och insåg att hon inte skulle få något stöd där. "Jag läste brevet", upplyste hon. Catrionas ansikte var som en mask av sten, och Rosa tvekade innan hon berättade om den natt hon

407

grävt i kofferten. "Jag ville göra något speciellt för dig. Du har varit så god mot mig och Connor, och jag ville glädja dig." Hon snörvlade och tände en cigarett. "Jag visste inte hur eller när, och det var inte förrän jag började på internatskolan som jag fick chansen."

"Så snart hon fick veta vem jag var såg hon till att bli god vän med mig", inflikade Harriet bittert. "Hon var trevlig mot mig och lurade mig att tro att hon tyckte om mig."

"Det är inte sant", protesterade Rosa. "Jag medger att jag medvetet sökte mig till dig i början, och jag är ledsen för att jag gick bakom din rygg. Men vi blev goda vänner på riktigt, och med tiden insåg jag att det var omöjligt att berätta vad jag hade gjort, för du skulle aldrig förlåta mig."

"Varför berättade du det då?" frågade Harriet och lade armarna i kors över bröstet.

"Det var en traumatisk dag, och stämningen var så laddad att jag inte längre förmådde bevara hemligheten", svarade Rosa.

"Men inser du inte vilken skada du har ställt till med?" framhärdade Harriet. "Jag har alltid litat på dig och talat om alla mina hemligheter för dig. Den tilliten är borta nu, och det är inte säkert att den kommer tillbaka."

"Nu tycker jag vi lugnar ner oss", inflikade Catriona.

Hon bad Connor hämta en flaska vin och servera dem innan hon fortsatte:

"Jag vet att du menade väl, Rosa, men jag önskar att du ville tänka dig för lite mer ibland." Hon log och klappade henne på kinden innan hon vände sig till Harriet. "Om det inte vore för Rosa skulle du aldrig ha fått veta vem jag var", fortsatte hon. "Är det så illa att ha mig till mormor?"

"Nej." Harriet flyttade sig närmare Catriona på soffan och tog hennes hand. "Naturligtvis inte. Det är bara Rosas slughet som har gjort mig upprörd."

"Rosas avsikter var goda, och jag hoppas att du kan förlåta henne." Catriona log uppmuntrande medan Harriet såg på Rosa.

"Förlåt mig", mumlade Rosa.

"Och mig med", sa Harriet med en suck.

Connor höjde blicken mot taket medan de båda unga kvinnorna omfamnade varandra och brast i gråt. "Nu flödar tårarna igen. Tala om dramatik!"

"Jag förväntar mig inte att du ska förstå", sa Catriona, "men du kan väl ändå vara tacksam för att stormen har blåst över och att jag har en dotterdotter." Hon fyllde på sitt vinglas och väntade medan flickorna blev sams och torkade tårarna. Så vände hon sig åter till Harriet. "Frågade du aldrig din mamma om hennes familj?"

Hon nickade. "Jo, det gjorde jag redan som liten flicka", svarade hon. "Andra barn hade mor- och farföräldrar och mostrar och fastrar, och jag ville veta varför inte jag hade några. Pappa förklarade att han hade mist båda sina föräldrar i en bilolycka då han var nitton år gammal. Han var enda barnet, men han hade foton på dem och deras syskon och en lång rad historier att berätta om sin egen barndom. Jag träffade aldrig någon i hans släkt för de dog långt innan han träffade mamma. Han var bra mycket äldre än hon, förstår ni."

Harriet bet sig i läppen, och Catriona hörde på den skälvande rösten att hon behövde samla sig lite.

"Mamma vägrade att berätta något om sin barndom innan hon började i balettskolan. Hon hade inga foton, inga historier, och alla frågor möttes med tystnad. Då jag blev äldre förstod jag att hon var olycklig och bitter och hade stora ambitioner både för sin egen räkning och för mig. Det verkade som om hon var fast besluten att sudda ut det förflutna och bevisa hur duktig hon var."

"Och du då, Rosa. Hur kunde du få reda på så mycket av ett enda brev?"

"Jag hade ett namn och en adress. Jag hade läst brevet, så jag visste att Jeanette Wilson var din dotter." Hon avbröt sig och såg leende på Harriet, som nu log tillbaka. "Sedan upptäckte jag att vi gick i samma klass." Rosa tog ett bloss på cigaretten. "Enda problemet var att jag visste allt det här utan att veta vad jag skulle ta mig till. Du visste inte om att jag hade läst brevet. Harriet visste inte om att hon var släkt med dig, och hennes mamma tycktes vara fast besluten att det skulle förbli så." Hon ryckte på axlarna. "Det var en återvändsgränd."

Catriona skrattade och klappade henne på handen. "Vilken liten lurifax du är", sa hon tillgivet.

"Lurifax? Jag tycker hon har varit illistig, och jag kan inte begripa att du aldrig berättade något för mig."

"Det var för att jag skämdes", erkände Rosa. "Det var bara det att jag så gärna ville göra något alldeles extra för mamma. Jag hade egentligen inte planerat hur jag skulle bära mig åt, och även om några av pusselbitarna fanns i kofferten, så saknades en viktig bit. Och utan att medge vad jag hade gjort kunde jag inte gå vidare."

Catriona nickade. "Och den saknade pusselbiten var Kane. Han låg bakom allt elände som har drabbat både mig och generationerna efter, och om Dmitrijs kropp inte hittats skulle du förmodligen aldrig fått veta något om honom." Hon vände sig till Harriet. "Det är inte något att vara stolt över."

Connor reste sig och fyllde på vinglasen. "Välkommen i familjen", sa han till Harriet och höjde glaset.

Harriet suckade. "När jag frågade mamma om hennes familj varnade hon mig för att lägga näsan i blöt, men jag hade alltid en känsla av att det var något som saknades, något jag borde känna till." Hon log. "Och nu har jag fått en hel familj."

Rosa höjde glaset. "För Harriet, det närmaste en syster man kan komma och bästa kompis." Hon tömde glaset i ett svep.

Catrionas ögon glänste av tårar. "Jag är bara ledsen för att Jeanette inte kunde förlåta mig", sa hon och vände sig till Harriet. "Gjorde jag henne så illa?"

Harriet reste sig och gick fram till öppna spisen medan hon mindes det förfärliga grälet med modern. Jeanette hade blivit utom sig av raseri och gått fram och tillbaka i takvåningens salong med spänt, kallt ansikte.

"Jag har ju sagt att du inte skulle ha något med den familjen att göra!" fräste hon.

Harriet såg Jeanette tända en ny cigarett och dra in röken. "Det kom som en fruktansvärd chock", sa hon, "och det kanske gläder dig att höra att Rosa och jag har blivit rejält osams." Hon drog ett djupt andetag, ville egentligen inte gräla. "Men jag har rätt att få veta varifrån jag kommer, det förstår du väl?"

Jeanettes ögon sköt blixtar då hon snodde runt. "Rätt", upprepade hon. "Och *mina* rättigheter då? Betyder inte mina känslor någonting?"

"Självklart." Harriet sträckte ut handen mot modern, men hon tog den inte. "Snälla mamma", försökte hon igen. "Ge mig en chans att förklara varför mormor lämnade bort dig, så ska du kanske förstå att hon inte gjorde det med lätt hjärta, eller ens frivilligt."

Jeanette blängde ilsket på henne, och mungiporna drogs till ett hånfullt leende. "Jag ser att hon redan har förvridit huvudet på dig. Så

410

du säger *mormor* nu!" Hon vände ryggen åt Harriet och stirrade ut genom fönstret på Circular Quay. Axlarna var stela och hållningen avvisande medan hon tyst rökte cigaretten.

Harriet betraktade henne. Den mur som Jeanette hade rest mellan dem var lika bastant som kinesiska muren, ändå visste hon att hon måste riva den om deras relation skulle överleva. Hon började tala, tvekande först, men snart forsade orden ur henne medan hon berättade historien som förmodligen skulle orsaka modern djup smärta. Och hon visste att hon måste ta tillfället i akt, eftersom hon kanske aldrig skulle få en andra chans.

Jeanette stod tyst med armarna hårt lindade om midjan. Ibland undrade Harriet om hon ens lyssnade, för det syntes inga yttre tecken på någon reaktion, och hållningen var fortfarande lika stel. Modern hade ryggen mot henne, och därför kunde Harriet inte heller utläsa något av hennes ansiktsuttryck utan kunde bara gissa vilka tankar som flög genom hennes huvud.

"Catriona hade letat efter dig i hela sitt liv", avslutade hon, "och när hon äntligen hittade dig avvisade du henne, utan att ge henne en chans att förklara. Hon vill försonas med dig innan det är för sent. Kan du inte försöka acceptera vad som hände och förlåta henne?"

Askgrå i ansiktet och med tårfyllda ögon vände sig Jeanette bort från fönstret. "Det är lite sent påtänkt att bli en lycklig familj."

"Jag begär inte att ni ska falla i varandras armar, och det tror jag inte Catriona heller förväntar sig, men ett brev eller ett telefonsamtal skulle betyda oerhört mycket för henne."

Skuggorna spelade över Jeanettes ansikte, och tankarna doldes bakom en likgiltig mask. "Det står klart vem du tycker bäst om", sa hon kyligt, "men vad annat kan jag förvänta mig?"

"Jag tänker inte vända Catriona ryggen bara för att du inte vill försonas", svarade Harriet. "Hon är min mormor, och jag har kommit att älska och beundra henne." Hon försökte behärska sin stigande otålighet och fattade moderns kalla händer. "Men det betyder inte att jag inte älskar och respekterar dig. Du är min mamma, och jag kommer alltid att älska dig."

"Hur kan du det nu när du har en ny familj?" undrade Jeanette. "Du vill säkert inte ha mer med mig att göra då den häxan har slagit klorna i dig!" Trots de grymma orden brast Jeanettes fördämningar, och hon föll snyftande ihop på soffan med händerna för ansiktet. "Jag

411

kan inte förlåta henne", sa hon genom tårarna. "Jag kan bara inte, och nu kommer jag att förlora dig med."

Harriet satte sig bredvid henne, och ångesten kändes nästan outhärdlig då modern snyftade mot hennes axel. Hur skulle hon kunna få sin mamma att inse att det fanns så mycket att glädja sig åt? Allt Harriet kunde göra var att försöka trösta modern som dittills tyckts så stark och säker på sig själv.

Långt senare då känslostormen hade gått över och tårarna sinat föll Jeanette utmattad i sömn. Harriet kysste ömt den tårdränkta kinden och lade över henne en lätt filt innan hon lämnade salongen. Hon vände sig om i dörröppningen och betraktade sin sovande mor. Nu var det Jeanettes egen sak att försonas med sin mor.

Harriet vaknade upp ur tankarna och upptäckte att Catriona och de andra väntade på svar. "Det var det svåraste jag någonsin har varit med om", sa hon lågmält. "Mamma blev alldeles ifrån sig när jag berättade vad Rosa hade upptäckt. Hon förmådde knappt möta min blick och fick inte fram ett ord. Jag hade aldrig sett henne så upprörd förut, och det skrämde mig."

"Berättade du allt?" frågade Catriona.

"Jag hoppade över en del, för jag kunde inte se att det fanns någon mening med att gå in på de riktigt obehagliga detaljerna. Jag sa att du hade blivit våldtagen och tvingats adoptera bort henne. Jag berättade också att du hade letat efter henne i hela ditt liv." Harriet suckade. "Fast jag vet inte om det gjorde någon skillnad. Hon är för bitter för att ta sitt förnuft till fånga eller se bortom sin egen smärta."

Harriet betraktade porträttet av sin mormors mor. Velda log mot henne. Blicken i de violblå ögonen var varm och uppmuntrande, och Harriet kände igen något hos sin egen mamma i det vackra ansiktet. "Mamma är en stark och beslutsam kvinna som har levt sitt liv efter eget huvud. Det var därför hennes reaktion skrämde mig." Harriet vände sig bort från porträtten. "Hon föll ihop, fick ett sammanbrott och bönföll mig att inte lämna henne eller sluta älska henne. Jag insåg att hon var livrädd för att bli ensam, oälskad och fördömd för att hon inte förmådde acceptera bandet till dig. Det tog lång tid för mig att lugna mamma och få henne att förstå att jag alltid skulle älska henne trots min tillgivenhet för dig och glädjen över att veta vem jag är."

"Stackars Jeanette", sa Catriona med tårarna rinnande nedför kinderna. "Jag önskar att jag hade fått vara där och trösta henne." Hon tog fram näsduken och torkade sina tårar.

Harriet gick fram till Catriona och kramade henne. "Det tar nog ett tag för mamma att smälta allt jag berättade", mumlade hon mot mormoderns hår. "I hela sitt liv har hon förnekat sin bakgrund, så det blir inte lätt för henne att vänja sig vid sanningen." Harriet drog sig ur omfamningen och mötte Catrionas blick, kände den varma kärleken strömma emot sig. "Jag tror att hon så småningom begriper hur högt du älskade henne och vad det kostade dig att skiljas från henne. Det kan ta tid, men vi får inte ge upp hoppet."

"Jag är beredd att vänta så länge det behövs", sa Catriona. "Huvudsaken är att hon förlåter mig."

Harriet log. "Vi har alla lärt oss något av detta, mormor", sa hon och njöt av att smaka på ordet. "Jag har insett att moderskärleken är starkast av allt. Velda mördade för den, ditt äktenskap krossades på grund av den, och den har fått dig att ägna hela livet åt att leta efter ditt förlorade barn. Min mamma älskar mig mer än jag har förstått, och en dag – förhoppningsvis snart – vill hon veta hur en mammas kärlek känns. För utan att ha upplevt den gåvan blir vi aldrig riktigt hela."

EPILOG

Ett år senare

*H*arriet svängde in genom träportalen och noterade att den långa grusvägen fram till gården äntligen hade blivit asfalterad. Den starka motorn spann, hjulen gled mjukt över den släta beläggningen, och hon började slappna av. Då hon kom upp på krönet av kullen stannade hon bilen och såg leende på Belvedere nere i dalen. Hon var hemma.

Huset var nymålat inför den stora tilldragelsen, och rosor och bougainvillea klättrade uppför verandastolparna och över plåttaket. Hagarna grönskade efter regnen och såg fridfulla ut, i skarp kontrast mot det sjudande livet på gården.

Harriet satt där och tittade ner på alla bilar. Solen glittrade i krom och glas, lyste på kvinnornas färggranna klänningar och hattar, och ända hit upp på kullen kunde hon höra ljudet av skratt och musik.

Då Harriet sett sig mätt på utsikten körde hon långsamt nedför kullen, och känslan av upphetsning växte ju närmare hon kom. Belvedere upphörde aldrig att förtrolla henne, men den här dagen var det som om en fe hade rört vid gården med sitt trollspö. Hon parkerade i hagen bakom kokhuset som upplåtits som parkering. Hettan var intensiv, och då hon sträckte sig efter hatten och handväskan och steg ur den luftkonditionerade bilen slog den emot henne som ett klubbslag. Hon skulle just lyfta resväskan ur bakluckan då hon hörde en bekant röst vid sin sida.

"Det verkar som om du kan behöva lite hjälp med väskan."

Med ett förtjust leende snodde hon runt. "Tom! Vad gör du här?"

"Jag blev bjuden", upplyste han med blicken lysande av kärlek. "Och jag kunde ju inte försitta tillfället att få träffa dig." Han log och tog hennes hand. "Telefonsamtal går inte upp mot verkligheten", sa han mjukt. "Du ser helt underbar ut!"

414

Han såg inte illa ut själv, tänkte Harriet och betraktade hans väl-skurna kostym, vita skjorta och sidenslips. Hon kände rodnaden stiga. "Jag håller med om telefonsamtalen", sa hon och kände sig med ens blyg. Känslan var så främmande att hon inte visste hur hon skulle han-tera den. "Det är förmodligen billigare att träffas, om man ska döma av telefonräkningen."

"Det är priset vi får betala för att bo på var sitt håll", sa han och gled långsamt med blicken över hennes ansikte som för att inpränta varje drag.

De stod och såg på varandra, helt omedvetna om alla andra, och det var som om de vore ensamma och inte behövde någon annan. "Jag är glad för att du kom", sa hon lågmält.

"Jag med, och nu vet jag att jag har fattat rätt beslut."

Harriet lade huvudet på sned och log mot honom. "Vad då för beslut?"

"Jag slutar som polis", svarade han, tog resväskan och smällde igen bagageluckan. "Jag har ett jobb som väntar hos ett vaktbolag i Sydney. Jag behöver några veckor på mig att sälja lägenheten i Brisbane, men om en månad har jag säkert flyttat in i en ny bostad."

Harriet kände pulsen slå fortare då hon insåg vad det betydde. Un-der månaderna som gått hade telefonsamtalen blivit allt tätare och varmare i tonen, och Harriet hade ibland undrat om det bara var in-billning eller önsketänkande. Nu verkade det inte råda något tvivel om att hennes känslor var besvarade, och hon hade inte ord att ut-trycka sin glädje.

"Du har väl inget emot det?" frågade Tom och flyttade väskan till andra handen, och med ens såg han orolig ut.

"Hur skulle jag kunna ha det?" svarade hon med en retsam glimt i ögonen. "Vad gör man inte för att sänka telefonräkningarna."

Han tog hennes hand. "Då är allt som det ska då", log han. "Kom nu, Catriona har väntat hela förmiddagen på dig, och hon börjar bli otålig."

Catriona tog med sig Archie till bakre verandan. Huset var för litet för så många människor, och det kändes som en lättnad att komma ifrån lite. Hon sjönk ner i den gamla korgstolen, och med Archie spinnande i knäet slöt hon ögonen och tackade försynen för allt hon fått uppleva under de senaste månaderna.

Tom hade funnit Dmitrijs testamente hos en advokatbyrå i Darwin. Det hade känts tveeggat för Catriona. Hon var både överraskad och förtjust över testamentets innehåll, men samtidigt kände hon sig djupt sorgsen över att hon hade tvivlat på honom och trott att han övergett henne. Men allt eftersom månaderna gick hade hon kommit att se hans gåva som en möjlighet att både hjälpa nästa generation och hålla hans minne vid liv.

Dmitrijs hus hade rivits och marken sålts till en byggmästare för en astronomisk summa. Det var rent otroligt hur markpriserna hade stigit längs östkusten, men det förflutnas mörka spöken var äntligen begravda, och de kunde alla se framåt. Connor och Rosa skulle få det oerhört bra ställt den dag Catriona dog och de fick ärva henne, men fram till dess skulle Dmitrijs pengar se till att de inte behövde ha några ekonomiska bekymmer. Harriets del hade använts till att instifta Dmitrij Jevtjenkos stipendiefond för fattiga juridikstuderande så att de kunde ta sin examen.

Överväldigad av sorg blickade Catriona ut från verandan och önskade att Dmitrij och Poppy vore där. Hon skulle ha velat tacka honom för hans godhet och Poppy för att hon fått ta hand om hennes barnbarn. Men då hon satt där i skuggorna tyckte hon sig känna deras närvaro; de vakade över dem alla, och den tanken kändes trösterik.

Catriona suckade och blickade ut över gården. Det här var drömmarnas land som skimrade i hettan och genljöd av liv och löften om ännu bättre tider. Dagen till ära var verandan prydd med blommor och band, och krukväxter kantade den röda matta som lagts ut på gräset. I slutet av den hade man rest en blomsterprydd båge, och framför den stod rader av förgyllda stolar på vardera sidan om den röda mattan, som skulle fungera som altargång för ceremonin.

"Hur är det fatt, mormor?"

Den mjuka rösten väckte upp henne ur tankarna och hon log "Bra. Och du?"

Harriet satte sig leende bredvid henne. "Jag är lycklig", svarade hon med en belåten suck. "Det är alltid underbart att komma hit, men den här dagen tycks ha något magiskt över sig."

Catriona gav henne en kram. "Du kommer sent", knorrade hon. "Vad beror det på?"

"Massor av jobb på kontoret och en lång pratstund med Tom." Det riktigt lyste om Harriet. "Du borde ha förvarnat mig."

Catriona skrattade, belåten över att allt gick planenligt. "Jag har alltid gillat överraskningar", sa hon. "Varför förstöra stundens glädje."

"Du vet väl att du lägger näsan i blöt?"

Catriona nickade. "Vid min ålder har man förtjänat den rätten, och jag tyckte det var på tiden att ni två tog ert förnuft till fånga." Hon betraktade Harriet en lång stund. "Har han berättat att han ska flytta till Sydney?"

Harriet skrattade. "Det är inte mycket som undgår dig inte."

"Nej", instämde Catriona belåtet. "Vad tycker du om att ha honom i din hemstad?"

"Det blir alldeles utmärkt", svarade Harriet med blicken strålande av lycka.

"Var har du gjort av honom, förresten?"

"Han är med Connor i kokhuset." Harriet fnissade. "Någon sorts ungkarlssammankomst som marskalken har ordnat."

"Jag hoppas de inte dricker för mycket", sa Catriona, satte ner Archie på golvet och borstade av katthåren från sin dyrbara sidenklänning. "Karlarna drack tillräckligt i går kväll", påpekade hon lite irriterat och blängde på allt folk som strömmade ut ur öltältet.

"Var är Rosa?" frågade Harriet. "Jag har inte sett henne på veckor, och jag vill gärna höra det senaste."

"Hon är någonstans här i närheten med sin pojkvän", svarade Catriona. "Jag måste säga att han var en överraskning. Rosa brukar annars ha tvivelaktig smak när det gäller karlar."

"Du kan inte ha blivit mer överraskad än jag", skrattade Harriet, "och jag har fortfarande svårt att tro att Rosa och Jeremy Prentiss är ett par. Deras vägar måste ha korsats många gånger under årens lopp, fast de har nog bara setts i förbifarten. Men efter en enda blick på varandra på firmafesten var det färdigt, och sedan dess tror jag inte att de har varit ifrån varandra en enda natt."

"Livet är fullt av överraskningar. Och vem kunde ha trott att du skulle falla för Tom Bradley. Jag tycker mig minnas att du inte ens gillade åsynen av honom första gången."

"Det är sant", medgav Harriet och såg Tom komma gående över gårdsplanen. "Men du vet ju hur det är, mormor, och med tiden blir känslorna starkare."

Vilken underbar dag det var, tänkte Catriona och kände sig både lycklig och tacksam för att hon fick uppleva den. En stund satt hon och Harriet under vänskaplig tystnad och såg gästerna flanera förbi tills en signal från huset talade om för dem att det var dags för ceremonin. Harriet tog henne under armen. "Kom nu", sa hon mjukt. "Bruden är redo, och jag ser att brudgummen är på väg. Det är bäst vi går och sätter oss."

"Låt mig eskortera er", sa Tom som kom emot dem då de gick nedför verandatrappan. "Det är inte ofta jag får chansen att visa mig med två så vackra kvinnor."

Om det yttrats av någon annan skulle Catriona och Harriet tyckt det var överdrivet, men de såg på honom att han menade vad han sa och tog det som en komplimang. "Du är allt en riktig spjuver", sa Catriona och tog honom under armen.

"Det är du med", svarade han och gav henne en kyss på kinden.

Catriona såg honom och Harriet le mot varandra. Det skulle inte alls förvåna henne om det snart blev ännu ett bröllop på Belvedere, och kanske även ett tredje om utvecklingen höll i sig mellan Rosa och Jeremy. Hjärtat svällde av kärlek och lycka då Tom förde henne längs den röda mattan fram till den första stolsraden. Det var en känslosam dag, och hon hoppades att hon inte skulle göra sig till åtlöje och brista i gråt, så att mascaran började rinna.

Efter att ha växlat några ord med Pat och John Sullivan satte hon sig ner bredvid Rosa och Jeremy. Rosa såg förtjusande ut, tänkte hon och betraktade den djupröda klänningen, det glänsande mörka håret som nu nådde ner till käkbenet och de stora guldörhängena som gnistrade i solskenet. Jeremy Prentiss hade uppenbarligen gott inflytande på Rosa både vad gällde frisyr och klädsmak. Hon vände blicken från Rosa och log mot brudgummen. Tårarna hotade redan att välla upp. Hur skulle detta sluta? tänkte hon lyckligt.

Kyrkoherden hade låtit dem få låna orgeln från kyrkan i Drum Creek, och organisten började spela de första takterna ur bröllopsmarschen. Då Catriona reste sig tänkte hon på Poppy, tyckte sig se det blonderade håret och höra väninnans skratt. Så stolt Poppy skulle ha varit om hon fått se Connor på hans bröllopsdag. Så överlycklig hon skulle ha varit över att Rosa hade funnit någon som älskade henne. Catriona vände sig och såg bruden föras av sin far längs den röda mattan fram till den blomsterprydda bågen.

Det strålade om Belinda. Håret inramade ansiktet i ett moln av mörka lockar under en krona av gula rosor, och diamantörhängena blixtrade i solskenet medan hon långsamt gick altargången fram. Klänningen var ett fodral av elfenbensvitt siden som smet åt om hennes timglasfigur, och de gula rosorna i brudbuketten var fortfarande daggfriska.

Catriona såg på Connor som var mycket stilig i mörk kostym och vit skjorta med en gul ros i knapphålet som matchade slipsen. Hans ansikte var lika strålande lyckligt som Belindas, och ögonen glänste av rörelse då han såg sin brud närma sig. Catriona kände tårarna rinna nedför kinderna och torkade dem.

Hon snörvlade och snöt sig då Belinda var framme vid Connors sida. Vilken gråtmild toka hon var, men hon hade älskat Connor sedan den dag hon tagit hand om honom och hans syster. Han var hennes son, och hon hade rätt att vara stolt över honom och bli rörd då hon såg honom gifta sig med den flicka som fört med sig nytt liv till Belvedere. De skulle bli lyckliga, det visste hon, och snart – om ödet var blitt – skulle det finnas en ny generation på gården.

Alltför snart var ceremonin över, och det nygifta paret poserade med sina gäster för de fotografier som skulle få en alldeles särskild plats i månget album. Stödd på Toms arm gick Catriona majestätiskt fram och intog sin plats för familjefotografiet.

"Jag tror vi snart får hålla bröllop igen", sa Harriet medan de försökte göra som fotografen sa utan att trampa på Archie som tycktes vara fast besluten att stå i centrum framför bruden och brudgummen. "Rosa och Jeremy tycks vara hopnitade, och jag har aldrig sett henne så lugn och lycklig."

Catriona log mot henne och blinkade åt Tom.

"Man vet aldrig, men jag har svårt att tänka mig en bättre inramning för ett bröllop."

Harriet rodnade då Tom lade armen om henne och drog henne tätt intill sig så att han kunde kyssa den blonda hjässan.

Catriona log. Det var något med bröllop som lockade fram romantiska känslor hos den mest förhärdade cyniker. Harriet hade alltid varit så fast besluten att inte gifta sig, så övertygad om att karriären var det enda som betydde något, och nu riktigt lyste det om henne av kärlek. Catriona böjde ner huvudet och dolde ett leende i näsduken. Kärleken hade en förmåga att leta sig in i hjärtat när man minst anade det.

"Vilken underbar dag! Jag är så glad att jag fick vara med."

Catriona vände sig mot den eleganta kvinnan, lade armen om hennes smala midja och gav henne en kram. "Det är jag med, min älskade dotter", sa hon med känsla.

Jeanette Wilson torkade ögonen. "Tack för allt, mamma", viskade hon, och de tog varandra i hand och såg leende in i kameran.

Tack

Jag vill tacka mezzosopranen Liza Hobbs för att hon gav mig sakkunniga råd och ägnade så mycket tid åt att göra mig förtrogen med operans värld. Vi hade många trevliga stunder tillsammans. Jag ber om ursäkt för eventuella fel, som uteslutande är mina egna.

Jag vill också tacka musiklärarna vid Newlands School i Seaford för att de lånade ut böcker från sitt bibliotek som gav mig ovärderlig information om de operor som förekommer i boken.

Tack också till Gary och Karen Stidder som gav mig biljetter till operafestspelen på godset Glyndebourne, så att jag fick se hur det går till i verkligheten. Jag har er alla att tacka för så mycket – inte minst min nyväckta passion för opera.